Y Gaer Fechan Olaf

Hanes Eisteddfod Genedlaethol Cymru 1937-1950

Cyfres Hanes yr Eisteddfod Genedlaethol

Alan Llwyd

Cyhoeddiadau Barddas
2006

Argraffiad Cyntaf: 2006

ISBN 1 900437 83 X

Cyhoeddwyd gyda chymorth ariannol
Cyngor Llyfrau Cymru.

Cyhoeddwyd gan Gyhoeddiadau Barddas
Argraffwyd yng Nghymru gan Wasg Dinefwr, Llandybïe

Cyflwynedig

i gyfeillion mawr inni fel teulu

Tal ac Iris Williams
Clydach, Cwm Tawe

Cynnwys

Rhan 1

Tair Eisteddfod ar Drothwy'r Rhyfel

1937-1939

Ar lawer ystyr, y ddwy Brifwyl bwysicaf yn holl hanes yr Eisteddfod Genedlaethol yw Eisteddfod Machynlleth ym 1937 ac Eisteddfod Caerffili ym 1950. Yn Eisteddfod Machynlleth yr unwyd Cymdeithas yr Eisteddfod a Gorsedd y Beirdd yn un corff, a galw'r corff hwnnw yn Gyngor yr Eisteddfod Genedlaethol, ac yn Eisteddfod Caerffili y gweithredwyd yn swyddogol y 'Rheol Uniaith', sef y cymal hollbwysig yn y Cyfansoddiad newydd a luniwyd ym 1937 a ddeddfai mai 'Y Gymraeg fydd iaith swyddogol y Cyngor a'r Eisteddfod'. Sefydlwyd yng Nghaerffili yr hyn a sylfaenwyd ym Machynlleth, ac oni bai am ymyrraeth yr Ail Ryfel Byd, byddai'r Rheol Uniaith wedi dod i rym ymhell cyn 1950. Canlyniad blynyddoedd o ymgyrchu ar ran y diwygwyr oedd sefydlu'r corff newydd hwn ym Machynlleth. 'Roedd ceidwadaeth rhai o brif swyddogion y Gymdeithas a'r Orsedd wedi rhwystro pob ymdrech i ddiwygio'r Eisteddfod yn y gorffennol.

Nid damwain na hap oedd y ffaith mai yn Eisteddfod 1937 yr unwyd Cymdeithas yr Eisteddfod a Gorsedd y Beirdd i greu Cyngor yr Eisteddfod Genedlaethol. Ym 1934, symudwyd y maen tramgwydd mwyaf oddi ar y ffordd a arweinai at ddiwygiad pan fu farw Syr E. Vincent Evans, Ysgrifennydd Cymdeithas yr Eisteddfod. Gyda marwolaeth Syr Vincent Evans, daeth cyfle o'r diwedd i ddechrau ar y gwaith mawr o ddiwygio'r Eisteddfod. Dilynwyd marwolaeth Vincent Evans gan farwolaeth R. Gwylfa Roberts, Cofiadur yr Orsedd, ym 1935. Yr oedd cyfnod wedi dod i ben, yn sicr, a chyfnod newydd ar fin gwawrio. Felly y gwelai W. J. Gruffydd y flwyddyn 1935 yn hanes y Brifwyl: 'Efallai, yn wir, yr edrychir ar 1935 fel blwyddyn bwysig yn ei hanes; mae un peth yn sicr, pa un bynnag a ddaw'r diwygiadau y sonnir cymaint amdanynt ai peidio, ni bydd yr Eisteddfod o hyn allan yn debyg i'r hyn fu yn y gorffennol'.[1] Ac 'roedd gwir angen diwygio'r Eisteddfod. 'Mae'r afiechyd sydd arni wedi cyrraedd ei eithaf,' meddai Gruffydd drachefn, ond 'ar ôl eleni fe dry ar wella, neu fe waethyga'n gyflym tua'i thranc'.[2] Sôn am farwolaeth E. Vincent Evans yr oedd W. J. Gruffydd. 'Un o'r nodweddion pwysicaf yn yr Eisteddfod yw ei bod yn dibynnu cymaint ar Angau . . . [a]c yn awr dyma'r Angau pwysicaf o'r holl restr, a chyhoeddir hon yn flwyddyn o Jiwbili am fod Syr Vincent Evans wedi myned oddi wrth ei waith,' meddai.[3]

Am hanner can mlynedd a rhagor, Syr E. Vincent Evans *oedd* yr Eisteddfod Genedlaethol, ac 'roedd ganddo afael gadarn ar gorff diwylliannol pwysig arall yn ogystal, Cymdeithas y Cymmrodorion. Ganed Vincent Evans yn Nancaw, Llangelynnin, Sir Feirionnydd, ym 1851, ond yn Nhrawsfynydd y treuliodd ei blentyndod a'i fachgendod. Aeth i Lundain ar drothwy Dydd Gŵyl Ddewi, 1872. Treuliodd weddill ei fywyd yn Llundain. Bu'n gweithio i gwmni o archwilwyr cyfrifon yno i ddechrau, cyn cael ei benodi yn ysgrifennydd y 'Chancery Lane Land and Safe Deposit Company', ac wedyn yn rheolwr y cwmni. 'Roedd ganddo fys ymhob brwes. 'Roedd yn newyddiadurwr a arferai lunio erthyglau wythnosol i *Baner ac Amserau Cymru* a'r *Brython* ('Yn Syth o'r Senedd', dan y ffugenw 'Nancaw Hen'), a chyfrannai erthyglau hefyd i'r *South Wales News*, papur a gâi ei argraffu yng Nghaerdydd.

Yn fuan ar ôl i Hugh Owen ac aelodau eraill o Gymdeithas y Cymmrodorion ailsefydlu'r Eisteddfod Genedlaethol a ffurfio Cymdeithas yr Eisteddfod ym 1880, etholwyd Vincent Evans a W. E. Davies yn ysgrifenyddion cyffredinol i'r Gymdeithas mewn pwyllgor a gynhaliwyd yn Amwythig ym mis Medi 1880. Eisteddfod Merthyr Tudful, ym mis Awst 1881, oedd y Brifwyl gyntaf i ddod dan oruchwyliaeth y Gymdeithas newydd, a bu Vincent Evans yn un o swyddogion y gyfres newydd o Eisteddfodau Cenedlaethol o'r dechreuad. Yn raddol, cafodd yr holl awenau i'w ddwylo ei hun, yn enwedig wedi iddo gael ei ethol yn Ysgrifennydd Anrhydeddus Cymdeithas yr Eisteddfod ym 1908, gan olynu T. Marchant Williams. Gwahoddwyd Vincent Evans i fod yn aelod o Gymdeithas y Cymmrodorion ym mis Hydref 1886, ac yn aelod o'r cyngor ym mis Rhagfyr. Fe'i penodwyd yn Ysgrifennydd y Gymdeithas ym 1887, a gwnaeth lawer o les i'r sefydliad. 'Immediately after Sir

Vincent's appointment the improvement became much more accelerated and the regular and increasing progress gave evidence of a capable personality at the helm of affairs,' meddai W. E. Davies amdano yn ei bortread o'i gyfaill a'i gydweithiwr yn *The Welsh Outlook*.[4] Bu'n olygydd cyfrolau Trafodion y Gymdeithas yn ddiweddarach, ac yn olygydd cyhoeddiadau Cymdeithas yr Eisteddfod o 1881 ymlaen. Arch-bwyllgor-ddyn oedd Vincent Evans. Yr oedd yn aelod o sawl pwyllgor a chorff a oedd yn ymwneud â byd addysg, ac yn ystod y Rhyfel Mawr, rhoddodd wasanaeth gwirfoddol i lu o fudiadau gwladgarol ac elusennol.

Gŵr unbenaethol a digyfaddawd, sefydliad undyn o ddyn, oedd E. Vincent Evans, 'y Finsent', fel y'i gelwid, gyda'r fannod o flaen ei enw yn cadarnhau ei statws fel sefydliad yn hytrach nag unigolyn. Cyfarthai ei awdurdod ar bawb a phopeth o'i gwmpas. 'Like all men of action, Sir Vincent Evans possesses a strongly marked disposition . . . he owns a strong, and obstinate will, and that when he has once reached a decision it were easier to uproot Snowdon and to cast it into the sea than to induce him to change it,' meddai W. E. Davies amdano eto.[5] Meddai ar egni dihysbydd ac ewyllys haearnaidd. 'Nid oedd Vincent Evans yn ŵr hawdd ei argyhoeddi, ac yr oedd ei ragfarnau yn gryfion hyd yn oed pan fyddai ei resymau yn wan,' meddai E. Morgan Humphreys amdano.[6] Yr oedd hefyd yn ŵr busnes dihafal. E. Vincent Evans a'i synnwyr fusnes a achubodd yr Eisteddfod sawl tro rhag methdaliad llwyr. 'For the success attained in that field,' meddai W. E. Davies am waith Vincent Evans fel Ysgrifennydd Cymdeithas yr Eisteddfod, 'he can justly claim for himself the whole credit; it was distinctly a success gained by virtue of his own personal gifts'.[7]

O du'r beirdd y dôi'r gwrthwynebiad mwyaf i Syr Vincent Evans, am na fynnent gael eu rheoli gan wŷr busnes o Lundain. 'It would be unjust to the bardic fraternity to say that they viewed the Association with hostility, but they certainly did not esteem it as a friend,' meddai W. E. Davies.[8] 'The attitude thus taken up was, perhaps, the most difficult to deal with, as it was characterised by watchful distrust and constant suspicion,' meddai.[9] Gwyddai Cymdeithas yr Eisteddfod, yn ôl W. E. Davies, mai tawelu ofnau a lliniaru amheuon y frawdoliaeth farddol oedd un o'i thasgau cyntaf oddi ar iddi gael ei sefydlu ym 1880. Yn raddol y llwyddodd Vincent Evans i ennill cefnogaeth y beirdd. 'He set himself to work steadily and unobtrusively to gain the confidence and friendship of the leading men in the Bardic Councils; he was always ready with kindly advice and more substantial aid whenever it was asked for, *but never obtruding it* and, in a word, acted upon that wise policy of "peaceful penetration",' yn ôl W. E. Davies eto.[10]

Gŵr anhyblyg na fynnai ddim i'w wneud ag unrhyw ddiwygio ar yr Eisteddfod oedd Syr Vincent, ceffyl blaen a lusgai'r Brifwyl fel aradr o'i ôl, a thrwy dir digon diffrwyth a charegog yn aml. 'I have no use for these reformers, and I shall oppose them at every turn,' cyfaddefodd unwaith.[11] Ymfalchïai yn ei allu i drin a thrafod pobl, a hoffai i'r haul dywynnu arno ef ei hun yn wastadol, a neb arall. Ymffrostiai yn ei bwysigrwydd a'i safle. 'Two generations have passed away and I am still in the limelight,' meddai ym 1932.[12] Ar yr un achlysur, ymosododd eto fyth ar y rhai a fynnai ddiwygio'r hen sefydliad, yn enwedig gwŷr y Brifysgol:[13]

> Time and again during the past fifty years the clamour for the reform of the old institution has been heard. Its sound is cyclical in its audition . . . the clamour in these days has come from College professors – 'College Cockerels,' as dear old Beriah once dubbed them – who have hypnotised themselves into the belief that they are the chosen instruments in the hand of Providence in the reconstruction of an institution which has existed for a much longer period than that which their demonstrable pedigree covers, and which is destined to outlive the last of their descendants.

Yng ngolwg y rhai a fynnai chwyldroi'r Eisteddfod, Syr Vincent Evans oedd y prif rwystr. Ei arwyddair mawr oedd 'Gadewch i'r cŵn gyfarth, mae'n rhaid i'r garafán fynd yn ei blaen', sef y ddihareb ddwyreiniol a fabwysiadwyd gan Cynan ac eraill yn ddiweddarach. Drwy gydol y blynyddoedd y bu'n arglwyddiaethu'n unbenaethol ar yr Eisteddfod, codwyd cri o sawl cyfeiriad i ddiwygio'r Brifwyl, ond anodd oedd cael unrhyw wir ddiwygiad tra oedd Vincent wrth y llyw. Fe'i cyhuddid o reoli'r Eisteddfod ar ei ben ei hun, a dal pawb arall led braich, os nad lled maes, i ffwrdd. Câi ei gyhuddo hefyd o gadw'r cyfansoddiadau buddugol a'r beirniadaethau dan glo yn ei swyddfa yn Chancery Lane, ac oedi'n ormodol cyn cyhoeddi cyfrol y Cyfansoddiadau a'r Beirniadaethau. Yn ôl E. Morgan Humphreys, ei ateb i'r cyhuddiad oedd: 'Diolch i mi ddylen nhw am gadw cymaint o ysbwriel o'r golwg!'[14] Ar ôl iddo farw ym 1934 y digwyddodd y diwygio mawr ar yr Eisteddfod a'r Orsedd, yn enwedig ym 1935 a 1937. Vincent Evans oedd cryfder mwyaf a gwendid mwyaf yr Eisteddfod ar lawer ystyr, congl-faen a maen tramgwydd y Brifwyl ar yr un pryd.

Prif swyddogaeth Cymdeithas yr Eisteddfod oedd gwarchod y pwrs, ac ni fynnai Vincent Evans i'r beirdd gael gafael arno. Hen-ffasiwn iawn oedd ei agwedd at y beirdd. 'Doedd ganddyn nhw ddim syniad sut i drafod busnes, yn ei dyb, ac ofnai y byddai'r Eisteddfod yn mynd â'i phen iddi pe câi'r beirdd y coffrau i'w dwylo eu hunain. Swyddogaeth yr Orsedd oedd cynnal ei seremonïau ei hun, ac ariannu'r gost o'u cynnal, yn bennaf trwy godi tâl aelodaeth ar ei haelodau, er y câi gil-dwrn gan Gymdeithas yr Eisteddfod yn ogystal. Melltithiai'r beirdd gybydd-dod Syr Vincent, a mynnent ran amlycach yn y gwaith o drefnu ac ariannu'r Eisteddfod. Un arall o ddywediadau cofiadwy Vincent Evans oedd y sylw mai ar ei stumog y bydd byddin yn gorymdeithio, ond ar ei *chest* yn unig y bydd byw'r Eisteddfod; ond dyn y geiniog, nid dyn y dywediadau bachog, oedd Syr Vincent yn y bôn, dyn arian, nid dyn geiriau. Nid safon ei llenyddiaeth na'i cherddoriaeth a benderfynai lwyddiant unrhyw Eisteddfod yn ei dyb, ond nifer yr ymwelwyr â'r maes. 'It is all very well to hear the various choirs pour forth melody until the surrounding hill-sides reverberate with their thrilling strains, and it is doubtless a pleasing thing to watch the quaint rites in the chairing of the victorious bard,' meddai, '[b]ut these are not the things that determine the real success of the Eisteddfod'.[15] Yr arian a gymerid wrth y clwydi yn unig a benderfynai a oedd Eisteddfod yn llwyddiant ai peidio. Drwy fod yn aelod o sawl pwyllgor a sefydliad, a thrwy ei gysylltiadau ym myd busnes, llwyddodd Syr Vincent i chwyddo coffrau'r Eisteddfod drwy gael rhoddion iddi. 'What it has done,' meddai W. E. Davies am yr Eisteddfod, 'has been to interest in the subject, through the instrumentality of the Association and its Secretary, the wealthy noblemen of South Wales'.[16]

Llundeiniwr i'r carn oedd Vincent Evans. Ni ddymunai symud o'r brifddinas. Credai mai o Lundain y gallai wasanaethu Cymru orau. 'Yn wir, credai rhai ohonynt,' meddai E. Morgan Humphreys am Gymry Llundain, 'a Syr Vincent Evans yn eu plith, fod pellter o Gymru nid yn unig yn ychwanegu at swyn y wlad iddynt hwy ond hefyd yn eu galluogi i weled Cymru yn well ac yn eglurach'.[17] Plentyn y bedwaredd ganrif ar bymtheg oedd Vincent Evans yn ôl E. Morgan Humphreys, Prydeiniwr yn ogystal â Chymro. 'Gyda gwên dosturiol braidd y soniai am rai datblygiadau mewn barddoniaeth yn ein cyfnod ni,' meddai, ond er hynny, nid oedd 'mor gaeth i'r bedwaredd ganrif ar bymtheg ag oedd Lloyd George . . . yr oedd yn barod i gydnabod fod beirdd wedi codi ar ôl Ceiriog a nofelwyr ar ôl Daniel Owen'.[18] Edmygai John Morris-Jones a T. Gwynn Jones, ac fe welodd addewid Saunders Lewis yn gynnar yn ei yrfa. Vincent Evans a fu'n gyfrifol am wahodd Saunders Lewis i annerch Cymdeithas y Cymmrodorion yn Eisteddfod Yr Wyddgrug ym 1923.

A dyna Vincent Evans, y bersonoliaeth lachar, liwgar honno a oedd hefyd, yn ôl y diwygwyr, yn bersonoliaeth ormesol. Gadawodd i'r Eisteddfod ddirywio dan ei ofal, yn enwedig yn ystod ei flynyddoedd olaf. Ar ôl ei farwolaeth aethpwyd ati heb oedi i geisio codi'r Brifwyl yn ôl ar ei thraed. Cyfarfu rhai o aelodau Cymdeithas yr Eisteddfod â'i gilydd yn Llyfrgell y Cymmrodorion yn Llundain ar ddechrau mis Mai 1935, dan lywyddiaeth y Parchedig G. Hartwell Jones, Cadeirydd Cymdeithas yr Eisteddfod, i drafod y sefyllfa ac i drefnu ar gyfer y dyfodol. Cytunwyd fod angen newid rheolau'r Gymdeithas, a luniwyd ym 1896, i ddechrau. Dewiswyd cynrychiolaeth o'r Gymdeithas i gyfarfod â chynrychiolaeth o Fwrdd yr Orsedd, a gwahoddwyd D. R. Hughes, un o'r cynrychiolwyr, i weithredu fel Ysgrifennydd y Gymdeithas. Cydsyniodd yntau, gan ddatgan 'fod yn rhaid wynebu pwnc diwygio'r Eisteddfod yn ddioed'.[19] Ar ôl i farwolaeth Vincent Evans adael y ffordd yn agored, 'roedd llawer o aelodau'r Orsedd yr un mor awyddus ag aelodau Cymdeithas yr Eisteddfod i ddiwygio'r Brifwyl. Oddeutu'r un adeg ag y cyfarfu aelodau'r Gymdeithas yn Llundain, dywedodd Dr Maurice Jones, Trysorydd yr Orsedd, wrth siarad ar y radio y '[b]yddai cael un corff eang yn cynrychioli bron bob adran ym mywyd diwylliadol Cymru yn gyfnerthiant sylweddol i'r Eisteddfod'.[20] 'Roedd angen denu prif feirdd, llenorion a deallusion Cymru i ymuno â'r corff newydd hwn, yn enwedig gan fod llawer o brif wŷr llên y genedl yn ddirmygus o'r Orsedd. 'Gellid e[h]angu'r corff awdurdodol ymhellach, os mynner, trwy ychwanegu ato Gymry blaenllaw ac athrylithgar nad ydynt yn perthyn i'r Gymdeithas na'r Orsedd, a thrwy hynny greu Bwrdd Eisteddfodol a fydd mor eang â'n gwlad o ben bwygilydd,' meddai Maurice Jones.[21]

Ym 1935, yn dilyn marwolaeth Gwylfa, penodwyd Cynan yn Gofiadur yr Orsedd, a chyda D. R. Hughes, un o ysgrifenyddion Eisteddfod Genedlaethol Llundain ym 1909 a Llundeiniwr arall, bellach yn Ysgrifennydd Cymdeithas yr Eisteddfod, 'roedd y ffordd yn agored i arwain at welliannau. Yn wir, derbyniodd D. R. Hughes y gwahoddiad i weithredu fel Ysgrifennydd y Gymdeithas ar yr amod 'bod yr holl gwestiwn i'w drafod heb oedi a'r diwygiadau angenrheidiol i'w dwyn i ben yn fuan'.[22] Ac ar ôl i deyrnasiad unbenaethol E. Vincent Evans ddod i ben, dyma gychwyn ar gyd-deyrnasiad mwy democrataidd Cynan a D. R. Hughes. Ymhen dwy flynedd byddai Cynan yn Gyd-Ysgrifennydd Cyngor yr Eisteddfod gyda D. R. Hughes, a byddai'r bartneriaeth a'r cyfeillgarwch yn parhau am ddegawd cyfan, o 1937 hyd 1947. Credai D. R. Hughes o'r cychwyn y gallai gydweithio gyda Cynan 'am na chredai yn hynafiaeth yr Orsedd "'run fath â Gwylfa a'i giang"'.[23]

Cynhaliwyd y cyfarfod tyngedfennol rhwng Cymdeithas yr Eisteddfod a Bwrdd yr Orsedd yn 11 Mecklenberg Square, Llundain, eto ym mis Mai 1935. Cynrychiolwyd Cymdeithas yr Eisteddfod gan wŷr fel D. O. Evans, yr Athro D. Hughes Parry, yr Athro W. J. Gruffydd, Dr Llewelyn Wyn Griffith, y Parchedig D. S. Owen, J. Cecil Williams a D. R. Hughes, yn rhinwedd ei swydd fel Ysgrifennydd y Gymdeithas. Cynrychiolwyd yr Orsedd gan Gwili, yr Archdderwydd ar y pryd, Cynan, eto yn rhinwedd ei swydd fel Cofiadur yr Orsedd, J. J. Williams, Caerwyn (O. E. Roberts), yr arweinydd eisteddfodol poblogaidd, William George, Canon Maurice Jones, a'r Athro E. Ernest Hughes, athro hanes cyntaf Coleg y Brifysgol yn Abertawe, eisteddfodwr brwd a gŵr a fu'n beirniadu dramâu'r Brifwyl droeon. Cadeiriwyd y cyfarfod gan D. Lloyd George, a oedd yn aelod o'r ddwy gymdeithas. 'A'r hyn ydoedd yn fater o argyhoeddiad gan bob aelod o'r pwyllgor unedig hwnnw oedd bod Eisteddfod Genedlaethol Cymru ar ddadfeilio gan Philistiaeth a Phlwyfoliaeth, a'i bod yn hwyr glas ceisio ei hail-adeiladu ar sylfaen cenedlaethol, cadarn, cywir,' meddai Cynan.[24]

Gan gyfeirio at y 'ceidwadwr a'r unben hwnnw Syr Vincent Evans',[25] rhestrodd Cynan rai o wendidau'r Eisteddfod ar y pryd:[26]

> Ar bapur yr oedd y Pwyllgorau Lleol yn gyfrifol i ddwy gymdeithas dra gwahanol i'w gilydd, dwy gymdeithas heb fod fawr o gariad rhyngddynt, a llai na hynny o gydweithrediad. Yn wir yr oedd pencadlys a phwyllgorau un o'r ddwy allan o Gymru, draw yn Llundain, a nifer ei haelodau wedi disgyn yn druenus ers blyn-

> yddoedd i ryw ddau ddwsin, er mai'r gweddill hwn oedd yn dal y pwrs mawr a warchodwyd mor dynn trwy'r blynyddoedd gan Syr Vincent Evans. Gwyddai'r Pwyllgorau Lleol yn dda am wendid y ddeuoliaeth hon yn rheolaeth yr Eisteddfod, a manteisiai rhai pwyllgorau ar hynny nid yn unig i wthio testunau a beirniaid lleol hollol annheilwng i mewn i'w rhaglenni ond hefyd i wthio mwy a mwy o Saesneg i lwyfan yr Ŵyl a phenodi mân ysweiniaid lleol i anrhydedd ei llywyddiaeth er bod y rheini yn hollol ddi-Gymraeg, ac weithiau hyd yn oed yn wrth-Gymreig.

Gofynnwyd i Cynan a D. R. Hughes ymneilltuo o'r ystafell am ychydig funudau ar gais y Cadeirydd i geisio llunio penderfyniad a fyddai'n debygol o gael cefnogaeth unfrydol y cyd-bwyllgor. Yn ôl Cynan, 'canlyniad uniongyrchol y penderfyniad hwn yw'r Eisteddfod fel yr adwaenom hi heddiw',[27] a dyma union eiriad y penderfyniad hwnnw:[28]

> (1) Fod y Gynhadledd hon o'r farn mai un awdurdod llywodraethol a ddylai fod i'r Eisteddfod Genedlaethol.
> (2) Fod cyd-bwyllgor i'w benodi i wneud adroddiad ar y dull gorau o gario'r penderfyniad hwn allan ac i dynnu amlinelliad o gyfansoddiad yr awdurdod newydd.
> (3) Os derbynnir adroddiad y cyd-bwyllgor gan y ddwy gymdeithas, fod yr Orsedd a Chymdeithas yr Eisteddfod yn barod i ymdoddi'n un awdurdod llywodraethol newydd.

Derbyniwyd yr argymhellion hyn yn unfrydol, a dyma'r union benderfyniad a arweiniodd at sefydlu Cyngor yr Eisteddfod Genedlaethol yn Eisteddfod Machynlleth ym 1937, ac at lunio Cyfansoddiad newydd, a dderbyniwyd ym Machynlleth.

Ni chytunwyd ar bopeth yn Llundain. Mynnai rhai aelodau o Fwrdd yr Orsedd gael cynrychiolaeth o'r Orsedd ar banel y ddwy brif gystadleuaeth i'r beirdd, sef cystadleuaeth y Gadair a chystadleuaeth y Goron, gan ddal '[e]i bod yn ddi-reswm a di-urddas disgwyl i Gymdeithas y Beirdd weinyddu seremonïau ei phrif anrhydedd ar fardd heb fod ganddi hi ei hun unrhyw lais ar ei deilyngdod,' a chan nodi fod yr Orsedd 'eisoes wedi dangos ysbryd cyfaddawd trwy ymfodloni ar ddweud "cynrychiolydd" ar banel y beirniaid tan y Cyfansoddiad newydd, yn lle gofyn am "fwyafrif" megis a fu ganddi tan ei hen Gyfansoddiad'.[29] Yn wreiddiol, 'roedd Bwrdd yr Orsedd wedi gofyn am gael dau o'r tri beirniad yn y ddwy brif gystadleuaeth, y Gadair a'r Goron, yn aelodau o'r Orsedd. Dadleuodd W. J. Gruffydd yn ffyrnig yn erbyn y rheol, ond ni chafodd ei ffordd, ac fe'i pasiwyd. Dair blynedd ar ôl y cyfarfod hwn yn Llundain, 'roedd W. J. Gruffydd wrthi o hyd yn taranu yn erbyn y rheol 'fod yn rhaid cael cyfartaledd o aelodau'r Orsedd ym mhlith y prif feirniaid'.[30] Gobeithai Gruffydd y byddai'r Orsedd yn ailystyried y rheol hon 'oherwydd mae cyfyngiad fel hyn yn sawru o'r Undebau Llafur yn hytrach nag o gorff o ddynion sy'n ymdrin â diwylliant cenedl'.[31] Yr oedd gan Gruffydd reswm da a digonol dros wrthwynebu'r rheol:[32]

> Y ffaith anwadadwy yw *nad* yw arweinwyr llenyddiaeth yn aelodau o'r Orsedd; nid yw Williams-Parry, Gwynn Jones, Parry-Williams, Saunders Lewis, G. J. Williams, R. G. Berry, D. T. Davies, Tegla Davies, Ifor Williams, Syr J. E. Lloyd, Kate Roberts, D. J. Williams, Emrys Evans, heb sôn am gorff mawr y beirdd cadeiriol a choronog diweddar, yn perthyn i'r Orsedd.

A gofynnodd Gruffydd y cwestiwn pigog: 'ai llwyddiant yr Orsedd ai llwyddiant llenyddiaeth Cymru sydd bwysicaf yn eich golwg?'[33]

O ganlyniad i'r cyfarfod yn Llundain, ffurfiwyd cyd-bwyllgor diwygio yn Eisteddfod Caernarfon gan Cynan a D. R. Hughes, gyda deg aelod o Gymdeithas yr Eisteddfod arno, a deg aelod o Fwrdd yr Orsedd, ac Ysgrifennydd y naill gorff a Chofiadur y llall yn aelodau *ex-officio*. Sefydlwyd y cyd-bwyllgor hwn oherwydd 'bod yr amser presennol yn fanteisiol i geisio diwygio trefniadau a rheoleiddiad yr Eisteddfod Genedlaethol'.[34] Penodwyd y cyd-bwyllgor diwygio 'i ystyried (*a*) y priodoldeb o uno'r ddwy Gymdeithas; (*b*) pa ddiwygiadau ereill sy'n angenrheidiol a (*c*) y moddion gorau i'w dwyn i ben'.[35]

Ar ôl ei benodi'n Gofiadur yr Orsedd, aeth Cynan ati i ddiwygio seremonïau'r Orsedd yn ddiymdroi. Ym 1936 diwygiodd seremoni urddo ac arwisgo'r Archdderwydd newydd, wedi ethol J. J. Williams i'r swydd. Cafodd wared hefyd â'r 'Conquering Hero', y gân yr arferid ei chanu yn ystod defod y cadeirio, a chyrchwyd prifeirdd 1936 i'r llwyfan yn sŵn alawon Cymreig ar y delyn. 'Roedd llawer o sôn am ddiwygio yn yr awyr yn ystod Eisteddfod Abergwaun ym 1936, yn enwedig gan fod drafft o benderfyniadau'r cyd-bwyllgor a benodwyd yng Nghaernarfon i'w gyflwyno gerbron aelodau'r ddau gorff, yr Orsedd a Chymdeithas yr Eisteddfod, yn Abergwaun. Cyfarfu aelodau'r cyd-bwyllgor hwn â'i gilydd sawl gwaith yn ystod y flwyddyn, ac o'r diwedd, 'roedd argymhellion y pwyllgorwyr yn barod i'w cyflwyno. Y prif argymhelliad oedd uno Cymdeithas yr Eisteddfod a'r Orsedd. Pe bai'r argymhelliad hwn yn dod i rym, y Cyngor newydd a fyddai'n penderfynu popeth o bwys, ac i'r Cyngor hwn y byddai'r pwyllgorau lleol yn atebol. Croesawyd y bwriad gan amryw. 'Y mae'n syn fod yr Eisteddfod wedi llwyddo cymaint, ac ystyried bod, o leiaf, dri chorff yn arglwyddiaethu arni . . . ac na ŵyr neb yn hollol ym mha le y mae awdurdod y naill a'r llall yn dechrau na diweddu,' meddai 'Y Mynach Du' yn y *Western Mail*.[36] Cyfeiriodd at y trefniant rhyfedd mai'r pwyllgorau lleol a fyddai'n gorfod ysgwyddo'r baich pe gwneid colled, ac mai'r Gymdeithas a'r Orsedd a gâi gyfran sylweddol o'r elw, pe gwneid elw. 'Y mae'n syn,' meddai'r 'Mynach Du' drachefn, 'nad aethai'r Eisteddfod ers blynyddoedd yn gwbl ddigartref'.[37]

'Roedd llawer o bethau i'w datrys, mewn gwirionedd, er enghraifft, a ddylai'r Eisteddfod gyflogi ysgrifennydd llawn-amser ac a ddylid parhau i roi'r Eisteddfod i'r De ac i'r Gogledd bob yn ail i'w gilydd? A ddylid chwilio am babell symudol i'r Eisteddfod ac a ellid gwella'r drefn o safbwynt cyhoeddi'r cerddi buddugol? Cynhaliodd Cymdeithas yr Eisteddfod gyfarfodydd ar wahân i'r Orsedd yn Abergwaun i drafod y Cyfansoddiad newydd a argymhellai uno'r ddau gorff, a chreu Cyngor yr Eisteddfod Genedlaethol. Cynhaliwyd cyfarfod o'r ddau gorff ar y cyd ar Awst 5, ac un o orchwylion cyntaf y cyfarfod hwnnw oedd trafod ceisiadau Caerdydd a Phen-y-bont ar Ogwr am Eisteddfod 1938.

Ar drothwy Eisteddfod 1937, yr oedd y Pwyllgor wedi llunio canllawiau a chynlluniau newydd llawn, a chyflwynwyd copi o'r Cyfansoddiad newydd arfaethedig, a baratowyd gan David Hughes Parry a William George, gerbron aelodau'r ddau gorff. Cyfarfu aelodau'r Pwyllgor Diwygio â'i gilydd yn Llundain, ar Orffennaf 9. Yn ogystal ag argymell ffurfio Cyngor yr Eisteddfod, deddfai'r Cyfansoddiad newydd yn swyddogol, er gwaethaf gwrthwynebiad W. J. Gruffydd, fod rhaid i un o'r tri beirniad yng nghystadleuaeth y Gadair a'r Goron fod yn aelod o'r Orsedd, a nodwyd fod y ddwy gystadleuaeth yn gyfwerth â'i gilydd.

A dyma gyrraedd Eisteddfod Machynlleth, 1937, carreg filltir fawr yn hanes yr Eisteddfod, ac yn hanes Cymru yn gyffredinol. Hon, yn nhref hen senedd-dy Owain Glyndŵr, oedd Eisteddfod fawr y Chwyldro. Trowyd y Brifwyl yn llwyfan gwleidyddol unwaith yn rhagor. Dyma, ar lawer ystyr, Eisteddfod yr Ysgol-fomio. Bu Bae Colwyn a Machynlleth yn ymgiprys am Eisteddfod 1937, ac er mor chwerw fu'r ymrafael rhwng y ddau le amdani, awel fechan, lesg oedd yr ymrafael hwnnw o'i gymharu â'r storm o brotest a gododd yn sgîl un penderfyniad annoeth gan Bwyllgor Gwaith Machynlleth, dan gadeiryddiaeth Dr J. Caradog Ashton. Llywydd y Weinyddiaeth Awyr ar y pryd oedd Arglwydd Londonderry, Charles Stewart Henry Vane-Tempest Stewart, i roi iddo'i filltir lawn o enw. Y 'Tempest' yn ei lond ceg o enw oedd yr un mwyaf arwyddocaol. Dyma'r union Weinyddiaeth a fu'n gyfrifol am y penderfyniad i adeiladu'r Ysgol-fomio ym Mhenyberth yn Llŷn. 'Roedd ganddo dŷ haf anferthol ym Machynlleth, sef Plas Machynlleth. Cynigiodd y Plas a'i erddi at wasanaeth yr Eisteddfod. Y peth lleiaf y gallai'r Pwyllgor Gwaith ei wneud oedd cydnabod ei haelioni. Gwahoddwyd Arglwydd Londonderry i lywyddu yn un o'r cyngherddau yn ystod wythnos yr Eisteddfod, ac yn Saesneg, wrth gwrs, y byddai'n siarad. 'Roedd penderfyniad y Pwyllgor Gwaith yn sarhad dwbwl, mewn gwirionedd. Tra byddai tri o feibion disgleiriaf Cymru yn pydru yng ngharchar Wormwood Scrubs, ac un o'r tri, o ran hynny, yn feirniad yn Eisteddfod 1937, byddai'r Eisteddfod yn anrhydeddu Llywydd y Weinyddiaeth a fu'n gyfrifol, yn anuniongyrchol o leiaf, am eu rhoi yn y carchar. Gwrthwynebu cynlluniau'r Weinyddiaeth Awyr a wnaeth y tri pan wnaethpwyd difrod i rai o ddefnyddiau ac adeiladau'r Ysgol-fomio yn ystod oriau mân y bore, Medi 7-8, 1936, a chael eu dedfrydu i naw mis o garchar ar Ionawr 19, 1937.

'Roedd carcharu'r tri wedi creu tyndra annioddefol yng Nghymru. Yng nghanol yr hinsawdd chwerw ar y pryd, gofynnodd W. J. Gruffydd i Bwyllgor Gwaith Machynlleth dynnu'r gwahoddiad i Arglwydd Londonderry lywyddu yn un o'i chyngherddau yn ôl. Gwrthododd y Pwyllgor. Arweiniodd Gruffydd brotest yn erbyn 'styfnigrwydd y Pwyllgor Gwaith. 'Roedd yn un o'r rhai a ddewiswyd i feirniadu yn yr Eisteddfod honno, ond ymddiswyddodd, ac ymunodd rhai eraill o ddarpar-feirniaid Machynlleth yn y brotest. Yn ôl Gruffydd, yn ei nodiadau golygyddol yn *Y Llenor*, fel hyn y cychwynnodd y gwrthdystio:[38]

Cychwynnodd y syniad mewn sgwrs breifat a gafodd Miss

> Cassie Davies, Mr. Peate, a minnau; penderfynasom y pryd hwnnw nad oedd un cwrs arall yn agored i ni, os oeddem i wneuthur rhywbeth i geisio rhwystro'r drygau a oedd yn bygwth yr Eisteddfod, a dywedais i wrth Miss Mary Davies, Mr. Tom Parry, a Meuryn am ein penderfyniad, heb gymell o gwbl arnynt i ymuno â ni; gyrrodd y tri eu hymddiswyddiad yn unigol ac yn bersonol, heb ymgynghori dim â mi nac â'i gilydd, cyn belled ag y gwn.

Ar y diwrnod olaf o Ionawr, 1937, ychydig ddyddiau ar ôl dedfrydu Saunders Lewis, Valentine a D. J. Williams i naw mis o garchar, y cyflwynodd W. J. Gruffydd ei benderfyniad i wrthod beirniadu ym Machynlleth i swyddogion yr Eisteddfod, ond 'roedd y syniad ar y gweill ganddo ef ac eraill ymhell cyn hynny. Ar Ionawr 10, 'roedd Thomas Parry, un o feirniaid yr awdl ym Machynlleth cyn iddo benderfynu ymddiswyddo, wedi hysbysu Gruffydd o'i fwriad i ymddiswyddo. Yn y man ymunodd Gwenallt a Prosser Rhys hefyd yn y brotest. Gwrthododd y Pwyllgor Gwaith dderbyn yr ymddiswyddiadau, ac ymddiswyddodd y Parch. Fred Jones, un o sylfaenwyr y Blaid Genedlaethol, a George Peate, tad Iorwerth Peate, o'r Pwyllgor o'r herwydd.

Nid y cenedlaetholwyr, ychwaith, oedd yr unig rai i ymddiswyddo. Ac yntau wedi creu cryn dipyn o helynt a drwgdeimlad, penderfynodd Londonderry, ym mis Chwefror 1937, beidio â gweithredu fel un o lywyddion yr Eisteddfod. Gwrthododd y Pwyllgor Gwaith dderbyn ei ymddiswyddiad, fodd bynnag, a gadawyd sedd y Llywydd yng nghyngerdd nos Lun yr Eisteddfod yn wag, fel arwydd o barch i'r Arglwydd. 'Roedd protest y beirniaid wedi llwyddo, a'r peth i'w wneud oedd gwahodd y beirniaid protestgar, rhai o gymwynaswyr pennaf y genedl a'r Eisteddfod ar y pryd, yn ôl i feirniadu, ond ni fynnai'r Pwyllgor Gwaith mo hynny. Gweithredodd Iorwerth Peate fel beirniad ym Machynlleth, fodd bynnag. Gofynnwyd iddo, yn wreiddiol, feirniadu dwy o'r cystadlaethau llunio traethawd. Cymdeithas yr Eisteddfod a'i gwahoddodd i feirniadu 'Astudiaeth Feirniadol o Fywyd a Gwaith Samuel Roberts, Llanbryn-mair', a'r Pwyllgor Leol a ofynnodd iddo feirniadu'r gystadleuaeth arall. Fel y dywedodd Peate ei hun: 'Nid oedd a fynno Cymdeithas yr Eisteddfod Genedlaethol ddim â'r anghydfod a phan wahoddodd Mr. D. R. Hughes fi . . . i barhau'n feirniad ar y prif draethawd, er bod Machynlleth wedi fy ngwrthod ar y traethawd arall, cydsyniais yn llawen'.[39]

Bu Peate yn llawdrwm iawn ar y gyfundrefn eisteddfodol yn rhifyn mis Awst o *Heddiw*. Gan gyfeirio ato'i hun fel '[u]n o wyth beirniad gwrthodedig Eisteddfod Machynlleth' dadlennodd un o brif wendidau'r Eisteddfod. Gwahoddid yr Eisteddfod, meddai, bob blwyddyn un ai i ddinas neu dref fawr, ar y naill law, neu i dref wledig fechan, fel Machynlleth, ar y llaw arall.[40] Yn y naill leoliad byddai'n 'rhaid iddi wynebu llawer iawn o Seisnigrwydd iaith a thalu gwrogaeth i ddosbarthiadau o bobl na wyddant . . . ystyr yr ŵyl a drefnant';[41] ar y llaw arall, 'roedd y lleoliadau gwledig 'fel rheol yn ganolfannau'r snobeiddiwch perffeithiaf a'r hunan-dyb rhoncaf a geir yng Nghymru'.[42] 'Roedd yn rhaid i gnewyllyn bychan diwylliedig ac ymroddedig o ddelfrydwyr a gwir wladgarwyr 'frwydro yn erbyn Saeson yn y canolfannau mawrion ac yn erbyn Sais-addolwyr yn y trefi bychain'.[43]

Prif wendid yr Eisteddfod yn ôl Peate, fodd bynnag, oedd 'y diffyg parhâd hwn o flwyddyn i flwyddyn yn llywodraeth yr Eisteddfod',[44] sef y ffaith fod y pwyllgorau lleol yn newid o flwyddyn i flwyddyn, gan chwalu unrhyw gysondeb a allai fod. Yn ôl Peate:[45]

> . . . yr unig ffordd i osgoi'r gorthrwm hwn yw trwy sicrhau corff bychan sefydlog o Gymry diwylliedig i weithredu fel pwyllgor parhaol o flwyddyn i flwyddyn gyda mesur helaeth o awdurdod tros unrhyw bwyllgor lleol a all ddigwydd bod. Petasai corff o'r fath mewn bod yn 1937 yr wyf yn sicr na chaniateid i feddygon, ysgolfeistri, gweinidogion a masnachwyr lleol na chlywsid erio[e]d sôn amdanynt o'r blaen yn hanes yr Eisteddfod Genedlaethol i wthio Eisteddfodwr o gymaint bri â'r Parch. Fred Jones allan o'r pwyllgorau (*wedi* iddo wneuthur ei waith, sylwer) ac i wrthod cyngor a gwasanaeth gŵr o safon yr Athro W. J. Gruffydd . . .

Dirmygus hollol oedd agwedd Iorwerth Peate tuag at y pwyllgorau lleol di-glem, ac ni welai fod unrhyw werth na phwrpas i'r Eisteddfod bellach. 'Y peth caredicaf i'w ddweud,' meddai, 'yw mai doeth bellach fyddai ei chladdu'n ddistaw heb ddeigryn uwch ei bedd'.[46]

'[P]aham Machynlleth?' gofynnodd Gruffydd iddo ef ei hun, ac ar ran eraill, yn *Y Llenor*.[47] 'Wel,' meddai, gan ateb ei gwestiwn ei hun, 'rhaid dechrau yn rhywle, a Machynlleth a fu'n ddigon ehud i wahodd gŵr a rwystrodd i'r cenhedloedd wahardd bomio o'r awyr, a hynny yn y flwyddyn y mynnodd Saeson ei blaid ef wrthod gwrando ar brotest Cymru yn erbyn ysgol fomio Llŷn a symud treial y tri Chymro, yn erbyn pob cyfraith a thegwch, er mwyn bod yn sicr o'u collfarnu'.[48] Cyfeirio yr oedd Gruffydd at y Gynhadledd Ddiarfogi a gynhaliwyd yn Genefa rhwng Chwefror a Gorffennaf 1932 pan safodd Londonderry yn gryf o blaid yr egwyddor o ollwng bomiau o'r awyr, yn groes i brotest y cyhoedd yn erbyn yr anwarineb newydd hwn. Manteisiodd Gruffydd ar yr helynt i atgyfodi un o'i hen gwynion yn erbyn yr Eisteddfod. 'Yr wyf i ac eraill ers blynyddoedd wedi bod yn protestio yn erbyn y math o ddynion a ddewisir yn llywyddion ar gyfarfodydd yr Eisteddfod Genedlaethol,' meddai, 'a thybiwn fod y mwyafrif o'r genedl yn cydweld â mi,' ond er gwaethaf yr holl brotestio, 'yr oedd y Pwyllgorau Llcol yn dal i ddewis Saeson heb ddim cymhwyster ynddynt i lywyddu ar yr unig sefydliad sydd yn perthyn yn gyfangwbl i'r iaith Gymraeg'.[49] Yr Eisteddfod, yn ôl Gruffydd, oedd 'y gaer fechan olaf sydd gennym,' ond yr oedd y gwrthwynebwyr nid yn unig am gipio'r gaer honno oddi ar y Cymry ond hefyd 'roeddent 'yn ffyrnig wrthym am geisio ei hamddiffyn'.[50] Honnodd na ddewisid neb yn llywydd yn yr Eisteddfod oni bai fod ganddo un o dri chymhwyster arbennig, bod yn Arglwydd neu'n Syr, bod yn seneddwr 'o unrhyw fath' a bod yn gyfoethog.[51]

O ganlyniad i brotest Gruffydd a'r lleill y sefydlwyd y Rheol Gymraeg. Ar Ebrill 30, 1937, dri mis ar ôl i'r beirniaid ymddiswyddo, penderfynodd y Pwyllgor Diwygio ymgorffori'r rheol yng Nghyfansoddiad newydd yr Eisteddfod. 'Roedd beirniad o Gymro, wedi'r cyfan, yn bwysicach o lawer i'r Eisteddfod na llywydd di-Gymraeg. '[Y]r ateb mwyaf llethol i gwynfan y bobl ofnus yw'r ffaith anwadadwy *i'r brotest lwyddo*!' meddai Gruffydd yn fuddugoliaethus.[52] Llwyddodd y brotest i atal Arglwydd Londonderry rhag llywyddu ac i ddylanwadu ar swyddogion yr Eisteddfod i ddod â'r Rheol Gymraeg i rym, i osgoi unrhyw gynnwrf a helynt yn y dyfodol.

Er i Gruffydd honni yn *Y Llenor* nad oedd cysylltiad o gwbwl rhwng y Blaid Genedlaethol a phrotest y beirniaid, 'roedd y blaid honno, gyda thri o'i haelodau mwyaf blaenllaw yn y carchar ar y pryd, yn sgyrnygu'i dannedd yn fileinig yn ystod y misoedd a arweiniai at yr Eisteddfod, ac yn ystod yr Eisteddfod ei hun. Cynhaliwyd seiat fyrfyfyr yn nhŷ bwyta'r Strand ar Ionawr 12, 1937, dan gadeiryddiaeth D. R. Hughes. Yn y cyfarfod hwnnw cynigiodd y Parch. Ben Owen, Llanberis, y dylai'r Blaid

Genedlaethol gynnal protest gyhoeddus yn ystod areithiau Winston Churchill, un arall y bwriadai'r Eisteddfod ei wahodd i lywyddu, a Londonderry, trwy foddi eu hareithiau.

Yn ystod yr Eisteddfod ei hun bu damwain anffodus, ar y nos Fercher. Llosgwyd pwerdy trydan Machynlleth i'r llawr. Beiwyd cenedlaetholwyr am y tân, a bu'r Heddlu'n holi nifer o gefnogwyr y Blaid Genedlaethol. 'The destruction by fire of the local power station was immediately associated in popular imagination with the recent political outrages of a small group of Nationalists,' meddai'r *Western Mail*.[53] Caed achlust, meddai'r papur, fod rhyw 'ill-balanced person' wedi cyflawni'r anfadwaith, 'which threatened to make it impossible to proceed with the programmes'.[54] Yn eironig, Arglwydd Londonderry a ddaeth i'r adwy. 'Roedd ganddo beiriant cynhyrchu trydan preifat yn y Plas, a hwnnw a ddefnyddiwyd i sicrhau y câi dramâu a chyngherddau nosweithiol yr Eisteddfod eu cynnal am weddill yr wythnos. Derbyniodd J. Caradog Ashton deligrám anhysbys o Lerpwl ac ynddo'r bygythiad y llosgid y pafiliwn i'r llawr, yn dilyn gweithred Penyberth a'r weithred honedig o losgi'r pwerdy, ac er iddo gyflwyno'r teligrám i'r heddlu, nid oedd unrhyw sail i'r bygythiad.

Un o'r rhai a ddaeth dan amheuaeth o fod â rhan yn y weithred hon oedd Gwilym R. Jones. Soniodd am y digwyddiad flynyddoedd yn ddiweddarach:[55]

> Eisteddfod Machynlleth, ym 1937: Cael fy nghodi o'm gwely yn hwyr y nos gan blismyn a fynnai fy holi ynghylch tân a gychwynasid mewn pwerdy bach y tu allan i'r dref. Clywsant fy mod yn Bleidiwr, a diau fod hynny'n peri iddynt amau fy mod yn gwybod rhywbeth am y digwyddiad.

'Roedd Gwilym R. Jones yn un o'r cystadleuwyr aflwyddiannus am y Gadair ym Machynlleth. Yn ôl un o feirniaid y gystadleuaeth, J. Lloyd Jones, 'Canu ofn a phryder brogarwr am ffyniant diwylliant Cymreig gwlad Lŷn yn herwydd yr ysgol fomio ym Mhenrhos' oedd thema awdl *Rhyd Lios*.[56] Er na chafodd Gwilym R. Jones feirniadaeth galonogol iawn, cyhoeddwyd detholiad o'r awdl, sef un ar ddeg o englynion, dan y teitl 'Galarnad Gŵr o Lŷn' yn rhifyn Hydref 1937 o'r *Llenor*. Ymosodiad a geid yn yr awdl ar benderfyniad y Weinyddiaeth Awyr i halogi a difwyno un o fröydd Cymreiciaf Cymru:[57]

Magwyrydd llwm a garwn – yw defnydd
Dyfnion ffeuau'r garsiwn;
Trwy bau irdeg tyr byrdwn
Didosturi goethi gwn . . .

Mae gardd a oedd yma gynt? – Ei rhuddos
A bereiddiai'r hwyrwynt;
Erwau trist! fe red drostynt
Aroglau gwaed ar dreigl gwynt.

Nid Gwilym R. Jones oedd yr unig awdlwr i daro'r cywair gwladgarol yn y gystadleuaeth honno. Anfonwyd awdl gan wladgarwr a chanddo'r ffugenw arwyddocaol *O'r Carchar* i gystadleuaeth y Gadair, a chysgod protest y tri yn drwm arni. Mae un pennill digon rhethregol ei dinc, a ddyfynnwyd gan J. T. Job yn ei feirniadaeth, yn ein hatgoffa am 'Cymru 1937' R. Williams Parry, yn y modd y mae'n erfyn am i ryw gyffro chwyldroadol ddod i ysgwyd y Cymry o'u trwmgwsg:[58]

Ysbryd anniddig! Ysbryd Bendigaid!
Ysgwyd rwyddineb cysgadrwydd enaid
Yr ychydig melltigaid – drwy 'nhalaith
Heno a dwng i'w hanrhaith dianghenraid.

Eisteddfod y tân oedd hon ar lawer ystyr, a chynhaliwyd protest fechan ar y maes ar ddydd Gwener yr Ŵyl. Cythruddwyd rhai cenedlaetholwyr gan erthygl olygyddol y *Western Mail* ar y dydd Gwener hwnnw. 'Roedd yr erthygl yn ymwneud â swydd D. J. Williams fel athro yn Ysgol Ramadeg Abergwaun. Yn ôl y *Western Mail*, ni ddylid rhoi ei swydd yn ôl iddo oni bai ei fod yn edifarhau'n gyhoeddus ac yn collfarnu'i weithred ei hun:[59]

> If these statements do not contain an unqualified condemnation of his crime, an expression of sincere regret for it, and a reliable assurance that he will never again resort to methods of political barbarism, his reinstatement should not be contemplated. It is not enough to be presented with private assurances on these important matters. There must be a public statement so that the evil effects of

> a deplorable example may be removed. These effects on his former pupils are at present incalculable. They must be wiped out and MR. WILLIAMS alone can do it.

Hysbyswyd y weithred ymlaen llaw, a cheisiwyd llosgi copi dydd Gwener o'r *Western Mail* y tu allan i adeilad y papur ar y maes. Cymeradwywyd y weithred gan lond dwrn o gefnogwyr, a'i chondemnio gan y rhan fwyaf o'r dorf a oedd wedi ymgynnull i wylio'r brotest. Afraid dweud mai condemnio'r gwrthdystiad a wnaeth y *Western Mail*, a bwrw gwawd ar y cenedlaetholwr, William Williams o Fangor, a geisiodd losgi'r papur. 'His prospect of attaining high office amongst the Nationalists must be immensely improved by his amateur incendiarism,' meddai'r erthygl olygyddol.[60]

'Roedd D. J. Williams yn un o feirniaid Eisteddfod Machynlleth. Ni chymerwyd y fraint honno oddi arno oherwydd ei garchariad. Rhoddwyd caniatâd arbennig iddo i fwrw ymlaen â'r gwaith o feirniadu cystadleuaeth y tair stori fer gan yr Ysgrifennydd Cartref, ond ni wyddai'r awdurdodau fod D. J. wedi amgáu darn o lythyr gyda'i feirniadaeth yn dymuno llwyddiant i'r Eisteddfod ar ran y tri charcharor. Darllenwyd y cyfarchion hynny gan J. C. Ashton wrth iddo agor sesiwn y prynhawn ar ddydd Llun yr Eisteddfod, a daeth bonllef o gymeradwyaeth o du'r dorf. Rhoddwyd cymeradwyaeth fyddarol arall iddo ar ôl i'w feirniadaeth gael ei darllen yng nghwrs yr wythnos, a phasiwyd penderfyniad, cyn y feirniadaeth, i anfon cyfarchion at y tri chenedlaetholwr yn y carchar. 'Roedd priod D. J. Williams yn bresennol yn y Babell Lên pan ddarllenwyd ei feirniadaeth, a mynegwyd ei gwerthfawrogiad o'r gefnogaeth i'w gŵr ar ei rhan gan Wil Ifan, brawd-yng-nghyfraith D. J. Williams.

Mae yna stori ddiddorol arall ynglŷn â chystadleuaeth y tair stori fer ym Machynlleth, a Kate Roberts sy'n ei hadrodd:[61]

> Fel y gwyddys yr oedd y Triwyr Llŷn a losgodd yr ysgol fomio yn y carchar ar y pryd, a'r Dr. D. J. Williams oedd beirniad y stori fer yn yr eisteddfod honno. Cafodd ganiatâd yr awdurdodau (awdurdodau'r carchar), i feirniadu. Y gwanwyn hwnnw, safasai Mr. Gwilym R. Jones a'm priod yn ymgeiswyr, yn enw Plaid Cymru, am sedd ar Gyngor Tref Dinbych, ac aeth y ddau i mewn. Yr oedd ar fy ngŵr eisiau rhoi'r wybodaeth hon i'r tri yn y carchar. Y

> flwyddyn honno ym Machynlleth rhoddid gwobr am gyfres o storïau byrion. Felly, ped anfonid un stori i mewn yn lle tair byddai allan o'r gystadleuaeth ar ei phen. Beth a wnaeth fy ngŵr ond ysgrifennu hanes yr etholiad, yr ymgyrch ymlaen llaw, nifer y pleidleisiau, a hyd yn oed yr areithiau a draddodwyd wedi'r fuddugoliaeth, a'i anfon dan enw stori i gystadleuaeth y stori fer i Swyddfa'r Eisteddfod. Felly y cafodd y carcharorion un newydd beth bynnag yn y carchar. Yn y Babell Lên, disgwyliem yn eiddgar am sylwadau'r beirniad. Bu. D.J. yn ddigon call i beidio â gwneud dim mwy na thaflu'r stori allan o'r gystadleuaeth gydag un sylw na wnaeth neb ddim callach am yr hyn a ddigwyddasai.

Dan y ffugenw *Morus Kyffin* yr anfonwyd y 'stori' i'r gystadleuaeth. 'Trŷ plot y stori o gwmpas etholiad ffyrnig a ymladdwyd yn Nhredomos ar gwestiwn dirwest,' meddai D. J. Williams amdani, gan ddal fod *Kyffin* 'yn ŵr o angerdd ac o weledigaeth' a bod ynddo 'addewid mawr fel storïwr, ac addewid mwy fel arweinydd yr Achos Dirwestol'.[62] Enillwyd y gystadleuaeth ei hun gan S. M. Powell, Tregaron, a enillodd hefyd ddwy gystadleuaeth arall yn yr un Eisteddfod, sef stori ar gyfer plant yr ysgol ganol a drama yn portreadu Gŵyl y Geni.

Eisteddfod gythryblus, felly, oedd Prifwyl Machynlleth, a'r syndod yw iddi gael ei chynnal o gwbwl. 'At one period the prospects looked dark enough, and it seemed as if the task of healing the wound inflicted on the Eisteddfod by members of the Welsh Nationalist Party at such a late stage in the arrangements would prove too great a task even for Dr. J. C. Ashton and his committee,' meddai Howell Evans yn Atodiad Eisteddfodol y *Western Mail*.[63] Ond fe aeth yn ei blaen, ac 'roedd Prifwyl Machynlleth yn Eisteddfod chwyldroadol mewn mwy nag un ystyr. Yn ystod yr Ŵyl y derbyniwyd y Cyfansoddiad newydd yn swyddogol, ond nid protest y beirniaid na mabwysiadu'r Cyfansoddiad newydd oedd yr unig elfennau chwyldroadol i berthyn iddi. Cynhaliwyd nifer o arbrofion ynddi, gan osod y seiliau'n gadarn ar gyfer Eisteddfodau'r dyfodol. Yr arbrawf pwysicaf oedd mabwysiadu'r Cyfansoddiad newydd, wedi dwy flynedd o drafod ac wedi dau ddarlleniad blaenorol, ac uno'r ddau hen gorff, Cymdeithas yr Eisteddfod a'r Orsedd, i greu sefydliad newydd sbon: Cyngor yr Eisteddfod Genedlaethol. Yn y Cyfansoddiad hwn yr ymgorfforwyd y Rheol Gymraeg am y tro cyntaf erioed. Pwrpas y gyfundrefn newydd oedd cael undod a threfn o fewn gweinyddiaeth yr Eisteddfod, a chael un craidd cadarn yn hytrach na bod yr egnïon i gyd ar wasgar, a phawb yn gweithio ar wahân i'w gilydd, ac yn groes i'w gilydd yn aml. Byddai'r trefniant newydd yn llawer mwy democrataidd na'r hen drefn, i ddechrau. Cynrychiolid yr Orsedd ei hun yn y Cyngor newydd gan Fwrdd yr Orsedd, a byddai nifer o is-bwyllgorau yn cwmpasu holl weithgareddau'r Eisteddfod. Y Cyngor newydd, yn hytrach na'r pwyllgorau lleol, a fyddai'n ysgwyddo'r baich ariannol o gynnal yr Orsedd. Byddai'r Cyngor hefyd yn barod i anfon cynrychiolwyr i eistedd ar y pwyllgorau lleol a'r is-bwyllgorau, pe bai'r pwyllgorau lleol yn dymuno hynny. Yn hytrach na derbyn chwarter yr arian a fyddai'n weddill ar ôl pob Eisteddfod, byddai'r Cyngor yn derbyn canran o dderbyniadau pob Eisteddfod, fel y gellid gosod yr Eisteddfod ei hun ar seiliau ariannol cadarnach. Yn ogystal, fe gwtogid ar y nifer o docynnau mynediad rhad ac am ddim i faes yr Eisteddfod a rennid ymhlith aelodau'r Orsedd. Caent fynediad am ddim i'r Eisteddfod ar y dyddiau y cynhelid y ddwy brif ddefod yn unig, defod y cadeirio a defod y coroni.

Yn ôl y Cyfansoddiad newydd, fe fyddai newid yn y modd y dewisid lleoliad pob Eisteddfod yn ogystal, gan fod yr hen drefn yn gwbwl anfoddhaol. Yn ôl D. R. Hughes:[64]

> Hitherto the practice has been for deputations to appear before the annual joint meeting of the National Eisteddfod Association and Gorsedd. Prior to the meeting there has been much accretion to the membership of the association, and, although eloquent speeches are delivered in favour of one town and the other, the result is often a foregone conclusion as the meeting is packed with members who have at the request of the promoting committee paid their half-guineas for the occasion.

'[T]he whole procedure at the annual meeting became very often a huge farce for the discontinuance of which I have longed,' meddai D. R. Hughes drachefn.[65] Bellach byddai'n rhaid i bob dirprwyaeth anfon cais ysgrifenedig at y Cyngor newydd, a byddai swyddogion y Cyngor yn ystyried pob cais yn ofalus.

'Roedd rhai o'r arbrofion ym Machynlleth yn ymwneud â'r Orsedd a'i seremonïau. Arwisgwyd y beirdd buddugol cyn eu cyrchu i'r llwyfan yng ngŵydd y dorf am y tro cyntaf erioed, yn hytrach nag mewn ystafell wisgo o'r neilltu. Canwyd 'Ymdaith Gwŷr Harlech' yn lle 'See the Conquering Hero Comes' yn nefod y cadeirio. Lluniwyd cân newydd gan Cynan ar gyfer y seremoni honno, a lluniodd J. J. Williams gywydd newydd sbon ('Hyd y sêr aed llawer llais') ar gyfer defod y coroni. 'Roedd Gŵyl Gyhoeddi Eisteddfod Machynlleth eisoes wedi cyflwyno'r Ddawns Flodau am y tro cyntaf. Ddydd Llun yr Eisteddfod, darlledwyd y seremoni agoriadol ar y radio am y tro cyntaf, a diddorol sylwi fod cystadleuaeth llunio drama-gomedi ar gyfer y radio yn un o gystadlaethau llenyddol yr Ŵyl, yn Gymraeg neu yn Saesneg, gyda phymtheg yn cystadlu yn Saesneg a saith yn Gymraeg. Defnyddiwyd organ electronaidd ar y llwyfan hefyd, a dyblwyd nifer y cyrn siarad, er mwyn cael rhai wrth gefn. 'Roedd y dechnoleg newydd yn dechrau treiddio i mewn i'r Brifwyl. Er gwaethaf yr holl gyffro a ffwdan a fu ynglŷn â hi, 'roedd Eisteddfod y brotest yn Eisteddfod o orchest yn ogystal, yn enwedig ar yr ochor gerddorol. Mentrodd 84 o gorau i'r gwahanol gystadlaethau ar gyfer corau, y nifer mwyaf erioed yn ôl y papurau. Cymerodd saith o gorau ran yn y Brif Gystadleuaeth Gorawl, corau o Dde Cymru bob un ohonyn nhw, a bu pymtheg côr yn cystadlu yn yr Ail Gystadleuaeth Gorawl. 'Roedd yr arddangosfa Gelf a Chrefft hefyd yn un hynod o uchelgeisiol, gyda phedwar cant a rhagor o weithiau celf, gan gynnwys gwaith Richard Wilson, yn cael eu harddangos.

Ar yr ochor lenyddol, y prif ddigwyddiad oedd sefydlu cystadleuaeth newydd sbon ar gyfer y rhyddieithwyr, cystadleuaeth y Fedal Ryddiaith, neu, i arddel union eiriad yr Eisteddfod, 'Rhyddiaith Bur', cyfieithiad digon camarweiniol o *fine prose*. Ni wyddai sawl un o blith yr un cystadleuydd ar ddeg beth yn union a olygid wrth y term. Ysbryd ceidwadaeth, yn eironig ddigon, ac nid ysbryd arbrofol a fu'n gyfrifol am sefydlu'r gystadleuaeth hon. Y bwriad oedd tawelu'r gri gynyddol o blaid cynnig y Goron am ryddiaith a'r Gadair am farddoniaeth. Gellid cau cegau'r ymgyrchwyr o blaid tegwch i ryddiaith drwy osod cystadleuaeth newydd ar eu cyfer. Ni allai Crwys ddeall pam 'roedd angen 'yr holl chwilio yma am *ryddiaith* bur,' oherwydd 'fe geir digonedd o hwnnw ym marddoniaeth Cymru'![66] Gofynnwyd am 'Gyfres o Ysgrifau Amrywiaethol' ar gyfer y gystadleuaeth gyntaf hon am y Fedal Ryddiaith, a chynigiwyd £20 o wobr yn ogystal â'r Fedal. Rhodd gan Syr Howell J. Williams, Llundain, brodor o Gorris, oedd y Fedal gyntaf hon, ac 'roedd hi'n werth £100. Fe'i cynlluniwyd gan L. S. Merrifield, cynllunydd cofgolofn Hedd

Wyn yn Nhrawsfynydd, cofgolofn Pantycelyn yng Nghaerdydd, a chof-adail ryfel Merthyr Tudful. J. O. Williams, Bethesda, a enillodd y gystadleuaeth, gyda deg yn cystadlu, ac E. Morgan Humphreys a Robert Beynon yn beirniadu. 'Roedd cyfres J. O. Williams yn gyfanwaith yn ôl E. Morgan Humphreys, er bod ynddi rai gwendidau hefyd. 'Roedd Robert Beynon yn fwy llawdrwm o lawer. Dywedodd nad oedd 'yn y gystadleuaeth ddim gorchestol,' a'r 'peth mwyaf prin ynddi yw'r hyn y gofynnir amdano, sef llenyddiaeth'.[67] Er hynny, gan J. O. Williams y cafwyd y 'peth agosaf at gyfres o ysgrifau amrywiaethol,' ac iddo ef y dyfarnwyd y Fedal Ryddiaith gyntaf erioed.[68] Cyhoeddwyd y gyfres fuddugol o ysgrifau ym 1938, dan y teitl *Tua'r Gorllewin ac Ysgrifau Eraill*. Cynlluniwyd seremoni cyflwyno'r Fedal gan J. Breese Davies, Ysgrifennydd y Pwyllgor Llên, ac er nad oedd yn cystadlu â'r ddwy ddefod farddol fawr o ran rhwysg ac ysblander, 'roedd yn gam mawr ymlaen o safbwynt cydnabod bodolaeth rhyddiaith Gymraeg, er mor hwyrfrydig y gydnabyddiaeth honno.

Ni chafwyd awdl chwyldroadol ym Mhrifwyl chwyldroadol Machynlleth, ond fe gafwyd awdl dda iawn. 'Y Ffin' oedd y testun, a derbyniwyd 15 o awdlau. Hudodd y gystadleuaeth rai o awdlwyr pwysicaf y cyfnod, ac nid rhyfedd i J. Lloyd Jones ddweud fod y gystadleuaeth yn '[b]rawf . . . o rym ac ynni'r awen yng Nghymru'.[69] Canodd Gwilym R. Jones (*Rhyd Lios*) am y perygl i Gymreictod ac i ddiwylliant Pen Llŷn dan fygythiad yr Ysgol-fomio, ond ni chafodd feirniadaeth ffafriol iawn. '[Y]chydig yw ei gwerth llenyddol,' meddai J. T. Job.[70] Yr oedd awen ganddo, ond heb ddisgyblaeth arni, fel Waldo Williams y flwyddyn flaenorol. Diffyg didwylledd y gerdd a boenai J. Lloyd Jones, gan nad oedd 'yn ein hargyhoeddi o'i wirionedd', ac fel cyfanwaith yr oedd 'yn fethiant truenus'.[71] Gwendid pennaf J. M. Edwards (*Yr Adain Wen*) oedd ei fynegiant rhyddieithol a'i ddiffyg angerdd. Canodd am '[y]r awen ieuanc yn ymdeimlo â'r gwrthdaro rhwng nwyd bywyd ac ynni'r ysbryd, ac yn dyheu am ddihangfa'.[72] 'Roedd gan Dewi Emrys ei docyn blynyddol i barti'r awdl hefyd. Dangosai ei awdl lawer 'o allu'r meddyliwr gofalus a'r llenor cyfarwydd' yn ôl J. T. Job,[73] ac 'roedd yn grefftwr rhagorol, er bod ôl straen ar ei gynganeddu weithiau; ar y llaw arall, 'roedd 'gormod o flas trin pwnc' ar yr awdl yn ôl J. Lloyd Jones, a dywedwyd rhywbeth digon tebyg amdani gan J. T. Job.[74] Canodd Gwyndaf am y dinistr a ddilynodd ryfel erioed, ac am dueddiadau rhyfelgar dynion.

Cystadleuydd arall oedd Trefîn (*Y Groeswen*), a ganodd am y ffin a gedwid gan y dewrion gynt, ond ar ôl colli'r ffin daeth pob math o sothach estron i beryglu bywyd ysbrydol y genedl. Un o'r beirdd a osodwyd yn uchel iawn yn y gystadleuaeth oedd Tom Parry-Jones, yn wir, ef oedd y bardd gorau yn yr holl gystadleuaeth yn ôl J. Lloyd Jones. Ceryddwyd *Dau Hiraeth* ganddo am anghywirdeb ei gystrawen a thywyllwch ei fynegiant ar brydiau, ond ef oedd 'yr athrylith fwyaf ei haddewid a'i phosibilrwydd yn y gystadleuaeth eleni, yr athrylith a gafodd y weledigaeth fwyaf aruchel ar y testun ac y rhoes ei dychymyg byw rai penillion godidog a dyfaliadau grymus'.[75] Gan gyfeirio at anlwc Waldo Williams yn Abergwaun flwyddyn ynghynt, '[e]rllynedd,' meddai J. Lloyd Jones, 'collodd bardd mwyaf y gystadleuaeth y Gadair drwy ddiofalwch neu oherwydd diffyg disgyblaeth; eleni cyll bardd mwy hi oblegid aneglurder mynegiant ac afrwydd-der arddull darnau helaeth o'i awdl'.[76] Awdl Tom Parry-Jones fyddai'r orau o ddigon, meddai, pe bai'r awdl i gyd o'r un safon â'r penillion gorau a geid ynddi. Felly, 'roedd cystadleuaeth y Gadair ym Machynlleth wedi denu rhai o feirdd caeth gorau'r dydd, ac 'roedd prifeirdd cadeiriol 1929, 1930, 1933, 1934 (William Morris), 1935 (E. Gwyndaf Evans), 1938, 1940, 1943, 1945 a 1948 o leiaf yn y gystadleuaeth, a phrifeirdd coronog 1926, 1935, 1937, 1941, 1944, 1963 a 1965; ac 'roedd o leiaf ddau o'r beirdd yn amcanu at ennill y Gadair a'r Goron ym Machynlleth, Gwyndaf a J. M. Edwards.

Rhwng *Gwernyfed* a *Llŷr* yr oedd y gystadleuaeth yn y pen draw. *Gwernyfed* oedd William Morris, a gweodd ei awdl o gylch y chwedl am Orffews ac Eurydice, gan ddehongli'r ffin fel y ffin rhwng bywyd a marwolaeth, rhwng byd y rhai byw a'r Isfyd. Canmolwyd ei grefft gan J. T. Job. Bardd 'cynnil ei arddull, â phob gair ymron yn ei le' ydoedd; perthynai i'r awdl werth llenyddol uchel yn ei dyb, a glendid a symledd arddull.[77] T. Rowland Hughes oedd *Llŷr*. Y ffin yn ei awdl ef yw'r môr rhwng Cymru ac Iwerddon, rhwng Branwen ferch Llŷr, a hithau yn gaethferch yn llys Matholwch, a Harlech a llys Bendigeidfran ei brawd. 'Roedd y ddwy awdl orau, felly, yn ymwneud â chwedloniaeth, ac yn llusgo'r awdl yn ôl i'r cyfnod cyn y Rhyfel Mawr, o ran pwnc a thema, er nad o ran iaith. Dengys y gystadleuaeth fod rhai awdlwyr blaenllaw yn parhau i feddwl am yr awdl mewn termau rhamantaidd-chwedlonol. Er i'r beirniaid gael trafferth i ddewis rhwng y ddwy, penderfynwyd, yn y pen draw, fod *Llŷr* ar y blaen o drwch blewyn. 'Awdl â llawer o hoywder telynegol (neu faledol)' ydoedd yn ôl J. T. Job, a hi oedd yr 'awdl lanaf ei chrefft yn y gystadleuaeth'.[78] Tueddai awdl William Morris i wanhau tua'i diwedd yn ei dyb. 'Roedd awdl *Llŷr*, ar y llaw arall, wedi cadw cysondeb safon hyd at y diwedd, ac 'roedd ei gyffyrddiad yn sicrach. 'Awdl ryfedd o swynol ydyw, heb ias o ymdrech ynddi, ond er ei thawelwch d[i]rodres, yn rhoi argraff o angerdd drwyddi' yn ôl J. Lloyd Jones.[79] Ni allai J. Lloyd Jones ymatal rhag clodfori'r awdl. 'Heblaw ei chelfyd[d]yd gywrain a chywir, y mae ei barddoniaeth yn gain ac arddunol, a'i ffigurau'n ddethol a chwaethus,' meddai, ond efallai mai 'ei phrif ogoniant yw'r disgrifiadau rhagorol a geir ynddi, ac sydd yn brawf digamsyniol o ddawn arbennig i dynnu darluniau byw a lliwus mewn geiriau'.[80]

Er y gellid honni fod awdlau 1937 yn perthyn i'r cyfnod chwedlonol-ramantaidd o ran cynnwys, 'roedd y ddwy yn bur wahanol o safbwynt iaith, geirfa a mynegiant i awdlau'r cyfnod hwnnw. 'Roedd yr eirfa stoc, ystrydebol wedi diflannu, a Chymraeg naturiol, rhywiog a graenus wedi'i disodli yn y ddwy awdl. '[Y] mae'i hiaith, a'i harddull, a'i mydryddiaeth, yn rhagorol,' meddai J. T. Job, gan sylwi ar y cryfder hwn yng ngwaith T. Rowland Hughes;[81] o ran hynny, meddai, 'roedd arddull y ddwy awdl orau yn rhagorol. Yn hyn o beth 'roedd Wiliam Morris wedi parhau'r gwaith da a wnaeth ag 'Ogof Arthur'. 'Roedd mabwysiadu geirfa lai treuliedig a mwy naturiol yn gam mawr ymlaen tuag at droi'r awdl yn rhywbeth mwy byw a chyfoes, ac 'roedd y ddwy awdl fel ei gilydd yn fynegbyst cadarnhaol i gyfeiriad y dyfodol. 'Roedd un o'r awdlau yn waith nofelydd wrth reddf, llenor a wyddai pa mor bwysig oedd cyfathrebu â chynulleidfa. 'Doedd pob un o feirdd y gystadleuaeth ddim wedi dysgu'r wers hanfodol honno. Mae awdl Gwyndaf, er enghraifft, yn hollol groes i'r ddwy awdl orau o ran mater a mynegiant. 'Roedd ei phwnc yn hollol gyfoes, ond ei geirfa yn dreuliedig hynafol, a'i mynegiant yn bur afrwydd. Digon yw dyfynnu un englyn:

> Bâr a dias teyrnasoedd – yn edwi,
> A nwydwyllt frenhinoedd,
> Gwŷr gorddifwng blwng eu bloedd,
> Yn nhawelwch y niwloedd.

Yn rhan gyntaf awdl T. Rowland Hughes mae Branwen yn cyfarch y drudwy, ac anodd peidio â synhwyro dylanwad 'Drudwy Branwen' R. Williams Parry ar y rhan hon:

Uwch y ffin ddofn heb ofni,
Uwch tywyn ei hewyn hi
– Hir y daith – cymer dy hynt
I'r cyrrau a gâr corwynt.

Drwy'r rhan gyntaf hon, a thrwy'r awdl, ceir disgrifiadau diriaethol, byw, delweddu trawiadol, a llinellau cofiadwy, fel 'Uwch maith anwadalwch môr', a'r llinell ryfeddol, 'A gwawr tros ennyd yw gwrid rhosynnau'. Dyma enghraifft o ddelweddu syfrdanol, yn enwedig pan feddylir am y gwynt yn troi'r môr yn gwysi o donnau a chrychiadau i gyfannu'r ddelwedd:

Erwau lle'r heua'r corwynt
Afrad ei had ar ei hynt.
Dyfal y med, fel y myn,
Gynhaeaf gwaun o ewyn.

Enghraifft arall o ddychymyg diriaethol y bardd yw'r llinellau hyn:

Tresi'r wawr tros Eryri
A'i gwrid llosg ar hyd y lli!

Edrych, mae llewych fel llain – ar loywddwr
Yn bwrw ar y dŵr lwybr i'r dwyrain.

Yn yr ail ran y mae Branwen yn myfyrio am y môr wrth edrych arno, yn myfyrio am y ffin rhyngddi a Chymru. Mae'r môr yn symbol o'i hunigrwydd, ei halltudiaeth a'i chaethiwed. Mae'r wawr, yn ogystal â'r môr, yn symbol o'i chyflwr:

Gwea lun fy anhunedd – yn ei niwl
A'i hannelwig lwydwedd
Uwch anhygyrch unigedd
A rhu dwfn y môr di-hedd.

Astudiaeth o unigrwydd a geir yma:

Ni chyffry adar: dim ond galar gwylan
A ddaw o'r môr yn weddi i'r marian,
Dyrys gri dros y graean – anniddig.
Ai adlef unig o'm hoedl fy hunan?

Daw llef fy nioddef yn ôl
O'r ffin ar fin erfyniol
Ei thonnau llathr ac athrist.
O'i gloyw drai dwg awel drist
Ei hir gŵyn yma i'r gell
Ar drothwy'r ddi-wawr draethell . . .

Unig obaith Branwen am waredigaeth yw'r drudwy, ond yn yr ail ran mae hi'n digalonni wrth feddwl fod yr aderyn, efallai, wedi marw cyn cyrraedd pen ei daith, ac mae ei breuddwydion a'i gobeithion hithau yn mynd i'r gwellt:

Byr yw hedd a ddwg breuddwyd.
Dihangodd, crinodd fel cri
Rhyw wylan ym môr heli –
Aderyn yn rhwyd oerwynt,
Breuddwyd a gipiwyd i'r gwynt!

Mae'r awdl yn symud o obaith pryderus y rhan gyntaf at fyfyrdod ynghylch ei gwae a'i thrueni a'i hunigrwydd yn yr ail ran, wrth i amheuon ei llethu. Yn y drydedd ran ceir llwyr anobaith:

Ni phaid darogan y ffin,
Ni ddaw un duw neu ddewin
I'm dwyn dros y llwm donnau
Ar rawd bêr i'm hyfryd bau,
I'w llawenydd aur lle ni ddaw hirion
Oriau o ofid i lesg wyryfon,
A lle ni theifl llanw a thon – anhyfryd
Eu hanesmwythyd i'r nosau meithion.

Y fro ddelfrydol, un o themâu mawr y canu rhamantaidd, a geir yn y pennill uchod, ac yma, fel ag mewn rhannau eraill o'r awdl, gwelir dylanwad T. Gwynn Jones ac R. Williams Parry.

Yn ôl J. Lloyd Jones, portread 'o hiraeth digysur a diddanwch wrth ffin anhydyn ac anorthrech' a geir yn yr awdl.[82] 'Rhyw fath o alegori a fwriadwyd i ddisgrifio loes ac angerdd pob hiraeth a fu erioed,' meddai, ond tybed?[83] Mae'r awdl yn alegori, yn sicr, yn nhraddodiad gorau'r awdl chwedlonol-alegorïol, ond ai portreadu hiraeth a wna? Ar lefel drosiadol mae Branwen yn symbol o enaid Cymru, o harddwch gorffennol y genedl. Mae'r môr yn ffin rhyngddi a'r tir. Symbol o harddwch iaith a grym traddodiad a chadernid diwylliant yw Branwen, ond mae'r elfennau hyn yn alltudiedig o dir Cymru. Rhaid wrth chwyldro a brwydr i ryddhau Branwen o'i chaethiwed, fel y gall ddychwelyd i'r Gymru gyfoes. Mae'r môr bygythiol, hollbresennol yn cynrychioli'r rhwystrau rhag iddi ddychwelyd: dihidrwydd, taeogrwydd, materoldeb. Y ffin rhwng dyhead a delfryd yw'r môr. Mae Branwen, enaid Cymru, yn dyheu am i wroniaid ddod i'w hachub a'i rhyddhau:

> Hir flinais ar aflonydd
> Ddwndwr y dŵr nos a dydd,
> Disgwyl rhyw hwyl ar heli
> Neu frig llong hyd farrug lli,
> A chlywed gwŷr yn uchel hyd gyrrau
> Y swnt oer, unig, a sŵn tarianau
> Cewri fyrdd ar li'n cryfhau, – a naid bloedd
> Yn waedd i'r glynnoedd o ddŵr y glannau.

Gyda'r môr yn ffin gref a di-syfl rhwng Branwen a'i Chymru, mae hi'n ystyried hunan-laddiad:

> Ni ddaw hwyl, a hawdd wylaw
> O syllu dros y lli draw
> Hyd erwau'r dŵr oer, di-hedd,
> A'i anhygyrch unigedd –
> Hwrdd o wylo anniddig ar ddeulin,
> Wylo gan guro ar furiau gerwin,
> Rhag ffoi i beryg' y ffin, – a drysu,
> Yna ymdaflu i'w bwrlwm diflin!

Mae'r drydedd ran, ar ôl gobaith gwan a phryderus y rhan gyntaf, unigrwydd a hiraeth yr ail ran, yn diweddu mewn anobaith. 'Does neb yn dod i'w rhyddhau nac i'w chyrchu yn ôl i Gymru:

> Ni ddaw march tros ysgwydd môr,
> Nac undyn drwy'r agendor,
> Na llam rhyfeddod lluman
> O anwel y gorwel gwan.

Daw stori Branwen i ben. Llais y bardd a glywir yn y bedwaredd ran. Mae'n crynhoi arwyddocâd caethiwed ac alltudiaeth Branwen. Mae ei chri, er iddi hi ei hun farw, wedi aros yng nghalon Cymru:

> Ond daeth dy osber o fryniau Erin
> Yn gân o ofid i'th hen gynefin.
> Hi a ffoes dros donnau'r ffin, – yn felys
> Alaw a erys yng nghôl y werin.

Proffwydir gan y llefarydd yn y bedwaredd ran, y bardd, y bydd beirdd Cymru yn cadw chwedl Branwen yn fyw. Bydd iddi hi fyw am byth, yn ysbrydoliaeth i'r oesoedd a ddêl:

> Dy hiraeth a roes ledrith i'r oesau:
> Dy ruddwawr, Branwen, a drodd i'r bryniau.
> Fel islais pêr aberau – dy dristwch
> Chwery'n nwfn heddwch yr hen fynyddau.

Daw'r awdl i ben â chwestiwn penagored nad yw'r bardd yn ei ateb: 'Ai breuddwyd fu llwyd y lli/A'r disgwyl hwyl ar heli?' Hynny yw, a ryddheir Cymru? Awdl sy'n rhan o gyffro helynt yr Ysgol-fomio yw hon. Mae hi'n un o gerddi gwladgarol y tridegau, ac yn gerdd wladgarol-alegorïaidd fel 'Ogof Arthur' a 'Breuddwyd y Bardd'; ac fel 'Breuddwyd y Bardd', y mae confensiwn y Mab Darogan yn gryf ynddi, wrth i Franwen ddyheu am i'r gwaredwr ddod dros y môr. Mae'n wir y ceir ambell adlais o'r hen eirfa ramantaidd yn yr awdl – 'hudolus', 'ariant', 'gwridog rosydd', 'hwyrddydd mwsg', 'eira têr' – ond prin ydynt, ac mae iaith yr awdl nid yn unig yn ddealladwy ac yn gryno ond hefyd yn ystwyth ac yn raenus.

'Y Ffin' oedd llwyddiant mawr llenyddol Eisteddfod Machynlleth, a rhyfedd oedd llugoerni Thomas Parry yn ei chylch wrth ei hadolygu yn y *Western Mail*. Cwynodd, i ddechrau, ynghylch arfer rhai beirdd diweddar o beidio â chanu'n destunol. '[M]i af ar fy llw,' meddai, 'na thybiai neb mai'r Ffin yw'r testun' pe na wyddai pawb hynny, a charai, o'r herwydd, 'weled beirniaid yn ei gwneud yn rheol na wobrwyir dim ond cân ar y testun a osodir'.[84] 'Roedd Thomas Parry yn annheg, ac yn brin o'r craffter hwnnw, am y tro, a oedd mor nodweddiadol ohono. Mae'r môr, y ffin yn yr awdl, yn symbol hollbwysig drwy'r gerdd o'r ffin rhwng bywyd a marwolaeth cenedl, y ffin rhwng ennill a cholli iaith, rhwng rhyddid a chaethiwed, ac mae'r môr yn fygythiad ffyrnig drwyddi. Symbol o daeogrwydd a brad y Cymry yw'r môr, wrth i genedl y Cymry symud i gyfeiriad hunanladdiad yn raddol, sef hunanladdiad Branwen yn yr awdl. Yn y modd y disgrifiai natur 'yn swynol iawn', y modd y gallai 'roi symud a bywyd yn ei ganu', ac oherwydd bod ambell linell drom o ystyr ('A gwawr tros ennyd yw gwrid rhosynnau'), yr oedd rhagoriaeth yr awdl iddo,[85] ond nid oedd yr awdl yn dal y prawf o edrych arni fel cyfanwaith. Ei phrif wendid oedd ei diffyg ymenyddwaith, a'r diffyg deallusrwydd hwn wedi peri i'r bardd '[g]anu gormod ar un tant; gogrdroi o gwmpas un teimlad. Canu wrth reddf, megis; a gadael i'r reddf honno arwain y bardd fel y mynno'.[86] Cwynodd Thomas Parry fod y 'diffyg ymenydd-waith hwn yn amlwg iawn yng nghanu'r Eisteddfod o hyd'[87] a sylwodd fel nad oedd neb wedi llunio pryddest ar y testun 'Powys' yng nghystad-leuaeth y Goron, am fod angen peth ymchwil, gwybodaeth a deallus-rwydd i lunio cerdd o'r fath. Ond a fyddai Thomas Parry wedi condemnio awdl T. Rowland Hughes pe bai wedi deall arwyddocâd ei symboliaeth, a'r symboliaeth honno, yn sicr, yn gynnyrch ymenyddwaith? Nid yw 'Y Ffin' yn awdl fawr, o bell ffordd, ond mae hi'n awdl dda, ac yn waith bardd a llenor celfydd a myfyrgar, ac yn ei defnydd o symboliaeth 'roedd hi'n symud i gyfeiriad modernaidd, yn sicr.

Digon di-lun oedd y cystadlaethau eraill ym maes y canu caeth ym Machynlleth. Ataliwyd y wobr yng nghystadleuaeth yr englyn, ar y testun 'Ernes', gan John Williams, Llundain, er bod 99 wedi cystadlu. Enillwyd cystadleuaeth y cywydd gan hen law, D. J. Davies, Llanelli, Prifardd cadeiriol 1932, ar y testun 'Yr Ogof', ond cywydd hollol ddi-fflach a wobrwywyd. Enillwyd dwy o'r cystadlaethau canu caeth gan y bwnglerwr cynganeddol hwnnw, D. Cledlyn Davies. Richard Hughes, y ceir rhagor o sôn amdano wrth drafod canu caeth y cyfnod 1940-50, a enillodd ar y ddychangerdd; yn ogystal, dyfarnwyd hir-a-thoddaid o'i eiddo yn fuddugol yn un o'r cystadlaethau hir-a-thoddaid, a rhannodd y wobr gyda Tom Parry-Jones yng nghystadleuaeth y soned. O safbwynt y canu rhydd, enillwyd cystadleuaeth y delyneg, gyda 54 yn cystadlu, gan y Parch. G. Ceri Jones, a fyddai'n ennill y Gadair yn Eisteddfod Genedlaethol Pwllheli ym 1955. 'Roedd ei delyneg ym 1937 yr un mor afrwydd â'i awdl ym 1955.

Rhoddwyd dewis o dri thestun ar gyfer y Goron ym Machynlleth, 'Cyni', 'Powys', 'Y Pentref'. Dewisodd wyth o'r pedwar cystadleuydd ar ddeg ganu i'r 'Pentref', a dewisodd chwech arall 'Cyni' yn destun, testun hynod o addas o safbwynt problemau economaidd y cyfnod. Yn naturiol, canodd rhai am y cyni economaidd hwnnw, fel *Cwm y Glo*, a ganodd am 'amgylchiadau'r ardaloedd di-waith yn y Deheudir', ac *O'm Paradwys*.[88] Ni ddewiswyd 'Powys' gan neb. Isel oedd safon y gystadleuaeth yn ôl T. Gwynn Jones, er i'r gystadleuaeth ddenu rhai o brif feirdd eisteddfodol y cyfnod, fel Gwyndaf (*O'r Tŵr*) ac R. Bryn Williams (*Ariannin*), y gosodwyd eu pryddestau yn y dosbarth cyntaf. Ni chanmolwyd y bryddest fuddugol gan J. M. Edwards yn ormodol. Hi oedd y 'gerdd lawnaf o feddwl yn y gystadleuaeth,' yn ôl T. Gwynn Jones.[89] 'Ffyddlondeb y bardd i'w ddawn ei hun, a'i ganfyddiad o'r pethau arhosol a thragwyddol y sydd tucefn i bob cyfnewid ar yr wyneb' oedd cryfder y gerdd yn ôl Simon B. Jones, ond 'roedd iddi lu o wendidau, er enghraifft, '[t]rymder arddull, ergydion fflat . . . gorddefnyddio ansoddeiriau, gorhoffedd o ambell air . . . a diffyg synnwyr beirniadol'.[90]

Mae cyhuddiadau Simon B. Jones yn wir. Pryddest ddieneiniad, undonog, yn y mesur moel degsill, yw 'Y Pentref', a phrin yw'r fflachiadau fel 'isel ffrwd yr afon flin' sy'n treiddio drwy'r undonedd trwm, fel pelydryn o oleuni'r haul yn fflachio drwy lond gwydr o win wedi egru a gwaddodi. Pryddest eiriog, haniaethol a rhyddieithiol yw hi. Adroddir hanes llanc ifanc yn ymadael â'r bywyd pentrefol, ar ôl melltithio bywyd cul a rhagfarnllyd y pentref. Mae'n dirmygu 'symledd pobl a rygnai dros eu hoes/Yr un hen gân'. Cân o fawl i sylfaenwyr a gwarchodwyr y pentref yw'r 'un hen gân' honno:

> Heddiw nyni yw etifeddion tras
> Gogoniant drud traddodiad hen y pridd . . .

Mae'r gân hon yn melltithio materoliaeth yr oes a diweithdra'r ardaloedd gwledig am ddiboblogi cefn-gwlad:

> Cipier ein plant i afael crafanc ddur
> Peiriant eich materoliaeth; llusger hwy
> O fron anwyldeb a roes rym i'w mêr;
> Tynner eu gwreiddiau o ffrwythlondeb tir
> A'i rin a gerddodd eu gwythiennau'n faeth,
> Eto, nid ildiwn ddim.

Ni wrendy'r alltud ar y geiriau hyn. Ni chreodd y bywyd pentrefol cul unrhyw orchest na champ yn ei dyb, ac mae'n cefnu ar y pentref gan '[f]entro'r anwybod' a '[f]foi rhag haint/Cyngor a rhagfarn gwŷr a gwragedd oer/Eu gwaed, a noddwyr moesau'r wyneb hir'. Fe'i hudir gan fywyd y ddinas, 'chwim anturiaeth y dinasoedd llawn', ond daw i sylweddoli ei fod yn un â bywyd y pentref. Daw'r trobwynt meddyliol hwn braidd yn rhy sydyn, ac mae hyn yn wendid yn adeiladwaith y gerdd. 'Does dim sôn am ddadrithiad yn y ddinas, dim ond y sylweddoliad sydyn:

> Mor aml y daethai'r awydd am ei fyd
> A'i strydoedd bach, dibalmant, a phob drws
> Gan mor gyfarwydd pawb, o led y pen . . .

Mae'n cefnu wedyn ar '[d]dieithrwch arall-fyd y newydd oes' yn ei feddyliau, ac yn hiraethu am fywyd tawel y pentref.

Daw un o themâu diweddarach J. M. Edwards i'r wyneb yn y gerdd, sef fod celfyddyd yn drech na gormes amser:

> . . . bydd campwaith clwyd
> Drws a chelficyn fyth yn herio llaw
> Amser a'i hen ebillion, glaw a gwynt.

Dafydd y Saer sy'n llefaru'r darn uchod. Mae'r cymeriad pentrefol hwn yn rhagweld tranc y diwydiannau gwledig:

> Eisoes distawodd gwich yr olwyn fawr
> Wrth dalcen garw'r Ffatri, a daeth llaid

I dagu'r fflodiat. Segur ydyw hynt
Rhod nyddu hen a gwerthyd gwehydd mwy;
A gwelwch eilwaith fel y caewyd drws
Y pandy yn Felindre, lle bu gynt
Ddiwydiant ardderchocaf bro, a sŵn
Peirianwaith ffustiau pren yn arwydd byw
O'r cain wareiddiad sydd a'i dranc yn siŵr
Oni ddeffrown i herio'r estron drais
A yrr ei gancr i hamdden maith y pridd
A'i ddeifiol haint dros henaint teg y wlad.

A dyma ni yn nhiriogaeth Auden a Gwenallt yn y tridegau. Mae'r bryddest yn cloi, braidd yn rhagweladwy, gyda'r pentrefwr alltud yn ymdynghedu i fwrw gweddill ei oes yn y pentref, ond mae'r mynegiant gwlanog, haniaethol yn peri i ni amau diffuantrwydd yr hyn a ddywedir:

. . . yno byth
Mae'r gwreiddiau'n ddyfnaf; nid oes llwybr i ffoi
Rhag ymchwydd hen bwerau yn fy ngwaed
Ac argraff cyffroadau'r henfro wiw
Yng nghraidd f'ymwybod.

Er mai thema gyfoes sydd i'r bryddest, mynegwyd y cyfan mewn iaith farw, haniaethol, ac mae'r haniaethau hyn yn peri diflastod pur, er enghraifft, 'Traidd ei gyfriniol swyn/I graidd dirgelaf enaid'. Un o wendidau'r bryddest yn ôl Thomas Parry oedd y ffaith 'nad oes ynddi ddim golwg hanfodol bersonol ar bethau, dim gweledigaeth'.[91] Credai fod rhyddiaith yn gymhwysach cyfrwng na barddoniaeth i ddisgrifio hen ardal a'i chymeriadau, ac mai '[r]haid wrth fardd mawr iawn i drawsffurfio yn ei feddwl y pethau bach rhyddieithol hyn, a gwneud barddoniaeth ohonynt'.[92] Gwendid amlwg arall oedd arddull y gerdd. 'Y mae'r arddull weithiau yn yr un byd yn hollol â phryddestau'r ganrif ddiwethaf,' meddai Thomas Parry eto.[93]

Enillwyd cystadleuaeth y nofel heb fod dros 40,000 o eiriau ym Machynlleth gan Lewis Davies, Y Cymer, gydag E. Morgan Humphreys yn beirniadu. Derbyniodd y beirniad bum nofel, ac *Ar Rawd y Pererinion*, stori o gyfnod Llywelyn ap Iorwerth, gan Lewis Davies oedd y nofel orau, er bod yr arddull 'yn rhy rodresgar mewn mannau ac yn rhy anystwyth yn aml'.[94] Ond nofel ail-law a gafodd Eisteddfod Machynlleth. 'Roedd *Rhawd y Pererinion* yn ail i nofel Elena Puw Morgan, *Y Wisg Sidan*, yn Abergwaun flwyddyn ynghynt, yng nghystadleuaeth y nofel Gymraeg. Mae Lewis Davies yn ffigwr eisteddfodol diddorol, a dweud y lleiaf. Os oedd y bardd cystadleuol yn ffenomen nodweddiadol o'r Eisteddfod, yr oedd y fath beth â rhyddieithwyr cystadleuol yn bod hefyd, cystadleuwyr helaeth eu gwobrau ond prin eu cyfraniad yn aml. Un o brif gystadleuwyr rhyddiaith y blynyddoedd 1920-50, ac ychydig cyn hynny, oedd Lewis Davies Y Cymer, neu Lewis Glyn Cynon. Yn enedigol o'r Hirwaun, Aberdâr, ym 1863, cafodd oes faith, ac oes faith o gystadlu yn ogystal. Yn ysgolfeistr yn ôl ei alwedigaeth, ym Mhenderyn o 1884 hyd 1886, ac wedyn yn Y Cymer yn Nyffryn Aman, ymddeolodd ym 1926, ac yntau dros ei drigain oed. Mae'n rhyfeddol meddwl iddo lenydda a barddoni yn doreithiog am ryw chwarter canrif ar ôl ymddeol. Yn ogystal â bod yn rhyddieithwr, 'roedd hefyd yn arweinydd côr, yn gyfansoddwr tonau ac yn fardd yn y mesurau caeth a rhydd. Bu bron iddo ennill cystadleuaeth yr englyn yn Lerpwl ym 1929, pan ddaeth yn ail i Ifano Jones â'r englyn hwn, ar y testun 'Helygen':

> Oer leianwen torlennydd – yn ei chrwm,
> Llaith ei chrimog beunydd:
> Cares cyrs, ancres corsydd,
> Eiliw gwae, Rahel y gwŷdd.

Nid dyna'r unig dro iddo ddod yn ail, gan mai ef oedd yr ail i D. Rhys Phillips am draethawd ar hanes Cwm Nedd yn Eisteddfod Genedlaethol 1918, ac amhosibl gwybod pa sawl gwaith y bu iddo gystadlu yn y gwahanol adrannau llên drwy gydol ei yrfa. Bu'n cystadlu fel traethodwr, bardd, casglwr tribannau, storïwr a nofelydd, ac 'roedd y gŵr hynod amryddawn hwn yn ymhél â'r ddrama hyd yn oed.

Enillodd lawer ym maes rhyddiaith yr Eisteddfod. Er enghraifft, enillodd ar stori Gymraeg yng Nghaernarfon ym 1921, ac ef oedd y buddugwr yng nghystadleuaeth y deuddeg stori antur fer i blant yn Rhydaman ym 1922. Ym 1923 ef oedd y buddugwr yng nghystadleuaeth y deuddeg stori fer i blant, eto, ac ym 1924 enillodd ar y Tair Alegori Fer. Ym 1925 yr oedd yn gydradd gyntaf ar y nofel Gymraeg gyda Morris Thomas. Ym

1936 enillodd y gystadleuaeth 'Llyfr Darllen i'r Ysgolion' ar y testun 'Bywyd ac anturiaethau Morwyr Cymru'. Yn henwr musgrell a hanner dall 86 oed, enillodd gystadleuaeth y nofel yn Eisteddfod Dolgellau, 1949, gyda D. J. Williams yn beirniadu. *Herio'r Norman*, nofel hanes a seiliwyd ar y ddau wrthryfel yn Ne Cymru, ym 1116 a 1136, oedd hon. Yn yr un Eisteddfod cafodd hanner y wobr yng nghystadleuaeth y nofel antur, am ei nofel o'r cyfnod Normanaidd, *Y Cyn Herwheliwr*, dan feirniadaeth J. E. Williams, Borth-y-gest, ond ni chafodd feirniadaeth ffafriol y tro hwnnw. Flwyddyn ynghynt, ym Mhen-y-Bont ar Ogwr, rhannodd y wobr â D. D. Herbert, Resolfen, am 'Gasgliad o Dribannau Morgannwg' dan feirniadaeth D. Myrddin Lloyd. O'r holl weithgarwch cystadleuol hwn ym maes rhyddiaith, ychydig iawn o'i weithiau a gyhoeddwyd. Cyhoeddodd *Radnorshire* yn 'County Series' Gwasg Prifysgol Caergrawnt, *Outlines of the History of the Afan Districts*, *Ystorïau Siluria*, *Bargodion Hanes* (buddugol yn Eisteddfod Yr Wyddgrug, 1923), a phedair nofel antur: *Lewsyn yr Heliwr*, *Daff Owen*, *Y Geilwad Bach*, a *Wat Emwnt*. Gwasanaethodd yr Eisteddfod hefyd fel Cadeirydd y Pwyllgor Llên yn Aberafan ym 1932. Mae record eisteddfodol Lewis Davies yn ennyn edmygedd a thosturi ar yr un pryd: toreth heb ragoriaeth, swmp heb gamp. Mae'n ein gadael yn y diwedd â darlun o hen ŵr hanner dall a llesg yn ymlafnio yn ei unigrwydd i lunio nofelau na fyddai neb byth yn debygol o'u darllen: ymdrech wrol ond ymdrech hollol ofer.

Fe gafwyd, at ei gilydd, Ŵyl lwyddiannus ym Machynlleth. 'Roedd yr awyrgylch ar y maes yn hynod o Gymreigaidd, gan gyd-asio â'r ysbryd o brotest a chenedlgarwch a brofwyd cyn yr Ŵyl ac yn ystod wythnos ei chynnal. Cynhaliwyd yr Ŵyl mewn tref fechan a chanddi lai na 2,000 o drigolion, a derbyniodd gymorth gan ogledd Ceredigion a rhan o Feirionnydd. 'Roedd Lloyd George yn ddigon parod i atgoffa'i wrandawyr yn ei anerchiad ar ddydd Iau'r Eisteddfod mai ym mhrifddinas Owain Glyndŵr ac yn yr ardal a gododd Robert Owen o'r Drenewydd yr oedd yr Eisteddfod yn cael ei chynnal, a bod mwy o bobl yn siarad Cymraeg yng Nghymru ym 1937 nag yn oes Owain Glyndŵr. Hwn oedd dydd y cenhedloedd bychain, meddai, gan daro tant cyfarwydd, ac 'roedd un ar ddeg o genhedloedd bychain wedi ennill eu rhyddid a'u hannibyniaeth ers y Rhyfel Mawr; nid ar y cenhedloedd bychain yr oedd y bai fod y byd yn y fath gyflwr ag yr oedd. 'Roedd mwy o bobl nag erioed yn siarad Cymraeg hyd yn oed yn ninas Normanaidd Caerdydd, meddai, ac i'r ddinas honno yr aeth Prifwyl 1938.

Ni ddechreuwyd gweithredu'r Cyfansoddiad newydd tan Eisteddfod Dinbych ym 1939. 'Eisteddfod Genedlaethol Dinbych ydyw'r gyntaf a gedwir o dan nawdd a thrwy ganiatâd Cyngor yr Eisteddfod,' meddai D. Owen Evans, Cadeirydd Pwyllgor Gwaith y Cyngor newydd, Cynan a D. R. Hughes.[95] Penderfynwyd mai yng Nghaerdydd y cynhelid Eisteddfod 1938 ym 1936, pan oedd Cymdeithas yr Eisteddfod yn parhau i fod mewn grym. Er hynny, fe geisiwyd rhoi rhai o argymhellion y Cyfansoddiad newydd ar waith yng Nghaerdydd. Un o'r argymhellion hynny oedd y Rheol Uniaith, ac ar drothwy'r Ŵyl fe gafwyd datganiad herfeiddiol gan W. J. Gruffydd, Cadeirydd Pwyllgor Llenyddiaeth Caerdydd, y byddai Prifwyl 1938 yn un o'r Eisteddfodau Cymreiciaf i'w chynnal ers blynyddoedd. Fodd bynnag, pryderai llawer, yn enwedig hyrwyddwyr y Rheol Uniaith, mai Prifwyl Seisnigaidd ei naws fyddai Prifwyl 1938, ond yn ôl Gwyn Daniel:[96]

> Darogenid gan amryw y byddai Eisteddfod Caerdydd yn gwbl Seisnig, ond nid felly y bu. Am y tro cyntaf ers blynyddoedd lawer yr oedd y cystadleuaethau llenyddol yn Gymraeg i gyd. Heblaw hynny, penderfynodd y Pwyllgor Gwaith nad oedd neb i gael llywyddu yn yr Eisteddfod hon oni byddai naill ai yn gwasanaethu Cymru ar hyn o bryd neu â chysylltiad byw â hi. Dyma eng[h]reifftiau o arweiniad Caerdydd yn erbyn y llanw Seisnig, ac os na lwyddwyd i greu awyrgylch hollol Gymreig fe sicrhawyd y peth agosaf ato, a hynny mewn dinas sydd â'r mwyafrif o'i phoblogaeth yn Saeson neu Gymry Seisnig.

Yn sicr, fe wnaethpwyd pob ymdrech i ddefnyddio'r Gymraeg wrth agor yr Ŵyl yn swyddogol. Aeth Arglwydd Faer Caerdydd, O. C. Purnell, ati'n unswydd i ddysgu'r Gymraeg oherwydd ei fod yn dal swydd o bwys ym mhrif ddinas Cymru ac oherwydd bod yr Eisteddfod i'w chynnal yn y ddinas honno yn ystod ei gyfnod fel maer. 'Bu llawer o ddisgwyl am yr Eisteddfod hon, a dyma hi wedi dod,' meddai wrth groesawu'r dorf i'r Ŵyl, ac aeth ymlaen â'i anerchiad yn y Gymraeg.[97] Croesawyd yr Eisteddfod i Gaerdydd gan yr Arglwydd Dumfries yn ogystal, sef mab yr Anrhydeddusaf Ardalydd Bute, Llywydd Eisteddfod Caerdydd. Ni allai'r Ardalydd Bute ddod i'r Eisteddfod oherwydd gwaeledd, ac fe'i cynrychiolwyd gan ei fab yn y seremoni agoriadol. Croesawodd yntau hefyd yr eisteddfodwyr yn y Gymraeg: 'Fel llywydd o gyfarfod yr Eisteddfod fawreddog hon yr wyf yn eich croesawu i Gaerdydd a gobeithiaf y bydd eich ymweliad yn un llawen,' meddai.[98] 'It was not startling to hear a member of the Bute family attempt the Welsh language,' meddai Edward James yn y *Western Mail*, oherwydd 'I recall the time when his father was taking Welsh lessons and his grandfather had a good working knowledge of the language'.[99] Cyfeiriodd yr Arglwydd Dumfries, yn ei araith lywyddol ar fore dydd Llun yr Ŵyl, at ei daid, gan ddyfynnu o'i anerchiad yn Eisteddfod Caerdydd ym 1883: 'I would urge you to cling to the language of your fathers and so seek through it the development of literary power and intellectual culture, but let me urge you to seek in culture'.[100]

Er hynny, fe wahoddwyd nifer o bobl ddi-Gymraeg i lywyddu yn yr Eisteddfod, fel y Gwir Anrhydeddus Iarll Plymouth, a fu'n annerch fore dydd Mawrth yr Eisteddfod, a Syr Robert Webber o'r *Western Mail*, a fu'n annerch y dorf ar fore dydd Sadwrn. Methodd Lloyd George ddod i Gaerdydd ar ddiwrnod y cadeirio, a gofynnwyd i W. J. Gruffydd draddodi araith yn ei le. Manteisiodd ar ei gyfle. 'Roedd helyntion Penyberth ac Eisteddfod Machynlleth yn lliwio'i anerchiad wrth iddo atgoffa'r gynulleidfa y byddai Eisteddfod Genedlaethol Pen-y-bont ar Ogwr ym 1940 yn gorfod ymgiprys ag amgylchiadau anodd, oherwydd bod un o'r ffatrïoedd arfau mwyaf yn Ewrop ac ysgol-fomio fawr ar fin cael eu sefydlu ym mro'r Eisteddfod. Daeth yr hen emyn 'Pwy welaf o Edom yn dod?' i'w gof, meddai, ond cafodd ei demtio i barodïo'r emyn a newid y ddwy linell gyntaf i 'Pwy welaf o Lundain yn dod/A'u gwisgoedd yn gochion gan waed?' Llai o daeogrwydd a mwy o eithafrwydd yng Nghymru, dyna oedd neges fawr W. J. Gruffydd yng Nghaerdydd, a derbyniodd gymeradwyaeth fyddarol gan y dorf. Bu Gruffydd yn byw yng Nghaerdydd oddi ar 1906, pan benodwyd ef yn ddarlithydd yn Adran Gelteg Coleg y Brifysgol yno, ac 'roedd yn benderfynol o warchod a hyrwyddo Cymreictod yr Ŵyl yn ei Eisteddfod 'gartref'.

Yr oedd Eisteddfod Caerdydd yn Ŵyl ddiddorol a llwyddiannus ar lawer ystyr. Cynhaliwyd yr Eisteddfod ei hun yng Ngerddi Soffia mewn pafiliwn anferthol ac urddasol a ddaliai 15,000 o bobl, gyda Phabell Lên a oedd yr un mor urddasol yn ymyl. Perfformiwyd dramâu'r wythnos yn Theatr Tywysog Cymru, a chynhaliwyd yr Arddangosfa Gelf a Chrefft yn Neuadd y Ddinas. Un arbrawf llwyddiannus yng Nghaerdydd oedd ymddangosiad cyfrol y Cyfansoddiadau a'r Beirniadaethau yn syth ar ôl y cadeirio, a'r gyfrol honno yn cynnwys y beirniadaethau ar y prif weithiau yn ogystal â detholiad cynhwysfawr o'r gweithiau buddugol eu hunain. Cyhoeddwyd y gyfrol dan nawdd y Cyngor newydd, a disodlodd ar unwaith lyfrynnau'r pwyllgorau lleol, a gynhwysai'r cerddi buddugol yn unig. Gwerthwyd 2,500 o gopïau o'r gyfrol cyn diwedd yr wythnos, a pharhawyd y drefn yn Ninbych flwyddyn yn ddiweddarach. Yng Nghaerdydd hefyd yr etholwyd Crwys yn Archdderwydd, i olynu J. J. Williams, ond ychydig a wyddai neb ar y pryd y byddai Crwys yn llenwi'r swydd honno o 1939 hyd 1946, oherwydd amgylchiadau anarferol.

'Roedd y rhaglen ddrama yng Nghaerdydd yn un uchelgeisiol. Ar nos Lun a nos Fawrth yr Eisteddfod, perfformiwyd *Macbeth*, sef cyfieithiad graenus T. Gwynn Jones o ddrama Shakespeare, gan Gwmni Eisteddfod Genedlaethol Caerdydd. 'Doubtless, this ambitious effort,' meddai T. O. Phillips yn y *Western Mail*, 'was the result of a threefold development – improved histrionics, together with a producer who knows his job, an enlightened and cultured audience of theatre-goers, and the appearance of an artist of profound ability in the person of Dr. T. Gwynn Jones, who made the performance possible by giving us the translation'.[101] Cynhyrchwyd y ddrama gan Haydn Davies, a chwaraewyd y prif rannau gan Jack James a Dilys Davies. Wrth lywyddu ar nos Lun yr Eisteddfod, dywedodd T. Gwynn Jones fod y ddrama yng Nghymru wedi llamu ymlaen yn ddiweddar, ond 'roedd angen i ddramodwyr Cymru lunio dramâu gwreiddiol heb bwyso'n ormodol ar gyfieithiadau gan fod hynny yn magu difrawder tuag at ddramâu Cymraeg. Mynegwyd pryderon cyffelyb gan Kate Roberts ac eraill ym mhedwardegau'r ugeinfed ganrif. Ar y llaw arall, 'roedd cyfieithu campweithiau yn beth da yn ôl T. Gwynn Jones, gan fod llwyfannu dramâu clasurol yn cynnig hyfforddiant amhrisiadwy i gynhyrchwyr.

Ar nos Iau, perfformiwyd cyfieithiad arall, sef *Hen Wlad fy Nhadau*, cyfieithiad J. Kitchener Davies o ddrama Jack Jones, *Land of My Fathers*, cynhyrchiad arall gan Haydn Davies, a'r enwog Gunstone Jones yn un o'r actorion. Cafwyd perfformiad rhagorol o'r ddrama hon hithau yn ôl T. O. Phillips eto, ac adleisiodd farn T. Gwynn Jones pan ddywedodd 'that this week's entertainment must have convinced the most sententious sophist that the Welsh theatre is striding along like a veritable Colossus'.[102] Drama gomedi ddomestig wedi ei lleoli yn 'Heartbreak Valley' yw *Land of My Fathers*, ac fel T. Gwynn Jones eto, anogodd T. O. Phillips ddramodwyr Cymru i chwilio am ddeunydd i'w dramâu yn y bywyd Cymreig. 'Life in the distressed areas of Wales contains a mine of unexplored dramatig material,' meddai, ond, er hynny, 'the exploiter of this field must be a dramatist who has tasted its bitterness and tragedy and its lurid sordidness, and one who knows from first-hand knowledge of the courage of the distressed masses'.[103] 'Roedd cyfieithydd drama Jack Jones, J. Kitchener Davies, yn sicr wedi arloesi'r maes hwn gyda'i ddrama ddadleuol *Cwm Glo*. Ac nid y cyfieithiad o ddrama Jack Jones oedd yr unig gyfieithiad neu gyfaddasiad yr oedd Kitchener Davies ynghlwm ag ef ym Mhrifwyl 1938. Yn union fel y gwrthododd y beirniaid wobrwyo *Cwm Glo* yn Eisteddfod Castell-nedd ym 1934, gwrthododd J. D. Powell wobrwyo ymgais J. Kitchener Davies yng nghystadleuaeth y ddrama fer yng Nghaerdydd, gan mai cyfaddasiad o stori fer gan Thomas Hardy, 'The Three Strangers', stori yr oedd Hardy ei hun wedi ei throi'n ddrama fer dan y teitl *The Three Wayfarers*, a anfonodd i'r gystadleuaeth. Bwriwyd *Y Tri Dyn Dierth* allan o'r gystadleuaeth gan J. D. Powell, ac ni wobrwyodd neb.

Cafwyd arbrofion eraill ar yr ochor gerddorol. Ar nos Fercher yr Ŵyl, cynhaliwyd cyngerdd gyda'r pedwar côr gorau yn y Brif Gystadleuaeth Gorawl yn canu ar y cyd fel un côr, ac ar nos Sadwrn cafwyd cyngerdd tebyg gyda'r tri chôr gorau ym Mhrif Gystadleuaeth y Corau Meibion a rhai unawdwyr buddugol yn cymryd rhan. Corau o'r De oedd pob un o'r pedwar côr buddugol yn y Brif Gystadleuaeth Gorawl, sef, yn ôl trefn teilyngdod: Merthyr Tudful, Dowlais, Blaenrhondda ac Ystalyfera. Bu'n rhaid i'r corau hyn ganu dau ddarn prawf, rhannau o *A German Requiem* Brahms, i gyfeiliant cerddorfa, a *Pax Aeterna* (*Tragwyddol Hedd*) gan T. Hopkin Evans, yn ddigyfeiliant. Yr oedd y corau wedi gorfod dysgu *Requiem* Brahms yn ei gyfanrwydd, gan y byddai'r beirniaid yn gofyn i bob côr ganu detholiad o'r gwaith yn y gystadleuaeth ei hun, ac wedyn perfformio'r gwaith cyfan, nid detholiad ohono, yn y cyngerdd ar nos Fercher, gyda Syr Hugh Allen yn arwain. Yn ail ran y cyngerdd cafwyd eitemau lleisiol ac offerynnol unigol, gan gynnwys y perfformiad cyntaf o *Introduction, Variation and Finale* gan y cyfansoddwr Joseph Morgan.

Cynhaliwyd cyngherddau eraill yn ystod yr wythnos yn ogystal, cyngerdd amrywiol ar nos Lun, gyda chôr mawr o blant o Gaerdydd yn cymryd rhan, perfformio'r *Offeren ar B Leddf* (neu *Offeren mewn B Leiaf*) Bach gan Gôr yr Eisteddfod a Cherddorfa Ffilharmonig Llundain ar nos Fawrth, perfformio'r *Sea Symphony* (Vaughan Williams) a'r *Creation*, Haydn, gan nifer o unawdwyr ar nos Iau, a chyngerdd amrywiol ar nos Wener, gyda nifer o artistiaid yn perfformio gweithiau gan gyfansoddwyr fel J. Morgan Lloyd, Grace Williams, Bryceson Treharne a Hubert Davies.

Er mor llwyddiannus oedd Eisteddfod Caerdydd, 'doedd hi ddim yn Brifwyl ddihelynt, ac fe achoswyd cryn gyffro gan yr arch-gynhyrfwr hwnnw – coffa da amdano – Thomas Parry. Tom Parry oedd beirniad cystadleuaeth y stori fer yng Nghaerdydd. Derbyniodd 45 o straeon, nifer anhygoel o gynigion, ac 'roedd un stori 'ar ei phen ei hun yn y gystadleuaeth', sef eiddo *Mab y Mynydd* a oedd wedi llunio stori gyda'r teitl 'Tourmalet' iddi.[104] Dywedodd Thomas Parry ei bod yn 'stori dda, stori sy'n gafael wrth ei darllen, ac yn glynu yn y cof yn hir ar ôl ei darllen'.[105] Lleolwyd y stori yn Ffrainc gyda'r cymeriadau i gyd yn Ffrancwyr; yn wir, yn ôl y beirniad, 'fe'i hadroddwyd yn null gorau storïwyr Ffrainc, y dull uniongyrchol, hoyw, iachus hwnnw sy'n rhoi bywyd ac argyhoeddiad ym mhob Stori Fer dda'.[106] Ac wedyn fe gafwyd daeargryn. Gwrthododd Thomas Parry wobrwyo'r stori hon, er ei bod hi ymhell ar y blaen i bob stori arall yn y gystadleuaeth. Gan fod cefndir y stori mor ddiethr i lenor o Gymro, tybiai fod *Mab y Mynydd* yn euog o lên-ladrad. '[A]m resymau neilltuol,' meddai, gan italeiddio'r gweddill, '*ni ellir ei wobrwyo ond ar un amod yn unig, sef yr amod sydd yn Rheol 18 yn y Rheolau ac Amodau Cyffredinol. Dyma sut y dywaid honno: "Os gofynnir, rhaid i'r cystadleuwyr brofi bod eu gwaith yn ddilys a gwreiddiol"*'.[107] Ceir nodyn yn y Cyfansoddiadau a'r Beirniadaethau gan olygyddion y gyfrol: 'Gan na cheisiodd *Mab y Mynydd* brofi dilysrwydd ei waith, a chan na chaed ateb i'r llythyr a anfonwyd ato, dyfarnwyd y wobr, ar ôl ymgynghori â'r beirniad, i *Henfaes*'.[108] *Henfaes* yn y gystadleuaeth oedd W. G. Williams, Pwllheli, ac i'r storïwr hwn y dyfarnwyd y wobr gyntaf yn y gystadleuaeth, er na theimlai Thomas Parry unrhyw frwdfrydedd ynglŷn â'r stori. Cyrhaeddodd yr helynt bapurau Llundain hyd yn oed, a bu llawer o drafod y mater ar y radio.

Datgelwyd pwy oedd *Mab y Mynydd* yn ystod yr wythnos. Awdur y stori oedd D. P. Williams, brodor o Aberdâr yn wreiddiol. Graddiodd gydag Anrhydedd mewn Ffrangeg yng Ngholeg y Brifysgol yng Nghaerdydd, ac wedyn bu'n astudio yn Ffrainc, gan ennill gradd *Licencie des Lettres* yno. Bu'n ysgolfeistr yn Lloegr am rai blynyddoedd ar ôl iddo gwblhau ei addysg golegol, ac wedyn bu'n gweithio o fewn cyfundrefn addysg yr Aifft. Ei dad oedd Thomas Williams, 'Parcwyson', y bardd a'r pregethwr lleyg a oedd yn byw yn Abertawe ar y pryd. Mewn datganiad arbennig i'r *Western Mail*, dywedodd mai stori wreiddiol o'i waith ei hun oedd y stori a fwriwyd allan o'r gystadleuaeth, ac nad oedd wedi cael cymorth gan neb i'w llunio. 'Instead of Mr. Tom Parry challenging *me* to prove that my work is my own, I can quite confidently challenge *him* to name any author or story from which mine is stolen,' meddai.[109] Ymosododd ar safonau llenyddol Cymru: 'Welsh work, it appears, is accepted as genuinely native work only if it is mediocre. If it is good (as the adjudicator considers mine to be in this case) it must be the work of a foreign writer'.[110]

Amlinellodd gefndir y stori:[111]

> My story grew in my mind as all stories do. When I was a lad in Wales a man whom I knew well committed suicide by throwing himself from a viaduct. This incident fixed itself in my memory. Then some years ago, while I was living and studying in France, I tramped here and there over the Central Pyrenees. I combined the Welsh incident with the French background, added a fatalistic theme, and so the story "Tourmalet" was born – an incredible thing, a story written by a Welshman in his own language but dealing for once with people of another race in a style that is (I hope) artistically suited to its French theme.

'I wish to see the language extend itself so as to deal with all kinds of subjects – even foreign places and races,' ychwanegodd, ond y perygl gyda hynny oedd y ffaith y gallai llenorion eangfrydig a mwy rhyngwladol eu golygon fod yn agored i gael eu cyhuddo o lên-ladrad.[112]

Gofynnodd y *Western Mail* i Thomas Parry ymateb i sylwadau D. P. Williams. Dywedodd y byddai'n fodlon cyfarfod ag awdur honedig y stori i drafod y mater gydag ef. Byddai'n fodlon cael ei argyhoeddi gan D. P. Williams mai ef oedd gwir awdur y stori, ond 'roedd ganddo resymau digonol dros amau dilysrwydd y gwaith. 'Roedd awdur 'Tourmalet' wedi torri dwy reol, meddai. Ni roddodd ei enw na'i gyfeiriad cywir mewn amlen dan sêl wrth anfon y gwaith i'r Eisteddfod, ac er i swyddogion yr Eisteddfod geisio cysylltu ag ef cyn yr Ŵyl, nid atebodd yr un llythyr. Mewn darllediad radio o Gaerdydd ar nos Iau'r Eisteddfod, mynnodd D. P. Williams unwaith yn rhagor mai ef oedd awdur y stori, ac nad oedd wedi ateb y llythyrau a anfonwyd ato gan Watcyn Evans, Ysgrifennydd Cyffredinol yr Eisteddfod, am nad oedd y llythyrau hynny wedi ei gyrraedd. Mewn gwirionedd, cymysglyd oedd ei amddiffyniad ohono'i hun. Yn ôl y *Western Mail*: 'He could not give that explanation or give his word at the literary pavilion on Wednesday that the story was his own simply because another important engagement prevented his coming to Cardiff'.[113] Amddiffynnwyd penderfyniad Thomas Parry gan Gwyn Daniel yn ogystal: 'Parodd awdur y stori fer "Tourmalet" i ambell bapur newydd ymfflamychu am ddyddiau, ond ni wyddent nad oedd yr amlen a yrrwyd i'r ysgrifennydd yn cynnwys enw a chyfeiriad cywir yr ymgeisydd, ac felly ei fod wedi torri un o amodau'r gystadleuaeth'.[114]

Ddeugain mlynedd ar ôl y digwyddiad yr oedd helynt 'Tourmalet' yn un o'r pethau a gofiai Thomas Parry fwyaf ynglŷn â'i yrfa fel beirniad eisteddfodol. Soniodd amdano'i hun yn gwobrwyo englyn gan was ffarm ifanc mewn eisteddfod leol yn y Waun-fawr un tro, ac ymhen pum munud yn cael nodyn gan rywun yn y gynulleidfa yn ei hysbysu fod yr englyn buddugol i'w gael mewn cyfrol gan William Griffiths, Hen-barc, a oedd newydd gael ei chyhoeddi. Ac meddai Thomas Parry:[115]

> Ofn cael fy ngwneud yn ffŵl fel yna a barodd imi wneud peth go anghyffredin mewn Eisteddfod Genedlaethol unwaith. Beirniadu'r stori fer yr oeddwn, a 45 wedi cynnig. Yr oedd un stori ymhell ar y blaen i'r gweddill, wedi ei lleoli mewn cilfach go ddiarffordd ar y Cyfandir, a'i hysgrifennu'n dra effeithiol. Pa Gymro, meddwn wrthyf fy hun, a fyddai'n gwybod am y gilfach hon, ac yn storïwr mor dda? Gallai'r stori yn hawdd fod wedi ei chyfieithu o'r Ffrangeg. Petawn yn gwybod pwy oedd yr awdur a chael tipyn o'i hanes, byddai'n haws penderfynu. Felly mi fanteisiais ar reol oedd mewn grym y pryd hwnnw, sef y gellid gofyn i ymgeisydd brofi dilysrwydd ei waith. Anfonodd yr ysgrifennydd at yr ymgeisydd, ond ni chaed ateb, a dyfarnwyd y wobr i'r ail orau. Yn ystod wythnos yr Eisteddfod cefais wybod y byddai'r awdur yn un o westai'r dref am bedwar o'r gloch. Euthum yno, a chawsom sgwrs gyfeillgar, a deallais fod y gŵr wedi teithio cryn lawer, ac yn gynefin iawn â lleoliad y stori. Ond nid aeth ar gyfyl maes yr

> Eisteddfod, a chlywais yr wythnos wedyn fod rheswm da (neu ddrwg) am hynny.

Ac felly, gan Tom Parry y cafwyd y gair olaf ar y mater.

Digwyddiad pwysig yn Eisteddfod Caerdydd oedd penderfyniad Cymdeithas y Cymmrodorion i ddarparu a chyhoeddi bywgraffiadur neu eiriadur bywgraffyddol Cymreig. Esgorwyd ar y syniad ym 1937, pan ofynnwyd i R. T. Jenkins, un o aelodau'r Gymdeithas, ymgynghori â'r hanesydd mawr, Syr John Edward Lloyd, ynglŷn â'r mater. Paratowyd memorandwm ar y gwaith arfaethedig gan R. T. Jenkins ar ôl iddo ymgynghori â J. E. Lloyd, a chyflwynwyd hwnnw gerbron aelodau Cyngor y Cymmrodorion ym mis Ebrill 1938, ac wedi ei ystyried gan bwyllgor, cymeradwywyd y bwriad gan y Gymdeithas ar ddiwedd mis Mai. Gofynnwyd i J. E. Lloyd weithredu fel prif olygydd y gyfrol gydag R. T. Jenkins yn olygydd cynorthwyol iddo. Yng nghyfarfod y Cymmrodorion ar ddydd Llun yr Eisteddfod yn yr Amgueddfa Genedlaethol cafwyd trafodaeth helaeth ar y mater. Llywyddwyd y cyfarfod gan D. Owen Evans, Cadeirydd Pwyllgor Gwaith y Cyngor newydd, a gwahoddodd Syr J. E. Lloyd i agor y drafodaeth. Yn Saesneg y siaradodd J. E. Lloyd. Yr oedd gwir angen geiriadur bywgraffyddol ar Gymru, meddai, a chyflwynodd fraslun o'r math o fywgraffiadur a oedd dan sylw ganddo:[116]

> A Dictionary of Welsh biography . . . is certain to tell us a great deal of the Wales of the past. And for this purpose it ought by no means to be confined to the great figures of our history, the men who stand out, as our mountains do, in lofty pre-eminence for all to see. It may almost be said that they can look after themselves; national heroes like Owain Glyn Dŵr, poets like Dafydd ap Gwilym, religious leaders like Howel Harris, will inevitably attract the attention of scholars and become the subject of monographs, in which their contribution to the national life is carefully assessed and due weight is given to the influence of their personality. The men who matter even more for our purpose are the lesser folk, the minor princes, the local bards, the sound divines and popular preachers, who, as the poet says of creeds, "have their day and cease to be." These are the very stuff of our national being, typical Welshmen, whose doings tell us what matters engaged the interest

> and stirred the ambition of the more intelligent and purposeful of our forefathers.

Un peth yr oedd yn rhaid i'r cyfarfod ei benderfynu oedd iaith y bywgraffiadur. Ceisiodd J. E. Lloyd gynnig arweiniad:[117]

> There is, first and foremost, the question of language. Are we to issue the Dictionary in English or in Welsh? There are precedents for either course . . . But to my mind the argument in favour of an English work is decisive. In this matter, I draw a clear distinction between work on Welsh literature and that in Welsh history. Any one who wishes to read a volume dealing with, let us say, Dafydd ap Gwilym or Aneirin or Ellis Wynne may be presumed to know the language and serious scholarship may very properly decline to cater for the requirements of the dilettante who wants to study an author whose work he cannot read in the original. But the history of the country is on a different footing. The fact that the work is issued in English does not preclude its issue in Welsh, for the research work will have been done.

Amcangyfrifid y byddai cynhyrchu bywgraffiadur o ryw fil o dudalennau yn golygu cost o bedair mil o bunnau, a dywedodd D. Owen Evans fod dau unigolyn eisoes wedi addo cyfrannu mil o bunnau yr un tuag at y fenter. Anghytunodd W. J. Gruffydd, a siaradodd yn Gymraeg, â'r bwriad i gyhoeddi geiriadur bywgraffyddol Saesneg. Mynnodd y byddai'n rhaid i'r geiriadur fod yn Gymraeg os oedd i dalu'r ffordd, ac meddai, braidd yn ddadleuol: 'Nid yw Saeson Cymru yn malio dim am ein hanes na'n diwylliant, ac nid oes arnynt eisiau llyfr o'r fath. Rhaid dibynnu ar y bobl hynny sy'n darllen Cymraeg, ac yn Gymraeg yn unig y gellir gwneud cyfiawnder â llawer o'n gwŷr enwog'.[118] 'Doedd pobl ddi-Gymraeg Cymru ddim yn darllen, meddai, ac ni ddylai'r bywgraffiadur arfaethedig gynnwys ysgrifau ar filwriaid fel Syr Thomas Picton o Sir Benfro, nac ar artisitiaid fel John Gibson, gan fod ysgrifau da ar y Cymry hyn eisoes ar gael yn y *Dictionary of National Biography*. Cadarnhaodd J. E. Lloyd ei fod yn fodlon gweithredu fel prif olygydd y bywgraffiadur, un ai yn Gymraeg neu'n Saesneg, yn ôl dymuniad aelodau'r Gymdeithas, gydag R. T. Jenkins yn olygydd cynorthwyol iddo.

Cymerodd y gwaith bymtheng mlynedd i'w gyflawni, ac fe'i cyhoeddwyd yn Gymraeg ym 1953, *Y Bywgraffiadur Cymreig hyd 1940*, ac wedyn yn Saesneg. Bu'n rhaid rhoi'r gorau i'r gwaith yn ystod blynyddoedd cyntaf yr Ail Ryfel Byd, a thybid na ddôi dim byd o'r cynllun, nes i Gymdeithas y Cymmrodorion awdurdodi R. T. Jenkins i ailafael yn y gwaith tua diwedd 1943. 'Roedd J. E. Lloyd erbyn hynny mewn gwth o oedran, a theimlai na allai ymgymryd â'r baich o weithredu fel prif olygydd y gyfrol. Dymunai bellach fod yn olygydd ymgynghorol ar y gwaith, gydag R. T. Jenkins yn ysgwyddo baich y prif olygydd. Bu farw Syr J. E. Lloyd ym mis Mehefin 1947, a chynhaliwyd cyfarfod gan y Cymmrodorion yn Eisteddfod Bae Colwyn ym 1947 i ystyried y sefyllfa, gan wahodd Syr William Llewelyn Davies, y Llyfrgellydd Cenedlaethol, i gydweithio ag R. T. Jenkins. Gwnaeth William Davies lawer o waith ar y bywgraffiadur, fel Syr J. E. Lloyd o'i flaen, ond bu yntau hefyd farw cyn i'r gwaith weld golau dydd, ym mis Tachwedd 1952. Dyma gyfraniad aruthrol arall gan y Cymmrodorion i fywyd diwylliannol Cymry, ac er bod y Gymdeithas wedi gwthio'r cwch i'r dŵr cyn Eisteddfod Caerdydd, yn yr Ŵyl honno y dechreuwyd o ddifri ar y gwaith o baratoi'r *Bywgraffiadur Cymreig*.

Un arall o ddigwyddiadau gwir ryfeddol Eisteddfod Caerdydd oedd y ffaith fod un o arlywyddion disgleiriaf America yn y dyfodol – ac un o'r rhai mwyaf trasig ei hanes – yn bresennol yno. Un ar hugain oed oedd John F. Kennedy pan ddaeth i Brifwyl Caerdydd gyda'i dad Joseph P. Kennedy. Penodwyd Joseph Patrick Kennedy yn Llysgennad America dros Brydain ar ddiwedd 1937, a bu'n byw yn Llundain yn ystod y tair blynedd 1938-1940. 'Roedd ei fab yn fyfyriwr yn Harvard rhwng 1936 a 1940, ond treuliodd wyliau dau haf yn Llundain gyda'i dad a'i deulu, a bu'n gweithio fel ysgrifennydd i'r Llysgennad, gan gasglu llawer o brofiad gwleidyddol ar gyfer y dyfodol, yn ogystal â chasglu deunydd ar gyfer ei draethawd gradd, *Why England Slept*, am y rhan a chwaraewyd gan Brydain, a Neville Chamberlain yn enwedig, yng Nghytundeb München, 1938, gwaith a gyhoeddwyd ym 1940. Siaradodd Joseph P. Kennedy yn ystod y cyngerdd amrywiol gyda Chôr y Plant yn cymryd rhan ynddo ar nos Lun yr Eisteddfod, Awst 1. 'Welsh people in America talk about this institution and are terribly proud of it,' meddai, a phan âi yn ôl i America, bwriadai ddweud wrth y Cymry yno ei fod wedi cymryd rhan 'in one of the greatest evenings I have enjoyed since I have been in

London'.[119] Fe'i cyfareddwyd gan y plant: 'I have rather a large family of my own, and I feel, as every one of us must feel, what a satisfaction it is to see our children taught to sing and nothing else. It is much better teaching them to sing than to shoulder a rifle'.[120] Cefnogai Joseph Kennedy bolisi Neville Chamberlain i osgoi rhyfel yn erbyn Yr Almaen hyd yr eithaf.

Daeth diwydiant a thechnoleg i mewn i Eisteddfod Caerdydd. Wedi blynyddoedd dirwasgedig y tridegau, gobeithid bod adfywiad ar y ffordd, a dechreuwyd paratoi ar gyfer yr adfywiad hwnnw. 'Roedd gwaith metel, peirianyddiaeth a phlymio ymhlith cystadlaethau'r Ŵyl, a phymtheg o wahanol gystadlaethau yn yr adran fwyngloddio. Dechreuwyd darlledu gweithgareddau'r Eisteddfod o ddifri ar y radio, ond crewyd anniddigrwydd pan wrthodwyd i'r hen gantores Amy Evans ymateb i waedd y dorf am encôr yng nghyngherdd nos Wener yr Ŵyl, gan y byddai hynny yn amharu ar drefniadau'r BBC i ddarlledu ail hanner y cyngerdd. Yr un oedd y gŵyn pan ddarlledwyd seremoni'r cadeirio brynhawn dydd Iau. Bu'n rhaid i J. J. Williams ruthro drwy'r ddefod. 'To hurry these bardic ceremonies . . . will surely destroy their whole spirit, and I think this is a matter which should have the serious attention of the Gorsedd authorities in the future so that nothing shall be lost of the beauty, history and even the legitimate humour which have always marked them,' meddai Edward James yn y *Western Mail.*[121] Ond os oedd y lle amlwg a roddwyd i ddiwydiant a thechnoleg yng Nghaerdydd yn arwydd o obaith a hyder newydd, 'roedd un o gystadlaethau'r Adran Ambiwlans yn argoeli'n ddrwg ar gyfer y dyfodol, sef y gystadleuaeth ymochel rhag cyrch o'r awyr. Dyma enghraifft arall o gysgod yr Ysgol-fomio ac Arglwydd Londonderry ar yr Eisteddfod hon.

Ar ôl cystadleuaeth frwd Machynlleth, cymharol glaear oedd yr ymateb i destunau'r awdl yn Eisteddfod Caerdydd ym 1938, ''Rwy'n edrych dros y bryniau pell'' a 'Trystan ac Esyllt'. 'Roedd y ddau destun yn adlewyrchu'r tyndra a geid rhwng y garfan ddiwinyddol-grefyddol a'r mudiad chwedlonol-ramantaidd yn ystod blynyddoedd cychwynnol y ganrif ddegawdau yn ddiweddarach. Er gwaethaf y dewis o ddau destun, dim ond naw o awdlwyr a ddenwyd i'r gystadleuaeth (ar ôl diystyru'r gerdd Saesneg a anfonwyd gan *Welsh Miner*). O'r naw hynny, dim ond un a ganodd ar y testun 'Trystan ac Esyllt', ac 'roedd un o'r awdlau gorau yn y gystadleuaeth, yr ail-orau yn ôl ei safle a'r ganmoliaeth iddi gan

Saunders Lewis, wedi bod yng nghystadleuaeth y Gadair ym 1937. Awdl Gwyndaf oedd honno. Ni newidiodd fawr ddim arni ar gyfer cystadleuaeth 1938, ac ni cheisiodd ei chymhwyso at y testun, hyd yn oed, er na chafodd feirniadaeth gefnogol na chalonogol ym 1937. Y ffin rhwng byd anwar a byd gwell, rhwng byd rhyfelgar a byd heddychlon oedd y thema ym 1937, ac ym 1938, y byd heddychlon, goleuedig, byd newydd wedi'i greu gan y duwiau a oedd wedi syrffedu ar yr hen fyd gwaedlyd gynt, yw'r hyn a welir wrth edrych dros y bryniau pell. Mae'r ffaith i Gwyndaf anfon yr un awdl i ddwy gystadleuaeth yn enghraifft berffaith o ddiogi ac awch-am-gadair rhai beirdd eisteddfodol. 'Roedd gan Gwyndaf bryddest aflwyddiannus yng nghystadleuaeth y Goron ym 1938 hefyd, a methodd gyflawni'r 'dwbwl' am yr eildro yn olynol. Fe'i condemniwyd yn hallt am ddefnyddio hen eiriau gan T. Gwynn Jones ym 1938, yn union fel 'roedd J. Lloyd Jones wedi'i gollfarnu flwyddyn ynghynt, ond yn ôl Saunders Lewis 'roedd 'grym yn y gerdd hon a chyfoeth geirfa a chynnwrf ymadrodd'.[122]

Gwilym R. Jones, ar ôl sawl ymgais, a enillodd Gadair 1938, gydag awdl dda. Ceir dwy ran i'r awdl. Yn y rhan gyntaf, 'Y Gorchfygedig', sydd ar ffurf cywydd, agwedd yr amheuwr a'r agnostig a geir, negyddiaeth a phesimistiaeth y rhai sy'n cael trafferth i dderbyn fod bywyd ar ôl marwolaeth. Mae'r adran hon yn epigramatig dynn:

> Pan ddêl yr hen Arch-heliwr,
> Ymlafnia, gwinga pob gŵr;
> Tyr gloeau ein trigleoedd
> A'n pyrth cry' heb lu na bloedd . . .
>
> Gwŷr a aeth i Gatraeth gynt,
> Henoed ni chrymodd monynt:
> Hedd eu cwsg mewn beddau caeth
> Oedd eu gwael fuddugoliaeth.

Yn yr ail ran mae 'Y Gorchfygwyr' yn dathlu gogoniant a gwynfydrwydd yr ail fodolaeth ar ôl gorchfygu marwolaeth:

> O boen dug y Bendigaid – y ffyddiog
> I wybren heulog Bro Ei Anwylaid.

Mae'r ail ran hon yn llawn o afaith a gorfoledd, yn ogystal â sigl a swae mawreddog, ysgubol sy'n gweddu'n berffaith i'r hyn a ddywedir. Prin yw'r geiriau confensiynol-awdlaidd, er y ceir 'gwawr dêr', 'Cyn i dêr oddaith', a phethau fel 'A thyma bwnc' a'r 'mal' cwbwl ddiangen ynddi. Ceir llinellau a darnau trawiadol yma a thraw:

'Roedd Afon rhwng y galon a'i golud,
Gweai'i gwahanfor rhwng gwae a gwynfyd . . .

Lloches fu'u cariad llachar – rhag rhysedd
Hen nyddydd diwedd blynyddoedd daear . . .

Hwynt-hwy o wae gawsant win, – a'r unwedd
O ynau'r bedd faneri i'w byddin . . .

Ac amlinell pell gopâu – Bro'r Ysbryd
O'r ddaear domlyd mal rhuddaur demlau . . .

Mae'r holl awdl, ei hawyrgylch a'i gorfoledd, yn ein hatgoffa am rai o gerddi Henry Vaughan, er enghraifft, 'Peace': 'My soul, there is a country/Far beyond the stars', y gerdd enwog 'They are all gone into the world of light!/And I alone sit lingering here . . . I see them walking in an air of glory', a hefyd 'The World': 'I saw Eternity the other night/Like a great Ring of pure and endless light,/All calm as it was bright'. Drwy gydol ail ran y gerdd, delweddau ac ymadroddion yn ymwneud â goleuni a geir: 'wybren heulog', 'gwawr dêr', 'Fe welais olau ar gyrrau geirwon', 'Wawl ei hwybrennydd', 'annaearol olau', 'y claer belydrau', ac yn y blaen. Drwy'r awdl cyferbynnir yn gelfydd rhwng goleuni a thywyllwch. 'Doedd dim byd newydd, wrth gwrs, yn y thema. 'Cân ef i'r bedd ac i'r Nefoedd, cynllun sydd mor syml a hen ffasiwn nes ei fod yn feiddgar,' meddai Saunders Lewis.[123] Gallai fod yn farddonllyd weithiau, meddai Saunders Lewis, ac 'roedd ei Nefoedd yn nes at Goed-celyn nag at linell Pantycelyn ar brydiau: 'Brithir ei nefoedd,' meddai, 'â phriflythrennau, – Purdan y Bryniau [*sic*: Bannau], Bryniau yr Hen Gyfrinach, Pau'r Uchel-foes, Llu'r Ing, Gwesty'r Ffyddloniaid, – y mae'r enwau hyn a nifer ychwaneg yn troi ei nefoedd ef yn debyg i stryd o dai, ac enwau ffansi, uchelgeisiol arnynt, rywle yn *suburbia* . . . Fy ofn i yw mai dyna'n union y math o nefoedd a ddyfeisid yn Hollywood'.[124] Er pob gwendid, 'roedd Gwynn Jones a Saunders Lewis yn unfryd unfarn mai awdl Gwilym R. Jones oedd yr awdl orau yn y gystadleuaeth.

Cystadleuaeth ddigon cyffredin oedd cystadleuaeth y Goron yng Nghaerdydd. Rhoddwyd dewis o ddau destun i'r beirdd, 'Y Ferch o'r Scer' a 'Peniel'. Canodd dau i'r 'Ferch o Scer', a'r gweddill, 13 o bryddestwyr, i 'Peniel'. Un o'r ddau a ganodd i'r 'Ferch o Scer' oedd Gwilym Myrddin, y bardd a enillodd Goron Eisteddfod Genedlaethol Llanelli ym 1930 gyda phryddest affwysol o wael i Ben Bowen, ac anfonodd hefyd gerdd *vers libre* ar y testun 'Peniel' i'r gystadleuaeth. Fe'i gosodwyd yn ail gan y beirniaid. Enillwyd y Goron gan Edgar Thomas, prifathro Ysgol Sir Llangefni, Sir Fôn, ar y pryd, ond brodor o ardal Llanelli yn wreiddiol. Unwaith yn unig y mentrodd i gystadleuaeth y Goron o'r blaen, sef yn Eisteddfod Wrecsam ym 1933, ac fe'i gosodwyd yn weddol uchel gan W. J. Gruffydd. Pryddest athronyddol ar ffurf sonedau yw 'Peniel' am ymchwil dyn am oleuni a dyrchafiad i'w enaid ar ôl iddo ymlusgo o'r 'llwch anghyflun', ac fe'i canmolwyd yn ormodol gan y Prifathro D. Emrys Evans, ond nid gan Caradog Prichard, a welodd nifer o wendidau yn y gwaith. Un peth diddorol am y bryddest fuddugol yw ei bod yn cynnwys nifer o sonedau gydag odlau dwbwl, er nad sonedau llaes mohonynt yng ngwir ystyr y term, o gofio mai ar ffurf sonedau llaes y lluniodd Caradog Prichard ei bryddest 'Terfysgoedd Daear' ar gyfer Eisteddfod Dinbych ym 1939. Pryddest eiriog, wlanog, haniaethol ac afrwydd oedd pryddest fuddugol Caerdydd, a'i hieithwedd yn or-lenyddol Digon yw dyfynnu un soned yn unig i ddangos hynny:

> A'r nwyd a yrr yr had i dynnu'n rhydd
>   O grebach furiau'i gell, heb gyfri'r draul,
> Ond gwario'n ddibrin rymusterau cudd
>   Wrth dorri'n drochion amliw'n llygad haul;
> Ymroi i loddest byw, heb byth nacáu
>   Taerni ei alw hen, nes dyfod cil
> Einioes, a bwrw yn wystl heb ymryddhau
>   Ei anfarwoldeb dros yr iasau chwil;
> Fe'i gwyddwn innau, a dirmygu'r boen
>   Sy'n llechu byth ym mhlyg ym mhob dyheu
> Am frau felyswedd; onid eiddof hoen

Gorfoledd Crewr yn ei nef fu'n gweu
Anochel dynged daear las a dyn
I ffrwytho dro, a gwywo i'w hir hun?

Dewi Emrys a enillodd gystadleuaeth yr englyn yng Nghaerdydd, ar y testun 'Yr Ywen'. Derbyniodd Meuryn 204 o englynion i'w beirniadu, ac ni chafodd anhawster i ddyfarnu englyn Dewi Emrys yn deilwng o'r wobr. Mae'n englyn da ond nid yw'n gampwaith, a byddai'n rhaid aros bron i ddeng mlynedd arall am wir gampwaith Dewi hynod, 'Y Gorwel', er bod y cyfochri cystrawennol a geir yn 'Yr Ywen' yn ein paratoi ar gyfer englyn buddugol 1947:

Fel nos rhwng coed yn oedi – y saif hon,
A'r dwysaf faes dani;
Mae cwsg y bedd i'w hedd hi,
A'i gaddug yn frig iddi.

Ni sylwodd Meuryn fod nam technegol yn yr ail linell. Cywydd er cof am Syr John Morris-Jones oedd cystadleuaeth y cywydd yng Nghaerdydd, ac enillodd Edgar Phillips, Trefîn, y gystadleuaeth honno gyda chywydd diafael. Enillwyd cystadleuaeth y tair telyneg gan E. Llwyd Williams, un o brifeirdd cadeiriol a choronog y dyfodol, ond cystadleuaeth lawer mwy diddorol oedd y Casgliad o Delynegion, dan feirniadaeth Prosser Rhys a D. Emrys Evans. Ymgeisiodd 54, ond siomedig oedd y gystadleuaeth o ran safon yn ôl Prosser Rhys. Yr enillydd oedd y bardd gwlad, Evan Jenkins, Ffair Rhos, ac ef hefyd a enillodd ar y soned yng Nghaerdydd, er nad oes dim camp arni. 'Roedd rhai o'r telynegion buddugol, fodd bynnag, yn dangos medrusrwydd a chryn feistrolaeth ar gyfrwng, o fewn eu cyfyngiadau eu hunain. At ei gilydd, cyffredin oedd safon y cerddi a wobrwywyd yng Nghaerdydd, ac awdl Gwilym R. Jones oedd y gwaith gorau i ddeillio ohoni.

Enillwyd yr ail Fedal Ryddiaith gan nofel a roddodd fri ar y gystadleuaeth. Cafwyd nofel o swmp, *Y Graith*, gan Elena Puw Morgan, nofel a fu'n hynod o boblogaidd ar un cyfnod. Mae Elena Puw Morgan yn enghraifft arall o lenor a gâi ei swcro a'i sbarduno gan yr Eisteddfod Genedlaethol, ond yn wahanol i Lewis Davies, dyweder, nid cystadlu er mwyn cystadlu a wnâi Elena Puw Morgan, ond defnyddio cystadleuaeth fel ysgogiad ac fel llwyfan i'w dawn greadigol. Mae'n chwith meddwl mai dim ond am ryw ddeng mlynedd yn unig y bu Elena Puw Morgan yn llenydda, cyn i ofalon teuluol ei llethu, ond yn ystod y deng mlynedd hynny bu'n cystadlu'n gyson yn Adran Ryddiaith yr Eisteddfod. Daeth yn ail ac yn drydydd ar y stori fer yn Nhreorci ym 1928, ac ym 1929 yn Lerpwl, enillodd y gystadleuaeth 'Cyfres o 6 o storïau'. Enillodd gystadleuaeth y 'Nofel gyfaddas i Blant, seiliedig ar Daith Cromwell drwy Ddeheudir Cymru', dan feirniadaeth E. Morgan Humphreys a Lewis Davies, yn Llanelli ym 1930, sef y nofel *Tan y Castell*. Cafodd hanner y wobr yng nghystadleuaeth y nofel 'seiliedig ar fywyd yng Nghymru Heddiw' yn Aberafan ym 1932, ac yn Eisteddfod Abergwaun ym 1936, enillodd gystadleuaeth y Nofel Gymraeg, un o destunau arbennig Cymdeithas yr Eisteddfod Genedlaethol, â'r testun yn agored. Y gystadleuaeth hon a roddodd *Y Wisg Sidan* inni. E. Tegla Davies oedd y beirniad, ac ni chafodd anhawster o fath yn y byd i ddyfarnu'r nofel yn fuddugol o blith y naw cystadleuydd.

Beirniad cystadleuaeth y Fedal Ryddiaith yng Nghaerdydd, am nofel 'yn darlunio'r cyfnewidiadau diweddar ym mywyd Cymru', oedd D. J. Williams. Anfonwyd pum nofel i'r gystadleuaeth, ond 'roedd *Y Graith* gan *Y Tir Brith* yn sefyll ar ei phen ei hun, yn ôl y beirniad. 'Yma ceir meistr y gelfyddyd yn trin ei ddefnyddiau yn hamddenol ac i bwrpas,' meddai'r beirniad.[125] Yn wir, ni allai ganmol digon ar y nofel: 'Fe'i hysgrifennwyd mewn arddull wych, ac y mae'n gyfoethog mewn geiriau a thermau gwerin y talai wneuthur geirfa fechan ohonynt'.[126] Mae hynny'n sicr. Un o gryfderau mawr Elena Puw Morgan oedd cyfoeth ei Chymraeg a'i geirfa rywiog, er bod ei deialog yn or-lenyddol erbyn heddiw. Arwyddocâd gwleidyddol y nofel a dynnodd sylw'r cenedlaetholwr D. J. Williams:[127]

> I'r sawl a fyn fod yn gywrain, er na olyga'r awdur mo hynny mi gredaf, gellir darllen i mewn i fywyd Dori, y ferch â'r graith, alegori enaid dolurus ei chenedl ei hun. Myn y plant o un i un adael hen fferm y Cwm, lle y gwnaeth ei mam gymaint i gadw rhag tranc enw hen deulu'r Ffowciaid a fuasai'n byw yno ers canrifoedd. Â'r ferch hynaf i weini i Lerpwl, yr ail fab i'r coleg; myn y trydydd ddilyn ei ddihewyd fel mecanic a gadael yr hen fferm i weision cyflog, ganol y cynhaeaf. Ac wele Olwen, y ferch ieuangaf

> yn rhedeg trwy ganol yr ysgubau at ei mam a *result* ei Matric yn ei llaw, gan ofyn a gâi hithau hefyd fynd i'r coleg. Gadewir y fam yn dyfal godi ysgubau yn y Ddôl Fawr, heb neb i'w helpu ond Nathan, ei bachgen hynaf, na fu ond baban ar hyd ei oes; a hithau'n gorfod troi'r syniad yn ei meddwl, er cased oedd, o werthu darn o'r fferm i Saeson cyfoethog i godi *bungalows* arno.

Yn sicr, y mae i'r nofel arwyddocâd gwleidyddol. Mae hi'n nofel am y cyfrifoldeb o gadw a gwarchod etifeddiaeth yn y pen draw, ac mae'r graith a etifeddodd Dori oddi ar ei phlentyndod yn graith ar fywyd cefn-gwlad yn ogystal ag ar ei hwyneb, oherwydd mae Dori yn prysur golli ei hetifeddiaeth. Diwreiddir y plant fesul un gan eu llwyddiant ym myd addysg, gan adael y fferm yng ngofal Dori a'i mab Nathan – 'Nid oes gan yr hen Gwm neb yn awr ond y ni ein dau' – sy'n blentyn o ddyn mewn gwirionedd. Awgrymir mai'r rhai gwannaf eu meddwl a adewir ar ôl yn ardaloedd cefn-gwlad Cymru, y glastwr yn unig, tra bo'r gyfundrefn addysg yn sugno'r maeth a'r hufen i'w chrombil ei hun. Problemau economaidd a chymdeithasol cefn-gwlad Cymru yw un o themâu'r nofel, wrth i addysg gynnig ffordd ymwared rhag y tlodi a'r caledi sy'n rhan o fywyd y wlad. Mae hyd yn oed y Blaid Genedlaethol yn rhan o'r stori, ac fe geir elfen o feirniadaeth ar genedlaetholdeb Rhys yn y stori. Yn hytrach na mynd adref i helpu gyda'r cynhaeaf, mae'n penderfynu crwydro Cymru gyda chyfeillion er mwyn lledaenu cenadwri'r Blaid Genedlaethol gyda'r bwriad o ddiweddu'r daith yn Ysgol Haf y Blaid. Wrth hyrwyddo'r achos cenedlaethol, mae Rhys yn esgeuluso'i etifeddiaeth ei hun. 'Roedd dyfarnu'r Fedal Ryddiaith Bur i Elena Puw Morgan am *Y Graith* yn un arall o uchafbwyntiau Eisteddfod Caerdydd.

Ar yr ochor ddrama, dyfarnodd Saunders Lewis ddwy ddrama yn gydfuddugol yng nghystadleuaeth y ddrama hir, sef dramâu gan David Roberts, Bwlch-y-llan, Sir Aberteifi, a W. D. Roderick, Abertawe. Gadawyd y testun yn agored a derbyniodd y beirniad 19 o ddramâu. Dramâu hanesyddol oedd y rhan fwyaf o'r rhain, a blinodd protestiwr gweithredol yr Ysgol-fomio ar y gwladgarwch meddal a bregethid ynddynt, 'gwlatgarwch y tafod', chwedl yntau.[128] Un arall o lwyddiannau mawr Caerdydd oedd traethawd buddugol Gomer M. Roberts yng nghystadleuaeth y traethawd ar 'Hanes unrhyw blwyf gwlad yng Nghymru'. Dewisodd Landybïe, a chyhoeddwyd ei gyfrol benigamp, *Hanes Plwyf Llandybïe*, ym 1939.

Eisteddfod Dinbych ym 1939 oedd yr Ŵyl gyntaf i fod yn llwyr yng ngofal y Cyngor newydd. 'Roedd y trefniadau a'r cynlluniau ar gyfer Eisteddfod Caerdydd ar y gweill ymhell cyn i Gyngor yr Eisteddfod ddod i rym, a than adain hen Gymdeithas yr Eisteddfod y cynhaliwyd yr Ŵyl honno. Eisteddfod siomedig, fodd bynnag, oedd yr Ŵyl gyntaf i gael ei threfnu gan y Cyngor newydd, a'r Ŵyl olaf i gael ei chynnal yn y cyfnod o heddwch cyn yr Ail Ryfel Byd, o safbwynt y beirdd o leiaf. Dyma'r unig dro yn ystod yr ugeinfed ganrif i'r Gadair a'r Goron gael eu hatal yn yr un Brifwyl, a bu sawl *post-mortem* ar y sefyllfa cyn i'r Eisteddfod ddirwyn i ben hyd yn oed. Yn yr arbrawf newydd hwnnw, Seiat y Llenorion (syniad o eiddo Kate Roberts), a gynhaliwyd ar ddydd Gwener yr Eisteddfod, taranodd Saunders Lewis yn erbyn yr arfer o gynnig Cadair am awdl a Choron am bryddest, ffurfiau treuliedig a hynafol a ddeilliai o'r ddeunawfed ganrif ac nad oedd iddyn nhw unrhyw fath o gysylltiad â bywyd cyfoes nag â llenyddiaeth gyfoes. Ceisiai'r Cymry fyw yn ysbryd Dafydd Ddu Eryri yn hytrach nag yn ysbryd R. Williams Parry neu T. H. Parry-Williams. 'Roedd angen safonau beirniadol ar lenyddiaeth Gymraeg, meddai, ond yr unig safonau a geid oedd safonau annealllus ac annealladwy'r Eisteddfod Genedlaethol. Manteisiodd ar y ddau ataliad i gyflwyno'i genadwri wleidyddol. 'Doedd dim modd i lenyddiaeth Gymraeg ffynnu, meddai, hyd nes y ceid Cymru uniaith Gymraeg. Gwleidyddol, ac nid llenyddol, oedd y broblem yn y gwraidd. Rhaid oedd cael cenedl cyn y gellid cael llenyddiaeth. Ychydig a gytunai ag ef yn y cyfarfod hwnnw, ond cwynai llawer fod awdlau'r beirdd yn annealladwy a bod angen geiriadur wrth law i'w hamgyffred.

Cyhuddwyd Pwyllgor Llên Dinbych o ddewis testunau anaddas, a datgelwyd, yn ystod y Brifwyl, fod Bwrdd Llên yr Eisteddfod wedi anghymeradwyo testunau'r Pwyllgor Llên lleol. Gofynnwyd i aelodau'r Pwyllgor ystyried testun arall ar gyfer y Goron, 'Pisgah', ond ni dderbyniwyd mohono. 'Doedd y Bwrdd Llên ddim yn hollol fodlon ar y testun a ddewiswyd ar gyfer cystadleuaeth y Goron yn Eisteddfod Pen-y-bont ar Ogwr ym 1940 ychwaith, sef 'O'r Dwyrain', ond gwrthodwyd dewis y Bwrdd, 'Gwlad yr Addewid' neu 'Heledd', gan Bwyllgor Llên Pen-y-bont. Ar y llaw arall, 'roedd y Bwrdd Llên yn cymeradwyo dewis Pen-y-bont ar gyfer cystadleuaeth yr awdl, 'Yr Alltud'. Ychydig a wyddai neb ar y pryd y byddai'n rhaid aros am ddegawd cyfan bron cyn y gellid cynnal yr Eisteddfod honno a chanu ar y testunau a ddewiswyd ar ei chyfer.

Nid y Pwyllgor Llên yn unig a feiwyd am siom y Gadair a'r Goron. 'Roedd bai mawr ar y beirniaid am lynu'n rhy glòs wrth lythyren y ddeddf, a gwrthod coroni un o bryddestau gorau'r ganrif oherwydd ei bod yn annhestunol. Bu llawer o fân-siarad anniddig ar hyd y maes, a chafodd rhai gyfle i leisio'u barn yn gyhoeddus yn ystod yr wythnos hyd yn oed, fel Gwilym R. Jones. Gofynnodd i'r beirniaid, ar ôl iddyn nhw draddodi'r feirniadaeth lawn ar gystadleuaeth y Goron yn y Babell Lên, ai cynhyrchu campweithiau llenyddol ynteu amcanu at gynhyrchu traethodau a oedd yn glynu'n ddiwyro wrth y testun oedd nod yr Eisteddfod? Gofynnwyd yr un cwestiwn yn union gan Caradog Prichard ei hun yn ystod y cyfarfod.

Er iddi fethu anrhydeddu dau brifardd, amcanwyd at gynnal Eisteddfod fawreddog iawn yn Ninbych. 'Roedd unrhyw ymweliad brenhinol â'r Ŵyl yn sicr o ddenu'r tyrfaoedd, a daeth y Dywysoges Alice, wyres y Frenhines Victoria, a'i gŵr, Iarll Athlone, i Brifwyl 1939. Gwrandawodd y ddau ar y cystadlaethau corawl ar gyfer plant ar ddydd Gwener y Brifwyl, gydag wyth gant o blant a thri ar ddeg o gorau yn cymryd rhan, a chorau o'r De ar y brig yn y ddwy gystadleuaeth. Y Dywysoges a anerchodd y dorf enfawr yn y pafiliwn. Derbyniodd gymeradwyaeth fyddarol wrth gloi ei hanerchiad â'r geiriau 'Yr wyf wedi cael pleser mawr wrth wrando ar y canu heddiw. Cymru am byth!', a'r Gymraeg wedi'i hynganu'n berffaith yn ôl adroddiadau'r papurau. Gofynnodd i swyddogion yr Eisteddfod a gâi fod yn bresennol yn y cyngerdd y noson honno, sef perfformiad o *The Apostles* Elgar gan Gôr yr Eisteddfod, gyda 500 o aelodau i gyd, dan arweiniad T. Hopkin Evans, a cherddorfa lawn, dan arweiniad Herbert Ware. Er gwaethaf rhai gwendidau, rhoddwyd cryn dipyn o glod i'r cyngerdd uchelgeisiol hwn.

'Roedd y ddrama fawr a berfformiwyd yn Ninbych, *Ein Tywysog Olaf*, drama D. W. Morgan, dan gyfarwyddyd Dr Stefan Hock o Vienna, Awstria, hefyd yn un o berfformiadau dramatig mwyaf uchelgeisiol yr Eisteddfod erioed, gyda chast o ddeucant, a rhai ohonyn nhw, fel Huw Griffith ac Owen Jones, yn actorion proffesiynol. Cynhaliwyd arbrawf uchelgeisiol o'r fath yng Nghaergybi ym 1927, pan lwyfannwyd *Yr Ymhonwyr*, Ibsen, dan gyfarwyddyd Theodore Komisarjevsky, ac ym 1933 yn Wrecsam, gyda'r ddrama foes *Pobun*, eto dan gyfarwyddyd Hock, gŵr a oedd wedi gorfod ffoi am ei fywyd o'r Almaen Natsïaidd. Ond methiant llwyr oedd *Ein Tywysog Olaf* yn ôl y mwyafrif helaeth.

Wrth glorianu Eisteddfod Dinbych yn *Y Llenor*, condemniodd W. J. Gruffydd yr arferiad diweddar o wahodd estroniaid i gynhyrchu rhai o brif ddramâu'r Eisteddfod:[129]

> A beth yw'r cymhleth rhyfedd sydd arnom ni Gymry, pan fyddwn yn ymgais at rywbeth mwy mawreddog nag arfer? Er bod cyfuwch diwylliant cyffredinol yn awr yn ein gwlad ni ag yn unrhyw wlad, er nad oes yr un adran o fywyd nad oes rhyw Gymro yn rhagori ynddi, eto i gyd ni allwn feddwl am roi cyfle i un o'n cydwladwyr ni'n hunain pan fydd gofyn am ryw arbenigrwydd anghyffredin. Fel esiampl o'r cymhleth annheilwng hwn, fe ddewiswyd yn hytrach dalu cannoedd o bunnau i Almaenwr y mae llawer o sôn amdano yn hytrach na thalu (ysywaeth!) gyfran fechan o'r swm i Gymro, ac y mae mwy nag un Cymro a allai wneud y gwaith y wych. Fe gaed profiad erchyll o hyn o'r blaen yn Eisteddfod Caergybi a blin gennyf fod gorfod ail-ddwedyd yr hyn a ddywedwyd y pryd hynny.

Ni welodd Gruffydd y ddrama ei hun, ond clywodd gan eraill 'mai truenus ydoedd'.[130] Ni allai un o'r prif actorion siarad Cymraeg yn gywir, a dysgwyd actorion eraill 'i bwysleisio brawddegau yn y dull Almaenaidd'.[131] Cafodd Stefan Hock gymorth cyd-wladwr iddo i gynllunio'r golygfeydd, gyda'r canlyniad na allai'r gynulleidfa glywed neu weld 'ond ychydig iawn . . . heibio'r croesau 'Celtaidd' a safai fel rhes o fwganod llonydd ar flaen y llwyfan'.[132] 'A raid pwysleisio unwaith yn rhagor nad oes unrhyw estron, pa mor adnabyddus bynnag fo, a all gyfieithu'r ysbryd Cymreig i air ac ystum?' gofynnodd.[133]

Dau a weithiodd yn galed er mwyn sicrhau llwyddiant Eisteddfod Dinbych oedd Kate Roberts a'i gŵr, Morris T. Williams. Cydweithiodd Kate Roberts â Stefan Hock, ond profiad diflas oedd hwnnw:[134]

> . . . penderfynodd Dr. Hock wneud y ddrama yn rhywbeth tebycach i basiant gan mai yn y pafiliwn yr oedd i gael ei pherfformio, ac felly yr oedd yn rhaid newid y ddrama. Arnaf fi y disgynnodd y gwaith o ad-drefnu'r ddrama, a'r Dr. Hock wrth fy mhenelin wrth gwrs yn dweud wrthyf beth i'w wneud. Yr oedd wedi ceisio dysgu rhyw ychydig o Gymraeg, ac fe wyddai beth oedd ystyr pob gair a

> oedd yn y ddrama; yr oedd rhywun wedi dysgu hynny iddo. Ar ôl gorffen ei waith yng Nghaer deuai yma i'r tŷ i wneud y gwaith. Ar ôl gorffen pob golygfa anfonwn y gwaith i'r awdur; ni fyddai Mr. Morgan yn cytuno â'r newid bob amser, yn wir, weithiau byddai'n anghytuno'n chwyrn a deuai stop ar y gwaith . . . Fel pob athrylith, yr oedd y Dr. Hock yn un gwyllt ei dymer, a chan mai amaturiaid oedd y cwmni, ac eithrio'r ddau a ddaeth i ymarfer ar y diwedd, byddai'r gwreichion yn tasgu yn yr ymarferiadau ar lwyfan y pafiliwn. Fel amaturiaid hefyd byddai'r actorion yn digio ac yn duo wrth y cynhyrchydd, hwy heb ddeall ei athrylith ef, ac yntau heb ystyried eu diffyg profiad hwy. Dyna oedd y camgymeriad mawr a wnaeth y pwyllgor drama, dyfod ag athrylith broffesiynol at actorion amhroffesiynol.

Bu Kate Roberts hefyd yn gweithio am flwyddyn gron gyda'r anterliwt *Tri Chryfion Byd*, gan Twm o'r Nant. Perfformiwyd y ddrama ledled Gogledd Cymru am flwyddyn gyfan, a llwyddwyd i godi £150 ar gyfer yr Ŵyl. Bu'r anterliwt hon yn ei brethyn cartref gwerinol yn llawer mwy o lwyddiant na'r ddrama fawreddog a wisgai ddillad ffasiynol Ewrop. Perfformiwyd yr anterliwt ar gae wrth ochor cae'r Eisteddfod ar brynhawn dydd Iau, ond oherwydd ei bod mor boblogaidd gyda'r gynulleiddfa, fe'i perfformiwyd eto brynhawn Sadwrn.

'Roedd Eisteddfod Dinbych yn uchelgeisiol hefyd o safbwynt rhai o'r cystadlaethau a drefnwyd gan y Cyngor newydd, er enghraifft, cynigiwyd £100 am draethawd ar 'Ffyniant a Diflaniad yr Iaith Gymraeg ar y Gororau', cystadleuaeth y rhoddwyd tair blynedd ar gyfer ei chwblhau, a £50 am waith corawl newydd, yn Gymraeg neu Saesneg, gyda chyfeiliant cerddorfaol llawn, gan neilltuo dwy flynedd ar gyfer cwblhau'r gwaith.

Er gwaethaf rhai siomedigaethau, canmolwyd Eisteddfod 1939 gan amryw. 'I'm tyb i, yr oedd yn batrwm o'r hyn a eill tref ac ardal Gymreig a Chymraeg ei chynhyrchu; teimlwn, fel Cymro, yn fwy cartrefol ynddi nag mewn odid un eisteddfod ers blynyddoedd, a theimlwn hefyd fod y cwbl yn llaw pobl a oedd yn deall eu gwaith,' meddai W. J. Gruffydd.[135] Er hynny, bwriodd Gruffydd ei lach ar y gor-ddefnydd o'r Saesneg a gaed yn yr Ŵyl:[136]

> Yr oedd awyrgylch Gymreig a Chymraeg ar bopeth yr oedd y

> pwyllgor yn gyfrifol amdano, ac y mae gan Mr. William Jones a Mr. Morris Williams a'r aelodau eraill le i deimlo'n falch o'u gwaith. Nid bai'r pwyllgor oedd fod *llawer gormod* o Saesneg di-alw-amdano ar y llwyfan; yn hyn, yr oedd ar ôl i Eisteddfod Caerdydd. Bai rhai o'r arweinyddion yn ogystal â rhai o'r beirniaid oedd hyn. Dyma enghraifft: mewn cystadleuaeth gorawl ar ddau ddarn yn Gymraeg gan gorau gwledig nad oedd eu haelodau i gyd yn deall Saesneg, rhoddodd y beirniad ei feirniadaeth yn Saesneg, nes i rywun o'r gynulleidfa alw am Gymraeg.

Beiodd E. T. Davies ac eraill am feirniadu yn Saesneg, fel pe na baent yn sylweddoli 'mai *am eu bod yn medru Cymraeg* y dewiswyd hwy gan y Pwyllgor'.[137] Clodd ei sylwadau gyda her:[138]

> Onid yw Cymraeg yn angenrheidiol, mae holl gerddorion gorau Lloegr a Sgotland ac Iwerddon at ein galwad, a pha nifer o'r cerddorion Cymreig a ddewisid i feirniadu pe bai'r dewisiad yn agored? Credaf fod hwn yn fater y dylai Cyngor yr Eisteddfod ei drafod,– a deddfu arno. Mae'n gred gan Eisteddfodwyr ei bod yn llawn bryd i rywun wastrodaeth y cerddorion.

'Roedd y Rheol Gymraeg eto i ddod i wir rym, a pharhau i gadw'r Eisteddfod yn weddol Seisnig a wnâi'r wedd gerddorol ar weithgareddau'r Ŵyl, ac i bwysleisio hynny, côr o Loegr, 'The Sale and District Musical Society', a enillodd y Brif Gystadleuaeth Gorawl, a chôr arall o Loegr, y 'Nelson Arion Glee Union', a enillodd Brif Gystadleuaeth y Corau Meibion, dau gôr o Sir Gaerhirfryn. Trechodd y 'Nelson Arion Glee Union' rai o gorau mawr Cymru yn y cyfnod, gan gynnwys dau gôr Treforys, Côr Unedig Treforys a Chôr yr Orpheus. Mynnai'r Athro Ifor Williams amddiffyn y Rheol Gymraeg yn ei anerchiad llywyddol ar fore dydd Mercher yr Ŵyl. Dylai'r Eisteddfod estyn croeso i'r di-Gymraeg, meddai, gyda'r gobaith y gellid eu troi yn wir Gymry yn y pen draw, ond i'r Cymry Cymraeg y perthynai'r Eisteddod. Er pob beirniadaeth a fu arni, yn y Gymraeg yn unig y cadwyd cofnodion pob un o bwyllgorau Eisteddfod Dinbych.

'A Hi yn Dyddhau' oedd testun yr awdl yn Eisteddfod Dinbych. Derbyniwyd pedair ar ddeg o awdlau, ond ataliwyd y Gadair, yn ogystal â'r Goron, fel rhyw fath o argoel fod cenhedlaeth arall ar fin cael ei haberthu ar allor rhyfel. Er nad oedd ymhlith yr holl awdlau gynifer ag un gwbwl anobeithiol yn ôl G. J. Williams, 'doedd hi ddim yn gystadleuaeth gref. Parhai'r beirdd i bupuro'u hawdlau â hen eiriau, gan anwybyddu degawdau o gwyno gan y beirniaid. Defnyddid rhai hen eiriau na wyddai ysgolheigion, hyd yn oed, beth oedd eu hunion ystyr. Awdl *Meudwy Mynydd* oedd yr orau yn y gystadleuaeth, a D. Cledlyn Davies, Prifardd cadeiriol 1919 a 1923, oedd hwnnw. 'Roedd yr awdl, yn y cyfnod hwn rhwng dau Ryfel, wedi troi'n ôl i'w man cychwyn, yn ôl i 1919, ond o leiaf 'roedd beirniaid callach yn beirniadu ym 1939. 'Roedd yr awdl yn annarllenadwy, yn ôl G. J. Williams, ac ofer oedd chwilio am berl ynddi. Nid oedd gan y 'cyfansoddwr llafurus' hwn glust a allai 'ymglywed â rhythm y farddoniaeth gaeth'.[139] Tynnodd Meuryn a T. Gwynn Jones hefyd sylw at arddull afrwydd *Meudwy Mynydd*. Yr ail am y Gadair oedd *Garthewin*, sef Rolant o Fôn. Ac fel hyn, gyda Phrifardd anobeithiol a phrentis addawol yn syllu ar y Gadair wag o hirbell, y daeth yr awdl i ben cyn i'r holl fyd fygwth mynd â'i ben iddo.

Ar y llaw arall, cipiwyd anrhydedd go fawr oddi ar Eisteddfod Dinbych gan feirniaid y Goron. Byddai gwobrwyo Caradog Prichard wedi bod yn goron ar holl weithgareddau'r Ŵyl, oherwydd, yn syml, dyma un o'r pryddestau gorau i'w hanfon i gystadleuaeth y Goron erioed: pryddest aflonyddus, drwblus, winglyd, fawreddog ei swae. Mewn gwirionedd, mae dyfarniad y beirniaid yn ddirgelwch hyd y dydd hwn. Ym marn y bardd ei hun, 'Terfysgoedd Daear' oedd ei waith eisteddfodol gorau, a rhagorai ar bob un o'i gerddi coronog, er mai parhad ac estyniad o'r gweithiau buddugol hynny, 'Y Briodas' ym 1927, 'Penyd' ym 1928, ac 'Y Gân ni Chanwyd' ym 1929 oedd pryddest wrthodedig a gwaharddedig Dinbych.

Beth yn union a ddigwyddodd yn Ninbych felly? 'Doedd cystadleuaeth y Goron ddim yn un arbennig. Derbyniwyd 19 o bryddestau, a chyfaddefai'r beirniaid fod pryddest Caradog Prichard ymhell ar y blaen. Y ddau agosaf ato oedd D. F. Marks a T. E. Nicholas. Rhoddodd T. H. Parry-Williams gryn dipyn o glod i grefft Caradog Prichard, *Pererin* yn y gystadleuaeth:[140]

> Y mae *Pererin* yn arbennig yn y gystadleuaeth hon, ar fwy nag un cyfrif. Ganddo ef y mae'r afael sicraf ar ei grefft. Hwn hefyd yn y

> gystadleuaeth hon a lwyddodd orau i ddwyn i'w gynnyrch barddonol y gyfaredd honno sy'n stamp diamheuol ar greadigaeth lenyddol wir. Y mae cyffyrddiad meistrolgar ganddo a rheolaeth lwyr ar ei arddull o ran ieithwedd a mydr.

Ni allai T. H. Parry-Williams wobrwyo'r bryddest, fodd bynnag, oherwydd bod ei hawdur 'wedi gwyro'n ddybryd oddi wrth y testun gosodedig fel baich ei gyfansoddiad'.[141] 'Roedd gan J. Lloyd Jones hefyd feddwl uchel o'r gwaith:[142]

> Heb unrhyw amheuaeth, dyma fardd mawr y gystadleuaeth, a rhagora'i bryddest gymaint mewn angerdd barddonol, ffansi gyfoethog a mynegiant addurnol ar gynhyrchion ei gydymgeiswyr, nes gwneuthur y rhai gorau ohonynt hwy bron yn dila wrthi hi. Y mae *Pererin* yn fardd gwych, a'i gerdd yn gampwaith artistig. Ond – ac ni bu "ond" mwy alaethus a thristach i feirniaid erioed – ni ellir dweud iddo ganu ar y testun.

Ni chyhoeddwyd beirniadaeth y trydydd beirniad, E. Prosser Rhys, yng nghyfrol y Cyfansoddiadau a'r Beirniadaethau.

Beth yn union a barodd i'r beirnaid wrthod coroni campwaith artistig o'r fath? Mae dau reswm posib, neu efallai gyfuniad o'r ddau. Un ai fod y beirniaid yn ofni gwobrwyo gwaith annhestunol, gan hidio protest Thomas Parry ym 1937 na ddylid gwobrwyo cerdd os nad oedd yn canu ar y testun, a phle gyffelyb gan eraill yn yr un cyfnod, neu eu bod o'r farn fod pwnc y bryddest, hunanladdiad, yn anweddus ac yn annerbyniol. Efallai hefyd fod cydymdeimlad eang Caradog Prichard â hunanleiddiaid wedi tramgwyddo'r beirniaid. Mae rhai o sonedau agoriadol y bryddest yn darllen fel llawlyfr ar sut i gyflawni hunanladdiad, gan restru'r gwahanol ddewisiadau; nid yn unig hynny, fe ogoneddir yr hunanleiddiaid gan Caradog Prichard, gan fynd yn groes i bob barn moesol ynglŷn â'r mater:

> Mawryger eu henwau megis y gogoneddir
> y cadau pell a'u dewrion diwobrwy a leddir.

Anodd deall sut y gallai'r beirniaid gyfiawnhau eu dyfarniad. Mae'r bryddest yn hollol destunol. Fe sonnir ynddi am bobl sy'n dyheu am gael dihangfa rhag terfysgoedd daear, rhag y boen o fyw, a hynny gyda therfysg ddaearol fawr yn codi yn y cefndir – terfysg yr Ail Ryfel Byd:

> Cyn rhwygo'r cwmwl, cyn torri o'r storm anorfod,
> â newydd gynddaredd dros newydd-flodeuog dir,
> mi fynnaf ddewrach, tecach enw na lleiddiad gorfod
> a sicrach ffordd i dangnefedd yr hawddfyd hir.
> Mi a'i mynnwn o gampwaith glanwaith bwled fuan
> a llamu'n ebrwydd i annedd fy newydd stad
> i ennill, yn lle ebargofiant rhyfelwr truan,
> y bau a ordeiniais, goruwch cymylau pob cad,
> pe gwyddwn na byddai im oesoedd o edifaru
> rhag eco tragwyddol un ergyd i'm byddaru.

Ni allai W. J. Gruffydd ychwaith, ddim mwy na'r rhelyw o lenorion y cyfnod, ddeall pam yr ataliwyd y Goron. 'Ataliwyd hi,' meddai, 'am nad oedd y driniaeth yn ddigon agos i'r testun "Terfysgoedd Daear," – ond holl bwynt y bryddest yw ymwneuthur ag *un* o derfysgoedd mwyaf enaid dyn, ac onid yw terfysgoedd mewnol yr enaid yn un o "Derfysgoedd Daear," yna nid oes ond un ystyr i enwi testun i'r bryddest, sef yr ystyr a roir i destun traethawd'.[143]

Nid ym mhryddest Caradog Prichard yn unig y ceid arwyddion yr amseroedd. Yn y gerdd *vers libre* fuddugol, 'Tânbelennu' gan T. E. Nicholas, un o feirdd aflwyddiannus cystadleuaeth y Goron, mae'n sicr mai Rhyfel Cartref Sbaen a oedd gan y bardd dan sylw, yn enwedig yr anfadwaith o ladd plant gan gyrchoedd awyr Yr Almaen, Sbaen a'r Eidal yn y rhyfel hwnnw:

> Bu gyrdd a rhodau,
> Morthwylion a dwylo dyn yn llunio'r felltith.
> Cyfyd aderyn drycinoedd daear i'r awyr glir;
> Hyrddir bomiau o'i bluf i'w taith,
> A rhoddir terfyn ar ddedwyddwch pentrefi.
> Ergyd a fflach! – a dim!
>
> Ffowch blant bach, i dyllau'r ddaear;
> Teflwch deganau'r mygydau nwy i ffwrdd;

Fe'ch twyllir i gredu bod y mwgwd yn ddiogel
Pryd nad oes ddiogelwch.
Teganau ydynt i'ch cadw'n ddistaw,
A marw heb sgrech i ddychrynu eraill.

Dychanu'i oes a wnaeth Brinley Richards, un o Brifeirdd cadeiriol y dyfodol, yn ei ddychangerdd fuddugol ar y testun 'Gwareiddiad', a chyffwrdd â chasineb y Natsïaid at yr Iddewon, casineb a fyddai'n esgor ar un o'r penodau tywyllaf yn holl hanes y ddynoliaeth yn ystod y chwe blynedd a oedd i ddod:

Fe'n dysgwyd gan Hitler nad breuddwyd ffôl
Oedd puro dynoliaeth a'i galw'n ôl
I lwybrau'r Deffroad mawr.
Fe'i chwynnodd yn lân o bob rhyw nam –
O bawb o hiliogaeth Abraham.
Pa synnwyr fod Iddew trwy'i dad a'i fam
Yn nhrefn Rhagluniaeth yn awr?

Un arall o Brifeirdd y dyfodol, Dilys Cadwaladr, a enillodd gystadleuaeth y delyneg, 'Yr Olwg Olaf', dan feirniadaeth I. D. Hooson, ac er mai telyneg stroclyd yw hi, thema'r delyneg – 'Cyflwynedig i'r milwyr dall' – yw rhyfel:

Allan o noddfa'r ffos â llam,
A'r gynnau mawr yn gysgod,
Aethom i uffern goch y fflam,
Wedyn i'r nos ddiddarfod.

Yn ôl i'n gwlad gan ddiolch oll
Am einioes wedi'r helynt.
Ein baich wrth gofio'n llygaid coll
Yw'r gweld ofnadwy hebddynt.

Dwy gystadleuaeth ddiddorol yn Ninbych oedd cystadleuaeth y Casgliad o Gerddi, gyda W. J. Gruffydd yn rhannu'r wobr rhwng Dewi Emrys ac Evan Jenkins, Ffair Rhos, a chystadleuaeth y Casgliad o Gerddi gan feirdd gwlad, a enillwyd gan John Jenkyn Morgan, Glanaman, dan feirniadaeth T. Gwynn Jones. Cyffredin, fodd bynnag, oedd safon y cerddi buddugol yn Eisteddfod Dinbych, yr englyn, 'Yr Hen Eglwys' gan John Jones, y soned, 'Cydwybod' gan T. E. Nicholas, er mai Iorwerth Peate oedd yn beirniadu, ac yn enwedig y cywydd 'Alltud y Dirwasgiad' gan Edgar Phillips, er mai Thomas Parry oedd yn beirniadu.

Os rhywbeth, Eisteddfod rhyddiaith a drama oedd Eisteddfod Dinbych, neu Eisteddfod un gŵr yn arbennig – John Gwilym Jones. Enillodd y Fedal Ryddiaith a chystadleuaeth y ddrama hir. Derbyniodd T. J. Morgan naw ymgais yng nghystadleuaeth y nofel am Fedal Rhyddiaith Bur yr Eisteddfod, a dyfarnodd nofel John Gwilym Jones, *Y Dewis*, yn fuddugol, er na roddodd glod uchel iddi. Ei gwobrwyo yn ôl safonau'r Eisteddfod a wnaeth. Ond er bod yr Eisteddfod wedi rhoi mwy o fri ar ryddiaith drwy sefydlu'r gystadleuaeth am y Fedal Ryddiaith ym 1937, lle israddol oedd i ryddiaith o hyd yn y Brifwyl, a chofnodwyd gan Kate Roberts yr hyn a ddigwyddodd yn seremoni cyflwyno'r Fedal yn Ninbych:[144]

> . . . bu un frwydr fawr arall yn Eisteddfod Dinbych na wyddai'r byd oddi allan ddim amdani. Y flwyddyn honno, cyflwynid y Fedal Ryddiaith ar y prynhawn Iau, yr un diwrnod ag yr oedd yr Iarll Lloyd George yn llywydd. Mae'n bur debyg mai'r rheswm paham y cyflwynid y Fedal Ryddiaith ar y dydd Iau oedd – er ceisio lleddfu tipyn ar siom y dyrfa am nad oedd cadeirio, yr ail siom yr wythnos honno. Mr. John Gwilym Jones a gâi'r fedal y flwyddyn honno, ac er mwyn cael rhywfaint o urddas yn y cyflwyno, penderfynwyd mynd drwy'r seremoni *cyn* i'r Iarll siarad, ond wedi iddo gyrraedd y llwyfan; oblegid fel y gwŷr pawb unwaith y gorffennai ef siarad, chwalai'r dyrfa. Dywedwyd hyn wrth yr Iarll wedi iddo gyrraedd y pafiliwn, ond nid oedd yn fodlon o gwbl. Dywedodd fy ngŵr wrtho beth oedd y rheswm, ond na, yr oedd yn rhaid iddo ef gael siarad yn gyntaf, ac edrychai pethau yn bur dywyll, y ddau yn gwrthod rhoi i mewn, a'r Iarll yn gwrthod yn unbenaethol. Ond yr ysgrifennydd a orfu. Bu'n rhaid i Gyn-brifweinidog Prydain Fawr ildio, ac mae'n debyg fod y mynegiant ar ei wyneb yn rhywbeth i'w gofio.

Rhoddodd Saunders Lewis gryn dipyn o glod i ddrama hir fuddugol John Gwilym Jones, *Diofal Yw Dim*. 'Roedd gwendidau yn y gwaith, a thybiai Saunders Lewis mai gwendidau dramodydd ifanc dibrofiad oeddent, ond, ar y llawr arall, 'y peth hapusaf a'r peth mwyaf anarferol a allo ddigwydd i feirniad ar gystadleuaeth yw darganfod yn sydyn waith o athrylith, a chael cyhoeddi hynny yw ei wynfyd a'i wobr'.[145] 'Roedd y ddau feirniad, Saunders Lewis a W. J. Gruffydd, yn unfryd gytûn mai drama John Gwilym Jones oedd y ddrama orau. Llwyddiant arall yn Ninbych oedd cystadleuaeth y nofel i blant, a enillwyd gan y gystadleuwraig hynod lwyddiannus honno yn y tridegau a'r pedwardegau, Elizabeth Watkin-Jones o Nefyn. Cystadleuaeth y nofel i blant yn Ninbych a roddodd y nofel boblogaidd *Luned Bengoch* inni.

Fel y dangosir yn y gyfrol sy'n trafod y cyfnod 1919-1936 yn y gyfres hon, bu'n rhaid i'r Eisteddfod Genedlaethol wynebu argyfwng enbyd yn ystod y dauddegau a'r tridegau oherwydd gafael y Dirwasgiad ar bob rhan o Gymru. Bu bron iddi fynd i'r gwellt ar sawl achlysur. Erbyn cyrraedd Eisteddfod Machynlleth 'roedd y gwaethaf heibio, er nad oedd y sefyllfa economaidd wedi llwyr wella o bell ffordd. Fodd bynnag, daeth Eisteddfod Dinbych i ben gyda llawer o anniddigrwydd yn y gwynt, yn bennaf ynghylch anaddasrwydd y testunau yn y ddwy brif gystadleuaeth farddonol, y sylw mawr a gâi'r awdl a'r bryddest ar draul rhyddiaith, a methiant yr Eisteddfod i gynhyrchu dau Brifardd. Mân-helyntion, mân stormydd cenedl fechan, cyn i wir derfysgoedd daear fygwth difa holl wareiddiad dyn am yr eildro o fewn yr un ganrif. Dyna oedd byrdwn araith Lloyd George ar ddydd Iau'r Eisteddfod – y storm a oedd yn bygwth codi ac ysgubo drwy holl Ewrop. 'Roedd yr Eisteddfod wedi goroesi un o'r cyfnodau mwyaf argyfyngus yn ei holl hanes. A fyddai'n goroesi un o'r cyfnodau mwyaf argyfyngus yn holl hanes y ddynoliaeth?

FFYNONELLAU

1. 'Nodiadau'r Golygydd', W. J. Gruffydd, *Y Llenor*, cyf. xiv, rhif 2, Haf 1935, t. 65.
2. Ibid.
3. Ibid.
4. 'Sir Vincent Evans: The Man and His Work', W. E. Davies, *The Welsh Outlook*, cyf. vi, rhif 73, Ionawr 1920, t. 10.
5. Ibid.
6. 'Syr Vincent Evans, 1852-1934', E. Morgan Humphreys, *Gwŷr Enwog Gynt*, 1950, t. 52.
7. 'Sir Vincent Evans: The Man and His Work', t. 11.
8. Ibid.
9. Ibid.
10. Ibid.
11. 'The Whispering Gallery of Wales': 'Denominational Rota for the Archdruidship', 'Listener-In', *Western Mail*, Awst 3, 1935, t. 11.
12. 'Fifty Years' Unbroken Link With the Eisteddfod: Sir Vincent Evans's Supreme Qualification: Tact', ibid., Awst 4, 1932, t. 6.
13. Ibid.
14. 'Syr Vincent Evans, 1852-1934', t. 56.
15. 'Fifty Years' Unbroken Link With the Eisteddfod: Sir Vincent Evans's Supreme Qualification: Tact', t. 6.
16. 'Sir Vincent Evans: The Man and His Work', t. 12.
17. 'Syr Vincent Evans, 1852-1934', t. 51.
18. Ibid., t. 57.
19. 'Son am Ddiwygio'r Byrddau Sy'n Rheoli'r Eisteddfod', *Y Cymro*, Mai 11, 1935, t. 1.
20. Ibid.
21. Ibid.
22. 'Adroddiad a gyflwynwyd i gyfarfod blynyddol y Gymdeithas yng Nghapel Salem, Caernarfon, Dydd Mercher, Awst 7, 1935', *Pymthegfed-Adroddiad-a-Deugain Cymdeithas yr Eisteddfod Genedlaethol, ynghyda Thrafodion Adran y Cymmrodorion, Caernarfon, 1935*, Gol. D. R. Hughes, t. 27.
23. *Briwsion y Brifwyl*, Ernest Roberts, 1978, t. 26.
24. 'Yr Eisteddfod', Cynan, *Y Llenor: Cyfrol Goffa* W. J. *Gruffydd*, 1955, t. 57.
25. Ibid., t. 58.
26. Ibid., tt. 57-8.
27. Ibid., t. 59.
28. Ibid.
29. Ibid., tt. 59-60.
30. 'Nodiadau'r Golygydd', W. J. Gruffydd, *Y Llenor*, cyf. xvii, rhif 3, Hydref 1938, t. 130.
31. Ibid.
32. Ibid.

33. Ibid.
34. 'Adroddiad a gyflwynwyd i gyfarfod blynyddol y Gymdeithas yng Nghapel Salem, Caernarfon, Dydd Mercher, Awst 7, 1935', t. 24.
35. Ibid.
36. 'Un Corff i Reoli'r Eisteddfod', *Western Mail*, Awst 1, 1936, t. 11.
37. Ibid.
38. 'Nodiadau'r Golygydd', W. J. Gruffydd, *Y Llenor*, cyf. xvi, rhif 2, Haf 1937, t. 65.
39. 'Beirniad Llen: Eglurhad gan Mr. Iorwerth Peate', *Western Mail*, Awst 10, 1937, t. 9.
40. 'Yr Eisteddfod', Iorwerth C. Peate, *Heddiw*, cyf. 3, rhif 1, Awst 1937, t. 19.
41. Ibid.
42. Ibid.
43. Ibid.
44. Ibid., t. 20.
45. Ibid., t. 19.
46. Ibid., t. 20.
47. 'Nodiadau'r Golygydd', W. J. Gruffydd, *Y Llenor*, cyf. xvi, rhif 2, Haf 1937, t. 67.
48. Ibid.
49. Ibid., t. 66.
50. Ibid.
51. Ibid., t. 67.
52. Ibid.
53. 'The Eisteddfod Sensation', *Western Mail*, Awst 6, 1937, t. 8.
54. Ibid.
55. 'O Sedd y Wasg', Gwilym R. Jones, *Eisteddfota*, cyf. 2, Gol. Gwynn ap Gwilym, 1979, t. 106.
56. Cystadleuaeth y Gadair: beirniadaeth J. Lloyd Jones, *Cymdeithas yr Eisteddfod Genedlaethol: Yr Unfed Adroddiad ar Bymtheg a Deugain ynghyda Rhestr o Swyddogion, Beirniaid, y Cystadleuaethau a'r Buddugwyr yn Eisteddfod Genedlaethol Abergwaun 1936 a'r Beirniadaethau Cyflawn ar y Prif Destunau yn Abergwaun 1936 a Machynlleth, 1937*, Gol. D. R. Hughes, t. 204.
57. 'Galarnad Gŵr o Lŷn', Gwilym R. Jones, *Y Llenor*, cyf. xvi, rhif 3, Hydref 1937, tt. 130-1. Cyhoeddwyd rhan helaeth o'r awdl yn *Cerddi Gwilym R.*, 1969, tt. 162-7, dan y teitl 'Porth Neigwl'.
58. Cystadleuaeth y Gadair: beirniadaeth J. T. Job, *Cymdeithas yr Eisteddfod Genedlaethol: Yr Unfed Adroddiad ar Bymtheg a Deugain . . .*, t. 190.
59. 'Imprisoned Nationalist's Case', *Western Mail*, Awst 6, 1937, t. 8.
60. 'Another Eisteddfod Sensation', ibid., Awst 7, 1937, t. 6.
61. 'Rhai Eisteddfodau', Kate Roberts, *Erthyglau ac Ysgrifau Llenyddol Kate Roberts*, Gol. David Jenkins, 1978, t. 329.
62. Cystadleuaeth y tair stori fer: beirniadaeth D. J. Williams, *Cymdeithas yr Eisteddfod Genedlaethol: Yr Unfed Adroddiad ar Bymtheg a Deugain . . .*, t. 297.
63. 'Innovations in the Ceremony this Year', *Western Mail and South Wales News National Eisteddfod Supplement*, Awst 2, 1937, t. 9.

64. 'Eisteddfod Reform Brings Into Office Best Elements in Welsh Cultural Life', ibid., t. 8.
65. Ibid.
66. Dyfynnwyd yn 'Colofn Wil Ifan', *Western Mail*, Awst 4, 1937, t. 6.
67. Cystadleuaeth y Fedal Ryddiaith: beirniadaeth Robert Beynon, *Cymdeithas yr Eisteddfod Genedlaethol: Yr Unfed Adroddiad ar Bymtheg a Deugain . . .*, t. 286.
68. Ibid.
69. Cystadleuaeth y Gadair: beirniadaeth J. Lloyd Jones, ibid., t. 199.
70. Cystadleuaeth y Gadair: beirniadaeth J. T. Job, ibid., t. 187.
71. Cystadleuaeth y Gadair: beirniadaeth J. Lloyd Jones, ibid., t. 204.
72. Ibid., t. 206.
73. Cystadleuaeth y Gadair: beirniadaeth J. T. Job, ibid., t. 192.
74. Cystadleuaeth y Gadair: beirniadaeth J. Lloyd Jones, ibid., t. 208.
75. Ibid., t. 212.
76. Ibid., tt. 212-3.
77. Cystadleuaeth y Gadair: beirniadaeth J. T. Job, ibid., t. 194.
78. Ibid., t. 196.
79. Cystadleuaeth y Gadair: beirniadaeth J. Lloyd Jones, ibid., t. 213.
80. Ibid., t. 216.
81. Cystadleuaeth y Gadair: beirniadaeth J. T. Job, ibid., t. 196.
82. Cystadleuaeth y Gadair: beirniadaeth J. Lloyd Jones, ibid., t. 216.
83. Ibid., t. 215.
84. 'Yr Awdl Fuddugol ym Machynlleth', Thomas Parry, *Western Mail*, Awst 11, 1937, t. 9.
85. Ibid.
86. Ibid.
87. Ibid.
88. Cystadleuaeth y Goron: beirniadaeth T. Gwynn Jones, *Cymdeithas yr Eisteddfod Genedlaethol: Yr Unfed Adroddiad ar Bymtheg a Deugain . . .*, t. 219.
89. Ibid., t. 222.
90. Cystadleuaeth y Goron: beirniadaeth Simon B. Jones', ibid., t. 226.
91. 'Barddoniaeth yr Eisteddfod', Thomas Parry, *Western Mail*, Awst 10, 1937, t. 9.
92. Ibid.
93. Ibid.
94. Cystadleuaeth y nofel: beirniadaeth E. Morgan Humphreys, *Cymdeithas yr Eisteddfod Genedlaethol: Yr Unfed Adroddiad ar Bymtheg a Deugain . . .*, t. 290.
95. 'Adroddiad Blynyddol y Pwyllgor Gwaith', D. Owen Evans, D. R. Hughes a Cynan, *Yr Adroddiad Blynyddol 1937-1939 ynghyda Hanes, Cyfrifon a Rhestrau Buddugwyr Eisteddfodau Machynlleth (1937) a Chaerdydd (1938) a Thrafodion Adran y Cymrodorion ym Machynlleth a Chaerdydd*, t. 7.
96. 'Eisteddfod Genedlaethol Cymru, Caerdydd, Awst 1-6, 1938', Gwyn Daniel, ibid., t. 39.
97. 'Eisteddfod Opening Ceremony', *Western Mail*, Awst 2, 1938, t. 12.

98. Ibid.
99. 'First Day's Eisteddfod Crowd a Record', Edward James, ibid.
100. 'Eisteddfod Opening Ceremony', ibid.
101. 'Macbeth in Welsh a Triumph', T. O. Phillips, ibid., Awst 2, 1938, t. 13.
102. 'Eisteddfod Actors' Fresh Achievement', T. O. Phillips, ibid., Awst 5, 1938, t. 7.
103. Ibid.
104. Cystadleuaeth y stori fer: beirniadaeth Thomas Parry, *Eisteddfod Genedlaethol Caerdydd 1938 Barddoniaeth a Beirniadaethau*, Goln W. J. Gruffydd a G. J. Williams, t. 144.
105. Ibid.
106. Ibid.
107. Ibid.
108. 'Nodiad gan y Golygyddion', ibid.
109. 'Author of Short Story Reveals his Name', *Western Mail*, Awst 5, 1938, t. 7.
110. Ibid.
111. Ibid.
112. Ibid.
113. Ibid.
114. 'Eisteddfod Genedlaethol Cymru, Caerdydd, Awst 1-6, 1938', Gwyn Daniel, t. 40.
115. 'Atgofion Beirniad', Thomas Parry, *Eisteddfota*, Gol. Alan Llwyd, 1978, tt. 93-4.
116. 'A Dictionary of Welsh Biography', J. E. Lloyd, *Yr Adroddiad Blynyddol 1937-1939* . . ., t. 77.
117. Ibid., tt. 81-2.
118. 'Eisteddfod Genedlaethol Cymru, Caerdydd, Awst 1-6, 1938', Gwyn Daniel, t. 40.
119. 'Eisteddfod Concert', *Western Mail*, Awst 2, 1938, t. 13.
120. Ibid.
121. 'Eisteddfod Hurried by Broadcasting', Edward James, *Western Mail*, Awst 5, 1938, t. 6.
122. Cystadleuaeth y Gadair: beirniadaeth Saunders Lewis, *Eisteddfod Genedlaethol Caerdydd 1938 Barddoniaeth a Beirniadaethau*, t. 13.
123. Ibid., t. 14.
124. Ibid.
125. Cystadleuaeth y nofel: beirniadaeth D. J. Williams, ibid., t. 134.
126. Ibid,
127. Ibid.
128. Cystadleuaeth y ddrama hir: beirniadaeth Saunders Lewis, ibid., t. 164.
129. 'Nodiadau'r Golygydd', W. J. Gruffydd, *Y Llenor*, cyf. xviii, rhif 3, Hydref 1939, t. 131.
130. Ibid.
131. Ibid., t. 132.
132. Ibid.
133. Ibid.
134. 'Rhai Eisteddfodau', t. 326.

135. 'Nodiadau'r Golygydd', W. J. Gruffydd, *Y Llenor*, cyf. xviii, rhif 3, Hydref 1939, t. 130.
136. Ibid.
137. Ibid., t. 131.
138. Ibid.
139. Cystadleuaeth y Gadair: beirniadaeth G. J. Williams, *Eisteddfod Genedlaethol Dinbych 1939 Barddoniaeth a Beirniadaethau*, Goln R. T. Jenkins a Tom Parry, tt. 20, 21.
140. Cystadleuaeth y Goron: beirniadaeth T. H. Parry-Williams, ibid., t. 49.
141. Ibid., t. 51
142. Cystadleuaeth y Goron: beirniadaeth J. Lloyd Jones, ibid., t. 64.
143. 'Nodiadau'r Golygydd', W. J. Gruffydd, *Y Llenor*, cyf. xviii, rhif 3, Hydref 1939, t. 129.
144. 'Rhai Eisteddfodau', t. 327.
145. Cystadleuaeth y ddrama hir: beirniadaeth Saunders Lewis, *Eisteddfod Genedlaethol Dinbych 1939 Barddoniaeth a Beirniadaethau*, t. 216.

Rhan 2

O'r Rhyfel i'r Rheol

1940-1950

Wynebodd yr Eisteddfod gyfnod argyfyngus arall yn ystod y pedwardegau. Gellid tybio y byddai cyfnod ffyniannus o'i blaen ar ôl ffurfio Cyngor yr Eisteddfod ym 1937, a sefydlu'r Rheol Uniaith yn yr un flwyddyn; ond rhwng 1940 a 1950, bu'n rhaid iddi ymladd am ei bodolaeth, ac yn enwedig am yr hawl i fod yn ŵyl uniaith Gymraeg. Gwyddai swyddogion yr Eisteddfod y cymerai flynyddoedd cyn y gallai'r Rheol Uniaith ddod i'w llawn rym. 'Roedd yn rhaid chwyldroi agwedd pobl i ddechrau, a brwydro yn erbyn gwrthwynebiad y Cymry – Cymraeg a di-Gymraeg – a oedd yn elyniaethus tuag at y cynllun. Yn ogystal, ar yr ochor gerddorol, 'roedd angen cyfieithu geiriau toreth o ganeuon i'r Gymraeg. I ddrysu popeth, ac i darfu ar y cynnydd petrusgar ac araf i gyfeiriad gŵyl uniaith, daeth rhyfel byd arall. Nid Cymreigio'r Brifwyl oedd y prif nod mwyach, ond sicrhau parhad yr Eisteddfod. Yn eironig braidd, bu Prifwyliau 1940 a 1941 yn Eisteddfodau pur Gymreigaidd, ond y Rhyfel a fu'n gyfrifol am hynny, yn hytrach na grym penderfyniad a thaerni ewyllys. Ar wahân i'r broblem o leoliad a pharhad yr Eisteddfod yn ystod hanner cyntaf y degawd, y thema fawr amlwg yn hanes yr Eisteddfod rhwng 1940 a 1950 oedd y frwydr i sefydlu'r Rheol Uniaith. Bu'n frwydr hir a chaled.

Bwriadwyd cynnal Eisteddfod 1940 ym Mhen-y-bont ar Ogwr, ond mygwyd y waedd o blaid heddwch am yr eildro o fewn pum mlynedd ar hugain. Daeth rhyfel byd, unwaith yn rhagor, i ddrysu'r cynlluniau. Bwriadwyd cynnal Eisteddfod Genedlaethol Pen-y-Bont, ar ôl sawl ymgais i'w hennill i'r dref, o'r pumed hyd at y degfed o Awst, ond erbyn hynny byddai'r Rhyfel wedi bod yn anrheithio Ewrop ers bron i flwyddyn.

Cyhoeddwyd y testunau ar ei chyfer, a gwnaethpwyd llawer o baratoadau ymlaen llaw. 'Yn ein hawydd i'ch cael chwi, bu Penybont-ar-Ogwr yn curo wrth ddrws yr awdurdodau amryw weithiau yn ystod y blynyddoedd diweddaf hyn, a hyfryd yw meddwl iddi lwyddo o'r diwedd,'[1] meddai Wil Ifan a W. T. Richards wrth groesawu eu cyd-Gymry i'r Eisteddfod, ond penderfynwyd yn fuan iawn ar ôl dechreuad y Rhyfel nad oedd modd ei chynnal ym Mhen-y-bont. Penderfynodd Pwyllgor Pen-y-bont na ellid cynnal y Brifwyl yn y dref am lu o resymau, ond y rheswm amlycaf oedd y ffaith fod y Llywodraeth wedi ei rhestru ymhlith yr ardaloedd a allai fod yn dargedau i gyrchoedd awyr. Ynddi yr oedd ffatri arfau enfawr, a dyna oedd y prif bryder.

Daeth Pwyllgor Gwaith Cyngor yr Eisteddfod ynghyd ar ôl y penderfyniad ym mis Medi 1939 i beidio â chynnal y Brifwyl ym Mhen-y-bont. Yn y cyfarfod hwnnw, ym mis Tachwedd, penderfynwyd cynnal Eisteddfod 1940 yn Aberpennar. Un o fanteision amlwg dewis Aberpennar fel lleoliad oedd y ffaith fod yno eisoes bafiliwn, ond 'roedd Adran Deheudir Cymru a Mynwy o'r Cyngor Cenedlaethol er Gwasanaeth Cenedlaethol yn meddu ar y cynnig cyntaf i'w brynu. Penderfynodd aelodau Cyngor yr Eisteddfod gynnig £1,000 i'r darpar-brynwyr, i'w galluogi i'w brynu, ar yr amod y byddent yn cadarnhau eu bod yn prynu'r adeilad erbyn canol Rhagfyr 1939, ac y byddai wedi ei atgyweirio ar gyfer cynnal Eisteddfod Awst 1940 ynddo, heb ragor o gostau i'r Cyngor, ac ar yr amod hefyd y câi Eisteddfod 1942 ei chynnal yn yr un pafiliwn pe byddai raid, yn rhad ac am ddim. Cytunwyd ar hynny. Sefydlwyd pwyllgor brys yn ogystal yn y cyfarfod hwnnw a gynhaliwyd gan Gyngor yr Eisteddfod ym mis Tachwedd, gyda golwg ar drefnu a llywio'r Eisteddfod drwy gyfnod y Rhyfel, pe bai i'r gyflafan barhau. Gydag W. Emyr Williams yn Gadeirydd iddo, yr oedd nifer o Gymry blaenllaw yn aelodau o'r pwyllgor brys hwn, pobl fel W. J. Gruffydd, I. D. Hooson, R. T. Jenkins, Thomas Parry, David Hughes Parry, ac, wrth gwrs, Cynan a D. R. Hughes.

Cyhoeddwyd Eisteddfod Aberpennar ar Fai 30, 1940, ym Mharc y Dyffryn, Aberpennar, dan arweiniad Crwys. Cyhoeddwyd y Rhestr Testunau ar gyfer Eisteddfod 1940 am yr eildro, a bwriedid ei chynnal am dridiau, Awst 6-8. Gan mai eiddo pwyllgorau Pen-y-bont ar Ogwr oedd y testunau a gyhoeddwyd yn Rhestr Testunau wreiddiol yr Eisteddfod honno, ac oherwydd mai'r bwriad oedd ei chynnal ym 1942 pe bai amgylchiadau yn caniatáu, 'roedd yn rhaid darparu a dewis cystadlaethau, testunau a beirniaid newydd. 'Roedd Cynan a D. R. Hughes wedi gofyn i is-bwyllgorau'r Cyngor lunio rhestr newydd o destunau, yn yr Adrannau Llenyddiaeth, Cerddoriaeth, Drama ac Areitheg a Chelfyddyd, ar gyfer y pwyllgor a gynhaliwyd ym mis Tachwedd 1939, a dyma'r testunau a gyhoeddwyd yn yr ail Restr Testunau ac yn y wasg. Penodwyd Watcyn Evans yn Drefnydd Lleol Eisteddfod Aberpennar, dan awdurdod y Cyngor. Felly, yr oedd y Cyngor newydd a sefydlwyd ym 1937 wedi gorfod profi ei werth yn ei fabandod. '[E]r gwybod ein bod yn mentro ar gost o tua £3,000 yn Aberpennar, ni allem ac ni fynnem ni aelodau'r Cyngor osgoi'r her,' meddai Cynan a D. R. Hughes, a chredent 'mai ar gyfer y fath amser â hwn y daeth y Cyngor i'w frenhiniaeth, a hynny trwy gydweithrediad dynion o ewyllys da yn yr Orsedd ac yng Nghymdeithas yr Eisteddfod'.[2]

Rhestrwyd 76 o wahanol gystadlaethau yn Rhestr Testunau Aberpennar, ynghyd â dwy gystadleuaeth gan Gyngor yr Eisteddfod Genedlaethol ei hun. 'Roedd Pen-y-bont wedi bwriadu cynnal 319 o gystadlaethau, ynghyd â thair cystadleuaeth gan Gyngor yr Eisteddfod. Oherwydd y brys a'r argyfwng, gadawyd testunau'r Awdl a'r Bryddest yn agored, ac ni chafwyd dim byd mwy uchelgeisiol yn yr Adran Lên na thraethodau, stori fer-hir a ffantasi ddramatig 'yn y ffurf o ymddiddan, gyda chyfarwyddiadau llwyfan'. Dilewyd cystadleuaeth y Fedal Ryddiaith fel y cyfryw, ond penderfynwyd, pe byddai'r Eisteddfod yn derbyn gwaith o deilyngdod arbennig yn yr Adran Ryddiaith, y cyflwynid y Fedal i'r gwaith hwnnw. Gofynnwyd am ddrama hir yn yr Adran Ddrama ac Areitheg, ac 'roedd y testun yn agored unwaith yn rhagor. Gofynnwyd yn ogystal am dair drama fer ac un cyfieithiad, a bwriedid cynnal dwy gystadleuaeth actio, y Brif Gystadleuaeth a chystadleuaeth actio drama fer. Yn yr Adran Gerddoriaeth bwriedid cynnal y cystadlaethau arferol ar gyfer corau, a sawl cystadleuaeth unigol.

'Ni bu Eisteddfod erioed yr un fath â hon,' meddai Cynan a D. R. Hughes, Cyd-ysgrifenyddion Cyngor yr Eisteddfod.[3] 'Roedd hynny'n berffaith wir: ni chynhaliwyd mohoni. Ar Fehefin 26, 1940, diwrnod cyhoeddi Eisteddfod Genedlaethol Bae Colwyn, 1941, penderfynodd Cyngor yr Eisteddfod, wedi i Bwyllgor Lleol Aberpennar ddarganfod sawl maen tramgwydd, na ellid cynnal y Brifwyl yng Nglyn Cynon wedi'r cyfan. 'Roedd yr anawsterau, mewn cyfnod mor argyfyngus, yn lleng. Ofnid mai Eisteddfod ariannol aflwyddiannus a geid yn Aberpennar, gan y byddai problemau fel anhwylustod teithio, prinder gwyliau a hamdden ac anawsterau llety a bwyd, yn atal y lluoedd rhag cyrraedd. Hyd yn oed pe byddai'r lluoedd yn llwyddo i gyrraedd drwy'r myrdd anawsterau hyn, amheuai llawer mai peth annoeth a pheryglus fyddai cynnull cannoedd o bobl i un man ac i un adeilad. Pan gynhwyswyd Aberpennar ymhlith yr ardaloedd gwaharddedig gan y Llywodraeth ym mis Gorffennaf 1940, 'roedd y Cyngor eisoes wedi penderfynu nad oedd Eisteddfod i fod yn yr ardal honno.

Gyda siom a gofid y derbyniwyd y newyddion ynglŷn â'r bwriad i beidio â chynnal Eisteddfod Aberpennar yn ystod seremoni cyhoeddi Eisteddfod Bae Colwyn ym Mharc Eirias. Yr oedd cysgod y Rhyfel yn drwm ar y gweithgareddau a'r datganiadau. Gofynnodd yr Archdderwydd, Crwys, 'am beth sy'n brin iawn yn y byd heddiw – heddwch';[4] dylai'r Cymry ymlawenhau yn hytrach nag ymddiheuro, meddai, am fwrw ymlaen â phethau tragywydd ar amser fel hyn. Cynhaliai Cymru ei Gorsedd wrth olau cannwyll pe byddai raid, ychwanegodd, ac 'roedd meini'r Orsedd yn rhagfur rhwng Cymru a'i gelynion. Cynhaliwyd cyngerdd a pherfformiad o ddrama Ibsen, *Hedda Gabler*, cyfieithiad Thomas Parry ac R. H. Hughes, ar yr un pryd gyda'r nos.

Byddai'r penderfyniad i beidio â chynnal Prifwyl 1940 yn golygu colled ariannol a diwylliannol enfawr. Byddai'r colledion ariannol, i ddechrau, yn rhai sylweddol. 'Roedd Cyngor yr Eisteddfod eisoes wedi cyfrannu £1,000 i goffrau Adran Deheudir Cymru a Mynwy o'r Cyngor Cenedlaethol er Gwasanaeth Cenedlaethol a oedd wedi prynu'r pafiliwn parod yn Aberpennar, a'i achub rhag cael ei droi'n ffatri. Fe'i defnyddiwyd, ar ôl ei brynu, fel canolfan datblygu corff a meddwl yn y cymoedd. Problem arall a godasai yn sgîl penderfyniad Mehefin 26 oedd problem y cyfansoddiadau a'r cystadlaethau. Bu cystadlu brwd; er enghraifft, 'roedd 23 wedi ymgeisio am y Gadair, a 36 wedi cystadlu am y Goron; derbyniwyd 51 o ddramâu, 37 o straeon byrion, 158 o englynion, 50 o sonedau ac 16 o gyfansoddiadau cerddorol. 'Roedd y Cyngor wedi penderfynu y câi'r holl gystadlaethau hyn feirniadaeth gyflawn, ac y câi'r buddugwyr eu gwobrwyo'n llawn.

Y broblem fawr, yn ôl Cynan mewn sgwrs a ddarlledwyd ar y radio, oedd 'pa fodd y gellid cyflwyno ffrwyth y cystadleuaethau [*sic*] hyn i'r genedl?'[5] Ac fe ddaeth Prifardd Cadair Machynlleth 1937 a thechnoleg y dydd i'r adwy. Yn ôl Cynan eto:[6]

> Yn y cyfwng hwn y daeth swyddogion Cymreig y B.B.C. ymlaen gyda chynnig rhagorol, a awgrymwyd i gychwyn gan Mr. T. Rowland Hughes, ac a dderbyniwyd yn llawen ac yn ddiolchgar gan ein Pwyllgor fel gwasanaeth cenedlaethol gwirioneddol. Y cynnig mewn gair oedd hyn, bod cyd-bwyllgor bychan o gynrychiolwyr y Cyngor a'r B.B.C. i gydweithredu ar gynllun i geisio achub hynny a ellid o raglen Eisteddfod 1940 trwy gyfrwng y radio.

Ac fel hyn y cafwyd yr 'Eisteddfod Radio' enwog. Bu'n rhaid cwtogi ar raglen wreiddiol Eisteddfod Aberpennar, ond ymfalchïai Cynan y byddai'r Eisteddfod ar yr Awyr yn cynnwys 'tri pheth o leiaf na all y mwyafrif o'r genedl bellach ddychmygu am yr Eisteddfod Genedlaethol hebddynt', sef y Brif Gystadleuaeth Gorawl, cystadleuaeth y Corau Meibion, ac araith Lloyd George.[7] Yr oedd balchder a her yng ngeiriau gorfoleddus Cynan wrth iddo edrych yn ôl ar yr arbrawf:[8]

> Fe adawodd y rhyfel ei greithiau brwnt ar lawer rhan o Gymru, ac y mae creithiau'r cyrchoedd awyr yn rhai nad anghofia neb a'u gwelodd. Ond ni allodd "tywysog llywodraeth yr awyr" ddifodi ein Heisteddfod. Yn hytrach fe'i rhoesom hithau ar yr awyr fel y byddai ei delfrydau yn ddiddanwch i Gartrefi Cymru yn nydd eu cyni pan nad oedd modd i ni ddyfod ynghyd fel tyrfa i gadw gŵyl.

Agorwyd y 'Steddfod Radio ar brynhawn dydd Llun, Awst 5, gan yr Archdderwydd, Crwys. Llafarganwyd gweddi'r Orsedd, a chafwyd gair wedyn gan Martha Bath, Cadeirydd Pwyllgor Gwaith yr Eisteddfod y bwriedid ei chynnal yn Aberpennar. Bu brwdfrydedd mawr yng Nglyn Cynon, meddai, a gobeithiai y câi Aberpennar gynnal yr Eisteddfod yn y dyfodol. 'Yr Eisteddfod ryfeddaf erioed' oedd disgrifiad Crwys o'r Eisteddfod Radio.[9] 'Dyfais wyrthiol yw darlledu,' meddai, 'ond pwy erioed a ddychmygodd gynnal Eisteddfod drwy gyfrwng y ddyfais hon?'[10] Hon oedd yr Eisteddfod fwyaf eto, meddai, 'ei phabell gyfled â Chymru a'r Cymro pellaf yn y byd yn cael clywed pethau fel yr elent ymlaen'.[11] 'Roedd y 'Steddfod Radio yn cyfeirio tua'r dyfodol technolegol, yn sicr. Dymunodd Crwys hefyd lwyddiant i'r Eisteddfod 'na allodd hyd yn oed rhyfel ei lladd'.[12]

Parhaodd y darllediad cyntaf o'r Eisteddfod Radio am chwarter awr yn unig. Ar ôl y ffanffer agoriadol a'r agoriad swyddogol gyda Gweddi'r Orsedd, ac wedi i Crwys a Martha Bath annerch y gwrandawyr, canwyd detholiad o 'Ymadawiad Arthur' gan Mair Howells i gyfeiliant y delyn, gyda Rhiannon James yn cyfeilio. Wedyn cyhoeddwyd enwau'r buddugwyr yn y cystadlaethau dramâu, ac fe roddwyd canmoliaeth arbennig i ddrama hir George Davies, Treorci, a gafodd hefyd ran o'r wobr ariannol yn y gystadleuaeth llunio drama fer ar gyfer plant, yn seiliedig ar unrhyw gân werin Geltaidd, yn ail i Elizabeth Watkin-Jones, Nefyn. Perfformiwyd drama Elizabeth Watkin-Jones ar yr awyr yn ystod awr y plant ar y diwrnod canlynol. Siomedig oedd y darllediad cyntaf hwn yn ôl un o ohebwyr y *Western Mail*, 'due no doubt to the fact that too much was crowded into the 15 minutes allotted it'.[13] Diffyg meistrolaeth ar y dechneg o lefaru ar y radio oedd un o'r meini tramgwydd: 'Perhaps it would be as well if no attempt were made to reproduce the spirit that prevails in the Eisteddfod field. As the event is brought to the hearth an intimate, informal note should be introduced,' meddai'r un gohebydd, a dylai'r beirniadaethau annog gwell gwrandawiad 'if read conversationally and not as before an assembly'.[14]

Ar ddydd Mawrth daeth tro'r cerddorion, a dydd Mawrth anrhydeddu Merthyr oedd hwn. Cipiwyd y gwobrau cerddorol i gyd gan Ferthyr Tudful, arwydd arall o wydnwch diwylliannol yr hen dref honno mewn cyfnodau argyfyngus. Enillodd Côr Ffilharmonig Merthyr, dan arweiniad Brinley Griffiths, y Brif Gystadleuaeth Gorawl, gyda Chôr Ystradyfodwg, Y Rhondda, yn ail. Hwn oedd yr ail dro i'r côr o Ferthyr ennill y gystadleuaeth hon o fewn tair blynedd, a rhwng buddugoliaethau 1938 a 1940, cafodd yr ail wobr yn Ninbych ym 1939. W. S. Parry o Ferthyr a enillodd y tair gwobr am gyfansoddi, sef cyfansoddi ar gyfer pedwarawd lleisiol, triawd offerynnol ac unawd i'r delyn. Yn anffodus, yn Saesneg y traddodwyd y beirniadaethau ar y cystadlaethau hyn, gan bwysleisio, unwaith yn rhagor, y ffaith mai'r Adran Gerddoriaeth oedd y bygythiad mwyaf i Gymreigrwydd yr Eisteddfod.

Araith Lloyd George ar nos Fercher yr Eisteddfod oedd yr unig araith a draddodwyd yn y 'Steddfod Radio. Traddododd ei araith gyda'r nos, a hynny yn Saesneg, gan ddod â nodyn prin o anghytgord ieithyddol i mewn i'r ŵyl radio unigryw hon, ynghyd â'r cystadlaethau a'r beirniadaethau cerddorol. Araith ddigon nodweddiadol a gafwyd ganddo, a honno'n adleisio rhai o'i areithiau yn ystod y Rhyfel Mawr. Canmolodd yr Eisteddfod, fel arfer, am noddi'r celfyddydau ac am ymlafnio i gadw hunaniaeth pan oedd gweddill Ewrop yn ymddwyn yn farbaraidd. 'As a small nation which has ever fought tenaciously for its national recognition and rights, Wales has a special interest in the result of this tremendous struggle for international right and freedom,' meddai.[15] 'This is the day of the agony of little nations,' meddai wedyn, gan ddefnyddio hen frawddeg o'i eiddo.[16] Clodforodd yn ogystal ddewrder a gwladgarwch y Cymry, a'u parodrwydd i gadw draw unrhyw oresgynwyr. 'Roedd cenhedloedd bychain Ewrop, unwaith yn rhagor, yn dioddef, y tro hwn wrth i gerbydau haearn y Natsïaid rwygo drwy'r Cyfandir. Meddai, wrth derfynu:[17]

> There is every sign in the firmament that such a tempest as Britain has never before encountered is about to break upon her and all that she stands for. If her people are worthy of their forefathers Britain will pass through this hurricane fearless and erect and will emerge from its rage mightier, more honoured, and more powerful than ever for the good of mankind.

Dilynwyd araith Lloyd George gan gystadleuaeth y corau meibion, a enillwyd gan y côr pêl-droedaidd-yr-enw hwnnw, Morriston United.

Sylweddolwyd dau beth hynod o bwysig pan gynhaliwyd Eisteddfod 1940 ar y radio. I ddechrau, sylweddoli y gallai'r radio ehangu cynulleidfa a lledaenu poblogrwydd y Brifwyl. Gallai Cymru benbaladr, pe defnyddid cyfrwng y radio i ddarlledu gweithgareddau'r Eisteddfod drwy'r wlad bob Awst, ddod i'r Eisteddfod. 'Roedd manteision eraill. Ni chollid amser, yn un peth. 'Nid oedd eisiau aros i'r beirniaid ddod i'r llwyfan nac aros am i'r enillwyr eu gwneud eu hunain yn hysbys,' meddai'r *Cymro*.[18] Rhestrwyd bendithion eraill: 'Nid oedd neb yn teimlo'n flin yn ystod y tameidiau a roddwyd oherwydd tyndra pobl na gwres dyddiau heulog mis Awst. Yr oedd popeth yn glywadwy hefyd ac ni roed amser i wneud dim i ladd amser'.[19] Y diffygion mwyaf yn ôl *Y Cymro* oedd colli cwmnïaeth a chlosrwydd maes yr Eisteddfod, colli'r cyfle i weld yn y cnawd rai o wŷr mawr byd llên a chân, a cholli rhialtwch a lliwgarwch yr Orsedd a seremonïau'r cadeirio a'r coroni. 'Roedd 'Steddfod y Cyfryngau wedi ei geni.

Yr ail beth y daethpwyd i'w sylweddoli oedd y ffaith y gellid cynnal y Brifwyl yn llwyddiannus drwy gyfrwng y Gymraeg yn unig. Er bod y 'Steddfod Radio yn cyfeirio'n bendant tuag at y dyfodol, yr oedd yn amlygu nifer o ddiffygion hefyd, yn enwedig ar yr ochor weledol. Yr Adran Gelf a Chrefft a ddioddefai fwyaf. Ni chafodd neb gyfle i weld paentiad olew Ken Etheridge, yr artist a'r dramodydd ifanc o Rydaman a myfyriwr yng Ngholeg Prifysgol Cymru, Abertawe, ar y pryd, er mai hanner y wobr ariannol a gafodd am ei ddarlun a oedd wedi'i seilio ar chwedl Gymraeg. Ni welwyd ychwaith y cynlluniau ar gyfer codi pont newydd i ddisodli hen bont mewn pentref Cymreig prydferth yn yr Adran Bensaernïaeth, cystadleuaeth a enillwyd gan Alexander Scott o Dundee, ac nid rhyfedd hynny gan mai Albanwyr oedd y rhan fwyaf o'r deg cystadleuydd yn y gystadleuaeth.

Er i'r beirniaid atal y Goron, am yr eildro yn olynol, ac er na chafwyd teilyngdod mewn sawl cystadleuaeth, cystadleuaeth y faled, y ddrama fer ar fydr (cystadleuaeth druenus yn ôl y beirniad, Saunders Lewis) a'r ffantasi ddramatig, nid eisteddfod gwbwl ddi-wefr a gafwyd ar y di-wifr. Enillwyd y Fedal Ryddiaith, am waith o deilyngdod arbennig yn yr Adran Ryddiaith, gan T. Hughes Jones am ei stori fer-hir, *Sgweier Hafila* (er mai yn Eisteddfod 1941 y cyflwynwyd y Fedal iddo gan E. Tegla Davies), dan feirniadaeth Kate Roberts. Dyfarnwyd stori fer-hir gan Dafydd Jenkins, Aberystwyth, yn ail i stori fuddugol T. Hughes Jones, ac awgrymodd Kate Roberts y dylai gael gwobr gysur, gan fod y ddwy stori yn bur agos at ei gilydd. Dafydd Jenkins hefyd a enillodd gystadleuaeth y stori fer, dan feirniadaeth T. H. Parry-Williams. Yn briodol ddigon, enillwyd y Gadair gan achubwr Eisteddfod Genedlaethol 1940, T. Rowland Hughes, a derbyniodd gadair arian fechan. Os oedd y radio wedi achub Eisteddfod 1940, yr oedd hefyd wedi dylanwadu ar gystadleuaeth y Gadair. Newydd gynhyrchu rhaglen radio am y pererindota i Dyddewi yr oedd T. Rowland Hughes pan enillodd y Gadair am ei awdl 'Pererinion'. Chwaraewyd record o ddefod y cadeirio ym Machynlleth, 1937, wrth gyhoeddi mai T. Rowland Hughes oedd y bardd buddugol.

Er canmol llawer ar weledigaeth T. Rowland Hughes a swyddogion y Cyngor, ni fodlonwyd pawb gan Brifwyl y Radio. Yn ôl *Y Faner*, 'Troes y cynnig hwn i gadw traddodiad yr Eisteddfod yn ddi-dor yn fethiant'.[20] Gorthrwm yn hytrach na gwaredigaeth a ddaeth o gyfeiriad y BBC: 'Yr oedd gormod o sawr pencadlys Seisnig y "B.B.C." ar yr ŵyl radio hon, a difethodd y beirniaid cerdd ddwy oedfa drwy fregliach Saesneg – hyd yn oed wrth feirniadu côr a ganodd yn Gymraeg'.[21] Beirniadwyd Lloyd George hefyd am areithio yn Saesneg. Atebwyd y cyhuddiad fod y ddau feirniad cerdd, Dr David Evans a Dan Jones, yn ogystal â Lloyd George a D. Owen Evans, un o'r rhai a gyflwynodd Lloyd George i'r gwrandawyr, wedi anurddo'r ŵyl radio drwy siarad Saesneg yn y rhifyn dilynol o'r *Faner*. 'Yr eglurhad syml,' meddai Cynan a D. R. Hughes, 'yw mai yn ystod yr oriau a neilltuir i raglenni Saesneg y darlledwyd eu rhannau hwy, eithr yn ystod yr amser a ganiateir gan y "B.B.C." i raglenni Cymraeg ni threfnwyd gan gyd-bwyllgor y Cyngor a'r "B.B.C." ddarlledu dim o'r Eisteddfod yn Saesneg!'[22] Er mwyn darlledu cymaint ag yr oedd modd o'r Eisteddfod, meddai'r ddau gyd-ysgrifennydd, rhaid oedd torri i mewn i'r oriau Saesneg, a chytunwyd i wneud hynny, o raid yn hytrach nag o ddymuniad. Cwynwyd yn *Y Faner* yn ogystal mai prin, mewn gwirionedd, oedd yr amser a neilltuwyd ar gyfer yr Eisteddfod: '. . . gydag un eithriad, ni roed i'r Eisteddfod ond y chwarter awr a roddir yn ddyddiol i Gymru at y pum munud o newyddion Cymraeg, ac o dan yr amgylchiadau, a Seisnigrwydd diesgus amryw o'r siaradwyr, ni chafwyd dim chwa o awyrgylch yr Eisteddfod Genedlaethol o gwbl'.[23]

Cafwyd anawsterau drachefn ym 1941. Y bwriad oedd cynnal y Brifwyl ym Mae Colwyn, o Awst 4 hyd at Awst 9. Cyhoeddwyd y Rhestr Testunau ar ei chyfer, ond erbyn mis Rhagfyr, 1940, 'roedd yn amlwg na ellid cynnal yr Eisteddfod yno. Ar ôl cyfarfod rhwng aelodau o gyngor brys yr Eisteddfod a dirprwyaeth o Bwyllgor Gwaith Bae Colwyn, cyhoeddwyd fod Eisteddfod Bae Colwyn hefyd i'w gohirio. Nodwyd tri rheswm am y penderfyniad. Byddai'n amhosibl sicrhau pafiliwn addas ar gyfer yr Eisteddfod, byddai ei chynnal mewn neuadd leol yn golygu colled ariannol sylweddol, ac, wrth gwrs, byddai'n anodd darparu trafnidiaeth a llety i'r eisteddfodwyr oherwydd amgylchiadau rhyfel. Penderfynwyd y byddai'r côr o 55 o leisiau a oedd i fod i berfformio'r *Elijah* yn yr Eisteddfod yn canu mewn gwahanol rannau o gylch yr Eisteddfod, ac y byddai perfformiadau o *Samson* a gweithiau eraill i ddilyn. Trefnwyd y byddai'r Adran Ddrama hefyd yn cynnal perfformiadau Cymraeg yn y cylch. Penderfynwyd yn ogystal mai cwrdd tridiau a gynhelid ym 1941, gyda Chymanfa Ganu ar y pedwerydd diwrnod, ac mai 'Eisteddfod Lenyddol Genedlaethol Cymru' fyddai teitl yr Eisteddfod, sef Eisteddfod ar ddull eisteddfodau'r ddeunawfed ganrif i bob pwrpas. 'Am y tro cyntaf ers yn agos i gan mlynedd, ceir Gŵyl Genedlaethol eleni yng ngwir olyniaeth Eisteddfodau'r ddeunawfed ganrif – yr Eisteddfodau y bu gan Gymdeithas y Gwyneddigion ran mor helaeth yn eu sefydlu,' meddai Daniel Jones, Maer Bae Colwyn, wrth groesawu'r Eisteddfod i'r ardal.[24]

'Roedd arwyddion yr amseroedd yn amlwg yn un o'r cystadlaethau, sef y traethawd byr, 'Cyfyngedig i aelodau o'r Llynges, y Fyddin neu'r Llu Awyr', ar y testun 'Yr Argraff a wnaed arnaf gan y gyfrol *Hwnt ac Yma*'. 'Roedd un o broblemau mawr y Brifwyl hefyd yn amlwg yn y gystadleuaeth bensaernïol, sef cynllunio pafiliwn parhaol i Eisteddfod Genedlaethol Cymru, 'gyda lle eistedd i oddeutu 12,000 o bobl, gan gynnwys côr, a lle i lwyfan helaeth a'r ystafelloedd ynglŷn â hi, swyddfeydd, ystafelloedd y wasg, ymolchleoedd, a lle dan do i'r corau sy'n cystadlu ymgynnull ynddo'.[25] Drwy'r gystadleuaeth hyderwyd 'y gellir cefnogi ymchwil i'r holl broblem a chynlluniau ymarferol i'w setlo'.[26] 'Roedd y gystadleuaeth hon, a enillwyd maes o law gan Edward Banks o Swydd Gaerhirfryn (mewn cydweithrediad â dau arall) yn un o gystadlaethau gwreiddiol Eisteddfod ohiriedig Bae Colwyn.

Lluniwyd rhestr arall o destunau ar frys a chyhoeddwyd y testunau hynny yn y papurau cyn i *Testunau Eisteddfod Genedlaethol Lenyddol Cymru . . . Hen Golwyn* ymddangos o'r wasg. Gofynnwyd i'r beirdd a'r llenorion anfon eu cynhyrchion at Ysgrifenyddion yr Eisteddfod, Cynan a D. R. Hughes, erbyn Mehefin 14. Nid rhyfedd, felly, fod ôl brys ar nifer o gyfansoddiadau buddugol 1941, yn enwedig yr awdl fuddugol, a gyrhaeddodd yr Ysgrifenyddion wythnos ar ôl y dyddiad cau, gan ennyn anghymeradwyaeth sawl un. Y bwriad oedd cadw testunau gwreiddiol Eisteddfod Bae Colwyn yn eu crynswth ar gyfer yr 'Eisteddfod Genedlaethol arferol gyntaf a gynhelir yn y Gogledd wedi'r rhyfel'.[27] Ni chynhaliwyd Eisteddfod Genedlaethol Bae Colwyn tan 1947, fodd bynnag, ac 'roedd y rhestr testunau wedi newid cryn dipyn erbyn hynny. Cadwyd rhai testunau, addaswyd a newidiwyd rhai eraill. Er enghraifft, 'roedd testun yr awdl yn agored ym Mae Colwyn 1941, a rhoddwyd tri thestun ar gyfer y Goron: 'Maelgwn Gwynedd', 'Llys Helyg' neu 'Y Porthladdoedd Prydferth', ond dau destun yr awdl ym 1947 oedd 'Y Porthladdoedd Prydferth' a 'Maelgwn Gwynedd', a dau destun y bryddest oedd 'Jonah' neu 'Glyn y Groes'. I roi enghraifft arall, fe newidiwyd testun y soned, ond cadwyd testun yr englyn, 'Y Gorwel', a bu'n rhaid aros chwe blynedd am gampwaith Dewi Emrys.

Yn Neuadd yr Eglwys, Hen Golwyn, neuadd a ddaliai tua 500 o bobl a rhagor, y cynhaliwyd yr Eisteddfod. 'Roedd y Cyngor wedi sicrhau'r un neuadd ar gyfer gweithgareddau eraill gyda'r nos: Noson Lawen ar nos Fercher, cyngerdd a meim neu ddrama fud ar nos Iau, pan berfformiwyd 'Gwyn eu Byd y Trugarogion' o waith Winifred Jones gan Chwaraewyr Colwyn, a noson o ddramâu un-act gan chwaraewyr dosbarth W.E.A. Cynan ym Mangor ar nos Wener, noson lwyddiannus iawn at ei gilydd, er i rai gwyno mai cyfieithiadau oedd tair o'r pedair drama a lwyfannwyd, ac i hynny amharu rhywfaint ar Gymreictod yr Eisteddfod. Er mai cynulleidfaoedd bychain iawn, o reidrwydd, a oedd yn bresennol yn Neuadd yr Eglwys yn ystod tridiau'r Ŵyl, daeth y radio i'r adwy unwaith yn rhagor, a darlledwyd detholiadau o nifer o weithgareddau'r Eisteddfod, gan gynnwys darllediadau o'r Noson Lawen. Yn ystod y Noson Lawen y dyfarnwyd englynion gan W. D. Williams, un o Brifeirdd y dyfodol, a'i frawd, Ithel Williams, yn gydfuddugol yng nghystadleuaeth yr englyn byrfyfyr. 'Roedd englyn W. D. Williams, 'Yr Ymogelwr', yn un hynod o amserol:

> Dianc i'r henfro dawel – fu ei ran
> Ar frys i le diogel;
> Pan ddaw'n rhydd ryw ddydd a ddêl,
> Ai diochain y dychwel?

I gloi'r Eisteddfod ar nos Sadwrn, cafwyd Cymanfa Ganu i ddathlu canmlwyddiant geni Joseph Parry.

Agorwyd yr Eisteddfod ar fore dydd Mercher, Awst 6. Cyfeiriodd Crwys, yr Archdderwydd, at y bechgyn a oedd yn y Lluoedd Arfog, gan erfyn am derfyn buan i'r gyflafan a oedd wedi torri ar heddwch y byd. Anerchwyd y gynulleidfa gan dri llywydd bob dydd, ac 'roedd Lloyd George, yn ôl ei arfer, i areithio ar brynhawn dydd Iau. Llywyddwyd cyfarfod prynhawn dydd Mercher gan W. J. Gruffydd, a mynegodd y farn y dylai Cymru fod yn gyfrifol am ei had-drefnu ei hun ar ôl y Rhyfel, a pheidio â rhoi'r cyfle i Whitehall ofalu am fuddiannau'r genedl. Yr ad-drefnu ar ôl y Rhyfel oedd byrdwn araith Lloyd George yn ogystal. Canmolodd wydnwch a gwladgarwch y Cymry, a'u cyndynrwydd i gadw eu traddodiadau yn nannedd pob storm. Dychwelodd hefyd at thema fawr arall o'i eiddo yn ei areithiau rhyfel. Rhyfel 'er mwyn arbed dinistr y cenhedloedd bychain' oedd y Rhyfel presennol.[28] Ar ôl y Rhyfel Mawr llamodd y cenhedloedd bychain y bygythid eu difodi 'mewn undeb a chytgord i'r goleuni yn llawn ysbrydiaeth, eiddgarwch, gwlatgarwch a brawdgarwch yn genhedloedd cyfain'.[29] Byddai'n rhaid ad-drefnu ar ôl y Rhyfel. Beth fyddai rhan Cymru yn yr ad-drefnu? Nid oedd ganddo ateb, ond rhaid oedd bod yn barod 'gyda grawn da i'w roi yn y tir sydd wedi'i rwygo gan aradr ag og ddanheddog rhyfel fel y bydd Cymru yn medi – yn medi ffrwyth toreithiog o fendithion hyd yn oed o'r aflwydd hwn'.[30]

Cymru wedi'r Rhyfel oedd thema fawr cyfarfod Anrhydeddus Gymdeithas y Cymmrodorion ar y dydd Mercher yn ogystal. Testun y drafodaeth oedd 'Diwylliant Cymru wedi'r Rhyfel'. Traethodd Thomas Parry ar yr agwedd lenyddol ar fywyd Cymru wedi'r Rhyfel. Dymunai weld Cyngor yr Eisteddfod yn cael gwell gafael ar y sefydliad, ac awgrymodd y dylid penodi ysgrifennydd cyflogedig i ofalu am yr ochor weinyddol. Dylid rhoi elw unrhyw Eisteddfod lwyddiannus, meddai, i sefydliadau cenedlaethol ac nid i elusennau. Ei bwynt pwysicaf oedd y dylid cadw'r Eisteddfod Lenyddol yn y dyfodol, i'w chynnal ar yr un pryd ac yn yr un cae â'r Eisteddfod fawr, ond mewn pafiliwn gwahanol. Drwy gydol y ddau ddegawd rhwng y Rhyfeloedd, bu W. J. Gruffydd, Iorwerth Peate, Saunders Lewis ac eraill yn dyheu am weld gŵyl fwy llenyddol a llai cerddorol, a gŵyl lai o ran maint hefyd o ran hynny. 'Roedd Eisteddfod Lenyddol 1941 yn galondid i'r llenorion hyn a'u tebyg. Awgrymodd Thomas Parry y dylid darllen ar goedd rai o'r cyfansoddiadau buddugol byrraf, a chyflwyno beirniadaethau gweddol fanwl ym mhob cystadleuaeth. Awgrym arall o'i eiddo oedd fod angen trafodaeth ar ryw bwnc llenyddol neu'i gilydd ym mhob Eisteddfod, trafodaeth ar lyfr neu ar waith rhyw fardd Cymraeg, er enghraifft. 'Roedd un broblem fawr, wrth gwrs. Pe neilltuid y pafiliwn ar gyfer y cerddorion yn unig, byddai'n rhaid sicrhau fod ysbryd Cymreig a Chymraeg y Brifwyl yn cael ei gadw. Yn yr un cyfarfod siaradodd yr Athro J. Williams Hughes, Bangor, am yr ochor grefyddol, yn ogystal â'r ochor ddiwylliannol, i fywyd Cymru Fydd, a mynegodd y farn nad oedd gan ddiwylliant Cymru hawl i fodoli ar ei ben ei hun, yn annibynnol, ond y dylai yn hytrach fod yn is-wasanaethgar i ddiwylliant ehangach y byd. Ofnai W. Moses Williams, Athro Addysg yng Ngholeg y Brifysgol, Abertawe, mai darparu ar gyfer Cymru a Lloegr gyda'i gilydd a wnâi'r awdurdodau addysg ar ôl y Rhyfel, gan anwybyddu gofynion cwbwl wahanol a chwbwl unigryw Cymru. 'Roedd y thema o warchod ar gyfer y dyfodol yn amlwg hefyd yn y modd yr unwyd Undeb Cenedlaethol y Cymdeithasau Cymraeg a'r Pwyllgor Cenedlaethol er Diogelu Diwylliant Cymru yn un mudiad ar ddydd agoriadol yr Eisteddfod.

Cyfarfod cofiadwy arall yn Hen Golwyn – bythgofiadwy yn wir – oedd Seiat y Llenorion ar brynhawn dydd Gwener, diwrnod olaf yr Ŵyl. Cafwyd trafodaeth ar y pwnc 'Fod ar Gymru heddiw fwy o angen llenyddiaeth i'r lliaws na llenyddiaeth i'r ychydig'. Llywydd y seiat oedd Ifor Williams, a thynnodd sylw at y ffaith mai rhywbeth cymharol newydd oedd astudio'r Gymraeg a'i llenyddiaeth yng Nghymru. 'Roedd y colegau Prifysgol yn cyflawni gwaith clodwiw, ond 'roedd llawer iawn o waith i'w wneud eto. Agorwyd y ddadl gan R. T. Jenkins, a siaradodd o blaid y gosodiad. Credai fod angen ehangu cylch darllenwyr Cymraeg, a dylai'r iaith, o'r herwydd, fod yn rhywbeth amgenach na phwnc academaidd. 'Roedd angen darparu cyflawnder o lenyddiaeth gyffredin er mwyn ennill darllenwyr newydd o blith y rhai a arferai siarad Saesneg. Byddai llenyddiaeth ar gyfer y lleiafrif uchel-ael yn gofalu amdani ei hun.

Saunders Lewis a siaradodd wedyn, heb wybod y byddai'r cyfarfod yn troi yn sydyn oddi wrth lenyddiaeth at wleidyddiaeth ac ato ef ei hun. Siarad yn erbyn y gosodiad a wnaeth Saunders Lewis. 'Roedd ysgrifennu'n syml er mwyn denu darllenwyr newydd yn ymostwng, meddai, yn rhyw fath o frad. 'Puteinio athrylith' a wnâi hynny,[31] a byddai'n bolisi niweidiol. Dywedodd hefyd 'mai'r un oedd problem yr iaith Gymraeg a phroblem Cymru ei hun, sef moddion gwleidyddol'.[32]

Wedyn cododd D. J. Williams ar ei draed, a gollyngodd y gath i blith y colomennod yn annisgwyl gan greu'r hen, hen gyffro a ddigwydd ymhlith yr adar hynny. Yn ôl adroddiad *Y Cymro*:[33]

> Dywedodd Mr. D. J. Williams, Abergwaun, ei fod am ddweud yr hyn y dylasai'r llywydd fod wedi ei ddweud cyn dechrau'r ddadl. Dylasai fod wedi gwahodd y cyfarfod i ddatgan condemniad ar waith yr awdurdodau ynglŷn a Mr. Saunders Lewis a'r swydd a ddaliasai. Yr oedd hynny yn un o'r pethau mwyaf gwarthus a ddigwyddasai yng Nghymru mewn blynyddoedd diweddar. Yna ychwanegodd Mr. D. J. Williams ei fod wedi ymddiofrydu i wneuthur yr hyn oll a allai i drosi penderfyniad Abertawe.

Dyma fersiwn A. O. H. Jarman o'r achlysur:[34]

> Yr oedd y neuadd dan ei sang a chafodd Saunders Lewis dderbyniad tywysogaidd gan y dyrfa. Ar ôl yr areithiau bu Ifor Williams mor anffodus â diweddu ei sylwadau o'r gadair â'r geiriau: 'Wn i ddim beth alla'i ei ddweud ymhellach'. Ar amrantiad, yn foddfa o chwys a nerfau, cododd D. J. Williams ar ei draed yng nghanol y llawr a dywedodd: 'Yr hyn y gellwch ei ddweud, Athro Ifor Williams, yw eich bod yn ymdynghedu y byddwch o hyn ymlaen yn rhoddi pob munud sydd gennych yn sbâr a phob egni sydd gennych yn rhydd i geisio sicrhau ei swydd yn ôl i Mr. Saunders Lewis ym Mhrifysgol Cymru'. Cymeradwywyd y sylw gan y dyrfa nes bod y lle yn diasbedain. Am y tro yr oedd fel petai nemesis wedi disgyn, ond er mwyn arbed y cadeirydd cododd W. J. Gruffydd i droi'r drafodaeth i gyfeiriad arall.

Cododd Ifor Williams ar ei draed i fynegi ei siom fod D. J. Williams wedi manteisio ar yr achlysur i godi'r mater. 'Roedd yn arddangos diffyg chwaeth dda, meddai, a gofynnodd i'r siaradwyr eu cyfyngu eu hunain i'r pwnc dan sylw. Dyma pryd y cafodd W. J. Gruffydd ei big i mewn, ac ar ochor Saunders Lewis y dadleuodd. Cymerodd nifer o rai eraill ran yn y drafodaeth, fel Dr Lloyd Owen, Cricieth, y cenedlaetholwr, a Kate Roberts. Un arall a oedd yn bresennol yn y seiat oedd R. Williams Parry, a'r achlysur hwn a ysgogodd ei gerdd 'Y Dychweledig':

Trugarog yw y werin,
   Ystyriol iawn o'i fri,
Pan ddychwel fel pererin
   I'w hannwyl Brifwyl hi.
Rhydd iddo serch, rhydd iddo swydd:
Rhydd iddo gadair yn ei gŵydd . . .

O! teilwng yw tystiolaeth
   Y werin frwd i'w fri
Pan ddychwel ei ddrychiolaeth
   I'w hen brifysgol hi:
A phawb â chalon dan ei fron
Sy'n 'llawenhau fod lle yn hon'.

Rhwng popeth 'roedd y nodyn gwladgarol yn gryf yn Hen Golwyn, a phasiwyd penderfyniad unfrydol ar ôl anerchiad gan yr Athro Ernest Hughes, Abertawe, gan y cynulliad yn Neuadd yr Eglwys mai mater o lawenydd oedd y bwriad i gyflwyno Deiseb yr Iaith i'r Prif Weinidog yn fuan ar ôl yr Eisteddfod. Apeliai'r Ddeiseb honno am fwy o chwarae teg i'r Gymraeg mewn llysoedd barn, a mwy o gydraddoldeb â'r Saesneg. Enghraifft arall o'r ymdeimlad gwladgarol yn brigo i'r wyneb oedd y llais a glywyd o'r gynulleidfa pan oedd yr Aelod Seneddol a Chadeirydd y Pwyllgor Gwaith, D. Owen Evans, un o'r rhai a siaradodd Saesneg yn yr Eisteddfod Radio, yn pregethu undod Prydeinig wrth annerch y gynulleidfa fore dydd Mercher agoriadol yr Ŵyl. Pan honnodd y byddai ar ben ar y diwylliant Cymreig pe byddai i Hitler ennill y Rhyfel, cwestiynu hynny a wnaeth un aelod o'r gynulleidfa.

Yn anochel, atgyfodwyd y ddadl ynghylch maint a natur yr Eisteddod ar ôl Prifwyl 1941. 'Roedd llawer o'r farn fod y Genedlaethol wedi cynyddu'n ormodol, a bod angen cwtogi ar ei holl weithgareddau, yn bennaf dim er mwyn osgoi'r baich ariannol. 'Tybed nad oedd yr Eisteddfod hon yn batrwm i'r cyfeillion hynny a fyn gwtogi'r Eisteddfod er mwyn i bentrefi ac ardaloedd llai poblogaidd allu ei chroesawu yn ddibryder?' gofynnodd E. Pryce Jones ar ôl yr Eisteddfod.[35] Dyna a fynnai. D. J. Davies, cywyddwr buddugol yr Eisteddfod Lenyddol, yn ogystal:

> I'r Hen Ŵyl y rhown alwad,
> Trwy y gwlith i bellter gwlad;
> Draw i'r Pentref o'r trefi
> Mawr eu sŵn gwahoddwn hi . . .
> I afael hedd porfa las,
> Tan ael twyn, o laid dinas.

Cafwyd prawf pellach yn Hen Golwyn mai ochor gerddorol yr Ŵyl a ddôi â Seisnigrwydd i'r Eisteddfod. 'Roedd David de Lloyd ac E. T. Davies wedi llunio'u beirniadaeth ar gystadleuaeth y Cyfansoddiad Corawl yn Saesneg, ac ni ddarllenwyd mo'r feirniadaeth yn Neuadd yr Eglwys o'r herwydd, er iddi ymddangos yn ei Saesneg gwreiddiol yn y *Cyfansoddiadau*. Cafodd cefnogwyr yr eisteddfod lai, ac eisteddfod lai cerddorol a mwy llenyddol at hynny, gyfle i brofi eu pwynt, ond 'roedd rhai diffygion amlwg yn perthyn i Brifwyl y llenorion. 'Roedd agwedd

Saunders Lewis a'i gefnogwyr, i ddechrau, wedi codi gwrychyn rhai eisteddfodwyr. Digon drwg oedd y ffaith fod rhai yn barod i gyfyngu'r Ŵyl i lenyddiaeth yn unig, ond 'roedd Saunders Lewis am gyfyngu llenyddiaeth, ar ben hynny, i'r ychydig dethol. Eisteddfod i'r ychydig a gafwyd yn Hen Golwyn yn ôl John Aelod Jones, ac ni welai fawr o ddyfodol i ŵyl o'r fath. Yn wir, 'roedd yn fygythiol o chwyrn yn erbyn y syniad. '[O]s yn wir,' meddai, 'y gwneir rhyw ymdrech rywdro yn y dyfodol i gyfyngu rhywfaint ar Eisteddfod fawr y bobl ac ar lenyddiaeth a pheth i'r bobl gyffredin, ni bydd rhai ohonom ni'r bobl gyffredin yn fyr o eiriau nac o weithredoedd'.[36] Ymosododd ar safbwynt Saunders Lewis, er iddo gyfaddef ei edmygedd ohono am ei safiad ym 1936: '. . . gyda'i gylch llenyddol cyfyng, gyda'i grefydd gyfyng, gyda'i blaid gyfyng ni all Cymru ei ddilyn'.[37] Byddai Eisteddfod Lenyddol, yn enwedig un ddethol neu uchel-ael lenyddol, yn dieithrio'r werin, ac ni ellid cynnal y Brifwyl heb y werin. '[N]i allaf fi ymdaflu i'r blaid tra bydd hi o dan ddylanwad a ystyriaf yn anwerinol,' meddai John Aelod am Saunders Lewis.[38] 'Doedd un o ohebwyr y *Western Mail* ddim yn gweld llawer o ddyfodol i ŵyl fechan lenyddol ychwaith: 'To confine the competitions to literary subjects, and to depend almost entirely on presidential speeches and adjudications as a means of keeping the audience interested for about eight hours each day, called for the excercise of optimism as well as a large measure of confidence in one's fellow-men'.[39]

'Roedd yr Eisteddfod Lenyddol, i raddau, wedi ei gwrth-ddweud ei hun ac wedi difetha ei dyfodol ei hun, gan mor isel oedd y safonau *llenyddol*! Awdl anarbennig oedd yr awdl fuddugol gan Rolant o Fôn, ac ni farnai T. H. Parry-Williams ei bod yn deilwng o'r Gadair. Cyffredin iawn oedd y cerddi a wobrwywyd mewn sawl cystadleuaeth: yr englyn i'r 'Pren Afalau' a'r 'Tri Englyn Coffa', dwy gystadleuaeth a enillwyd gan yr un bardd, Myfyr Môn (R. Rowlands), y cywydd o waith D. J. Davies, Llanelli, y tair telyneg a'r faled gan R. Bryn Williams, ac ni chafwyd teilyngdod yng nghystadleuaeth y soned na chystadleuaeth y gân ysgafn. Collodd y beirdd a'r llenorion eu cyfle i raddau helaeth. 'Y gwir yw,' meddai W. J. Gruffydd yn *Y Llenor*, gan gwyno am safon yr eitemau cerddorol rhwng beirniadaethau yn ogystal â safon y cyfansoddiadau, 'fod rhai pethau ym Mau Colwyn nad oeddynt uwch na safon *Penny Reading*'.[40] 'Roedd yr awdl fuddugol yn ôl John Aelod Jones yn *Y Cymro* yn un anodd ei dilyn, ac nid oedd y bryddest yn gampwaith, tra oedd y telynegion a'r englyn buddugol yn gyffredin. Cytunai J. T. Jones (John Eilian) mai symol oedd cynhyrchion Hen Golwyn, a beiodd osodwyr y testunau am golli cyfle. Disgwyliai weld nerth mewn Eisteddfod Lenyddol, ond ni chafwyd hynny. 'Pa flwyddyn a fu fel hon i fardd?' gofynnodd, a rhestrodd y themâu dirdynnol a chyffrous y gallai'r beirdd ganu arnyn nhw: 'Rhyfel yn cerdded y gwledydd; dychryn a dioddef; her a rhyfyg; anrhydedd ac arwriaeth; byw dewr ac angau disyfyd'.[41] Nid oedd dim yn nhestunau 1941 i awgrymu fod unrhyw beth o bwys wedi digwydd, meddai. Gofynnodd 'ai gwlad fy nhadau ai gwlad hud a lledrith?' oedd Cymru, ac 'ai gwneuthur pob bardd yn fardd cwsg?' oedd yr amcan.[42]

Er bod y rhan fwyaf helaeth o gynhyrchion yr Eisteddfod Lenyddol yn rhai tila iawn, 'doedd hynny ddim yn wir am bopeth a wobrwywyd ynddi. 'Roedd y bryddest fuddugol, 'Peiriannau', yn torri tir newydd ym maes y canu pryddestol, a bu'n bryddest hynod o boblogaidd am flynyddoedd lawer. Un o uchafbwyntiau mawr yr Eisteddfod Lenyddol, yn sicr, oedd gwobrwyo Gwilym R. Jones yng nghystadleuaeth y nofel fer dan feirniadaeth Stephen J. Williams. Yn ôl y beirniad yr oedd 'un nofel yn hollol ar ei phen ei hun' ymhlith y saith a dderbyniwyd.[43] Disgrifiwyd y nofel fel 'ffrwyth meddylgarwch cyfriniol dwys'.[44] Canmolwyd newydddeb y 'dehongliad seicolegol a awgrymir gan y nofel hon ar ymddygiad yr isymwybod ar fin marwolaeth, a'r modd y cymodir hynny â'r hen syniadau am burdan a dydd barn'; ond 'nid yn ôl ei wreiddioldeb na'i uniongrededd y dylid ystyried y dehongliad hwn, ond yn ôl ei rym artistig a chywirdeb y mynegiant sydd ynddo o weledigaeth y llenor; ac yn y pethau hyn fe ddeil y prawf'.[45] Tynnodd y beirniad sylw at 'grefftwaith godidog' yr awdur, a barnodd fod y nofel 'yn gampwaith, a bid sicr ei fod yn teilyngu'r wobr'.[46]

Mae'r nofel, *Y Purdan*, yn adrodd hanes claf ar ei wely angau. Yn y bennod gyntaf, mae Dr Dan Rhys yn ymlwybro drwy luwchfeydd at dŷ Siôn Wiliam a'i chwaer Catrin ym mhentref Llan Rhyd yn Eryri yn nhwll y gaeaf. Mae Siôn Wiliam yn gorwedd ar ei wely angau, ac mae'r gweinidog lleol, Garth Hywel, a dau gymydog, Wil Bet a Tom Arthur, yn cynorthwyo Catrin i ofalu am y claf. Tra bo'i chwaer, y meddyg, y gweinidog a'r cymdogion yn gofalu amdano, mae Siôn Wiliam yn ailfyw profiadau'i fywyd yn ei fyd dirgel ei hun, yn ddiarwybod i'w ofalwyr, ac fe gydblethir dwy stori yn fedrus drwy'r nofel, sef ymdrech y rhai byw, holliach i esmwytho gwaeledd olaf Siôn Wiliam, a'r stori honno yn ei hanfod yn dadansoddi ymateb unigolion i farwolaeth, a hanes bywyd Siôn Wiliam ei hun, wrth iddo ail-fyw'r hanes hwnnw. Rhwng yr hyn a ddywedir amdano gan ei ymgeleddwyr a'r hyn y mae ef ei hun yn ei freuddwydio, dadlennir stori Siôn Wiliam yn raddol inni.

Pan agorir drysau meddwl Siôn Wiliam i'r darllenydd am y tro cyntaf, y mae'n cael hunllef. Mae'n ei weld ei hun 'yn ymlwybro'n ofalus, heb gerpyn ar ei gefn, rhwng y beddau ym mynwent y llan a'i galon ar lesmeirio oblegid yr oerfel'. Mae'n chwilio am fedd arbennig yn y fynwent, ac ar dalcen y llechfaen gwêl yr enw 'Mali Morris'. Mae'r garreg las yn cwympo arno wedyn, ac wrth iddo ymdrechu i gynnal ei phwysau clyw 'sŵn traed trymion yn dringo ar hyd rhyw risiau gwichlyd hyd ato – sŵn traed rhyw ddialydd, a'i gyllell yn awchus yn ei law!' Mae'r dialydd hwn, yn ei fileindra, yn 'gwthio'i dwca oer' i enau Siôn, ac mae'r hunllef yn cilio.

Mae deialog y nofel yn llifo'n esmwyth, a'r arddull yn llawn o eiriau tafodieithol byw ac idiomau llachar. Sonnir am 'yr eira'n caenu ar wydr y car' a 'Tra oedd Siôn Wiliam yn ymrafaelio fel hyn'. Ceir ambell gymhariaeth neu ddelwedd ddiriaethol fyw yma a thraw, er enghraifft, 'Yr oedd y gŵr arall yn dewach a'i ên yn grychion tebyg i ledr megin a gaewyd'. Gwilym R. Jones oedd llwyddiant mwyaf yr Eisteddfod Lenyddol, yn enwedig gan iddo ennill ar y 'Traethawd i aelodau Dosbarthiadau Allanol' yn ogystal â chipio'r wobr am y nofel fer, ac ennill y Fedal Ryddiaith am y nofel honno flwyddyn yn ddiweddarach yn Eisteddfod Aberteifi. Cyflawnodd, felly, gamp unigryw, sef ennill y Gadair, y Goron a'r Fedal Ryddiaith, y cyntaf erioed i wneud hynny.

'Cystadleuaeth dra chyffredin,' fodd bynnag, oedd cystadleuaeth yr ysgrif yn ôl Prosser Rhys, er iddo wobrwyo ysgrif G. J. Roberts ar y testun 'Patrymau'.[47] 'Prin,' ychwanegodd, 'bod mwyafrif y cyfansoddiadau hyn yn uwch o ran safon na'r eiddo cyfarfod cystadleuol lleol'.[48] Ceid yn y gystadleuaeth 'lawer o sgrifennu gwallus, ystrydebol, esgeulus, ac yn anad dim, anwybodaeth neu annealltwriaeth parthed nodweddion arbennig yr ysgrif'.[49] Er iddo alw'r ysgrifwr buddugol yn 'llenor diledryw', nid oedd ysgrif G. J. Roberts yn ddi-fai ganddo.[50] Cymen yn hytrach na chynhyrfus yw'r ysgrif honno.

Yr oedd T. Hughes Jones hefyd yn siomedig yn ansawdd y storïau byrion yng nghystadleuaeth 1941. Nododd bum gwendid amlwg yng ngwaith y storiwyr hyn, sef orgraff ansicr, arddull chwyddedig a phrioddulliau Anghymreig, y duedd i 'chwedleua yn hytrach na llenydda',[51] diweddu'n wan, a methu creu cymeriadau byw, credadwy oherwydd diffyg myfyrdod ac anallu'r awduron i ymuniaethu â'u creadigaethau hwy eu hunain. Y Parchedig Ifor O. Hughes, Y Bala, a wobrwywyd ganddo, ond y stori 'fwyaf boddhaol' mewn cystadleuaeth bur siomedig oedd honno.[52]

Gwobrwywyd Pencampwr y Traethodwyr, Bob Owen, am ei draethawd ar 'Ddiwydiannau coll unrhyw ardal yng Nghymru' dan feirniadaeth Iorwerth C. Peate. Anfonwyd chwe thraethawd i'r gystadleuaeth, ac 'roedd traethawd Bob Owen, am ddiwydiannau ardal y ddwy afon Dwyryd a Glaslyn, mewn dosbarth ar ei ben ei hun. Difyrrwch mawr i'r beirniad oedd yr ymfflamychu a'r taranu ysbeidiol yn y traethawd, fel 'Dyma a gawn, ar ôl codi ein hysgolion, magu penabyliaid yn cogio bod yn ddysgedig'![53] Byddai cyhoeddi'r traethawd 'yn fendith i ddysg yng Nghymru,' meddai Peate, a barnai fod y ddwybunt o wobr yn chwerthinllyd o annigonol am waith 'o natur anghyffredin o wych'.[54]

Enillwyd Tlws Drama'r Eisteddfod Lenyddol gan D. W. Morgan, Birkenhead, gyda drama a oedd eisoes wedi ei pherfformio yn Llundain, *Addunedau*. D. W. Morgan oedd awdur y ddrama *Ein Tywysog Olaf* a lwyfannwyd dan gyfarwyddyd Stefan Hock yn Ninbych ym 1939, ac a feirniadwyd yn hallt gan rai. Derbyniwyd deuddeg drama hir ym 1941, ac yn ôl y beirniad, D. Matthew Williams, gellid llwyfannu saith ohonyn nhw, '[o]'u newid a'u cymhwyso'.[55] Yn wir, 'roedd y gystadleuaeth yn argoeli'n dda ar gyfer y dyfodol. 'Dengys y gystadleuaeth hon fod gennym yng Nghymru rai awduron sy'n meddu chwaeth wrth ddewis deunydd a hefyd gryn allu i gyfaddasu'r deunydd hwnnw ar gyfer y llwyfan,' meddai D. Matthew Williams.[56] Drama hanes oedd y ddrama fuddugol am y modd y gormeswyd offeiriaid priod hen Eglwys y Cymry gan abadau'r mynachlogydd newydd yn y ddeuddegfed ganrif. Rhoddwyd canmoliaeth uchel i'r dramodydd buddugol. Yr oedd wedi llwyddo 'i ysgrifennu deialog sy'n naturiol a byw ac eto â rhyw urddas a choethder iaith sy'n rhyfedd o briodol i'r stori'.[57] Poenai'r beirniad, fodd bynnag, mai cyfaddasiad o nofel a gyhoeddwyd rai blynyddoedd ynghynt oedd y ddrama fuddugol, a bod 'darnau cyfain o'r deialog yn y nofel'.[58] Wedi i'r ysgrifenyddion sicrhau D. Matthew Williams mai D. W. Morgan oedd awdur y nofel honno, ac nad oedd *Y Prior Du*, felly, yn euog o lên-ladrad, fe'i gwobrwywyd â chanmoliaeth. Canmolwyd hefyd ddrama fer fuddugol Eic Davies, *Tu Hwnt i'r Llenni*, yn uchel gan John Gwilym Jones.

Felly, y rhyddieithwyr a'r traethodwyr, yn hytrach na'r beirdd, a achubodd yr Eisteddfod Lenyddol. Arbrawf o Eisteddfod ydoedd mewn cyfnod cythryblus a dyrys, a phrofwyd gan yr Eisteddfod bentref hon na allai'r Brifwyl ddibynnu ar lenyddiaeth yn unig, yn enwedig os oedd y gweithiau llenyddol a wobrwyid ynddi islaw safon. Bu llawer o ddadansoddi gwir arwyddocâd Prifwyl 1941 yn y wasg ar ôl yr Eisteddfod, a bu hefyd lawer o ddadlau o blaid ac yn erbyn troi'r Eisteddfod yn Brifwyl Lenyddol yn unig yn y dyfodol. Un o'r rhai a ffafriai Eisteddfod lai o ran maint a mwy llenyddol ei natur yn y tridegau oedd W. J. Gruffydd, ond annigonol yn ei olwg oedd Eisteddfod 1941. Yr oedd angen rhaglen fwy amrywiol o lawer na'r hyn a gaed yn Hen Golwyn, meddai, a 'rhaid gofalu ymlaen llaw am lawer mwy o raglen nag a gaed ym Mau Colwyn, ac un ffordd i wneud hynny fyddai rhoi rhai cystadleuthau canu ac adrodd'.[59]

Ni fynnai Crwys, yr Archdderwydd, weld Eisteddfod Genedlaethol arall heb gerddoriaeth. '[A]deryn yn ehedeg ar naill adain fyddai Eisteddfod heb ein cyfeillion y cerddorion,' meddai.[60] Ar y llaw arall, 'roedd yr arweinydd eisteddfodol adnabyddus Caerwyn yn falch fod llenyddiaeth wedi cael y lle mwyaf blaenllaw yn Hen Golwyn. 'Hwy yn anad neb,' meddai am garedigion llên, 'sy'n cadw teithi a thraddodiad cysefin yr Eisteddfod, a chaed yn Hen Golwyn arbraw, a phatrwm da o'r hyn sy'n hanfodol i bob gŵyl yn y dyfodol'.[61] Beiai yntau, fel ugeiniau o rai eraill, y cerddorion am odro'r fuwch yn sych. 'Gwariwyd mwy ar ambell gyngerdd na chyfanswm y gwobrau a'r hyn a delid i feirniaid adran llen,' haerodd, 'ac nid oedd y diwylliant a'r adloniant yn cyfiawnhau'r fath draul'.[62] Bron nad awgrymai mai rhwng beirniadaethau llenyddol yr oedd lle cerddoriaeth yn y Brifwyl. Gallai'r cantorion a'r telynorion buddugol ddifyrru'r dorf rhwng dwy feirniadaeth yn yr Adran Lên, yn union fel y gwnaethpwyd ym 1941. Credai hefyd fod y gwerinwr deallus yn hanfodol i barhad y Brifwyl.

Yn naturiol, ymunodd eraill yn y ddadl. Er enghraifft, cyhoeddwyd llythyr hirfaith dan y ffugenw 'Cymro Bach Anwybodus' yn *Y Cymro*, a Saunders Lewis a ddôi dan yr ordd yn anad neb ganddo. Poenai y byddai cyfyngu llenyddiaeth Gymraeg i'r ychydig ddeallusion a gwybodusion yn ei phellhau oddi wrth y werin. 'Y mae perygl y bydd yr iaith Gymraeg mor farw â'r Groeg cyn hir, ond nid yw'r ffaith yma yn cynhyrfu dim ar y rhai sydd yn rhoddi mwy o bwys ar "lenyddiaeth" i'r "ychydig" wybodusion nag i'r "lliaws anwybodus",' meddai.[63] Yn yr un rhifyn o'r *Cymro*, ffafrio Eisteddfod ar raddfa lai a wnâi 'Iorwerth', oherwydd 'fe lusgwyd gormod o bethau estron i'r rhaglen; rhai ohonynt yn bur anghytnaws ag awyrgylch yr eisteddfod hefyd'; ac er iddo gydnabod y dylai cerddoriaeth gael ei lle priodol yn y Brifwyl, 'roedd angen cadw rheolaeth arni, oblegid 'roedd yr Eisteddfod 'wedi mynd yn ŵyl gerddorol i bob pwrpas'.[64]

'Doedd yr Eisteddfod, felly, ddim yn llwyddiant i gyd, er nad oedd yn fethiant ariannol. Digwyddodd un peth anffodus yn ystod yr Ŵyl, a chafwyd enghraifft gymharol gynnar o'r anniddigrwydd a'r anesmwythyd a achosai presenoldeb y cyfryngau yn y Brifwyl ar brydiau. 'Roedd y BBC wedi trefnu darlledu defod y cadeirio ac araith Lloyd George am bump o'r gloch prynhawn dydd Iau, Awst 7, ond daethai'r gweithgareddau eraill i ben awr ynghynt. Bu'n rhaid i'r dorf aros yn amyneddgar – neu'n ddiamynedd yn hytrach – am awr gyfan cyn parhau â gweddill rhaglen y dydd. 'The later part of long-waiting interval was killed with hymn-singing,' meddai'r *Western Mail*.[65] 'Roedd y BBC hefyd wedi mynnu neilltuo awr a chwarter ar gyfer araith Lloyd George, a chwarter awr yn unig ar gyfer y cadeirio, a bu'n rhaid i Lloyd George, hyd yn oed, aros am bum munud cyn dechrau annerch y dorf. Beiwyd y BBC am ymyrryd â'r Eisteddfod, a beiwyd swyddogion y Brifwyl am ganiatáu i'r gorfforaeth reoli'r gweithgareddau i'r fath raddau, ac am gamamseru rhaglen y prynhawn. Bu'n rhaid i T. H. Parry-Williams gyflwyno crynodeb byr iawn o'i feirniadaeth ar yr awdl. Ar y llaw arall, cwynwyd fod rhai o'r beirniadaethau yn ystod y tridiau yn llawer rhy hirwyntog.

Un o'r pethau pwysicaf ynghylch y Brifwyl Lenyddol yn nhyb caredigion yr iaith oedd y cam pendant a gymerwyd i gyfeiriad Eisteddfod uniaith Gymraeg. Yr oedd y ffaith i D. R. Hughes wrthod darllen y feirniadaeth Saesneg ar y cyfansoddiad corawl yn brotest gadarnhaol iawn, ac nid rhyfedd i E. Pryce Jones, Ysgrifennydd y Pwyllgor Lleol, ddatgan mai 'Yr Eisteddfod hon oedd y Gymreiciaf a fu er pan ddechreuwyd cynnal Eisteddfod Genedlaethol a theimlwyd y dylid o hyn allan geisio cadw Cymreigrwydd y Brifwyl drwy ei chynnal yn Gymraeg'.[66] Safiad cadarn o blaid Cymreictod a pharhad y Gymraeg a welodd W. J. Gruffydd yn Hen Golwyn: 'Ym Mau Colwyn yr oedd cenedl fechan yn ymladd am fywyd yr unig elfen yn ein cenedlaetholdeb sydd, ym marn rhai ohonom, yn ein gwneud yn genedl, a'r unig elfen benodol sydd â rhywfaint o obaith ynddi y bydd Cymru, fel cenedl arbennig, yn gallu goroesi'r newidiadau tyngedfennol sy'n ysgubo dros y byd'.[67]

Bwriad gwreiddiol Cyngor yr Eisteddfod oedd cynnal Eisteddfod 1942 yng Nghaerfyrddin, ac fe gyhoeddwyd *Testunau Eisteddfod Genedlaethol Lenyddol Cymru, Caerfyrddin Awst 5, 6, 7 – 1942* i'r perwyl hwnnw. 'Credwn . . . mai gwych o beth gan ein cymrodyr o ardaloedd diwydiannol y De fydd cael yr Eisteddfod am 1942 yn ddigon agos iddynt fedru picio i rai o'i chyfarfodydd o ganol y straen a'r galw mawr sydd arnynt gan ofynion y wlad yn amser rhyfel,' meddai Cynan a D. R. Hughes,'[68] ond nid i Gaerfyrddin yr aeth Prifwyl 1942. Oherwydd amgylchiadau rhyfel, methodd Caerfyrddin ei derbyn, ac edrychodd Cyngor yr Eisteddfod i gyfeiriad Aberteifi am gartref i'r Ŵyl, yn enwedig gan fod yno bafiliwn addas ar gyfer ei chynnal. 'Roedd dirprwyaeth o Aberteifi wedi ymddangos ger bron Cyngor yr Eisteddfod yng Nghaerdydd ym 1938 i geisio cael y Brifwyl i'r dref, ond Pen-y-bont ar Ogwr a ffafriwyd ar yr achlysur hwnnw. Y tro hwn trosglwyddwyd y testunau a ddewiswyd ar gyfer Caerfyrddin i Aberteifi.

Agorwyd Eisteddfod Aberteifi gan Crwys, yr Archdderwydd, ar fore dydd Mercher, Awst 5. Croesawyd y Brifwyl i Aberteifi yn swyddogol gan D. Owen Evans, Aelod Seneddol y Sir a Llywydd y Pwyllgor Lleol. Ymosododd ar y cyfeillion tywydd teg hynny a gredai na ddylid cynnal yr Eisteddfod yn ystod cyfnod mor argyfyngus. 'Ystyriai rhai pobl y gallai Aelod Seneddol wneuthur popeth ac y dylai fod wedi rhwystro cynnal yr Eisteddfod, ond ni waeth iddo heb na cheisio gwneud hynny mwy nag y ceisiodd y Brenin Canute rwystro i lanw'r môr ddod i mewn,' meddai yn ôl adroddiad *Y Cymro*.[69] Croesawyd yr Eisteddfod gan Faer Aberteifi, James T. Davies, yn ogystal. Ymfalchïodd yn y ffaith mai yn Aberteifi y cynhaliodd yr Arglwydd Rhys ei eisteddfod ym 1176. Gofidiai'r Maer na allai'r dref roi croeso teilwng i'r eisteddfodwyr, gan ei bod yn llawn o ifaciwîs, ond 'roedd y trefniadau lletya, mewn gwirionedd, yn ardderchog. 'Y mae'r gorwel yn arw, tangnefedd yn farw a'r ddaear yn d[â]n,' meddai R. Hopkin Morris, Cyfarwyddwr Cymreig y BBC, wrth annerch o gadair y Brifwyl ar y bore Mercher agoriadol, ond er i'r tân ddeifio gwisg yr Eisteddfod, ni ddifawyd mohoni.[70] Gyda'r hwyr cafwyd cyngerdd amrywiol a gwefreiddiwyd y dorf i'r fath raddau gan lais David Lloyd nes iddo gael ei alw'n ôl i ganu eto.

Daeth cerddoriaeth yn ôl i raglen 1942. Yn y gystadleuaeth gorawl heb gyfeiliant, a heb fod yn fwy na 30 mewn nifer, côr o Aberpennar, y 'Mountain Ash Civil Defence Choir' a gafodd y wobr gyntaf dan feirniadaeth W. Matthews Williams a David de Lloyd. Cantorion o'r De a ysgubodd y gwobrau i gyd: Parti Merched (Côr Merched Canol Rhondda a Chantorion Canol Rhondda), Pedwarawd (Pererinion Abertawe), yn ogystal â'r Unawd Soprano, yr Unawd Contralto, yr Unawd Tenor, yr Unawd Bas neu Fariton, a'r unig un a dorrodd ar fonopoli'r De oedd Dorothy Watkin Jones o'r Bala, a enillodd ar ganu'r delyn.

Er i gerddoriaeth sleifio'n ôl i'r Brifwyl ym 1942, ac er i'r cystadlaethau lleisiol gyrraedd safon uchel yn ôl y beirniaid, bu'r Eisteddfod yn siom i rai cerddorion. Siomwyd W. Albert Williams, a enillodd ddwy wobr am gyfansoddi yn Aberteifi, yn ddirfawr gan Eisteddfod 1942. Sarhad ar gerddoriaeth, meddai, gan atgyfodi'r hen elyniaeth rhwng y cerddorion a'r llenorion, oedd ei defnyddio i ladd amser rhwng beirniadaethau llenyddol. Cerddoriaeth 'leisiol ystrydebol' a gafwyd yn y cyngherddau at ei gilydd, perfformiadau o waith treuliedig a hen-ffasiwn gan gyfansoddwyr eilradd fel Joseph Parry a John Henry, yn hytrach na gwaith cawr fel Vaughan Thomas.[71] Ystyriai fod y symudiad i gyfeiriad Eisteddfod uniaith Gymraeg yn fygythiad enfawr i safon cerddoriaeth yn yr Eisteddfod:[72]

> Nôd amlwg y Cyngor ar hyn o bryd yw cyfyngu cerddoriaeth yr Ŵyl i ddarnau Cymreig. Popeth yn iawn, ond iddo ofalu mai cerddoriaeth orau Cymru yn unig a genir. Y mae i gerddoriaeth ei safonau, ac ynfydrwydd yw canmol gwaith o gelfyddyd wrth safonau iaith a chenedl.

'Roedd gan Lloyd George neges arbennig i Gymru yn ei araith brynhawn dydd Iau'r Eisteddfod. Wrth iddo heneiddio, trôi ei olygon yn ôl at y wlad a esgeuluswyd gymaint ganddo, yn enwedig gan fod rhyfel byd-eang arall yn bygwth ei heinioes. 'Y mae annhrefn yng Nghymru . . . y mae difaterwch, ac oni ellir cynhyrfu rhywun i weithio pan fo'r tarth rhyfel wedi mynd heibio?' gofynnodd.[73] Soniodd am y 'pwyllgor neu gyngor' a oedd wedi ei benodi gan y Llywodraeth i ymchwilio i broblemau Cymru wedi'r Rhyfel.[74] Ond 'doedd hynny ddim yn ddigon ganddo. Awgrymodd y dylai rhywun 'weithio i dynnu allan dystiolaethau ac awgrymiadau gerbron y pwyllgor,' a dylai 'dosbarth o'r dynion mwyaf deallus, rhai o bob plaid a rhai heb blaid' fod ar y pwyllgor hwnnw.[75] Ac fel hyn y terfynodd ei anerchiad yn ôl adroddiad *Y Cymro*:[76]

> Y mae llawer o waith i'w wneud yng Nghymru gyda'i hanneddau, ei thir, ei hiaith, ei llafur a hunan lywodraeth – (clywch, clywch). Yr ydym wedi blino ar gael ein llywodraethu o Whitehall. Nid ydynt yn deall ein hysbryd. Pwy a gymer ofal o hynny? (Llais: y Blaid Genedlaethol): Wel, fe allant helpu – (chwerthin) – Duw a'[n] help[o] (chwerthin mwy). Ni wn i pa bryd y mae'r rhyfel hwn am derfynu. Efallai fod y diwedd yn ymyl. Efallai ein bod ar hanner y ffordd, efallai mai dechrau y mae; ond fe fydd diwedd iddo. Bydd Cymru'n aros wedyn . . . Fel cenedl fechan nid ydym wedi gorffen ein gwaith eto. Nid ydym ond yn dechrau. Rhaid inni'n disgyblu ein hunain. Rhaid inni wylio fod Cymru yn mynd ymlaen wedi'r rhyfel fel y bo cenedl fach yn gallu dod yn fwyaf drwy ymdrechion ei fforddolion.

Un arall o lywyddion Eisteddfod Aberteifi oedd yr Aelod Seneddol James Griffiths. Buddiannau Cymru ar ôl y Rhyfel oedd byrdwn ei araith yntau hefyd, a draddodwyd ar brynhawn Gwener yr Ŵyl. Nododd rai pethau y dymunai eu gweld yng Nghymru ar ôl y Rhyfel: sicrwydd gwaith, lle blaenllaw ac amlwg i'r Gymraeg mewn llysoedd barn ac mewn ysgolion, a mesur o hunan-lywodraeth fel y gallai Cymru fod yn gyfrifol am ei gwaredigaeth hi ei hun. Un o wendidau'r Cymry, meddai, oedd tuedd i fyw ar eu traddodiadau a diffyg ffydd yn ieuenctid y genedl. Creadigaethau'r gorffennol oedd beirdd Cymru, ac 'roedd y gadair wag yn Aberteifi yn brawf o hynny. Soniai'r Cymry byth a hefyd am eu paradwys goll, heb gofio mai cenedl ledfyw oedd y genedl honno a oedd yn byw ar ei gorffennol. Credai fod digon o wydnwch a grym ewyllys gan y Cymry i ailadeiladu'r genedl ar ôl y Rhyfel, ac mai enghraifft o gryfder y werin gyffredin oedd y modd y daeth drwy flynyddoedd anodd y Dirwasgiad. Ni chredai y byddai'r Rhyfel yn esgor ar fyd newydd, gan mai dinistriol yn ei hanfod oedd rhyfel, ond byddai digon o gyfleoedd ar gael i ailadeiladu.

'Rhaid i Gymru wleidyddol ddechrau o'r newydd,' meddai John Aelod Jones yn *Y Cymro* wedi Gŵyl Aberteifi, gan adleisio'r gri am ailadeiladu a glywyd ar derfyn y Rhyfel Mawr.[77] 'Roedd y gri am undod yn hyglyw yn Aberteifi, ac nid yn unig yn araith Lloyd George, ond ledled y maes a'r dref. 'Mudiad Cymru Fydd i ddygnu ymlaen gyda'n diwylliant, yr Urdd a'r trefnwyr ieuenctid Cymreig i ofalu am ein plant digyswllt hyd nes y ceir gwell trefn ar ein cyfundrefn addysg,' oedd rhai o ddyheadau John Aelod Jones am y dyfodol.[78]

Eisteddfod wael o safbwynt ei chynhyrchion llenyddol oedd Gŵyl led-lenyddol Aberteifi. Ni chafwyd teilyngdod yng nghystadleuaeth y Gadair, ac fe goronwyd Herman Jones am bryddest ryfeddol o wantan na fynnai W. J. Gruffydd ei choroni. Fe dderbyniwyd Herman Jones fel cyflawn aelod o'r Orsedd yn Aberteifi, ac fe geir y nodyn diddorol hwn yn y *Western Mail*: 'At the annual meeting of the Gorsedd Executive Mr. Herman Jones, this year's Crown bard, and Miss Eluned Ellis Williams, Caernarvon, who was runner-up for the chair last year, were received as honorary members'.[79] Felly, fe fu ond y dim i ferch ennill y Gadair yn Eisteddfod Lenyddol Hen Golwyn, a bu bron i'r Eisteddfod honno fod yn un o'r rhai mwyaf hanesyddol erioed – bron, ond ddim yn union, oherwydd nid oedd y gystadleuaeth honno yn un gref. 'Roedd Eluned Ellis Williams yn ffigwr eisteddfodol digon adnabyddus yn ei dydd, a châi ei hystyried fel merch a allai ennill y Gadair. Yr oedd yn Eisteddfod Genedlaethol Pen-y-bont ar Ogwr yn canu penillion o'i gwaith ei hun yn ystod seremoni'r coroni:

Y Maen Llog ar lan Ogwr
Sydd yma i'r dyrfa'n dŵr;
O winoedd Bro Ewenni
A'i hufen hael yfwn ni:
Bro'r rhamant a bri'r emyn,
A bro gwlith y Gwenith Gwyn.

Newydd briodi ers wythnos yr oedd yn Eisteddfod Pen-y-bont, a rhaid mai ati hi a Dilys Cadwaladr, un o feirdd gorau cystadleuaeth y Goron ym 1945, y cyfeiriai 'Clustfeiniwr' yn y *Western Mail* ym 1948, wrth ateb Sais a ofynnodd iddo a oedd menyw erioed wedi ennill y Gadair neu'r Goron Genedlaethol: 'I was forced to admit that, up to the present, such honours had been the prerogative of the male sex. But I do not think this state of affairs will last for ever. Already at least two women have come perilously close to invading the last male stronghold'.[80]

Gwan oedd y rhyddiaith bur yn yr Ŵyl yn ogystal. D. Lloyd Jenkins, Tregaron, a enillodd gystadleuaeth yr ysgrif, dan feirniadaeth D. J. Williams, ond teilwng yn hytrach na disglair oedd y gwaith, ac yr oedd angen tocio ar yr ysgrif yma a thraw; Kate Bosse Griffiths a enillodd y stori fer 'ar ffurf pennod o ddyddiadur dychmygol', ond, yn ôl y beirniad, Kate Roberts, yr oedd nam ar ddiweddglo'r stori, a cheid ynddi ymadroddi chwithig a phriod-ddulliau Anghymreig. Ni chafwyd teilyngdod yn y gystadleuaeth 'Bywgraffiad Dychmygol', ac er bod 'Ymgom mewn trên yn Amser Rhyfel', o eiddo David Roberts, yn deilwng yn ôl y beirniad, Robert Beynon, 'doedd dim camp lenyddol ar y gwaith. Enillodd Gwilym R. Jones gystadleuaeth y nofel fer am yr eildro, y tro hwn dan feirniadaeth John Gwilym Jones. Ni dderbyniodd y clod a gawsai flwyddyn ynghynt am ei nofel. Yn ôl John Gwilym Jones, nid oedd 'llawer os dim datblygiad yn y cymeriadau', a thueddent i fod yn 'types' ac 'i symud yn ôl mympwy'r awdur yn hytrach nag ohonynt eu hunain'.[81] Nid oedd gwead y nofel 'mor daclus ag y gellir dymuno' ychwaith.[82] 'Ffrydiau'r Gwalch' oedd teitl y nofel yn y gystadleuaeth, ond fe'i cyhoeddwyd dan y teitl *Gweddw'r Dafarn* ym 1943.

Ni chafwyd teilyngdod yng nghystadleuaeth y ddrama hir, am Dlws y Ddrama, dan feirniadaeth D. T. Davies, ond gwobrwywyd Eic Davies am yr ail waith yn olynol yng nghystadleuaeth y ddrama un-act. Bu'r beirniad, J. Kitchener Davies, yn pendroni a ddylai wobrwyo'r ddrama orau yn y gystadleuaeth ai peidio, gan fod yr awdur wedi ei seilio ar stori gan Maupassant, yn ôl ei gyfaddefiad ef ei hun, ond penderfynodd y '[b]ydd-ai'r ddrama hon yn gyfoeth i'r Gymraeg', ac fe'i gwobrwyodd.[83] Canmolwyd cystadlaethau eraill, fodd bynnag. Dyfarnwyd dau gasgliad yn gydradd fuddugol yn y gystadleuaeth 'Detholiad o ganeuon gwreiddiol yn ymwneud â bywyd ardal' gan Saunders Lewis, sef eiddo Geraint Bowen, a anfonodd ddetholiad o'i waith ei hun i'r gystadleuaeth, a Richard Hughes. 'Amheuaf yn fawr a geir cystal barddoniaeth yng nghystadleuaethau'r (sic) Gadair a'r Goron,' meddai Saunders Lewis, gan ychwanegu iddo 'feirniadu awdl a phryddest yn yr Eisteddfod Genedlaethol, ond ni chefais cyn hyn y pleser o ddarganfod barddoniaeth bwysig mewn cystadleuaeth'.[84] Saunders Lewis ei hun oedd y bardd y dewisodd D. Tecwyn Lloyd ei drafod yn ei draethawd buddugol yn y gystadleuaeth 'Traethawd Beirniadol ar waith unrhyw fardd Cymraeg' dan feirniadaeth Griffith John Williams. Derbyniodd Tecwyn Lloyd feirniadeth hynod o glodforus gan y beirniad, a'i galwodd yn '[f]eirniad cyfarwydd a gŵr sy'n feistr hollol ar ei bwnc'.[85] Traethawd llwyddiannus arall oedd eiddo Gomer M. Roberts ar fywyd a gwaith un ai Peter Williams neu John Rhys, a lluniodd 'waith tra rhagorol' ar Peter Williams yn ôl y beirniaid.[86]

Y farn gyffredinol am Eisteddfod Aberteifi oedd ei bod yn welliant ar Eisteddfod Hen Golwyn. 'It was generally agreed that this year's Eisteddfod was a substantial improvement upon last year's event,' meddai un o ohebwyr y *Western Mail*.[87] Yr oedd trefnwyr yr Eisteddfod wedi dysgu eu gwers ac wedi sylweddoli na allai'r Brifwyl fyw ar lenyddiaeth yn unig. Ond nid gwaith hawdd oedd cynnull y corau ynghyd i gystadlu yn Aberteifi, a bu'r ddau feirniad cerdd, David de Lloyd a W. Matthews Williams, yn teithio ar draws Cymru yn chwilio am y tri chôr gorau gyda'r bwriad o'u cael i gystadlu yn Aberteifi. Y tri chôr a ddewiswyd oedd corau o Aberpennar, Dyffryn Nantlle a Chaerfyrddin. 'Nid oedd corau mawr Caernarfon, Ystalyfera a Dowlais yn yr Eisteddfod, canys gwasga[r]ai llawer o'r meibion a'r merched dan ormes rhyfel dros bedwar ban byd,' meddai W. R. Jones, Ysgrifennydd y Pwyllgor Lleol; ond, meddai, 'cadwyd y fflam i losgi gan yr ychydig weddill ac os collwyd grym ysgubol y cytganau mawr, disgynnai melysder y rhanganau ysgeifn ar y glust yn gawod hyfryd a maethlon'.[88]

Am y pedwerydd tro yn olynol bu'n rhaid newid lleoliad yr Eisteddfod eto ym 1943. Cyfarfu Cyngor yr Eisteddfod yn Amwythig ar ddechrau Gorffennaf 1942, a phenderfynwyd lleoli'r Ŵyl yn Llangefni. Dewiswyd Llangefni fel teyrnged ac anrhydedd i Sir Fôn oherwydd i swyddogion Eisteddfod Môn lwyddo i gynnal eu gŵyl Sulgwyn yn ddi-dor ers dechreuad y Rhyfel. Ddiwrnod ar ôl y penderfyniad i leoli Prifwyl 1943 ym Môn, cyfarfu dirprwyaeth o Gyngor yr Eisteddfod â Chymdeithas Eisteddfod Môn, ar Orffennaf 4, yng nghyfarfod blynyddol y Gymdeithas yn Llangefni, a chytunwyd i gynnal pedwaredd Eisteddfod y Rhyfel ym Môn â brwdfrydedd mawr.

'Roedd testunau 1943 wedi eu dewis a'u cyhoeddi ym 1942, cyn chwilio am leoliad. Cynigiodd Cyngor yr Eisteddfod wobr hael o £100 am deithlyfr a fyddai'n tywys y darllenydd drwy Gymru i gyd, gan nodi pob lle hanesyddol a llenyddol o bwys, a rhoddwyd tair blynedd ar gyfer cwblhau'r gwaith. Cystadleuaeth arall oedd 'Llawlyfr yr Eisteddfod Genedlaethol', sef cofnod o weithgarwch a chyfansoddiadau'r Eisteddfod Genedlaethol oddi ar 1880. Mewn gwirionedd, atgyfodi'r gystadleuaeth hon a wnaed. Ataliwyd y wobr am lawlyfr a gynhwysai 'gofnodion am bersonau, cystadleuon, cynhyrchion a materion eraill er 1880' yng Nghastell-nedd ym 1934, ac fe ailosodwyd y gystadleuaeth ar gyfer Eisteddfod Abergwaun, 1936. Bu'n rhaid i'r beirniad, Thomas Parry, atal y wobr ym 1936, ond erfyniodd ar Gymdeithas yr Eisteddfod i osod y testun unwaith yn rhagor. Hynny a wnaed, gan gynnig gwobr o £50 y tro hwn, a rhoddwyd dwy flynedd ar gyfer ei gwblhau, gyda Thomas Parry eto yn beirniadu'r gystadleuaeth. Penderfynwyd ailsefydlu rhai cystadlaethau adrodd yn ogystal ar gyfer Eisteddfod 1943.

Bu'n rhaid i dri aelod o Gyngor yr Eisteddfod a swyddogion Eisteddfod Môn gyfarfod eto ym mis Medi 1942 i drafod argymhelliad y Gweinidog Trafnidiaeth i beidio â chynnal y Brifwyl yn Llangefni ym 1943 oherwydd anawsterau teithio. Penderfynwyd gohebu â'r Gweinidog Trafnidiaeth a Syr Henry Morris-Jones, Cadeirydd Aelodau Seneddol Cymru, i bwyso ar y Gweinidog Trafnidiaeth i ailfeddwl ynghylch y broblem o gael trafnidiaeth arbennig i'r Eisteddfod ym Môn, ond ni chafwyd y maen i'r wal. Bu'n rhaid newid y lleoliad unwaith yn rhagor. Y tro hwn aeth pwyllgor brys yr Eisteddfod ar ofyn Cyngor Dinas Bangor, ac ym mis Hydref, 1942, addawodd y Cyngor dderbyn yr Eisteddfod y mis Awst canlynol. Bangor, felly, oedd yr unig le yng Nghymru i roi cartref i'r Eisteddfod yng nghanol dau ryfel byd. Mewn gwirionedd, o gofio mai o stiwdio'r BBC ym Mangor y darlledwyd Eisteddfod yr Awyr ym 1940, 'roedd y ddinas wedi achub yr Eisteddfod deirgwaith mewn cyfnodau o ryfel.

Cynhaliwyd yr Eisteddfod yn Chwaraedy'r Sir, a ddaliai tua saith gant a hanner o bobl, a methodd llawer o eisteddfodwyr gael tocyn mynediad i'r theatr ar sawl achlysur. Agorwyd yr Eisteddfod gan Crwys ar fore dydd Mercher, Awst 4. Croesawyd y Brifwyl i Fangor gan Faeres y ddinas, Elsie Chamberlain, a draddododd ei hanerchiad yn Gymraeg yn unig, er na fedrai'r iaith. Cafwyd anerchiadau hefyd gan D. Owen Evans ac Ifor Williams, o Adran y Gymraeg yng Ngholeg Bangor. Anghytunai, meddai yn ei anerchiad, â'r bobl hynny a bryderai mai effaith andwyol a gâi'r Rhyfel ar y Gymraeg. Cofiai'r myfyrwyr ifanc a aeth i'r Rhyfel Mawr o'r coleg, a daeth y rheini'n ôl yn fwy tanbaid eu gwladgarwch ac yn fwy penderfynol o weithio dros y Gymraeg a thraddodiadau Cymru. Cenhedlaeth ddisglair oedd y genhedlaeth ôl-Ryfel, meddai, a byddai'r genhedlaeth a fyddai'n dychwelyd o'r Ail Ryfel Byd hwn yr un mor werthfawr i Gymru. Dywedodd ei fod wedi syrffedu ar y Cymry a oedd yn trin yr iaith fel tegan, a'r unig ffordd i gadw'r Gymraeg yn fyw oedd trwy ei defnyddio ymhob agwedd ar fywyd y genedl. Byddai'n rhaid i'r Cymry gydweithio er mwyn cyfoethogi'r iaith ymhob peth, meddai. Digon tebyg oedd byrdwn anerchiad un arall o lywyddion dydd Mercher, T. H. Parry-Williams, a anerchodd y dorf yn y prynhawn. Soniodd am feirdd a barddoniaeth Cymru o droad y ganrif ymlaen. Ar ddechrau'r ganrif, meddai, yr oedd Rhamantiaeth wedi cydio ym meirdd Cymru, a thynnent eu maeth a'u hysbrydoliaeth o gampweithiau'r gorffennol. Wedyn daeth cyfnod yr adwaith, gyda'r beirdd yn archwilio'u teimladau a'u hemosiynau personol, ond yr oedd dydd yr unigolyn ar ben. Daeth yr amser bellach i feirdd ac artistiaid Cymry fynegi ymdeimlad o undod ym mywyd y genedl, a chanu i gymdeithas iach y dyfodol. Dylai gweithiau'r beirdd ddwyn nod y genedl, meddai, ac nid nod yr unigolyn.

Digon tlodaidd oedd y darpariaethau y tu mewn i Chwaraedy'r Sir, a bu'n rhaid addasu llawer. Defnyddiwyd Cadair Bae Colwyn 1910 yn nefod y cadeirio, a Choron Eisteddfod Bangor, 1931, yn briodol ddigon, yn nefod y coroni. Medalau a roddwyd i'r prifeirdd buddugol, wedi eu cynllunio gan W. Goscombe John. Darlledwyd pytiau o'r Eisteddfod gan y BBC, fodd bynnag, gan gynnwys darllediad byd-eang o Gôr yr Eisteddfod yn canu wrth agor yr wythnos. Bu bron i'r côr hwnnw ganu *Emyn Mawl* Mendelssohn yn Saesneg, a drysu cynlluniau'r Cyngor i gadw'r Ŵyl mor Gymreig ag yr oedd modd. Oherwydd bod yr amser i baratoi ar gyfer yr Eisteddfod yn brin, 'roedd aelodau'r côr wedi dewis *Hymn of Praise* i'w ganu yn y cyngerdd a gynhaliwyd ar nos Fercher yr Eisteddfod, gan eu bod wedi arfer canu'r emyn, ond gwrthododd y Cyngor dderbyn y dewisiad a bu raid i Enid Parry o Fangor, priod Thomas Parry, gyfieithu'r geiriau i'r Gymraeg. Croesawyd y gwaith yn Gymraeg. 'There seemed to be a general impression that the singing of this familiar oratorio to Welsh words gave the work a freshness, making it easier to appreciate its strength and beauty,' meddai'r *Western Mail*.[89]

Yr uchafbwynt mawr yn Eisteddfod Bangor oedd croesawu pedwar tramorwr, a gynrychiolai'r Cenhedloedd Unedig, i'r Ŵyl ar brynhawn dydd Iau'r Eisteddfod. Hwn, meddai Cynan, oedd y tro cyntaf ers amser Owain Glyndŵr 'i bedair o wledydd Ewrop anfon cenhadon i brif lys cenedl y Cymr[y]'.[90] Anfonwyd y rhain i'r Eisteddfod gan Syr Malcolm Robertson, Llywydd y Cyngor Prydeinig. Cawsant groeso brwd gan y dorf wrth i Cynan eu cyflwyno i'r Archdderwydd, Crwys, ar ôl defod y cadeirio, gyda'r Prifardd buddugol, Dewi Emrys, a beirdd eraill yn bresennol ar y llwyfan. Cynrychiolwyd Tsiecoslofacia gan Dr Miha Kiek, Is-Brifweinidog y wlad, a Juraj Slavik, Gweinidog Mewnol Tsiecoslofacia, a'r ddau arall oedd Jules Hoste, Is-ysgrifennydd Addysg Gwlad Belg, a B. Karavaev, Ail Ysgrifennydd Llysgenhadaeth yr Undeb Sofietaidd. Croesawyd yr ymwelwyr hyn yn y Gymraeg yn unig er i'r pedwar lefaru yn eu hieithoedd eu hunain wrth gyfarch y dorf. 'Few incidents in the history of the National Eisteddfod, which is rich in great moments of spontaneous inspiration and emotion, can have produced a greater thrill than that which ran through the packed audience at the County Theatre, Bangor, to-day, when representatives of the nations of enslaved Europe were presented to Archdruid Crwys,' meddai'r *Western Mail* am y digwydd-iad.[91]

Creodd yr Eisteddfod gryn argraff ar y tramorwyr hyn. Cyhoeddwyd erthygl o eiddo Juraj Slavic am ei ymweliad ag Eisteddfod Bangor yn y papur *Czechoslovak*, ac ymddangosodd cyfeithiad Cymraeg ohoni yn *Y Cymro*. Canmolodd y Cymry am eu cwrteisi a'u caredigrwydd, a disgrif-iodd weithgareddau'r Eisteddfod, gan gyffelybu'r Gorseddogion i 'arch-offeiriaid Eifftaidd neu Feiblaidd yn llys tywysog neu frenin dyddiau gynt'.[92] Gadawodd seremoni'r cadeirio hefyd gryn dipyn o argraff arno: 'A phan ddaeth prif fuddugwr yr ymryson awen, Emrys James, gwein-idog a bardd, a goronwyd eisoes mewn Eisteddfod o'r blaen, ac a urddid heddiw dan gleddyf mawr a thrwm fel y bardd cadeiriol – gŵr a wyneb eglur, ac ysgwyddau llydain, wedi ei wisgo mewn hugan wen, lac, – i eistedd yn y gadair gerfiedig hardd, a ddylai yn ol traddodiad ddod yn eiddo iddo, caech yr argraff fod un o ymherodron Rhufain yn eistedd yn urddasol ar ei orsedd'.[93] Profodd, ar un achlysur, 'gymundeb llawn a'r enaid Cymreig', a chroniclodd y profiad hwnnw:[94]

> Digwyddodd yn un o'r nosweithiau llawen mewn ystafell fechan yn Lluesty Merched y [B]rifysgol, ystafell a wireddai ein dihareb 'Cymer llawer o bobl dda ychydig o le.' Eisteddem ar y llawr, yn lled orwedd neu'n sefyll – a'n prif orchwyl oedd canu, traddodi areithiau, adrodd a chwerthin. Yr oedd y talentau Cymreig ar eu gorau yma – yn llunio cerddi, barddoniaeth a storiau. Ni welais erioed gymaint llawenydd – heb help alcohol. Ffermwyr syml,

> dynion a merched ieuainc, Aelodau Seneddol, gweinidogion yr Efengyl, athrawon, myfyrwyr, y cwbl yn byrlymu o arabedd, hiwmor, iechyd a llawenydd.

Daeth Jules Hoste yntau i gysylltiad â'r enaid a'r ysbryd Cymreig:[95]

> Dengys yr ysbryd a arweiniodd Gymru i sefydlu addysg prifysgol – menter a wnaed yn bosibl drwy gyfraniadau'r distadlaf o'i phobl – mor dda y deallir yng Nghymru anghenion gwir wareiddiad. Yr ydym yn symud tuag at gyfnod newydd pan fydd angen grymusterau creadigol yr holl fyd. Cadarnha fy arhosiad byr yng Nghymru fy argyhoeddiad y bydd i Gymru chwarae ei rhan yn deilwng yn y gwaith mawr o ail-adeiladu.

Talodd deyrnged i Lloyd George: 'Amdanom ni Fflemingiaid a Walloniaid Belgiwm nid anghofiwn fyth mai Cymro, Mr. Lloyd George, a ddug yn Awst, 1914, ddylanwad pendant ar agwedd Prydain Fawr pan ddaeth angen am safiad diysgog ar drothwy'r Rhyfel Deng Mlynedd ar Hugain hwn'.[96] Yn anffodus, ni chafodd y gwleidydd o Wlad Belg gyfle i gyfarfod â'r gwleidydd o Gymro, gan fod annwyd trwm wedi rhwystro Lloyd George rhag dod i Eisteddfod Bangor, er mawr siom i bawb.

'Roedd cysgod y Rhyfel yn drwm ar rai o'r areithiau, ynghyd â'r gobaith fod gwawr heddwch ar fin torri. Wrth gyfarch y gynulleidfa ar fore dydd Mercher yr Eisteddfod, pan agorwyd yr Ŵyl, canmol gwydnwch y sefydliad a wnaeth Crwys. '[N]i ellir lladd sefydliad a all fyw trwy alanastra rhyfel,' meddai, ac yn awr 'yr ydym wedi dod i wyliadwriaeth olaf y nos dywyllaf a fu yn ein hanes'.[97] 'Hyderwn y byddwn yn fwy parod ar gyfer heddwch nag a oeddem ar gyfer rhyfel,' meddai D. Owen Evans, gan ddatgan fod Eisteddfodau llai cyfnod y Rhyfel yn fwy 'cenedlaethol' o ran natur ac ysbryd nag Eisteddfodau mawrion y blynyddoedd cyn y Rhyfel.[98] Creu a meithrin sefydliadau Cymreig a'u cadw'n rhydd o grafangau'r Wladwriaeth oedd y ffordd orau i sicrhau parhad i'r Gymraeg a'i diwylliant, meddai un arall o lywyddion yr Ŵyl, y Prifathro D. Emrys Evans, Bangor, a siaradodd ar fore dydd Iau, gan restru nifer o sefydliadau Cymreig o'r fath, fel yr eglwys rydd, yr Eisteddfod Rydd, y wasg rydd, y Brifysgol rydd, yr Ysgol Sul, dosbarthiadau nos, y gymanfa ganu a'r noson lawen, ac yn y blaen. 'Efallai mai hyder ffug, fel hyder Dinbych, 1939, oedd ym Mangor eleni,' meddai John Aelod Jones wrth dafoli'r Ŵyl yn *Y Cymro*, 'ond yr oedd mwy ohono nag yn yr un Genedlaethol er dechrau'r rhyfel. Hyder heddwch'.[99] 'Eisoes,' meddai wrth sôn am Eisteddfod 1944 a oedd i'w chynnal yn Llandybïe, 'y mae'r Eisteddfod honno wedi ei galw yn "'Steddfod Buddugoliaeth",' ond, 'Eisteddfodau Hen Golwyn, Aberteifi a Bangor fydd yr eisteddfodau buddugoliaeth,' oherwydd 'roedd y rheini wedi gorchfygu rhyfel ei hun.[100]

Cwynwyd fod y cyngerdd a gynhaliwyd ar nos Iau'r Eisteddfod yn ystrydebol ac yn brin o wreiddioldeb, heb sylweddoli'r anhawster a gafwyd i gynnal cyngerdd o gwbwl yn y dyddiau dreng hynny. Dim ond tri o'r gweithiau a berfformiwyd a oedd wedi eu cyfansoddi gan gerddorion byw. 'In the small-scale Eisteddfod one misses the excitement of first performances of orchestral works by Welsh composers, but the loss could be obviated if chamber music works were substituted,' meddai'r *Western Mail*.[101] Enillwyd y gystadleuaeth gorawl am yr ail waith yn olynol gan gôr y 'Mountain Ash Civil Defence,' yn erbyn Côr y Deri, Wrecsam, a Chôr Dyffryn Nantlle, ond cwynwyd fod rhai cystadleuwyr yn hir cyn dod i'r llwyfan, a bod gormod o ladd amser a llenwi bylchau gydag eitemau anghystadleuol yn digwydd yn sgîl hynny. 'This time-killing device has been a painful feature of previous war-time eisteddfodau,' meddai'r *Western Mail*, gan obeithio y byddai'r sefyllfa yn gwella yn Eisteddfod 1944.[102]

Llwyddwyd i gynnal prawf terfynol y gystadleuaeth actio drama fer ym Mangor, a pherfformiwyd tair drama un-act yn Chwaraedy'r Sir ar nos Wener yr Ŵyl. Dewisodd Cynan y tri chwmni gorau allan o 14 o gwmnïau drwy Gymru. Y tri chwmni a ddewiswyd oedd Cwmni Rhos-cefn-hir, Môn, a berfformiodd *Y Cab*, cyfieithiad Cymraeg o ddrama gan John Taylor, Cwmni Neuadd Goffa Porthaethwy, Môn, a chwaraeodd *Y Dieithryn*, D. T. Davies, a Chwaraewyr Colwyn, a berfformiodd *Ymwared*, J. D. Jones, a Chwmni Rhos-cefn-hir a enillodd y gamp. Awgrymwyd fod Cynan wedi dewis y tair drama hyn am eu bod mor wahanol i'w gilydd, er mwyn dod ag amrywiaeth i'r gystadleuaeth.

Ni chyflwynwyd Medal Ryddiaith yn Eisteddfod Bangor. Dewiswyd panel o dri i chwilio am enillydd o blith buddugwyr 1942, sef E. Tegla Davies, T. H. Parry-Williams a Kate Roberts. 'Roedd barn y tri ohonyn nhw mor wahanol nes y bu'n rhaid iddyn nhw drefnu i gyfarfod yn

Aberystwyth i drafod y mater. Ar ôl pedair awr o drafodaeth, a'r tri yn dal i anghytuno, penderfynwyd atal y Fedal. Anfonwyd dwy nofel i gystadleuaeth y nofel fer ar ffurf cyfres o lythyrau yn Eisteddfod Bangor, ond ni allai'r beirniad, Llewelyn Wyn Griffith, wobrwyo'r naill na'r llall. Mwy boddhaol oedd safon cystadleuaeth y nofel gyffrous. Yr oedd y pum nofel a anfonwyd i'r gystadleuaeth yn haeddu canmoliaeth uchel yn ôl y beirniad, John Walter Jones, ac 'roedd yn argyhoeddedig y byddai gweisg Cymru yn cyhoeddi'r pump. Derbyniwyd 67 o straeon byrion, ond cyffredin oedd y safon yn ôl y beirniad, J. Heywood Thomas, er iddo ddyfarnu dwy stori yn gydradd fuddugol. Anfonwyd 28 o gynigion i gystadleuaeth yr ysgrif, ond bwriwyd dau ymgais allan o'r gystadleuaeth gan y beirniad, Alun Llywelyn-Williams, gan nad ysgrifau mohonyn nhw. Dywedodd, serch hynny, fod y gystadleuaeth yn un dda. Enillwyd cystadleuaeth y 'Bywgraffiad Dychymygol' gan T. Hughes Jones, gyda chryn ganmoliaeth.

Unwaith yn rhagor, 'roedd cysgod y Rhyfel yn amlwg ar rai o gystadlaethau llenyddol Bangor, yr 'Ymgom mewn Siop Wlad yn adeg Ryfel', yn naturiol, y nofel gyffrous fuddugol, a'r ddrama hir arobryn. Prif gymeriad y nofel gyffrous, *Y Gelyn Mewnol,* a gyhoeddwyd ym 1946, yw Dafydd Owen, ac fe gaiff ei anfon i ardal Llanelli gan ei benaethiaid yn y Gwasanaeth Cudd i chwilio am ysbïwr. Awgrymir gan y prif gymeriad na allai Cymro Cymraeg weithredu fel ysbïwr dros Yr Almaen na bod yn aelod o'r Bumed Golofn, gan fod Natsïaeth yn ei hanfod yn peryglu annibyniaeth a bodolaeth gwledydd bychain Ewrop. 'Gwlad fechan yw Cymru a mawr ei chydymdeimlad yn rhinwedd hynny â gwledydd bychain eraill megis Tsieco-Slofacia a Groeg a Norwy a'r lleill o'r lleoedd anffodus y mae'r Natsïaid wedi eu goresgyn a'u damsang,' meddai. Bu Melville Richards, yr awdur ac un ysgolheigion mawr y Gymraeg yn y dyfodol, yn gweithio yng Ngwasanaeth Cudd y Fyddin adeg yr Ail Ryfel Byd, a manteisiodd ar y profiad hwnnw wrth lunio ei nofel. Enillwyd cystadleuaeth Tlws y Ddrama gan John Ellis Williams am ei ddrama *Wedi'r Drin* dan feirniadaeth J. Kitchener Davies, drama'n trafod natur gymdeithasol a gwleidyddol y byd newydd yr esgorid arno wedi'r Rhyfel. Nododd Elsbeth Evans, yn ei beirniadaeth ar gystadleuaeth y ddrama unact wreiddiol, mai '[d]a oedd cael dramâu yn ymdrin yn uniongyrchol â'r Rhyfel'.[103]

Cymhlethwyd cystadleuaeth y ddrama un-act gan Eic Davies yn Eisteddfod Aberteifi y flwyddyn flaenorol, pan enillodd gyda drama a oedd wedi'i seilio ar stori fer gan Guy de Maupassant. Bu bron i'r beirniad beidio â'i wobrwyo gan nad gwaith gwreiddiol mohono. Er mwyn osgoi problem o'r fath, gosodwyd dwy gystadleuaeth drama un-act ym Mangor, sef drama un-act wreiddiol a chystadleuaeth 'Cyfaddasu unrhyw stori neu chwedl yn ddrama un-act', dan feirniadaeth Mary Lewis. Cymhlethwyd y sefyllfa ymhellach gan Eic Davies ym Mangor. Anfonodd fersiynau gwahanol o'r un ddrama i'r ddwy gystadleuaeth, enillodd gystadleuaeth y ddrama wreiddiol, a dyfarnwyd y fersiwn arall o'r ddrama, dan y teitl *Ofergoelion*, 'seiliedig ar hen stori ar lafar', yn gydradd fuddugol yn y gystadleuaeth 'Cyfaddasu unrhyw stori neu chwedl'. 'Er iddo ei sylfaenu ar stori a glywodd ar lafar gwlad, fe luniodd ddrama hollol wahanol a gwreiddiol allan ohoni,' meddai Elsbeth Evans wrth feirniadu cystadleuaeth y ddrama un-act wreiddiol.[104] Felly, yn ogystal ag ennill cystadleuaeth y ddrama un-act deirgwaith yn olynol, yr oedd Eic Davies ym 1943 hefyd wedi ennill dwy gystadleuaeth wahanol, yn llawn ac yn rhannol, gyda'r un ddrama. Yn Eisteddfod Bangor hefyd y gwobrwywyd O. Llew Owain am ei draethawd 'Hanes y Ddrama Gymraeg ar ôl y flwyddyn 1850', dan feirniadaeth Mary Lewis a Cynan.

I Landybïe yr aeth Eisteddfod 1944, ac fe'i croesawyd i'r pentref a'r ardal gan William Morris:

> Mwyn tanom y maen tynnu
> A thorf frwd mewn cwmwd cu;
> Ardal o ddoniau irdeg,
> Pob nwyd iach, pob awen deg;
> Bu awen Llandybïe
> Fel gwin pur i deulu'r De.

Gwahoddwyd yr Eisteddfod i Landybïe wedi i rai o drigolion y pentref a'r cylch cyfagos ddarllen cyhoeddiad yn y wasg gan Gyngor yr Eisteddfod yn pryderu nad oedd cartref i'r Ŵyl ar gyfer 1944. Cysylltodd dirprwyaeth o bobl Llandybïe â'r Cyngor, ac ar Fehefin 29, 1943, cynhaliwyd cyfarfod cyhoeddus yn Neuadd Goffa'r pentref gyda llond neuadd o bobl leol a dirprwyaeth o'r Cyngor yn bresennol, a chadarnhawyd yn y cyfarfod hwnnw mai yn Llandybïe y cynhelid Prifwyl 1944. 'Rhydd yr Eisteddfod Ryfel gyfle amheuthun i'r trefi bychain Cymraeg a'r ardaloedd gwledig,' meddai Cynan a D. R. Hughes, gan nodi fod y 'pentref mawr, trwyadl Gymreig a Chymraeg' hwn yn lle delfrydol i gynnal yr Eisteddfod ynddo mewn cyfnod o argyfwng.[105]

Yr oedd llawer o edrych ymlaen at Eisteddfod Llandybïe, gan mai hon fyddai Prifwyl olaf y Rhyfel yn nhyb llawer. 'Gŵyl y Fuddugoliaeth' oedd yr enw answyddogol a roddwyd arni. 'Everyone here is stimulated by the thought that this is likely to be the last war-time Eisteddfod and indications are that tremendous crowds will be coming to this charming little village during the coming week,' meddai'r *Western Mail* ar drothwy'r Ŵyl.[106]

Cychwynnwyd yr Eisteddfod ar nos Sadwrn cyn wythnos yr Ŵyl gyda chyngerdd mawreddog a rhyngwladol ei naws. Cymerwyd rhan yn y cyngerdd gan gôr o filwyr o Wlad Pwyl a chantorion ac offerynwyr o nifer o wledydd y Cynghreiriaid – Ffrainc, Gwlad Pwyl, Norwy, Tsiecoslofacia ac America. Clywyd aelodau'r côr o Wlad Pwyl yn canu ar hyd strydoedd Llandybïe gyda'r nos. 'Cafodd ein pobl gyfle i gymharu eu safonau a'u doniau â rhai o oreuon y gwledydd tramor; cafodd y tramorwyr gyfle i wybod am Gymru a'i hunaniaeth a sylweddoli ychydig o'i delfrydau a'i dyheadau,' meddai Is-gadeirydd y Pwyllgor Lleol, Alun Talfan Davies.[107]

Y cyngerdd hwn, mewn gwirionedd, oedd y cam cyntaf tuag at sefydlu Eisteddfod Ryngwladol Llangollen ym 1947. Yn Llandybïe y plannwyd y syniad, a dyna arwyddocâd pennaf yr Ŵyl, efallai. Yn ystod Prifwyl Llandybïe awgrymodd Crwys y dylid cael gŵyl fawr arbennig bob rhyw bum mlynedd a dod â chenhedloedd y byd iddi. Cafwyd gweledigaeth gyffelyb gan Alun Talfan Davies. 'Gallasai wneud ei phrif ddinas symudol ei hun yn brifddinas i'r holl fyd am wythnos o bob blwyddyn, gan dynnu cenhedloedd daear at ei gilydd mewn brawdgarwch sydd uwchlaw pob gwleidyddiaeth ac mewn gŵyl na ddychmygodd y byd amdani,' meddai John Aelod Jones yn *Y Cymro* wrth sôn am ddyfodol y Brifwyl.[108] 'Steddfod i Bawb o Bobl y Byd?' oedd pennawd colofn olygyddol *Y Cymro* yn rhifyn Awst 18 o'r papur, a soniwyd yno am y breuddwyd o ddod â'r byd i'r Eisteddfod, 'ac y mae'n freuddwyd lliwgar a chanmoladwy'.[109] Fe ellid sylweddoli hynny, yn ôl y golofn olygyddol, heb wneud cam ag ochor Gymraeg yr Ŵyl. 'Paham na ddechreuir drwy wahodd un cor o wahanol wledydd Ewrob – a ryddheir cyn bo hir – i gystadlu i'r Eisteddfod gyntaf bosibl?' awgrymwyd, oherwydd '[p]e gellid cryfhau'r fath frawdoliaeth a dyfodd mewn rhyfel ar ddyddiau heddwch, ai rhyfel yn anamlach ac ai Eisteddfod Cymru fel chwedlau Arthur dros y byd'.[110]

Parhawyd yr elfen ryngwladol ar ddydd Iau'r Eisteddfod pan groesawyd cynrychiolwyr o ddeg gwlad i'r Brifwyl ar ôl defod y cadeirio. Cynrychiolwyd Llydaw, Tseina, Lwcsembwrg, Gwlad Pwyl, Norwy, yr Unol Daleithiau a'r Iseldiroedd gan yr ymwelwyr hyn, ac yn eu plith yr oedd Jules Hoste o Wlad Belg, Juraj Slavik o Tsiecoslofacia a B. Karavaev o'r Undeb Sofietaidd, sef y tri a aeth i Eisteddfod Bangor flwyddyn ynghynt. Cyflwynwyd y cynrychiolwyr i'r Cofiadur, Cynan, gan D. O. Evans, ac fe'u cyflwynwyd i'r Archdderwydd gan Cynan. Cyfieithwyd eu hanerchiadau gan Cynan ei hun. 'Fe gymerth pobloedd y Sofiet erioed ddiddordeb mawr ym mywyd diwylliannol y Cymry fel y'i mynegir yn eu hoffter o'u miwsig cenedlaethol, eu caneuon, a'u llenyddiaeth,' meddai B. Karavaev, a 'heddiw fe gymer pobl Rwsia fwy o ddiddordeb yn y diwylliant Cymreig nag erioed'.[111] 'Yr oedd blas rhyng[-g]enedlaethol yn yr Eisteddfod o'r cychwyn hyd y diwedd,' meddai Alun Talfan Davies.[112]

Gŵyl meithrin brawdgarwch a hyrwyddo cyfathrach ryngwladol oedd Gŵyl Llandybïe. Edrychai tua'r dyfodol a thuag at fyd gwell a Chymru well. Gyda golwg ar ddyfodol economaidd Cymru ar ôl y Rhyfel, cynhaliwyd arddangosfa arbennig yn Llandybïe, sef Arddangosfa'r Gymru Newydd. Agorwyd yr arddangosfa gan y Gweinidog Tanwydd ac Ynni, Gwilym Lloyd George, ar ddydd Llun yr Eisteddfod, Awst 7, a'r byd newydd oedd prif thema ei anerchiad. Os am fyd newydd, meddai, rhaid oedd cynllunio'n ofalus, a meddu ar ddealltwriaeth a gwybodaeth. Cyfeiriodd at yr angen am fwy o ddiwydiannau gwlad, a nododd mai amaethyddiaeth a glo oedd prif ddiwydiannau Cymru. Canolbwyntiodd yn bennaf ar y diwydiant glofaol. Cwynodd fod 'glo wedi bod yn rhy rad yn y wlad hon a gormod o wastraff wedi bod,' a chyfeiriodd hefyd at y pwyllgor yr oedd wedi ei sefydlu i rwystro a gwella'r afiechyd difaol y dioddefai miloedd o lowyr y De o'i herwydd, clefyd y llwch.[113] Yn yr arddangosfa ei hun dangosid offer glowyr, ffrwyth ymchwil i glefyd y llwch, manylion ynglŷn â glo carreg, darluniau gan arlunwyr Cymreig a model symudol o lofa a luniwyd gan löwr lleol o'r enw Owen Rowlands. Traddodwyd araith gan ŵr arall a chanddo gysylltiad â'r Weinyddiaeth Danwydd ac Ynni ar brynhawn Llun yr Eisteddfod, William Jones,

Rheolwr Rhanbarthol i'r Weinyddiaeth. Yr oedd cenfigen, meddai, yn melltithio pob rhan o fywyd cyhoeddus Cymru, ac fe ddylid cael mwy o undod ymhlith y Cymry, yn enwedig gan fod cymaint o waith ailadeiladu yn wynebu'r genedl ar ôl y Rhyfel – creu diwydiannau newydd, adeiladu ffyrdd newydd a hyd yn oed codi ysbytai newydd.

Y byd newydd wedi'r Rhyfel oedd byrdwn araith James Griffiths ar brynhawn dydd Mercher yr Ŵyl yn ogystal. Angen Cymru ar ôl y gyflafan fawr, meddai, oedd cydraddoldeb gwleidyddol a strwythur economaidd cryfach. Gyda'r ddau beth hyn, gellid creu Cymru newydd a helpu i greu Prydain newydd a byd newydd. Credai mai gwell oedd canolbwyntio ar rai gofynion penodol yn hytrach na darparu cynllun ehangach ac ennill dim yn y pen draw. Yr oedd angen i bobl Cymru gael mwy o rym a rheolaeth i'w dwylo eu hunain i gynllunio bywyd economaidd cadarnach i'r genedl. Pe bai'r Llywodraeth yn rhoi i'r Cymry y grym hwn i gynllunio bywyd economaidd y wlad, yn ddiwydiannol ac yn amaethyddol, gallent greu Cymru newydd a gorfoleddu yn eu llafur.

Gan barhau'r thema o ailadeiladu Cymru a chreu byd newydd, dymunai R. E. Griffith, wrth annerch ar fore dydd Mawrth yr Eisteddfod, sef y bore a neilltuwyd ar gyfer cystadlaethau'r plant, weld Cymru yn wlad gymwys i blant fyw ynddi. Ar yr un diwrnod, rhoi clod i Sefydliad y Merched ac i'r Urdd a wnaeth Dr Gwenan Jones, am gefnogi corau aelwyd, dramâu aelwyd ac offerynnau aelwyd. Y gwragedd, meddai, oedd prif gynheiliaid y diwylliannau hyn, a dymunai weld yr Eisteddfod yn meithrin diwylliant y cartref. Pobl gartrefol oedd y Cymry a hoffai fyw mewn cymunedau bychain, ac os oedd modd cadw'r agwedd hon ar ein bywyd cenedlaethol, byddai Cymru'n ynys fach liwgar yng nghanol môr a oedd yn bygwth bod yn llwyd ac yn ddi-liw. Gobeithiai y byddai pob Cymraes alltud yn dychwelyd i'w gwlad gysefin ar ôl y Rhyfel i gynnal cartref yng Nghymru.

Wrth annerch ar fore dydd Gwener yr Ŵyl, dywedodd yr Athro Henry Lewis o Goleg y Brifysgol, Abertawe, y byddai'n rhaid rhoi lle canolog i'r Gymraeg yn y gwaith o ailadeiladu'r genedl. Credai llawer o bobl Cymru eu bod yn wir Gymry er eu bod wedi colli'r iaith, meddai, ond yr oedd hanes yn eu herbyn. 'Roedd y bendefigaeth Gymreig yn Gymry Cymraeg trwyadl unwaith, ond collodd y dosbarth hwn ei afael ar y Gymraeg yn raddol, ac aeth ein pendefigion yn Anghymreig i ddechrau, ac wedyn yn wrth-Gymreig, a melltith ar y genedl oedd yr elfen wrth-

Gymreig yn ei bywyd. Yn ei anerchiad ar yr un diwrnod dywedodd R. Moelwyn Hughes, yr Aelod Seneddol dros Gaerfyrddin, mai dau beth yn unig a allai roi Cymru ar y map, sef ymdrechion ei phobl ei hun a chydnabyddiaeth ddigonol o du'r Llywodraeth. Rhoddid gormod o bwyslais ar warchod a rhy ychydig ar greu yn y trafodaethau ar ailadeiladu'r genedl. Nid rhwystro ein diwydiannau rhag cael eu symud i Loegr oedd y nod ond creu'r amodau a'i gwnâi'n amhosibl i'r Cymry orfod symud o'r wlad i chwilio am waith. Dylai Cymru bobi ei bara ei hun yn hytrach na derbyn y briwsion a syrthiai oddi ar fyrddau Lloegr. Dywedodd fod y Blaid Genedlaethol bellach wedi gorfodi Lloegr i gydnabod gofynion ac anghenion Cymru, ac 'roedd gwir angen i Ysgrifennydd i Gymru gael ei benodi.

Elfen arall yn y paratoi ar gyfer y dyfodol ac am y byd newydd oedd perfformio drama John Ellis Williams, *Wedi'r Drin*, gan Gwmni Drama Llandybïe a'r Cylch. 'Mae hi'n llefaru rhin ac ysbrydiaeth wrth fy nghenhedlaeth i – cenhedlaeth sydd wedi colli pum mlynedd o fywyd normal, ac ar dân am gael dod yn ôl i ymaflyd yn y Byd Newydd,' meddai'r dramodydd amdani.[114] Amheuai Elsbeth Evans, braidd yn chwareus, fod y ddrama yn ymwneud â gormod o fanion dibwys, fel 'yr holl ffys a stŵr dros rhyw fymryn o fath o laundry a chanteen,' i arwain at unrhyw fath o fyd newydd.[115] Cyfeirio yr oedd at y gwrthdrawiad yn y ddrama rhwng dau o'r prif gymeriadau, Mair a Syr Huw Price, ynglŷn â dyfodol gwersyll milwrol lleol. Mae Mair yn y ddrama yn breuddwydio am addasu'r cantîn a'r golchdy, yn ogystal â'r baddondai a'r sinema, a geid yn yr hen wersyll at ddefnydd lleol, oherwydd bod y pethau hyn yn 'sefyll am rywbeth *mwy*' na'r hyn ydyn nhw mewn gwirionedd, sef 'yr awch afiach am eiddo ac awdurdod'. 'Faint gwell a fyddwn o guro Hitler, a gadael i'r mân Hitleriaid yng Nghymru feddiannu a rheoli popeth?' gofynnir yn y ddrama. 'Rhaid cael sylfaen diriaethol i'r Byd Newydd fel i bopeth arall os yw i fod yn rhywbeth amgenach na gwynt,' meddai John Ellis Williams.[116]

Un awgrym ym Mhrifwyl Llandybïe a gafodd dderbyniad cymysg iawn, fodd bynnag, oedd awgrym D. O. Evans yn ei anerchiad ar ddydd Iau'r Eisteddfod fod angen sefydlu rhyw fath o Academi Gymreig i oruwch-lywodraethu ar bob diwylliant yng Nghymru. Dywedodd fod Cyngor yr Eisteddfod yn gweithio'n gyson i safoni'r Gymraeg gyda golwg ar sefydlu Academi Gymreig yn y pen draw. Taranu'n erbyn y syniad a wnaeth colofnydd 'Y Ford Gron' yn *Y Cymro*: 'Wele alw am gaead ar yr arch,' meddai, oherwydd '[o]ddi isod, nid oddi fry, y daw'r twf, a pha les chwilio am ragor o sefydliadau a theitlau swnfawr (Saesneg, wrth gwrs), a ninnau heb sylwedd oddi tanodd?'[117]

Cododd y berthynas rhwng y BBC a'r Eisteddfod – a'r berthynas rhwng y Gorfforaeth a Chymru yn gyffredinol – ei phen yn Llandybïe. Trefnodd y BBC i ddarlledu tua chwe awr a hanner o'r Eisteddfod ar raglenni cartref ac i'r lluoedd yn ystod yr Ŵyl. Yr oedd rhai yn croesawu'r darllediadau hyn, gan mor anodd oedd hi i'r rhan fwyaf helaeth o eisteddfodwyr gyrraedd Llandybïe, ond cwynai eraill fod darllediadau'r BBC yn ymyrryd â'r Eisteddfod. Haerodd colofnydd 'Y Ford Gron' yn *Y Cymro* ar drothwy'r Eisteddfod y byddai'n well pe bai'r BBC yn darlledu pigion o'r Eisteddfod ar ôl wythnos yr Ŵyl yn hytrach na cheisio darlledu rhai o'i gweithgareddau yn fyw. Cwynodd hefyd am ansawdd y gwasanaeth a gafwyd yn ystod blynyddoedd y Rhyfel, a chyn hynny: 'Nid oes dim modd cael sain dda drwy'r radio pan ddarlledir o bafiliwn pren anferth fel y gwneid cyn y rhyfel, ac nid ydyw neuaddau'r eisteddfod lai y dyddiau hyn ddim llawer gwell'.[118] Cafwyd trafodaeth ar ddyfodol radio yng Nghymru mewn cyfarfod dan adain Undeb Cymru Fydd yn Llandybïe. Yn y cyfarfod hwnnw dadleuodd Gwynfor Evans o blaid cael Corfforaeth Radio Gymreig. Gan y byddai siarter y BBC yn dod i ben ym 1946, meddai, dylai pob aelod seneddol Cymreig bwyso ar y Llywodraeth i gydnabod hawliau Cymru.

Daeth mwy o gerddoriaeth i mewn i Eisteddfod Llandybïe. Cynhaliwyd cyngherddau eraill yn ystod yr wythnos ar ôl i'r cyngerdd rhyngwladol arbrofol hwnnw agor yr Eisteddfod. Perfformiwyd gwaith newydd ar nos Fawrth yr Ŵyl, sef *Gweddi* gan Arwel Hughes, a gyfansoddwyd yn arbennig ar gyfer Prifwyl Llandybïe ac a ganwyd gan Gôr yr Eisteddfod ac unawdydd. Creodd y gwaith argraff ddofn ar y gynulleidfa yn ôl pob tystiolaeth. Perfformiwyd gweithau gan nifer o gerddorion Cymreig yn yr un cyngerdd. Enillwyd y gystadleuaeth gorawl gan y 'Mountain Ash Civil Defence Choir' am y trydydd tro yn olynol, enillodd Côr Penarth gystadleuaeth y Corau Merched, ac aeth Côr y Mond, Clydach, Cwm Tawe, â'r wobr gyntaf yng nghystadleuaeth y Corau Meibion.

Daeth Eisteddfod Llandybïe i ben gyda Chymanfa Ganu ar ddydd Sadwrn. Yn ystod y Gymanfa Ganu, casglwyd £50 ar gyfer dau bapur newydd a gynhyrchid gan aelodau o'r Lluoedd Arfog, *Cofion Cymru* a

Seren y Dwyrain, a gâi ei olygu gan un o wŷr Llandybïe, yr awyrennwr T. E. Griffiths. Er mai bwriad Pwyllgor Lleol Llandybïe yn wreiddiol oedd cynnal yr Ŵyl am dridiau yn unig, parhaodd am wythnos gyfan, a dyna'r tro cyntaf i hynny ddigwydd oddi ar 1939. Yn raddol 'roedd y Brifwyl yn dechrau dod yn ôl i'r hen drefn. Cynhaliwyd cyfarfod awyr agored gan yr Orsedd am y tro cyntaf ers Eisteddfod Dinbych, ac ail-sefydlwyd y cystadlaethau ar gyfer plant. '[Y]r hyn a ddaeth i'r amlwg oedd bod yr Eisteddfod yn dychwelyd i'w bri a'i hurddas cynefin,' meddai Alun Talfan Davies.[119]

Bu'n Eisteddfod lwyddiannus yn ariannol, ac yn Eisteddfod anghyffredin hefyd oherwydd iddi gyflwyno arbrawf newydd. Yn ôl Alun Talfan Davies eto:[120]

> Cychwynnwyd math newydd o drefn, gyda'r canlyniad i'r Pwyllgor Lleol a Chyngor yr Eisteddfod weithredu'n gyfartal ymhob peth. Yr oedd hwn yn gam mawr ymlaen, ac yn welliant digamsyniol ar yr hyn a fu yn yr Eisteddfodau blaenorol. Pan ymwelodd y ddirprwyaeth gyntaf yr oedd yr holl awenau yn nwylo'r Cyngor. Nid oedd lle i'r Pwyllgor Lleol ond ynglŷn â'r gwaith amgylchiadol. Nid oedd ganddo unrhyw gyfrifoldeb llenyddol, cerddorol na chwaith yn ariannol. Lle dygir cyfrifoldeb oddi ar unrhyw gymdeithas fe ddygir y peth pwysicaf oddi arni, ac o ganlyniad ni ellir disgwyl unrhyw lewyrch mawr ar ei gweithredoedd. Buan y sylweddolodd y Pwyllgor y ffaith hon, a thrwy gymrodedd a chydweithrediad bonheddig y Cyngor fe roddwyd i'r Pwyllgor Lleol ran bwysig. Rhoddwyd iddo lais pendant yn yr adrannau llenyddol a cherddorol, a phenderfynwyd rhannu'n gyfartal unrhyw elw neu golled rhwng y ddau gorff.

Ond elw a gafwyd yn Llandybïe, a derbyniodd yr Eisteddfod hanner yr elw, £1,476.15s.8c, ym 1945, a £1,000 o'r gyfran leol ar ben hynny gan y Pwyllgor.

Gŵyl obeithlon oedd Gŵyl Llandybïe. 'Gŵyl o obaith ar ddyddiau o obaith mewn blwyddyn o obaith ac mewn gwlad o obeithion,' oedd yr Ŵyl yn ôl John Aelod Jones.[121] Meddai Alun Talfan Davies, gan gyfeirio at rai o brif atyniadau'r Ŵyl, yn eu plith y cyfarfod a gynhaliwyd i drafod gwaith T. Gwynn Jones fel bardd a chyfeithydd a'r cyfarfod a gynhaliwyd y tu allan i Ysgol y Gwynfryn i ddathlu canmlwyddiant geni Watcyn Wyn, 'yr hyn a gafwyd oedd Eisteddfod boblogaidd – Gorsedd liwgar a phum mil o'i chwmpas – ugain mil mewn Arddangosfa newydd – neuaddau cyfarfodydd T. Gwynn Jones a Watcyn Wyn yn gorlifo – dwy neuadd ddrama yn rhy fach – a'r maes, prif lwyfan yr Eisteddfod yn ferw o gynlluniau ar gyfer y dyfodol'.[122]

Yn unol â'r drefn y penderfynwyd arni yn ystod blynyddoedd y Rhyfel, dewiswyd panel o dri i ddewis enillydd y Fedal Ryddiaith o blith buddugwyr y flwyddyn flaenorol. Y tri a ddewiswyd ym 1944 oedd W. J. Gruffydd, T. H. Parry-Williams a Griffith John Williams, a'r bwriad oedd cyflwyno'r Fedal yn Llandybïe i ryddieithwr gorau Eisteddfod Bangor, ond ni chafwyd teilyngdod unwaith yn rhagor. Dim ond dau ymgais a anfonwyd i gystadleuaeth y nofel yn Llandybïe, ac ni allai'r beirniaid, Gwilym R. Jones ac E. Tegla Davies, wobrwyo'r naill na'r llall. Enillodd Gomer M. Roberts ar y traethawd ar 'Fywyd a Gwaith Dafydd Jones o Gaeo', ac enillodd y llyfrbryf mawr, Bob Owen Croesor, ar un o draethodau Cyngor yr Eisteddfod, 'Ymfudiadau o Gymru i'r Unol Daleithiau rhwng 1760 ac 1860'. Anfonodd draethawd anferthol, dros wyth gant o dudalennau o destun ac atodiadau, i'r gystadleuaeth, a chafodd ei geryddu'n llym gan y beirniaid, R. T. Jenkins a David Williams, am flerwch ei gyflwyniad a'i orgraff hen-ffasiwn. Ac o'r diwedd fe gafwyd enillydd i'r gystadleuaeth 'Llawlyfr yr Eisteddfod Genedlaethol', er mai dim ond cyfran o'r wobr a gafodd O. Llew Owain gan Thomas Parry.

Enillwyd Tlws y Ddrama yn Llandybïe gan W. Vaughan Jones, y Waun-fawr, Arfon, ond uchafbwynt llenyddol Llandybïe yn sicr oedd gwobrwyo *Meini Gwagedd*, drama rymus J. Kitchener Davies yng nghystadleuaeth y ddrama un-act. Dyma ddrama hunllefus ei naws am ddirywiad cefn-gwlad, am golli a bradychu etifeddiaeth, ac am y pydredd moesol sy'n digwydd yn sgîl esgeuluso neu golli genedigaeth-fraint. Mewn gwirionedd, yr oedd dau o brif weithiau'r Eisteddfod bentrefol, wledig hon yn ymwneud â dirywiad cefn-gwlad wrth i'r gwladwyr symud i'r trefi a'r dinasoedd, sef *Meini Gwagedd* a phryddest y Goron, 'Yr Aradr', gan J. M. Edwards, er mai dim ond rhan o broblem cefn-gwlad yw atynfa'r trefi a'r dinasoedd yn nrama Kitchener Davies. 'Profiad hyfryd ar ôl darllen cynifer o ddramâu cyffredin eu syniadau a'[u] techneg oedd dod ar draws y ddrama anghyffredin hon,' meddai D. Matthew Williams.[123] Dywedodd y beirniad fod yr awdur yn ceisio datblygu techneg newydd yng Nghymru, a barnai na 'ellid fod wedi ysgrifennu drama o'r teip hwn ond mewn barddoniaeth', a hyd y gallai farnu, 'y mae'n gryn feistr ar dechneg y canu penrhydd'; serch hynny, 'roedd un peth yn ei boeni fel beirniad, sef 'pa beth ydyw, ai drama ai cân ddramatig'.[124]

Mae'n amlwg fod union natur y gwaith wedi peri penbleth i J. Kitchener Davies ei hun yn ogystal, oherwydd fe anfonodd *Meini Gwagedd* i ddwy gystadleuaeth yn Llandybïe, cystadleuaeth y ddrama un-act a chystadleuaeth y gerdd *vers libre* dan feirniadaeth Saunders Lewis. Er i Saunders Lewis osod '[c]erdd ddrama faith' Kitchener Davies yn y dosbarth cyntaf o dri, allan o 19 o gystadleuwyr', yr oedd yn bur feirniadol o'r gwaith.[125] 'Roedd y ddrama-gerdd, meddai, yn 'rhy faith, yn llac, yn undonog ac aflêr,' er y credai 'y gellid gwneud cerdd dda ohoni o'i hail-ysgrifennu a thaflu llawer allan ohoni a llafurio arni'.[126] Newidiodd Saunders Lewis ei feddwl ar ôl yr Eisteddfod, yn enwedig wedi i Prosser Rhys ganmol y farddoniaeth yn y ddrama yn *Y Faner*, ac anfonodd lythyr o ymddiheuriad at Kitchener Davies gan gyfaddef iddo fod yn rhy frysiog yn ei gondemniad o'r gwaith. Mae'n ddiddorol nodi hefyd mai Mair Kitchener Davies, priod awdur *Meini Gwagedd*, a enillodd ar yr ysgrif yn Llandybïe. Fel yr oedd Kitchener Davies yn sefyll ar ei ben ei hun yng nghystadleuaeth y ddrama un-act, 'roedd Mair Kitchener Davies hefyd yn sefyll ar ei phen ei hun yng nghystadleuaeth yr ysgrif yn ôl y beirniad, J. O. Williams, a ddywedodd 'dyma wir lenor y gystadleuaeth' am yr enillydd.[127]

Osgowyd sgandal lenyddol, mewn ffordd, gan benderfyniad Saunders Lewis i beidio â gwobrwyo Kitchener Davies yng nghystadleuaeth y gerdd *vers libre*. Osgowyd sgandal arall pan wrthododd Gwilym Myrddin wobrwyo'r gerdd orau yn y gystadleuaeth 'Cerdd ar ryw ddigwyddiad diweddar yn hanes ardal'. Anfonwyd cerdd anghyffredin i'r gystadleuaeth, ond 'roedd yr ymgeisydd, *Gwas y Dolau*, yn euog o lên-ladrad. Cyfaddasiad o rannau o lyfr Henry Williamson, *Tarka the Otter*, oedd cerdd *Gwas y Dolau*, ond 'iddo symud y cefndir o diroedd Devon i lannau Teifi'.[128] Ni allai'r beirniad wobrwyo gwaith a oedd wedi dwyn 'tameidiau cyfain' o stori Henry Williamson, 'heb air ganddo i gydnabod hynny'.[129]

Gwnaethpwyd cais gan Rosllannerchrugog a'r Bala am Eisteddfod 1945, a'r Rhos a'i cafodd gan i Bwyllgor Plas Mwynwyr gynnig ei neuadd enwog, y 'Stiwt, at wasanaeth yr Eisteddfod, er nad yn yr adeilad hwnnw y cynhaliwyd yr Ŵyl yn y pen draw. Bwriadai pobl y Rhos lunio cais i wahodd yr Eisteddfod i'r ardal cyn y Rhyfel, ond yn ystod y gyflafan y cafodd ei dymuniad. Bwriedid cynnal Eisteddfod Genedlaethol Rhos-llannerchrugog am bum diwrnod, Awst 6-11, ac fe ddarparwyd 144 o gystadlaethau ar ei chyfer. 'Roedd rhaglen Eisteddfod 1945 yn un hynod o uchelgeisiol o ystyried fod y trefniadau ar gyfer yr Ŵyl ar y gweill yng nghanol berw'r Rhyfel, ond teimlai pobl yr ardal na allai'r Rhyfel barhau lawer iawn yn hwy. 'Trwy'r wythnosau a'r misoedd yr oedd y Rhyfel fel y Fagddu Fawr o'n cwmpas,' meddai'r Henadur J. T. Edwards, Ysgrifennydd y Pwyllgor Lleol, ond, er ei bod yn nos, 'yr oedd darogan Gwawr'.[130] Cafwyd anawsterau i sicrhau pafiliwn ar gyfer yr Ŵyl:[131]

> O'r diwedd, dyma weithredu ffydd a phenderfynu cael Pafiliwn. Ond lle ceid coed, a defnyddiau eraill yng nghanol prinder dybryd yr amserau?
>
> Bu raid herio'r Weinyddiaeth Cyflenwi, a mwy nag un weinyddiaeth arall. Erbyn hyn, mae stori Pafiliwn y Rhos yn un o'r rhamantau mawr. Cyrhaeddodd sŵn y frwydr loriau Sant Steffan ei hun; trechwyd pob rhwystr, cafwyd Pafiliwn mawr, a bellach nid Eisteddfod Ryfel oedd ein nod. Cyfiawnhawyd ein ffydd a pheidiodd y rhyfel efo'r Almaen. Rhaid felly mewn amser byr iawn oedd paratoi ar gyfer y torfeydd, a bu'r meddwl am letya cynrychiolaeth dda o'r genedl gyfan fel hunllef ar ysbryd y Pwyllgor Lleol.

A 'Well-known Story' y galwodd y *Western Mail* hanes codi'r pafilwn ar gyfer Eisteddfod y Rhos, ac fe gofnodwyd yr hanes gan y papur:[132]

> The story of the pavilion is well-known by now. Although turned down by the Ministry of Supply through lack of timber, Mr. Edwards was told by the Ministry that if someone would erect a corrugated iron pavilion they would be able to supply 35 tons of timber for the stage. Bunting was lent by Colwyn Bay and Rhyl Urban District Councils and Wrexham Town Council.

Ond hyd yn oed ar ôl i J. T. Edwards a'i gydweithwyr symud môr a daear i sicrhau pafiliwn ar gyfer y Brifwyl, ofnid y byddai'n rhaid i'r dorf y tu fewn i'r adeilad, a ddaliai 6,000 o bobl, sefyll ar ei thraed drwy gydol yr wythnos, nes i sefydliadau ac ysgolion mewn trefi ac ardaloedd cyfagos fel Croesoswallt, y Waun, Glynceiriog, Wrecsam a Rhiwabon ddod i'r adwy drwy fenthyca cadeiriau i'r Eisteddfod. Dyma ymdrech ryfel o fath gwahanol, ac un o'r storïau mwyaf arwrol yn holl hanes y Brifwyl.

Ym mis Mai, rai misoedd cyn yr Eisteddfod, daeth y Rhyfel yn erbyn Yr Almaen i ben yn swyddogol. Bwriodd pobl y Rhos a'r cylch ati i baratoi Eisteddfod fwy uchelgeisiol nag a fwriadwyd yn wreiddiol yng ngoleuni'r wybodaeth fod y Rhyfel yn Ewrop wedi dirwyn i ben. 'Pe rhagwelid gennym ar y dechrau cyntaf gyflawn faintioli Eisteddfod 1945, yn union fel yr oedd i ddigwydd prin y beiddiwn anturiaeth mor fawr,' meddai J. T. Edwards.[133] Un o freuddwydion pobl y Rhos, cyn y byddai'r Rhyfel yn dod i ben, oedd perfformio'r *Offeren ar B Leddf*, Bach, a'r opera *Ffawst*, Gounod, yn Gymraeg yn ystod wythnos yr Eisteddfod, a bellach 'roedd modd gwireddu'r breuddwydion hyn.

Y mae Eisteddfod y Rhos yn enwog ac yn unigryw ymhlith Eisteddfodau Cenedlaethol Cymru. Yn ystod wythnos yr Ŵyl y daeth yr Ail Ryfel Byd i ben yn swyddogol, ac am hynny y cofir Prifwyl Rhosllannerchrugog yn bennaf. Erbyn cynnal Eisteddfod Genedlaethol 1945 yn Rhosllannerchrugog 'roedd y Rhyfel yn Ewrop wedi'i ennill, ond y Rhyfel â Siapan yn parhau i lusgo ymlaen. Prin y sylweddolai neb ar y pryd mai yn ystod Eisteddfod y Rhos y dôi'r ymrafael hwnnw i ben. Yn wir, 'roedd Prifwyl 1945 yn ddathliad ac yn goffâd ar yr un pryd, ond yn gymysg â'r gorfoledd fod y Rhyfel ar ben o'r diwedd, yr oedd ofn ac arswyd. Ar ddydd Llun yr Eisteddfod, Awst 6, gollyngodd America fom atomig ar ddinas o'r enw Hiroshima yn Siapan; ar ddydd Iau, Awst 9, gollyngwyd bom arall, y tro hwn ar Nagasaki. Brawychwyd y byd. Gollyngwyd yr ail fom atomig ar ddiwrnod y cadeirio, ac mae'n eironig meddwl mai 'Yr Oes Aur' oedd testun yr awdl y flwyddyn honno, ac i'r bardd buddugol, Tom Parry-Jones, ganu am ddyhead tragwyddol y ddynoliaeth am oes aur ym myd gwyddoniaeth a chelfyddyd, oes o ffyniant a heddwch. Yn hytrach nag oes aur, yr oes oer a wynebai'r ddynoliaeth o fis Awst 1945 ymlaen, oes y Rhyfel Oer rhwng y pwerau mawrion a'r byd yn gorfod byw dan gysgod y bom.

Ar ddydd Gwener yr Eisteddfod, Awst 10, gwelwyd un o'r golygfeydd mwyaf dirdynnol ac emosiynol erioed ar lwyfan unrhyw Brifwyl, yr olygfa fwyaf dramatig yn wir oddi ar ddefod y cadeirio yn Birkenhead ym 1917. Yn ôl y *Western Mail*:[134]

> Every Eisteddfod has its dramatic climax. To-day, soon after mid-day, came the great moment, not merely of this year's Eisteddfod but of all eisteddfodic history. The climax arrived suddenly and unexpectedly.
>
> Half the audience had gone out to lunch and the other half were chatting during an interval between programme items when the general secretary (Alderman J. T. Edwards) stepped briskly across the platform, seized the microphone and gave out the news of Japan's surrender.
>
> For a split second there was absolute silence. Everybody seemed dazed, not instantly grasping the significance of the anouncement. Then the floodgate opened. The crowd rose to its feet, the cheering gained in volume and intensity until it seemed as if it would lift the roof.

Trefnwyd gwasanaeth o ddiolchgarwch yn y fan a'r lle. Canwyd yr emyn 'Cyfamod Hedd', adroddwyd gweddi angerddol o ddiolchgarwch gan Elfed, a oedd erbyn hyn yn ddall ac yn 85 oed, a chanwyd emyn arall, 'Arglwydd Iesu, Arwain F'enaid'.

Daeth y dathlu a'r marwnadu i mewn i gyngherddau'r Brifwyl. Brynhawn dydd Llun, Awst 6, perfformiwyd gwaith newydd gan gerddor lleol, Arwel Hughes, *Preliwd ar gyfer Cerddorfa (1945)*, er cof am y Cymry a laddwyd yn y Rhyfel, yng nghyngerdd cyntaf yr Eisteddfod. Ar y dydd Iau, Awst 9, cyflwynwyd ymwelwyr o'r gwledydd cynghreiriol i'r Archdderwydd, Crwys, ar ôl defod y cadeirio, gan barhau traddodiad a sefydlwyd yn Eisteddfod Bangor. Cynrychiolwyd wyth gwlad gan yr ymwelwyr hyn: Rwsia, America, Ffrainc, Norwy, Iwgoslafia, Tsiecoslofacia, Gwlad Belg a Tsieina. Bu dau o'r cynrychiolwyr yng ngwersyll-garchar Dachau. Talwyd teyrnged i'r Eisteddfod gan bob un o'r ymwelwyr hyn. Ar nos Iau, cynhaliwyd cyngerdd gan Gerddorfa'r Gwarchodlu Cymreig yn y pafiliwn i groesawu'n ôl y Cymry a fu'n gwasanaethu yn y Lluoedd Arfog yn ystod y Rhyfel, ac 'roedd oddeutu trichant ohonyn nhw yn bresennol yn y cyngerdd. Traddodwyd anerchiadau o groeso gan yr Archdderwydd ar ran yr Orsedd, gan Esgob Llanelwy ar ran yr eglwysi, gan yr Henadur W. Emyr Williams, ar ran Cyngor yr Eisteddfod, a chan y Parchedig D. Wyre Lewis, ar ran Pwyllgor Lleol yr Eisteddfod. Llywydd y cyngerdd oedd y Brigadydd E. O. Skaïfe, a oedd wedi dysgu'r Gymraeg yn unswydd er mwyn gwneud i'r Cymry a oedd dan ei ofal deimlo'n gartrefol. Cafwyd anerchiad rhugl a llyfn ganddo o'i gof. Siaradodd sawl aelod o'r Lluoedd Arfog yn ystod y cyngerdd, ac un o'r rhain oedd Capten Dilwyn Miles, a obeithiai na fyddai Cymru yn anghofio cyfraniad ei bechgyn a'i merched i'r fuddugoliaeth fawr, nac yn gollwng dros gof y modd y bu iddyn nhw ennyn parch tuag at eu gwlad mewn gwledydd tramor â'u hymddygiad anrhydeddus.

Yn Eisteddfod y Rhos cyflwynwyd rhodd i'r Eisteddfod gan y Gwarchodlu Cymreig, sef Cwpan Coffa er cof am eu cymrodyr a laddwyd yn y Rhyfel Mawr a'r Ail Ryfel Byd. Yr oedd y cwpan drudfawr hwn i'w gyflwyno i'r côr buddugol yng nghystadleuaeth y Corau Meibion, gan ddechrau ym Mhrifwyl Aberpennar y flwyddyn ddilynol. Addawyd hefyd y swm o 200 gini gan Gymdeithas Cymry Cairo a'r papur *Seren y Dwyrain*, gyda'r bwriad o gyflwyno'r rhodd i'r Eisteddfod yn Aberpennar, a'r llog i'w ddefnyddio fel gwobr arbennig yn yr Adran Lên. Penderfynodd Cyngor yr Eisteddfod gynnig y wobr am y tro cyntaf yn Eisteddfod Bae Colwyn ym 1947 i'r buddugwr yng nghystadleuaeth y cywydd mawl i un o ddyffrynnoedd Cymru.

Nid lladdedigion y Rhyfel yn unig a goffawyd yn Eisteddfod y Rhos. Yr oedd yr Eisteddfod wedi colli pedwar o'i charedigion mwyaf erbyn yr adeg y cynhaliwyd yr Ŵyl: Lloyd George, Llywydd Cyngor yr Eisteddfod ac un o atyniadau mawr yr Ŵyl yn ystod hanner cyntaf yr ugeinfed ganrif, ac a welwyd am y tro olaf yn Eisteddfod Aberteifi; G. Hartwell Jones, Is-lywydd y Cyngor; D. O. Evans, Cadeirydd y Pwyllgor Gwaith, a Henry Gethin Lewis, un o gyd-drysoryddion y Cyngor. Adroddodd Crwys bennill er cof am y pedwar wrth iddo agor yr Eisteddfod ar fore dydd Mawrth, Awst 7:

> Pan dawo cloch Llanrhaeadr hen,
> Pan fyddo Dwyfor ar ei gro,
> Pan êl Penmorfa dan y don,
> Pan syrthio castell ola'r Fro,
> Adenydd praff rhyw angel gwyn
> A fo tros feddau'r pedwar hyn.

Eisteddfodwr amlwg arall a gollwyd cyn Eisteddfod Rhosllannerchrugog oedd y bardd Richard Hughes, Glanconwy, a enillodd ar y gystadleuaeth 'Deuddeg o gerddi addas ar gyfer plant ysgol' yn y Rhos.

Siom enfawr yn Eisteddfod y Rhos oedd penderfyniad y beirniaid i atal y Goron, er bod y si ar led drwy'r maes mai merch a goronid. Dilys Cadwaladr oedd honno, un o feirdd gorau'r gystadleuaeth, ond nid oedd yn deilwng o'r Goron yn ôl y beirniaid. Digwyddiad rhyfedd, yng nghanol y dathliadau emosiynol yn y Rhos, oedd protest un o feirdd aflwyddiannus y Goron ar ddydd Mercher yr Eisteddfod. Digwyddodd y brotest ar ôl i Iorwerth Peate draddodi'r feirniadaeth ar y pryddestau. Trafod goreuon y gystadleuaeth yn unig a wnaeth Peate, ac nid oedd hynny wedi plesio un o'r cystadleuwyr. Yn ôl y *Western Mail*:[135]

> When Telynores Dwyryd had sung a welcome home to Welsh boys in the Forces and the Bishop of St. Asaph, the afternoon president, had come forward to deliver his address, a little incident occurred on the steps of the platform which escaped the notice of the audience.
>
> An aged bard, one of the 25 competitors ventured halfway up the steps and asked the Bishop if he would give a message to the Archdruid.
>
> "I am one of the 25," he said, "and I come from South Wales and demand to hear the adjudication on my poem."
>
> Before he could proceed further the disappointed bard was accosted by someone who had sized up the situation and was gently, but firmly shown to a seat while the Bishop proceeded with his address.
>
> The protesting bard proved to be Mr. R. R. Williams, of Thomas-street, Trethomas, near Caerphilly.

Y bardd protestgar hwn oedd *Eryr Eryri* yn y gystadleuaeth, y pryddestwr mwyaf anobeithiol o'r cyfan yn ôl y beirniaid!

Er mor ddirdynnol oedd sawl golygfa yn Eisteddfod y Rhos, 'roedd y Brifwyl yn dechrau dod yn ôl i drefn ar ôl blynyddoedd blêr cyfnod y Rhyfel. Ceisiwyd gweithredu'r Rheol Gymraeg yno, ac er na chafwyd Prifwyl gwbwl ddi-Saesneg, yr oedd yn symudiad pendant tuag at Brifwyl uniaith Gymraeg. Yn wir, gydag ethol W. J. Gruffydd yn Llywydd Cyngor yr Eisteddfod, i olynu Lloyd George, yr oedd y pwyslais yn y Rhos ar edrych ymlaen i'r dyfodol yn hytrach nag ar edrych yn ôl yn negyddol ar Ryfel erchyll a cholledus arall, a'r Byd Newydd a grëid wedi'r Rhyfel oedd byrdwn sawl anerchiad, fel yn Llandybïe flwyddyn ynghynt. Anogodd yr Henadur Cyril O. Jones, Wrecsam, wrth annerch yng nghyfarfod Undeb Cymru Fydd, ddefnyddio'r Gymraeg ymhob agwedd ar fywyd cyhoeddus Cymru, yn enwedig mewn llysoedd barn ac ar gynghorau lleol. Wrth agor yr Arddangosfa Gelf a Chrefft, gwelodd Syr Miles Thomas, cadeirydd Cwmni Nuffield, 'dystoliaeth bod Cymry'n benderfynol o wneud eu rhan i adeiladu byd callach a thecach, lle cydrodia medr a harddwch, diwydiant a diwylliant law yn llaw tuag at ffyniant dynolryw'.[136] Seinio cloch rybudd, fodd bynnag, a wnaeth Huw T. Edwards wrth siarad ar y testun 'Dyfodol Diwydiannol Gogledd Cymru' yng nghyfarfod y Cymmrodorion brynhawn Mawrth. Erfyniodd ar y Cymry i fentro mwyfwy i fyd busnes, gan awgrymu 'nad oes ysbryd antur gan y Cymro yn ei wlad ei hun – y mae digon o antur ganddo yn Lloegr, mae'n amser i Gymry ddod gartref i wneud eu rhan'.[137] Byddai 62,000 yn ddi-waith, meddai, 'os methir a chadw'r ffatrioedd newydd a ddaeth i'r Gogledd i weithio'n llawn,' a phe caeid y ffatrïoedd hyn, 'fydd yna ddim Byd Newydd yn y Gogledd'.[138] Cafwyd sawl arbrawf llwyddiannus yn y Rhos hefyd. Un o'r rheini oedd perfformio opera Gounod, *Ffawst*, yn y 'Stiwt, gyda T. H. Parry-Williams wedi cyfieithu'r libreto, ar nos Iau a nos Sadwrn yr Ŵyl. Hwn oedd y tro cyntaf erioed i'r opera gael ei pherfformio yn y Gymraeg. Canmolwyd hefyd y perfformiad o *Offeren ar B Leddf* Bach. Canwyd yr Offeren yn Lladin ond 'roedd Cynan wedi darparu cyfieithiad Cymraeg o'r gwaith, ac fe'i cynhwyswyd yn Rhaglen yr Ŵyl. 'Roedd yn Eisteddfod ariannol lwyddiannus yn ogystal, gyda'r elw yn nesu at £4,000. 'A chraig yn Llannerchrugog/A fyn ei lle yn Faen Llog' meddai T. H. Parry-Williams yn ei gywydd croeso i'r Brifwyl, ac 'roedd pobl y Rhos wedi mynnu cael Eisteddfod fawr lwyddiannus er gwaethaf yr holl drafferthion a'u hwynebai.

'Roedd yr Eisteddfod yn graddol ddod yn ôl i'r hen drefn ym Mhrifwyl y Rhos. Cafwyd Prif Gystadleuaeth Gorawl, yn hytrach na'r gystadleuaeth gorawl lai a gafwyd yn ystod blynyddoedd y Rhyfel, gyda Chôr Wrecsam yn ennill. Enillwyd y gystadleuaeth i Gorau Meibion gan Gôr y Mond am yr ail dro yn olynol, a chystadleuaeth y Corau Merched gan Gôr Pwllheli. Yr oedd nifer o gystadlaethau yn yr adran 'Areitheg' yn y Rhos hefyd, ac fe gafwyd adroddiad bychan dirdynnol yn *Y Cymro* wrth sôn am y gystadleuaeth i gorau adrodd dan 12 oed, sef cyd-adrodd 'Pitran Patran' allan o *Cerddi'r Plant* gan Waldo Williams ac E. Llwyd Williams. Enillwyd y gystadleuaeth gan Gôr Capel Celyn:[139]

> Cryn gamp i'r parti bach o Gapel Celyn o'r ysgol a dim ond deg o blant ynddi, ac un athrawes, ar ben y mynydd rhwng y Bala a Ffestiniog. Cipiodd y côr bach, sef y chwe aelod hynaf yn yr ysgol, y wobr gyda chanmoliaeth. Ni fu gwell enghraifft o uno gwaith yr ysgol a gwaith yr Eisteddfod. Rhaid cydnabod bod rhywbeth mewn traddodiad – ac y mae traddodiad eisteddfodol rhagorol yng Nghwm Celyn.

Mae'r print yn gwaedu drwy'r dudalen. Ymhen deng mlynedd yn union byddai'r newyddion am foddi Capel Celyn yn cyrraedd clustiau'r trigolion, ac ymhen deng mlynedd arall byddai'r weithred ysgeler wedi'i chyflawni, ac fe ddilewyd y 'traddodiad eisteddfodol rhagorol' hwn am byth.

Ynglŷn â'r Fedal Ryddiaith, yr un oedd y drefn yn Rhosllannerchrugog ag ymhob un o'r Eisteddfodau a gynhaliwyd yn ystod y Rhyfel, sef dyfarnu'r Fedal i awdur gwaith gorau'r flwyddyn flaenorol, y tro hwn gyda G. J. Williams, Gwenallt a J. O. Williams ar y panel. Methwyd dewis yr un enillydd o blith buddugwyr 1944, ac fe ataliwyd y wobr unwaith yn rhagor. Fe fu cystadlu brwd a diddorol yn Adrannau Rhyddiaith a Drama 1945, ond gyda chanlyniadau anfoddhaol yn aml. Ni chafwyd cystadleuaeth nofel ar gyfer oedolion, ond enillodd yr awdures mynych-ei-gwobrau honno, Elizabeth Watkin-Jones o Nefyn, gystadleuaeth y 'Nofel i blant o gyfnod y goets fawr', a'r gystadleuaeth honno a roddodd y nofel adnabyddus *Y Dryslwyn* i blant Cymru. Hi hefyd a enillodd gystadleuaeth y chwe stori amser gwely i blant, ac yr oedd yn un o'r rhai a wobrwywyd am lunio drama fer ar gyfer plant a drama ysgafn ddoniol, gyda'r dramodydd adnabyddus J. D. Miller hefyd yn un o'r rhai a dderbyniodd gyfran o'r wobr yn y ddwy gystadleuaeth. Ni chafwyd teilyngdod yn y gystadleuaeth am Dlws Drama'r Eisteddfod, ac ni chafwyd cystadlu o gwbwl ar y 'teithlyfr ymarferol' a osodwyd dair blynedd ynghynt. Cystadleuaeth ddiddorol yn y Rhos oedd yr ysgrif ar unrhyw un o dri thestun 'i aelodau o'r Lluoedd Arfog', cystadleuaeth a enillwyd gan '1136596, Cpl. Glyn Evans, 102 R.S.V., R.A.F., Ceylon Air Forces', gŵr o Lanelli, gyda saith yn cystadlu.

Cystadleuaeth ddiddorol arall yn Rhosllannerchrugog oedd y gystadleuaeth 'Drama yn cynnwys gwaith ar gyfer côr adrodd'. Enillwyd y gystadleuaeth gan Gwilym R. Jones dan feirniadaeth Thomas Parry, ond gofynnodd i John Gwilym Jones am help i ffurfio barn ar y cyfansoddiadau. Lluniwyd y ddrama mewn *vers libre* yn bennaf, a dywedodd Thomas Parry fod yr awdur yn fardd yn ogystal â dramodydd. Yr oedd y ddrama fuddugol, *Clychau Buddugoliaeth*, yn gweddu i'r dim i'r achlysur, gan fod y ddrama wedi ei lleoli mewn clochdy eglwys ar adeg canu clychau i ddathlu buddugoliaeth yn y Rhyfel, ond nid dathliad gorfoleddus mohono, ddim mwy nag yr oedd dathlu diwedd y Rhyfel yn yr Eisteddfod ei hun yn brofiad llwyr orfoleddus. Yn nrama Gwilym R. Jones mae ysbrydion y rhai a laddwyd yn dod at y clochyddion, yn union fel y byddai drychiolaethau Auschwitz a Belsen a Hiroshima a Nagasaki yn dychwelyd i hawntio'r byd yn y dyfodol. Ac efallai mai Gwilym R. Jones a drawodd y cywair priodol yn Eisteddfod y Rhos:

> Fe'u gwelwch eto:
> bydd eu gwaed o'r beddau gwyw
> yn diferu o'r cymylau
> ar awr y machlud.
> Bydd eu clwyfau
> ar fynwesau
> plant ein plant.

Ac fe ddaeth Eisteddfodau'r Rhyfel i ben gyda Phrifwyl y Rhos. Llwyddwyd i gynnal yr Ŵyl yn nannedd myrdd o anawsterau, a thrwy rym ewyllys caredigion yr Eisteddfod y llwyddwyd i drechu'r holl rwystrau. 'When the history of the Eisteddfod during the tragic years of the war and the depressing period of the aftermath of war is written it will present a credible and even inspiring record of which Wales may feel justly proud,' meddai'r Athro Ernest Hughes ym 1948.[140] Bellach yr oedd angen ailadeiladu'r Eisteddfod a'i chael yn ôl at yr hen drefn yn raddol, ac fe wyddai Cynan a D. R. Hughes yn fwy na neb mai cyfnod o ailadeiladu a wynebai'r Brifwyl a'r genedl ar ôl Eisteddfod y Rhos:[141]

> Pa un bynnag ai trwy'r porth cyfyng ai trwy'r porth eang y daw'r atgyfnerthion i chwyddo ein haelodaeth, y mae gennym ddigon o waith yn ein haros i "gwbl-gyweirio'r muriau" a "dechrau cau yr adwyau," fel y gwneler yr Eisteddfod Genedlaethol erbyn yr holl dreialon adfydus a fydd yn b[y]gwth Cymru yn ystod

ansicrwydd y blynyddoedd nesaf, yn gadarnach caer nag erioed "i ddiogelu'r Iaith Gymraeg ac i hyrwyddo'r Diwylliant Cymreig."

Cynhaliwyd tair prifwyl ohiriedig yn olynol rhwng 1946 a 1948: Eisteddfod Aberpennar, sef ail ddewis 1940, Eisteddfod Bae Colwyn ac Eisteddfod Pen-y-bont ar Ogwr. Eisteddfod Aberpennar oedd y Brifwyl gyntaf i'w chynnal yn ystod y flwyddyn lawn gyntaf o heddwch, a dychwelwyd at raglen lawn. Eisoes yr oedd pafiliwn ar gael yn Aberpennar, sef y pafiliwn a brynwyd gan Gyngor yr Eisteddfod ar y cyd ag Adran Deheudir Cymru a Mynwy o'r Cyngor Cenedlaethol er Gwasanaeth Cenedlaethol ym 1940, a chan fod y Dywysoges Elizabeth i'w hurddo yn yr Orsedd yn Eisteddfod Aberpennar, disgwylid Prifwyl dra llwyddiannus. Ac felly y bu, yn ariannol o leiaf, gyda'r fantolen yn dangos elw sylweddol o £9,000 ar ôl yr Ŵyl.

Prif atyniad Eisteddfod Aberpennar oedd ymweliad y Dywysoges Elizabeth â'r Ŵyl. Urddwyd y Dywysoges yn Ofydd Anrhydeddus ym Mharc y Dyffryn ar fore dydd Mawrth yr Eisteddfod. Fe'i derbyniwyd i Gylch yr Orsedd gan Crwys, ym mlwyddyn olaf ei archdderwyddaeth, a dymunodd 'Oes y byd i Elisabeth'. Yn y seremoni agoriadol yn y pafiliwn, cyfarchodd Crwys y Dywysoges, a'i galw yn 'Ofydd mwy tlws nag Efa' a gobeithiai y byddai Elisabeth o Windsor yn mynychu pob Eisteddfod yn y dyfodol. Traddodwyd yr anerchiad agoriadol gan yr Henadur W. Emyr Williams, Cadeirydd Pwyllgor Gwaith Cyngor yr Eisteddfod. Dechreuodd draddodi yn Gymraeg, ond troes at y Saesneg i groesawu'r Dywysoges, gan hyderu 'fod dolen wedi ei sicrhau y diwrnod hwnnw i gysylltu'r Dywysoges yn dynnach â Chymru,' a chofiodd am ymweliad ei rhieni ag Eisteddfod Abertawe ym 1926.[142] Galwodd Crwys arni i agor yr Ŵyl yn swyddogol, a gwnaeth hynny yn Saesneg. Dywedodd mai dyma'r tro cyntaf erioed iddi ymweld â'r Eisteddfod, ac 'roedd yn mwynhau'r profiad. Talodd deyrnged i'r Cymry am lwyddo i gynnal yr Eisteddfod yn ystod blynyddoedd tywyll dau Ryfel Byd:[143]

> Two great wars have not been able to quench the vitality of your Eisteddfodau as they have moved from place to place among your mountains and villages, and in the last six years an increasing flow of verse and prose has been sent to these annual celebrations by the valiant men of Wales who have been serving overseas.

Talodd deyrnged hefyd i lowyr Cymry:[144]

> Your Eisteddfodau have ever delighted to honour and cherish the crafts of Wales, no less than its arts, and I am very glad that I shall be able to-day to see examples of the skill and deftness of the Welsh miner. His name, wherever it is known – and where is it not known? – is a symbol of tenacity and achievement. Never before have so many looked to him for those qualities as to-day, and I am very sure that they will not be lacking.

Terfynodd ei hanerchiad gyda brawddeg o Gymraeg, 'Ymlaen â'r Eisteddfod, a phob bendith i Gymru'. I gloi'r seremoni agoriadol, canodd Eleanor Dwyryd benillion o waith Crwys i gyfeiliant y delyn, a ganwyd gan Gwenllian Dwyryd:

Rhowch amdani'r sidan main,
Un cain o liw y gwyrddfor,
Hugan glos lliw gwaun a glyn
A'r gwanwyn yn dygyfor,
Gwyrddach gŵn na'r gwyrddaf peth
I Elisabeth o Windsor . . .

Ac wedi gweld fel toriad gwawr,
'Rwy'n awr yn disgwyl rhagor,
Pwy ŵyr na welir Crwys dan wŷs
I fynd i'r Llys i neithior,
A minnau'n mynd o galon rwydd
Yn unswydd tua Windsor . . .

Yn y prynhawn 'roedd y Dywysoges yn bresennol yn nefod y coroni. Cyflwynodd dystysgrif yr Eisteddfod i'r Prifardd buddugol, Rhydwen Williams. Ar ôl y coroni, gwahoddwyd saith ymwelydd tramor i ddod i'r llwyfan, gan barhau traddodiad a sefydlwyd yn ystod blynyddoedd y Rhyfel. Yn eu plith yr oedd Boris Karavaev o Rwsia, un o'r tramorwyr cyntaf i ymweld â'r Eisteddfod yn ystod cyfnod y Rhyfel. Clowyd y seremoni gan Lywydd y Cyngor, W. J. Gruffydd. Ar ôl datgan ei falchder fod y Dywysoges yn anrhydeddu'r Eisteddfod gyda'i hurddas a'i harddwch, nododd ei bod yn ddyletswydd ar bob Cymro i feithrin a hybu'r

Eisteddfod, yn enwedig am fod cenhedloedd bychain y byd, bellach, yn gorfod ymladd am eu hanadl einioes.

Nid Cymdeithas yr Orsedd fel y cyfryw a wahoddodd y Dywysoges i Aberpennar, ond yn hytrach un o swyddogion yr Orsedd ar ôl ymgynghori â dau aelod o Bwyllgor Lleol yr Ŵyl. Pan drafodwyd y mater gerbron Bwrdd yr Orsedd yn ddiweddarach, 'roedd y trefniadau i gyd ar y gweill, ac nid oedd modd eu dadwneud. Ni chytunai'r *Faner* â gwahodd y Dywysoges i'r Brifwyl: 'Rhaid talu teyrnged i Cynan am ei waith yn dwyn urddas i ddefod yr Orsedd, eithr, yn bersonol, nid oes gennyf i lawer o gydymdeimlad â'r syniad o urddo'n aelodau anrhydeddus wŷr a merched na wnaethant ddim dros Gymru, nad ydynt yn Gymr[y] o waed ac iaith, ac na ddichon iddynt gymryd mwy na diddordeb arwynebol ynom ac yn ein diwylliant'.[145]

Gwir dywysogion yr Ŵyl yn ôl *Y Faner* oedd y ddau Brifardd buddugol, Rhydwen Williams a Geraint Bowen. 'Eisteddfod Plaid Cymru fydd hon, canys pleidwyr selog yw Bardd y Goron a Bardd y Gadair,' meddai'r papur, fel rhyw fath o brotest yn erbyn urddo'r Dywysoges.[146] 'Roedd defod y cadeirio yn Aberpennar yn un deimladwy a chofiadwy. Cadeiriwyd cyw o linach, nai i Ben Bowen a Myfyr Hefin, a mab i T. Orchwy Bowen, tri brawd a phob un o'r tri yn barddoni. Traddodwyd y feirniadaeth gan Gwenallt ar ran ei ddau gyd-feirniad, Thomas Parry a Gwyndaf, a dywedodd fod y tri yn unfryd unfarn mai bardd yn dwyn y ffugenw *Y Marchog Gwyllt* a oedd i'w gadeirio. Un o'r rhai a gyfarchodd y bardd buddugol oedd ei ewythr, Myfyr Hefin, ac adroddodd hefyd englyn o waith T. Orchwy Bowen, a fethodd ddod i Aberpennar i weld cadeirio'i fab oherwydd ei fod yn glaf yn ei wely:

> Ti yw Marchog y marchogion, – ti, fy mab,
> Ti fy myd a'm calon,
> Ddest â nwyd fy mreuddwydion
> O dir hud drwy'r Gadair hon.

'Golygfa deimladwy oedd gweld Elfed, yr hen ŵr musgrell a dall ond pert ei leferydd, yn cyflwyno'r dystysgrif i'r bardd ifanc,' meddai'r *Faner*, ac wrth ei chyflwyno 'dywedodd ei fod wedi cael y fraint o roi coron ar ben ei ewythr yn Eisteddfod Llundain, wedi i Ben Bowen ddychwelyd o Affrica i geisio bedd cynnar yng Nghymru'.[147]

Gyda'r Eisteddfod bellach wedi ei hadfer i'r hen drefn, yr oedd llawer o edrych ymlaen at yr hen ymrafael rhwng De a Gogledd yn y cystadlaethau corawl, y Brif Gystadleuaeth Gorawl yn enwedig. Cystadleuaeth gorawl yn unig a gafwyd yn ystod y Rhyfel, er i Eisteddfod y Rhos adfer y Brif Gystadleuaeth Gorawl, ond ar raddfa ychydig yn llai. Siom enfawr oedd y ffaith mai dim ond un côr a oedd wedi rhoi ei enw ymlaen i gystadlu yn y Brif Gystadleuaeth Gorawl yn Aberpennar, sef Côr Cymysg Caernarfon, a enillodd y wobr yn rhwydd. Beiwyd y ddau ddarn gosod, *Y Bwa Hud*, David Evans, a *Tyrd, Dduwies Awen*, Hopkin Evans, am yr anghaffael. '[T]he 1946 Eisteddfod will probably be remembered longest for the controversy that was aroused over the chief choral event,' meddai adroddiad yn y *Western Mail*.[148] Yn wyneb y fath siom, trefnwyd cystadleuaeth gorawl arall ar y funud olaf gan yr Eisteddfod, a'r tro hwn rhoddwyd darnau poblogaidd i'r corau eu canu, sef unrhyw gytgan o'r *Elijah*, y *Messiah* neu'r *Emyn Mawl*. Bu 16 o gorau'n cystadlu yn y gystadleuaeth arbennig hon, ac enillwyd y gamp gan Gôr Broughton a'r Cylch o ardal Wrecsam. Enillodd Côr Merched Caernarfon y brif wobr yn eu hadran hwythau yn ogystal, y tro hwn gyda rhai o brif gorau merched y De yn cystadlu yn eu herbyn.

Llwyddiant diamheuol yn Aberpennar oedd yr arddangosfa Gelf a Chrefft. Canmolwyd yr arddangosfa, a agorwyd gan Geoffrey Crawshay, Arwyddfardd yr Orsedd a Chadeirydd Bwrdd Iechyd Cymru, a Dr Iorwerth C. Peate, fel yr un orau erioed yn nhyb amryw. Credai Iorwerth Peate ei bod ymysg y goreuon yn hanes y Brifwyl. Pwysleisiodd Peate yn ei anerchiad mai gŵyl y crefftwyr oedd yr Eisteddfod Genedlaethol: 'Crefftwyr ydym oll – yr ysgolhaig fel y saer, y bardd fel y gwehydd, y llenor fel y gof,' ond gresynai fod rhai yn dadlau mai Cerdd Dafod a Cherdd Dant oedd priod faes yr Eisteddfod, a gofidiai mai 'atodiad i'r Eisteddfod fu'r Adran hon yn llawer rhy aml'.[149]

Gyda'r Eisteddfod bellach yn graddol symud i gyfeiriad uniaith Gymraeg, achosodd rhai digwyddiadau gryn dipyn o gyffro yn Aberpennar, yn ychwanegol at yr anfri o agor yr Eisteddfod yn rhannol yn Saesneg ym mhresenoldeb y Dywysoges a'r ffaith fod llawer gormod o Saesneg i'w glywed ar y maes. Traddododd dau o feirniaid y bandiau pres eu beirniadaeth yn Saesneg ar brynhawn dydd Llun yr Eisteddfod, am na fedrent y Gymraeg. Ar fore dydd Gwener yr Ŵyl gofynnodd E. T. Davies am ganiatâd i draddodi ei feirniadaeth ar gystadleuaeth canu'r delyn yn

Saesneg oherwydd bod tair Saesnes ymhlith y cystadleuwyr. Achoswyd mwy fyth o gyffro ar nos Fercher, ac yn enwedig ar nos Iau, pan berfformiwyd y *Messiah* Handel gan Gôr yr Eisteddfod, nifer o unawdwyr a Cherddorfa Ffilharmonig Llundain. Ar y nos Iau, 'roedd y cyngerdd yn hwyr yn dechrau, ac erbyn y diwedd 'roedd aelodau'r Gerddorfa ar frys i ddychwelyd i Lundain, a brysiwyd drwy'r perfformiad. '[T]he whole thing was disappointing . . . and in addition there was a tendency to rush and hurry the work,' meddai adroddiad yn y *Western Mail*.[150] Canwyd anthem Lloegr ar ddiwedd y perfformiad, ond gadawodd rhai aelodau o'r Gerddorfa cyn canu 'Hen Wlad fy Nhadau', a gwnaethant hynny ar nos Fercher yn ogystal. Trefnwyd deiseb gan rai cenedlaetholwyr i brotestio yn erbyn anghwrteisi'r Gerddorfa, ac arni'r geiriau hyn – 'Yr ydym ni, yr isod, yn protestio'n gryf yn erbyn gweithred warthus aelodau Cerddorfa Philharmonig Llundain yn cerdded allan cyn canu'r anthem genedlaethol "Hen Wlad fy Nhadau," ar derfyn cyngherddau nos Fercher a nos Iau' – gyda'r bwriad o gyflwyno'r ddeiseb i swyddogion yr Eisteddfod ac i bennaeth y Gerddorfa.[151] 'Yr ydym yn talu arian mawr i'r cerddorfeydd hyn am ein gwasanaethu yn ein gŵyl genedlaethol, a pheth da yw eu hatgoffa mai cwrteisi elfennol yw parchu teimladau cenedl fach er ei bod yn genedl gaeth yn hualau eu cenedl hwy,' meddai'r *Faner* am y digwyddiad.[152]

Cafwyd nifer o gyngherddau uchelgeisiol yn Aberpennar, ond siomedig yn ôl pob tystiolaeth oedd y *Messiah*, a berfformiwyd gyda Cherddorfa Ffilharmonig Llundain a Chôr yr Eisteddfod yn cymryd rhan. Mwy llwyddiannus o lawer oedd y cyngerdd o weithiau newydd sbon gan gerddorion Cymreig cyfoes ar nos Fawrth yr Eisteddfod. Arbrawf llwyddiannus arall oedd y perfformiad o *Requiem* Brahms yn Gymraeg, gyda chyfieithiad gan Enid Parry o Fangor, cam pendant arall tuag at y Brifwyl uniaith Gymraeg.

Seisnigrwydd o fath gwahanol a boenai Kate Roberts wrth lywyddu yng nghystadleuaeth derfynol y ddrama un-act yn y Coliseum, Trecynon, ar nos Lun. Gresynodd mai cyfieithiadau oedd y tair drama a berfformiwyd y noson honno, ac er mor werthfawr oedd cyfieithiadau o'r fath, fe allent hefyd fod yn beryglus. 'Mae'r cyfieithu parhaus o'r Saesneg sy'n digwydd ar hyn o bryd yn ddrwg mawr inni fel cenedl,' meddai, 'gan ei fod yn rhoi syniadau inni am ddull gwahanol o feddwl a moesau byw, ac mae'r dulliau hynny'n dyfod atom yn rhy gyflym o lawer, mewn ffyrdd eraill, drwy'r cinema a'r radio'.[153] Er bod cyfieithiadau yn cyflenwi angen, 'roedden nhw hefyd yn porthi diogi, a'r hyn yr oedd ei angen ar Gymru oedd dramodwyr a chanddynt weledigaeth o fywyd. Un cyfieithiad a berfformiwyd gan ddau gwmni gwahanol yn Aberpennar oedd *Awel Gref*, cyfieithiad J. Ellis Williams o ddrama Emlyn Williams, *The Wind of Heaven*, ond barnwyd fod y ddrama yn rhy anodd i'w pherfformio gan gwmnïau amatur.

Gwan, at ei gilydd, oedd y cystadlu ar ryddiaith ym 1946. Dau gystadleuydd yn unig a ymgeisiodd ar y nofel hir, a rhoddodd Kate Roberts gyfran o'r wobr i un ohonynt, yn gyndyn braidd. Cwynodd Kate Roberts na chafwyd dim byd hir iawn ym myd y nofel ers dyddiau Daniel Owen. 'Yn y dyddiau hyn, pan mae bri ar y stori fer, y nofel fer, Colegau Brys, a mesur byr o bopeth, ni byddai'n beth drwg cael rhywbeth llenyddol y medrwn roddi ein dannedd ynddo a chael pryd go hir o fwyd,' meddai.[154] Hanner y wobr a gafodd Elizabeth Watkin-Jones yng nghystadleuaeth y nofel hanesyddol fer, a bu'r nofel honno yn aflwyddiannus mewn cystadlaethau eraill cyn 1946. Er i gystadleuaeth y ddrama hir ddenu deuddeg o ddramodwyr, ataliwyd y wobr. 'Y mae'r angen a'r galw am ddramâu Cymraeg da yn fwy nag y bu erioed,' meddai E. Ernest Hughes yn ei feirniadaeth, a nododd mai 'prinder dramâu newydd yn y Gymraeg yw'r eglurhad a roddir ar waith nifer o gwmnïau yn troi i chwarae yn Saesneg'.[155] Enillwyd rhai o'r cystadlaethau eraill gan enwau cyfarwydd. Enillwyd cystadleuaeth y ddrama un-act wreiddiol gan Eic Davies, yng nghystadleuaeth y ddrama fer ar gyfer plant, dyfarnwyd dwy ddrama gan J. D. Miller a dwy gan Elizabeth Watkin-Jones yn gydfuddugol, a chafodd y ddau fân fuddugoliaethau eraill yn ogystal.

Un o draethodwyr buddugol Aberpennar oedd Dafydd Jenkins, a enillodd ar y 'Traethawd Beirniadol ar y Nofel Gymraeg ar ôl Daniel Owen'. Mae'r gystadleuaeth hon yn bwysig oherwydd fe ddyfarnwyd y Fedal Ryddiaith i awdur y traethawd yn Eisteddfod Pen-y-bont ar Ogwr ym 1948. Nodir yn *Adroddiad 1948* y câi'r Fedal ei chyflwyno i waith 'o deilyngdod arbennig yn Adran Rhyddiaith yn ystod 1945-46-47',[156] ac ar y panel a benodwyd i ddewis enillydd yr oedd tri o'r beirniaid a fu ar banel 1945 ac a fethodd ddod o hyd i enillydd ymhlith buddugwyr 1944, sef G. J. Williams, Gwenallt a J. O. Williams, gyda T. J. Morgan yn bedwerydd. Cyflwynwyd y Fedal ym 1948 am y tro cyntaf ers i Gwilym R. Jones ei hennill ym 1942, ac mae'n arwyddocaol mai traethawd ar y nofel yn hytrach na nofel neu waith creadigol arall a enillodd y Fedal, gan mai llwm oedd byd y nofel a rhyddiaith greadigol yn gyffredinol yn ystod y pedwardegau. Dafydd Jenkins oedd yr unig gystadleuydd ar y traethawd ar y nofel Gymraeg ar ôl Daniel Owen. Yn ôl y beirniad, Llewelyn Wyn Griffith, 'roedd y traethodwr buddugol yn dangos 'barn aeddfed ac annibynnol' ac fe 'sgrifennwyd y traethawd 'mewn iaith syml ac ystwyth'.[157]

Er i'r Cyngor addo mai ym Mae Colwyn y cynhelid yr Eisteddfod gyntaf yn y Gogledd wedi i'r Rhyfel ddod i ben, ym 1945 'roedd dwy dref arall yng Nghymru yn ystyried gwahodd yr Ŵyl i'w cylchoedd, Machynlleth a Chaernarfon, ond i Fae Colwyn yr aeth Prifwyl 1947. 'Roedd arwyddion ym 1947 fod yr Ŵyl wedi dod yn ôl ar ei thraed ar ôl blynyddoedd y Rhyfel, ac am y tro cyntaf ers rhai blynyddoedd, derbyniodd y Pwyllgor Gwaith ddirprwyaethau o wahanol drefi yn estyn gwahoddiad i Eisteddfod 1949, sef Dolgellau, Pwllheli, Penarlâg a Rhuthun, a Dolgellau a'i cafodd. Daeth cyfnod i ben ac fe gychwynnwyd cyfnod newydd ym 1947 pan ymddiswyddodd D. R. Hughes o fod yn Gyd-ysgrifennydd Cyngor yr Eisteddfod gan benodi Ernest Roberts yn olynydd iddo, a phan ddechreuodd Wil Ifan ar ei waith fel Archdderwydd, gan olynu Crwys a lywiodd yr Ŵyl drwy flynyddoedd dyrys y Rhyfel.

Fe gafwyd anawsterau mawr i gael coed i godi'r pafiliwn ar gyfer Eisteddfod Bae Colwyn. Meddai Elwyn Roberts, Ysgrifennydd Lleol yr Ŵyl:[158]

> Ychydig ddyddiau cyn anobeithio'n llwyr, a throi ein golygon tua Phafiliwn Caernarfon, llwyddwyd trwy gyd-weithrediad y Weinyddiaeth Waith a Chyngor y Dref i gael y mesur angenrheidiol o goed ar fenthyg. I bob pwrpas hen Bafiliwn Eisteddfod Genedlaethol 1939 ydoedd, gyda rhai gwelliannau ac ychwanegiadau ac yn dal, yn swyddogol, 8,000 o gynulleidfa. Gostyngwyd nifer y seddau er mwyn codi nifer y cadeiriau ac felly beri bod mwy o seddau cyfforddus nag a gafwyd mewn unrhyw Eisteddfod Genedlaethol o'r blaen.

Cymerwyd camau mawr tuag at sicrhau gŵyl uniaith Gymraeg ym 1947. Yn ôl Elwyn Roberts eto:[159]

> Yn ôl tystiolaeth y rhai pybyrraf yr oedd Eisteddfod Genedlaethol 1947, yn "hyfryd o Gymreig," ac yn sicr ddigon hi oedd yr Eisteddfod fawr fwyaf Cymreig o iaith ac ysbryd a gynhaliwyd. Er nad oedd yr Adran Gerddorol yn bob dim i'w ddymuno yn ôl manylaf ofynion y Cyngor, eto i gyd yr oedd blaenoriaeth amlwg i'r iaith Gymraeg yn ei threfniadau. Yr oedd y Cystadleuthau Ieuenctid i gyd yn Gymraeg, gorfodid canu un unawd yn Gymraeg, ac yr oedd geiriau Cymraeg i bob un o'r darnau corawl. At hyn traddodwyd y beirniadaethau yn Gymraeg ac eithrio mewn dwy neu dair cystadleuaeth, pan droseddwyd yn erbyn y rheol heb ganiatâd. Perfformiwyd "Dido ac Aeneas" yn Gymraeg gan y Côr Plant, ac arall efallai a fuasai'r hanes am y Côr mawr a roes gyfrif mor dda ohono'i hun, pe buasai wrth law gyfanwaith wedi ei drosi i'r Gymraeg.

'Dangoswyd,' meddai Cynan ac Ernest Roberts, 'y gellir cynnal Eisteddfod drwyadl Gymreig ynghanol Seisnigrwydd heb fod neb o'r ymwelwyr yn meddwl cwyno ar hynny, am y rheswm syml fod y Pwyllgor Lleol eu hunain mor gadarn yn y ffydd'.[160]

Er hynny, nid trwy gyfrwng y Gymraeg y llywiwyd popeth ym Mae Colwyn. Cynhaliwyd cyngerdd rhyngwladol, gan ddilyn esiampl Llandybïe, ar nos Lun yr Eisteddfod, Awst 4. Perfformiwyd yn y cyngerdd hwnnw gan artistiaid o Rwsia a'r Eidal, a chan grŵp o ddawnswyr o Lydaw. Hon oedd blwyddyn sefydlu Eisteddfod Ryngwladol Llangollen, ac yr oedd yr elfen ryngwladol hon i'w chroesawu ym marn yr Athro Ernest Hughes. 'That it gained unchallenged inclusion in the National Eisteddfod may be the measure of the strength of the native tradition if it means that we freely welcome the best that the world can give in the full confidence that it will enrich our national heritage with no risk of overwhelming it,' meddai.[161]

Yr oedd cryn dipyn o bryder fod corau o Loegr yn cipio rhai o'r prif wobrau yn y cystadlaethau corawl yn ogystal. Yn y Brif Gystadleuaeth Gorawl, enillwyd y wobr gyntaf gan y 'Sale and District Musical Society', côr a fu'n llwyddiannus yn y gystadleuaeth hon fwy nag unwaith yn y gorffennol, a'r ail wobr gan y 'Runcorn Orpheus Choir', dau gôr o ogledd Lloegr. 'Roedd tri chôr o Ogledd Cymru yn cystadlu yn eu herbyn, ond dim un o'r De. 'A new Saxon invasion of Wales' oedd hyn yn ôl y *Western*

Mail.[162] 'Having conquered the Welsh land the English now seem to have found a breach in the very innermost defences of the Welsh soul – the National Eisteddfod itself,' meddai adroddiad yn y papur.[163] Enillodd côr arall o Loegr, yr 'Earlstown Orpheus', gystadleuaeth y Corau Merched.

Y ddau brif destun siarad ar faes Eisteddfod 1947 oedd camp y corau o Loegr a beirniadaeth Thomas Parry ar bryddestau'r Goron. Beio agwedd amaturaidd corau Cymru a wnaeth J. Morgan Nicholas, a oedd newydd gael ei benodi yn Gyfarwyddwr Cyngor Cerdd Prifysgol Cymru. Ni allai'r mwyafrif helaeth o aelodau o gorau Cymru ddarllen cerddoriaeth, meddai, tra oedd aelodau o gorau'r Saeson yn gerddorion hyddysg, 'ac o ganlyniad ychydig o amser mewn cymhariaeth sydd yn angenrheidiol iddynt ddysgu darnau cerddorol newydd'.[164] Thomas Parry a draddododd y feirniadaeth ar ran ei gyd-feirniaid, Wil Ifan a Gwilym R. Jones, yng nghystadleuaeth y Goron, ac fe'i darlledwyd gan y BBC. 'Roedd beirniadaeth lafar Thomas Parry yn llawer halltach ar lafar oddi ar lwyfan yr Ŵyl nag yr oedd mewn print yn y Cyfansoddiadau. Dywedodd Thomas Parry fod y bryddest fuddugol yn dywyll mewn mannau, ac nad oedd iddi gynllun na datblygiad amlwg. 'Roedd y bardd hefyd yn defnyddio geiriau a oedd wedi hen farw, a byddai'n rhaid iddo gael gwared â rhai chwiwiau ac ystrywiau yn ei arddull cyn y gallai fod yn fardd o bwys. Yr oedd y si ar led drwy'r maes fod y Prifardd buddugol yn bwriadu rhoi'r Goron yn ôl i'r Eisteddfod ar ôl clywed y fath feirniadaeth lem ar ei waith, ond gwadu'r honiad a wnaeth Griffith John Roberts. Ar y llaw arall, yn union ar ôl seremoni'r cadeirio, cafwyd golygfa emosiynol. Enillwyd y Gadair gan J. T. Jones (John Eilian), am ei awdl 'Maelgwn Gwynedd', a oedd wedi ei llunio ar fesur 'Madog' T. Gwynn Jones. 'Roedd T. Gwynn Jones yn eistedd yn y gynulleidfa, a chan fod y prentis wedi talu teyrnged i'w feistr, a'r gŵr y bu'n astudio dano yn Aberystwyth, galwodd Llywydd prynhawn dydd Iau'r cadeirio, W. J. Gruffydd, arno i ddod ymlaen i'r llwyfan. Ymlwybrodd yr henwr i'r llwyfan gyda chymorth ffon. 'Y deyrnged a dalwyd i'r Athro T. Gwynn Jones pan ofynnwyd iddo ddyfod i fyny i'r llwyfan, a'i weld yn cerdded i fyny ac yn cael y fath dderbyniad,' oedd uchafbwynt yr Ŵyl i John Eilian.[165]

'Roedd llawer o bryderu am ddyfodol y cymunedau Cymreig ym Mae Colwyn. Poenai Gwynfor Evans, wrth annerch ar fore dydd Mercher, fod llawer o Gymry yn mynd i Loegr i chwilio am waith, tra oedd y Llywodraeth yn bygwth hawlio miloedd o aceri o ddaear Cymru. Yn ei araith ar brynhawn dydd Mercher, dywedodd James Griffiths fod ei etholaeth wedi codi pedwar côr yn ystod y chwarter canrif diwethaf – Brynaman, Cwmaman, Llanelli a Rhydaman – a bod pob un o'r rhain wedi ennill y Brif Gystadleuaeth Gorawl mewn mwy nag un Eisteddfod Genedlaethol. Pryderai y byddai elfennau llai buddiol yn treiddio i fewn i fywyd cymdeithasol cymunedau o'r fath pe bai'r corau yn diflannu o'r ardaloedd hyn. 'Roedd y newidiadau diweddaraf ym myd diwydiant yn golygu newidiadau mawr ym mywyd cymdeithasol Cymru, meddai, a byddai hynny'n her i'r genedl.

'Roedd Gŵyl 1947 yn nodedig o safbwynt y ddrama. 'Hon oedd Eisteddfod y Saith Rhyfeddod ym myd y Ddrama,' meddai Elsbeth Evans yn *Y Cymro*, gan restru'r saith rhyfeddod: 'cystadleuthau actio gyda buddugwyr digamsyniol, a dim un o'r cwmniau anfuddugol yn cael "cam"; cynnig ysgoloriaethau i'r cynhyrchydd mwyaf addawol; trefnu arddangosfa ddrama; cyfarwyddwr addysg yn ysgrifennu drama; swyddogion y B.B.C. yn ymatal rhag atal y wobr mewn un gystadleuaeth a hanner; Mr. Hugh Griffith'.[166] Cyfeirio yr oedd at nifer o weithgareddau ym myd y ddrama ym Mae Colwyn. 'Roedd Hugh Griffith, yr actor proffesiynol adnabyddus, yn un o feirniaid y prawf terfynol yn y gystadleuaeth actio drama hir ar ddiwedd yr Eisteddfod, a enillwyd gan Gwmni Glandŵr Abertawe gyda chryn ganmoliaeth, a chystadleuaeth y ddrama un-act, a enillwyd gan Gwmni Trefnant, eto gyda chanmoliaeth. Dyfarnwyd ysgoloriaeth i Islwyn James, cynhyrchydd gorau'r wythnos ymhob cystadleuaeth. Caffaeliad oedd cael Huw Griffith yn feirniad, yn ôl Elsbeth Evans. Trefnwyd arddangosfa a darlithoedd gan Bwyllgor Drama Lleol yr Ŵyl, a chafwyd darlithoedd da ar y ddrama, er bod ôl brys ar yr arddangosfa ei hun. Enillwyd Tlws y Ddrama am ddrama hir wreiddiol gan Edward Rees, Cyfarwyddwr Addysg Sir Ddinbych, dan feirniadaeth D. T. Davies a J. D. Powell. Derbyniodd M. Janet Jones o Wrecsam wobr gysur yng nghystadleuaeth y ddrama radio Gymraeg, gwobr a ataliwyd sawl tro yn y gorffennol, ac enillodd y gystadleuaeth 'Darllediad i Blant Ysgol' yn llawn.

Ar ochor rhyddiaith, enillwyd cystadleuaeth y nofel fer gan Olwen Llywelyn Walters, Caerdydd, gyda stori dditectif. Ym Mae Colwyn daeth seren newydd i'r amlwg. Enillwyd cystadleuaeth yr ysgrif gan Islwyn Ffowc Elis, a ddewisodd 'Gwrychoedd' yn destun. Lluniodd ysgrif gain, er ei bod yn orymwybodol o lenyddol ar adegau. Enillodd G. E. Breeze o

Ruthun gystadleuaeth y nofel i blant, ac enillodd yr awdures blant broffiadol Elizabeth Watkin-Jones y gystadleuaeth stori i blant a'r gystadleuaeth o ddeg o storïau antur i blant. Dyfarnwyd dwy ddrama gan Elizabeth Watkin-Jones a dwy gan J. D. Miller yn gyd-fuddugol yng nghystadleuaeth y ddrama fer ar gyfer plant a oedd yn seiliedig ar chwedloniaeth neu fywyd Cymru mewn unrhyw gyfnod, fel yn y flwyddyn flaenorol, ynghyd ag un enillydd arall, William Owen o Fanceinion. Yn ogystal, enillodd J. D. Miller ddwy gystadleuaeth arall yn yr Adran Ddrama, ac fe'i dyfarnwyd yn gyd-fuddugol eto mewn cystadleuaeth arall.

Prifwyl ohiriedig 1940 a gynhaliwyd ym Mhen-y-Bont ar Ogwr ym 1948. Cadwyd testunau llenyddol 1940 ar y silff am wyth mlynedd, ond bu'n rhaid newid rhai o'r beirniaid. Er enghraifft, ym 1940, Sarnicol, T. H. Parry-Williams a Gwilym R. Jones a ddewiswyd i feirniadu cystadleuaeth y Gadair, awdl ar y testun 'Yr Alltud', ond bu farw Sarnicol ym 1945. Dewiswyd Simon B. Jones i feirniadu yn ei le. Sarnicol a oedd i fod i feirniadu cystadleuaeth y 'Chwe Dihareb Newydd' yn ogystal, a chymerwyd ei le gan Griffith John Williams. Y tri a ddewiswyd i feirniadu cystadleuaeth y Goron ym 1940, ar y testun 'O'r Dwyrain', oedd Crwys, T. Gwynn Jones a T. Eirug Davies, ond 'roedd T. Gwynn Jones yn henwr llesg a chlaf erbyn 1948, a bu farw'r flwyddyn ddilynol. Dewiswyd Saunders Lewis i feirniadu yn ei le.

Ym 1948 cafwyd rhwystrau eraill, fel y dilyw o law trwm a fu'n bygwth ysgubo'r pafiliwn i ganlyn y llifogydd fel Arch Noa. Glawiodd yn ddi-baid yn ystod prynhawn dydd Llun, Awst 2, gan beri byddardod llwyr yn y pafiliwn. Glawiodd yn drwm drachefn yn ystod Cyngerdd y Plant a'r Pasiant gyda'r hwyr. Cyn i'r glaw fygwth boddi'r Brifwyl ei hun, cafwyd anawsterau mawr gyda'r pafiliwn. Methwyd cael un cwmni i ddarparu pafiliwn ar gyfer Pen-y-bont, a bu wyth o gwmnïau wrthi yn ei godi ac yn ei baratoi ar gyfer y lluoedd. 'Roedd y gost enbyd o £25,624.10.4 yn bygwth llwyddiant ariannol yr Eisteddfod. Talwyd £15,222.8.4 i Gwmni Mills Scaffolding a £790.12.4 i Gwmni Dur Cymru, ac nid y gost o godi'r pafiliwn oedd yr unig faich ariannol mawr y bu'n rhaid i'r swyddogion ei ysgwyddo.

Cafwyd trafferthion ynglŷn â'r cystadlaethau perfformio dramâu hefyd. Ym 1940 y bwriad oedd cynnal y cystadlaethau hyn ym Mhorth-cawl, am y gost o gan gini am yr wythnos. Ym 1948 y gost fyddai £80 y noson, a rhaid oedd chwilio am leoliad arall. Cynigiwyd Neuadd y Dref i'r

Eisteddfod gan Gyngor Maesteg yn rhad ac am ddim, ac fe dderbyniwyd y cynnig, er nad oedd y neuadd yn gwbwl addas. 'The necessity for dispersing Eisteddfod activities constantly recurs, and militates against the complete success of the festival,' meddai Ernest Hughes.[167] Bychan oedd y gynulleidfa ar gyfer sawl cystadleuaeth ym Maesteg. 'The attendance at the Maesteg events was deplorably small – the smallest I have ever seen at an Eisteddfod drama contest,' meddai D. R. Davies, ar ôl bod yn gwylio'r gystadleuaeth feimio a'r gystadleuaeth ddrama un-act i blant dan 15, gan gwyno fod y cystadlaethau actio hyn yn cael eu cynnal ar yr un pryd â'r Brif Gystadleuaeth Gorawl.[168] Er hynny 'roedd y neuadd yn llawn cyn diwedd yr wythnos. Enillwyd cystadleuaeth y ddrama hir gan Gwmni Pont-rhyd-y-fen am berfformio *Pryd o Ddail*, drama gan J. D. Miller, a oedd yn un o feirniaid y gystadleuaeth, ynghyd â Jack James a Cynan.

Llwyddodd Prifwyl 1948 i osgoi colledion, er gwaethaf y beichiau ariannol trymfawr arni. Llwyddwyd i godi £7,905 yng nghylch Pen-y-Bont ei hunan ar gyfer yr Eisteddfod. 'Roedd Maesteg ac ardaloedd cyfagos wedi codi £500 cyn y Brifwyl, a bu hynny o gymorth mawr i gwrdd â'r gofynion ariannol. 'Roedd Cyngor Dosbarth Trefol Pen-y-bont hefyd wedi pleidleisio y byddai'n cyfrannu £250 tuag at gostau'r Brifwyl ar yr amod y câi ganiatâd i wneud hynny gan y Gweinidog dros y Bwrdd Iechyd Cymreig, ond gwrthododd hwnnw roi caniatâd, gan y disgwyliai i'r Brifwyl wneud elw. Ac felly y bu, mewn gwirionedd. Heidiodd bron i gan mil a hanner i'r maes drwy gydol yr Eisteddfod, gan sicrhau elw o dros gant a hanner o bunnoedd. Ym 1948 y pasiwyd y ddeddf a rôi'r hawl i awdurdodau Llywodraeth Leol gyfrannu hyd at chwe cheiniog yn y bunt i gefnogi gweithgareddau diwylliannol ac adloniadol o fewn cylch awdurdod pob Llywodraeth Leol, ond cefnogaeth wirfoddol a dderbyniodd Pen-y-Bont, gan nad oedd y ddeddf wedi dod i rym yn ddigon buan iddi allu manteisio arni.

Cafwyd rhai arbrofion ym Mhen-y-bont. Am y tro cyntaf erioed cynhaliwyd cystadlaethau'r bandiau pres ar y dydd Sadwrn cyn yr wythnos swyddogol ei hun, ac ymddangosodd Cerddorfa Ieuenctid Cymru am y tro cyntaf yng nghyngerdd y Plant ar nos Lun yr Eisteddfod, dan arweiniad Clarence Raybould. Gwelwyd Undeb y Cymry ar Wasgar ar y maes am y tro cyntaf, a darlledwyd ar y teledu, eto am y tro cyntaf, seremoni agoriadol yr Orsedd, ar fore dydd Mawrth yr Eisteddfod, Awst 3, gan y BBC o Lundain ar y nos Fawrth honno.

Cynhaliwyd saith o gyngherddau ym Mhen-y-bont, a bu Côr yr Eisteddfod, gyda 600 o aelodau, yn perfformio mewn pedwar cyngerdd. Parhâi corau Lloegr i herio corau Cymru yn y Brif Gystadleuaeth Gorawl. Yn y gystadleuaeth honno 'roedd tri chôr o Gymru yn cystadlu yn erbyn dau gôr o Loegr, côr y 'Runcorn Orpheus' a chôr enwog y 'Sale and District', a Sale a'r Cylch a enillodd y gystadleuaeth â pherfformiad anhygoel yn ôl pob tystiolaeth. Beirniadwyd tueddiad rhai o gorau Cymru i ddramateiddio'r darnau prawf, yn ogystal â beirniadu'r darnau prawf eu hunain, gan Syr Hugh Robertson wrth feirniadu'r Brif Gystadleuaeth i Gorau Meibion ar ddydd Sadwrn olaf yr Ŵyl. 'The Welsh are a great singing people,' meddai yn ôl adroddiad yn y *Western Mail*, 'but why don't the Eisteddfod committees encourage them by setting music which calls for gracious singing, instead of these highly-coloured test-pieces?'[169] Enillwyd y gystadleuaeth gan Gôr yr Orpheus, Treforys, am y trydydd tro yn olynol. Cyflwynwyd Cwpan Coffa'r Gwarchodlu Cymreig i Gôr yr Orpheus gan Major H. M. C. Jones-Mortimer o'r Wyddgrug, gŵr a oedd wedi dysgu Cymraeg yn ystod y pum mlynedd y bu'n garcharor rhyfel. Beirniadwyd tuedd arall gan Syr Hugh Robertson wrth iddo feirniadu cystadleuaeth y ddeuawd i blant dan 16 oed. Dywedodd fod rhai hyfforddwyr yn dysgu'r plant i ganu fel oedolion, ac 'roedd hynny'n drosedd. 'It pains me physically to see a child trying to convince me she is a prima donna,' meddai, a dylai fod cyfraith yn erbyn tueddiad o'r fath gyda charchariad maith yn gosb am ei thorri.[170]

'Roedd Eisteddfod 1948 yn gofiadwy am reswm arall hefyd. Cynhyrfwyd y dyfroedd llenyddol yn arw gan y Prifardd cadeiriol, Dewi Emrys. 'Roedd Cymru wedi hen arfer â phrotestiadau Dewi ar ôl sawl Eisteddfod, ond gan na allai golbio'r beirniaid di-glem am fethu canfod gogoniant ei awen y tro hwn, rhaid oedd chwilio am gocyn hitio arall. Ac fe'i cafodd. Y beirdd a'r llenorion Eingl-Gymreig a ddaeth dan ei lach ym Mhen-y-Bont. Yn ei anerchiad oddi ar y Maen Llog, ymosododd yn ddidrugaredd ar epil Caradoc Evans mewn cyfres o dribannau, a chyhoeddwyd y rheini ganddo, gyda chryn falchder fe ellid tybied, yn 'Y Babell Awen' yn *Y Cymro*:[171]

> . . . Chwi, Gymry, ar ddisberod,
> A ddaeth i'r ŵyl mewn cychod,
> Yr Anglo-Welsh a'ch denodd chwi
> Dros genlli i'r Eisteddfod.

Clod iddynt am a wnaethant,
Iaith Lloeger a siaradant,
Wrth reswm, ffwlbri mawr, bob sill,
Yw'r pennill na ddeallant.

Ymaith, hen wlad fy nghalon,
Â'th awdlau a'th englynion,
Fe geidw'r Anglo-Welsh dy fri
Yn sosi gyda'r Saeson.

Cythruddwyd yr Eingl-Gymry, ac o ganlyniad i ymosodiad Dewi arnyn nhw, mynegodd nifer o lenorion Saesneg Cymru eu bwriad i ffurfio 'Friends of Wales Society', sef 'a Cymric Association for the encouragement of the Literature, Culture, Art and Affairs of Wales', yn syth ar ôl yr Eisteddfod.[172] Mae'n debyg mai prif symbylydd y mudiad oedd Keidrych Rhys, a chafodd gefnogaeth llenorion fel Glyn Jones a Davies Aberpennar, sef Pennar Davies, a oedd yn llenydda yn Saesneg ar y pryd. Bwriadai'r mudiad ymgyrchu i sicrhau aelodaeth o fil a hanner drwy Brydain oll, cynnal cyfarfodydd a chiniawau i drafod llenyddiaeth Eingl-Gymreig, hyrwyddo diwylliant a materion yn ymwneud â Chymru, cynghori llenorion ifainc, cynnal cyngherddau a dramâu, ffurfio clwb llenyddol a chychwyn Cyngor Ffilmiau Cymreig.

Amlygu'r rhwyg rhwng llenorion Cymraeg a di-Gymraeg y genedl a wnaeth tribannau Dewi Emrys, yn ogystal â lledu rhagor ar y rhwyg hwnnw, yn enwedig gydag awdurdodau'r Eisteddfod yn brwydro i sefydlu'r Rheol Uniaith Gymraeg. Gyda'r weledigaeth honno ar fin cael ei gwireddu, awgrymwyd fwy nag unwaith tua diwedd y pedwardegau y dylid cynnal dwy Brifwyl, un ar gyfer y Cymry Cymraeg ac un ar gyfer y Cymry di-Gymraeg. Dyna oedd awgrym un o ohebwyr y *Western Mail* a ddywedodd fod angen pedair Eisteddfod ar Gymru – Eisteddfod yr Urdd, Eisteddfod Ryngwladol Llangollen, a dwy Eisteddfod Genedlaethol, un Gymraeg ac un Saesneg – yn rhifyn Awst 30, 1948, o'r papur. 'How far would the creation of an English-language National Eisteddfod go towards closing the rift between Welsh and Anglo-Welsh?' gofynnodd y *Western Mail* ar y diwrnod canlynol.[173] 'We fear,' meddai'r papur, 'that the result would be further separation and an ever-increasing division of interests far beyond the powers of any co-ordinating committee to control'.[174]

Nid Dewi Emrys oedd yr unig fohemiad i gael cryn dipyn o sylw ym Mhen-y-Bont. Rhoddwyd y lle blaenllaw yn yr Arddangosfa Gelf a Chrefft i Augustus John, a gwelwyd ynddi 61 o'i baentiadau a 65 o'i luniadau. Trefnwyd yr arddangosfa gan David Bell, yr arlunydd a'r hanesydd celf a Chyfarwyddwr Cynorthwyol Cymru y Cyngor Celfyddydau, er mwyn dyrchafu chwaeth y Cymry eisteddfodol, yn enwedig ar ôl i safonau celfyddyd ym Mae Colwyn ym 1947 ei ddychryn. Fe wnaeth Bell gryn wahaniaeth i'r Arddangosfa Gelf a Chrefft yn y pen draw, er iddo ddadlau nad oedd y fath beth ag arluniaeth Gymreig i'w chael ac er iddo ymosod yn llawdrwm ar yr egwyddor o gystadlu ym myd celf. Yr oedd mwy o raen ar yr arddangosfa ym 1949, er i Iorwerth Peate, wrth agor yr arddangosfa ar fore Llun yr Eisteddfod, ddadlau nad oedd pob Eisteddfod Genedlaethol yn rhoi'r parch dyladwy i'r agwedd hon ar weithgareddau'r Brifwyl, ac er bod rhai yn tueddu i ystyried yr Adran Gelf a Chrefft yn gyffredinol fel adran ar wahân i'r Eisteddfod ei hun. Gwelwyd paentiadau gan Christopher Williams, yr arlunydd o Faesteg, yn yr Arddangosfa yn ogystal.

Gan barhau'r nodyn beirniadol a drawyd mor aml ym Mhen-y-bont, ym Mhabell y Cymdeithasau ar brynhawn Gwener yr Eisteddfod cafwyd trafodaeth ar 'Safonau Beirniadaeth yr Eisteddfod Genedlaethol' yn y Seiat Holi. Agorwyd y drafodaeth gan J. D. Powell, a ddywedodd y dylai llenyddiaeth Gymraeg fynegi, adlewyrchu a dehongli'r ffordd Gymreig o fyw, nid yn unig i'r byd ond i Gymru yn ogystal. Dywedodd hefyd fod elfen o anghydbwysedd rhwng llenyddiaeth a cherddoriaeth yn yr Eisteddfod, gan adleisio'r hen, hen gŵyn. Yn ystod y Rhyfel, meddai, ynys o dangnefedd oedd yr Eisteddfod yng nghanol tymhestloedd y byd, ond 'roedd dwy Brifwyl wedi datblygu ers i'r Rhyfel ddirwyn i ben, un ar gyfer y cerddorion yn y pafiliwn ac un ar gyfer y llenorion mewn pabell fechan ddistadl ar y maes. Un arall a siaradodd yn y cyfarfod oedd E. Morgan Humphreys, a ddywedodd nad oedd gwir safonau beirniadol wedi bod yn yr Eisteddfod ers dyddiau John Morris-Jones. I raddau helaeth, Eisteddfod o wrthdaro oedd Eisteddfod 1948.

Ailsefydlwyd cystadleuaeth y Fedal Ryddiaith am waith penodol ym 1948, ond ni lynwyd wrth y patrwm o osod un gystadleuaeth benodol ar gyfer y Fedal Ryddiaith tan Eisteddfod Llanrwst ym 1951. Ym Mhen-y-bont, cynigiwyd £50 a Medal yr Eisteddfod am nofel tua 40,000 o eiriau a oedd yn 'seiliedig ar fywyd unrhyw gyfnod yn hanes Cymru', gydag

Elena Puw Morgan yn beirniadu. Cystadleuaeth siomedig a gafwyd gyda phump yn unig yn cystadlu, ac ni allai'r beirniad roi'r Fedal na'r wobr lawn i nofelydd gorau'r gystadleuaeth, Meurig Walters, a chafodd ugain punt yn unig. Yn eironig braidd, 'roedd enw enillydd nesaf y Fedal Ryddiaith ymhlith enwau buddugwyr 1948, sef R. Ifor Parry, a enillodd ar y traethawd ar ddiwinyddiaeth Karl Barth dan feirniadaeth J. Oliver Stephens. Cyflwynwyd y Fedal iddo ym Mhrifwyl Llanrwst ym 1951, fel gwaith rhyddiaith gorau 1948-1950, er bod yr Eisteddfod wedi cynnig Medal am y nofel orau ym 1948. Dyfarnwyd ysgrif gan Islwyn Ffowc Elis, ar 'Hyfrydwch y Gwir Grefftwr', yn gyd-fuddugol ag ysgrif gan Elwyn L. Jones, Castell-nedd, ac enillwyd cystadleuaeth y stori fer gan Jac L. Williams. Enillodd Bob Owen Croesor ar y traethawd ar hanes y delyn yng Nghymru, ac fe welwyd dau enw cyfarwydd arall ymhlith enwau'r buddugwyr, sef Lewis Davies y Cymer, cyd-fuddugol ar y casgliad o dribannau Morgannwg, a Daniel Williams, Llangollen, cystadleuydd mynych a llwyddiannus yn yr Adran Ryddiaith, a enillodd y gystadleuaeth 'Ysgrifau Byr ar Eisteddfodwyr'. Enillwyd Tlws y Ddrama gan Islwyn Williams, Ystalyfera, ac 'roedd pedair drama mewn pedair cystadleuaeth wahanol gan Elisabeth Watkin-Jones yn gyd-fuddugol â dramâu eraill, a hi hefyd a enillodd gystadleuaeth y 'Casgliad o Straeon i Blant'.

Yn dilyn Eisteddfod Pen-y-bont, cynhaliwyd cyfarfod rhwng pedwar o gynrychiolwyr Cyngor yr Eisteddfod ac aelodau o Bwyllgor Lleol Eisteddfod arfaethedig 1950 yng Nghaerffili ddiwedd mis Medi, 1948. Cynrychiolwyd Cyngor yr Eisteddfod gan W. Emyr Williams, D. R. Hughes, un o Is-lywyddion y Cyngor, Cynan ac Ernest Roberts. Pwysleisiwyd gan y pedwar bwysigrwydd y rheol mai Cymraeg fyddai iaith swyddogol Eisteddfod 1950, ac mai ei Chymreigrwydd fyddai maen prawf llwyddiant yr Ŵyl. Mewn cyfarfod o Bwyllgor Gwaith yr Eisteddfod tua'r un adeg, penderfynwyd na fyddai llywyddion mewn cyngherddau mwyach, ac na fyddai ond chwe llywydd ar lwyfan yr Ŵyl yn ystod yr wythnos. Cytunwyd hefyd i ffurfio is-bwyllgor i benodi trefnydd lleol bob blwyddyn neu ysgrifennydd parhaol, ac fe awgrymwyd hefyd y dylai agoriad swyddogol yr Eisteddfod fod ar ddydd Llun yn hytrach nag ar ddydd Mawrth.

Erbyn hyn yr oedd pafiliwn y Genedlaethol yn dechrau bod yn broblem. Yn y cyfarfod rhwng Cyngor yr Eisteddfod a Phwyllgor Lleol Caerffili ym mis Medi 1948, penodwyd is-bwyllgor i ystyried y cynllun o gael pafiliwn symudol ac i wahodd cwmnïau o adeiladwyr i ymgynnig am y gwaith o'i godi, yng ngoleuni'r ffaith fod y pafiliwn a'r ystafelloedd cynorthwyol ym Mhen-y-bont wedi golygu cost o £25,000 a rhagor i'r Eisteddfod, a bod wyth cwmni wedi gorfod cael eu cyflogi i gwblhau'r gwaith. Er y byddai pafiliwn Dolgellau y flwyddyn ddilynol yn costio llai, yr oedd argyfwng y pafiliwn yn un yr oedd yn rhaid ei wynebu.

Cynhaliwyd Eisteddfod 1949 yn nhref Dolgellau ym Meirionnydd, a bu'n rhag-baratoad gwerthfawr ar gyfer y Brifwyl uniaith Gymraeg. Canmolwyd yr Eisteddfod hon fel un o'r Eisteddfodau Cenedlaethol gorau erioed. Yr oedd hi'n Ŵyl naturiol Gymreigaidd i ddechrau, gan iddi gael ei chynnal mewn ardal drwyadl Gymreig, yn union fel y nodwyd mewn englyn i groesawu'r Brifwyl i'r fro:

> Dowch o bell i Ddolgellau – i brofi'r
> Brifwyl ar ei gorau;
> Byw yw'r heniaith rhwng bryniau
> Ein sir; yn ei thir ni thau.

Mae'n rhyfedd, ar lawer ystyr, mai tref gymharol ddi-Gymraeg Caerffili a ddewiswyd i roi'r Rheol Gymraeg ar waith ynddi, yn hytrach na thref fel Dolgellau, a oedd wedi ei lleoli yng nghalon y Gymru Gymraeg. Fe ddefnyddiwyd Dolgellau, fodd bynnag, i baratoi'r ffordd ar gyfer yr Eisteddfod Uniaith Gymraeg.

Trawyd sawl nodyn o anghytgord ar ddechrau'r Ŵyl. Ar drothwy'r Eisteddfod, ymosododd y *Western Mail* ar yn hallt ar y bwriad i sefydlu'r Rheol Uniaith:[175]

> We shall probably see at Dolgelley an intensification of the all-Welsh atmosphere, which is the latest eisteddfodic trend. Many seem to believe that by these restrictive measures the Eisteddfod will strengthen the hold upon the Welsh people of their native culture and the native tongue. By eliminating, or at least strongly discouraging, the English-speaking Welshman, some eisteddfodwyr think they are doing a service to the nation. Knowing, as we do, so many Welsh men and women who are struggling to master the language by means of radio and newspaper lessons or at special classes, we consider that this "stonewall" attitude is bound to do

> harm to a fine new movement. If the young disciples are not treated with encouraging consideration by the most famous of Welsh cultural organisations, then the outlook is poor, indeed.

Cychwyn anaddawol a gafodd yr Ŵyl. Codwyd gwrychyn yr eisteddfodwyr pan welwyd baner yr 'Union Jack' yn cwhwfan uwch Eglwys y Santes Fair yn Nolgellau. Hanner y ffordd drwy'r Ŵyl 'roedd y faner wedi diflannu ar ôl i bedwar cenedlaetholwr fynd i mewn drwy ddrws agored yr eglwys, dringo'r grisiau i fyny i'r tŵr, tynnu'r faner i lawr a rhoi'r Ddraig Goch yn ei lle. Disgrifiwyd y weithred o godi'r faner uwch yr eglwys fel sarhad ar Gymru mewn ardal drwyadl Gymreig yn ystod gŵyl genedlaethol pobl Cymru. Yn ddiweddarach yn yr wythnos dringodd clochydd yr eglwys, ynghyd â phum Cymro Cymraeg arall, a'r rheini'n gyn-aelodau o'r Lluoedd Arfog, i ben y tŵr i dynnu'r Ddraig Goch i lawr. Aethpwyd â'r mater at yr Heddlu ac at Esgob Bangor, ond gadawodd yr Esgob i'r rheithor ei ddatrys. Er mai gweithred gan un dyn, Thomas Woodings y rheithor, oedd codi'r faner uwch yr eglwys, dehonglwyd y digwyddiad fel tystiolaeth glir fod yr Eglwys yng Nghymru yn sefydliad Seisnigaidd a gwrth-Gymreig. Achosodd y digwyddiad gryn dipyn o gyffro yn y wasg ac ar faes yr Eisteddfod, a bu'n rhaid i olygydd y *Western Mail* ddatgan na fyddai'n derbyn rhagor o lythyrau ar y mater.

Digwyddiad anffodus arall ar ddechrau'r Eisteddfod oedd y ffrae a gododd ynglŷn â chystadleuaeth Dosbarth B y bandiau pres ar fore dydd Llun. Enillwyd y gystadleuaeth gan Fand Arian Y Rhyl yn rhwydd, ond cafwyd protest swyddogol o du bandiau eraill, gan fod seindorf Y Rhyl wedi torri'r rheol a fynnai fod pob band yn barod i berfformio o fewn pum munud ar ôl cael ei alw i'r llwyfan. Ataliwyd y wobr am y tro, ac anfonwyd cŵyn swyddogol gan Bwyllgor yr Eisteddfod at Gymdeithas Bandiau Pres Gogledd Cymru. Enillodd y band gystadleuaeth Dosbarth A yn ogystal, y tro hwn heb gŵyn yn ei erbyn.

Aeth yr Ŵyl rhagddi'n ddidramgwydd wedi hynny. 'Roedd croesogarwch pobl Meirionnydd yn creu awyrgylch hyfryd ar y maes, a threiddiodd rhyw ysbryd Cymreig anorchfygol drwy bob cwr a chornel o'r maes. Cafwyd anerchiad calonogol gan W. J. Gruffydd, y llywydd ar ddydd Iau'r Eisteddfod yn absenoldeb J. Lloyd Jones, Dulyn, a oedd yn wael ar y pryd. Dywedodd Gruffydd mai 'Dyma'r Eisteddfod fwyaf Cymreig y bum ynddi erioed, nid yn unig o ran ei hysbryd ond hefyd o ran ei hiaith,' a haerodd mai yn yr ardaloedd gwledig lle'r oedd y Gymraeg yn ffynnu yr oedd cadernid y Brifwyl.[176] Ar ôl tridiau yn Nolgellau yr oedd yn fwy gobeithiol am ddyfodol yr Ŵyl nag y bu ers blynyddoedd. Dywedodd yn ogystal fod safon y cystadlaethau a'r beirniadaethau yn yr Eisteddfod wedi codi'n uwch ers rhai blynyddoedd bellach, ac yr oedd angen glynu wrth yr Eisteddfod oherwydd ei bod yn helpu i gadw pethau gorau'r genedl yn fyw.

Yr oedd un gystadleuaeth yn yr Adran Gerddoriaeth yn Nolgellau yn cyfeirio'n bendant tuag at yr Ŵyl Uniaith. Cymerodd wyth o gorau ran yng nghystadleuaeth y Corau Merched ar ddydd Iau'r Eisteddfod. Gwnaed pob ymdrech gan Ddolgellau i sicrhau mai yn y Gymraeg y byddai pob canu, a golygai hynny, yn nhyb amryw, na fyddai corau o Loegr yn dod i'r Ŵyl i gystadlu. Cipiwyd y wobr gyntaf yng nghystadleuaeth y Corau Merched, fodd bynnag, mewn cystadleuaeth o safon uchel, gan y 'Plymouth Ladies Choir'. Ni allai'r un aelod o'r côr siarad Cymraeg, ac fe ddysgwyd iddynt sut i ynganu'r darn Cymraeg, *Gwerthu Breuddwydion* (J. Morgan Lloyd), gan weinidog Presbyteraidd lleol a oedd yn medru'r Gymraeg. Llongyfarchwyd y côr ar safon ei ganu ac ar ei orchest gan y beirniaid. Daeth Côr Merched Blackpool yn ail yn y gystadleuaeth, a dysgwyd arweinydd y côr sut i yngan y Gymraeg gan gyfaill iddo.

Siomedig, fodd bynnag, oedd y Brif Gystadleuaeth Gorawl, gyda thri chôr yn unig yn cystadlu. Enillwyd y wobr gyntaf gan Gôr Undebol Caernarfon, sef yr un côr, a'r unig gôr, a fu'n cystadlu yn y Brif Gystadleuaeth Gorawl yn Aberpennar, ond dan enw ychydig yn wahanol yn Nolgellau. Perfformiwyd *Emyn Mawl*, cyfieithiad Enid Parry, yn un o gyngherddau'r wythnos, yn ogystal ag *Acis a Galatea* a'r *St Matthew Passion*. Cyfeiliwyd gan Gerddorfa Ffilharmonig Lerpwl, a bu'r tenor o'r Eidal, Luigi Infantino, yn perfformio yn un o'r cyngherddau. Rhoddwyd clod aruchel i Gôr yr Eisteddfod yn ogystal.

Etholwyd Cynan i olynu Wil Ifan fel Archdderwydd, a phriodol oedd hynny, gan mai Cynan, cymwynaswr mwyaf yr Eisteddfod ymhob oes, a fyddai Archdderwydd cyntaf yr Ŵyl Uniaith Gymraeg gyntaf. Cwynwyd fod y dull o'i ethol, sef trwy roi ei enw ef yn unig gerbron Cymdeithas yr Orsedd gan Fwrdd yr Orsedd, yn annemocrataidd, ond os oedd rhywun yn haeddu bod yn Archdderwydd erioed, Cynan oedd hwnnw. Daeth cyfnod Wil Ifan fel Archdderwydd i ben, a bu'n Archdderwydd poblogaidd. Bu o fewn dim i hanes gael ei greu yn ystod ei dymor yn y swydd. Daeth ei fab, Elwyn Evans, yn ail am y Goron ddwywaith yn olynol, ym Mhen-y-bont ar Ogwr ac yn Nolgellau, a phe bai wedi ennill ar y naill achlysur neu'r llall, byddai'r tad wedi coroni'r mab. Gan fod Wil Ifan wedi byw ym Mhen-y-bont ar Ogwr ac yn Nolgellau, yn rhinwedd ei swydd fel gweinidog, a chan iddo briodi merch o Ddolgellau, byddai Elwyn Evans wedi ennill y Goron mewn trefi yr oedd ganddo ef a'i dad gysylltiadau teuluol â nhw.

Rhan bwysig o Gymreigrwydd Prifwyl 1949 ac o'r hyder newydd yn nyfodol yr Eisteddfod fel Gŵyl uniaith Gymraeg oedd cyflwyno'r ffilm Gymraeg *Yr Etifeddiaeth* yn swyddogol i Gymru yn ystod wythnos yr wythnos. Ffilm o waith staff *Y Cymro* oedd hon, ffrwyth cydweithio rhwng John Roberts Williams a'r ffotograffydd Geoff Charles, gyda sylwebaeth gan Cynan, ac fe'i dangoswyd yn sinema'r Plaza, Dolgellau, bob nos. Ar yr ochor weledol eto, tystiwyd fod yr Arddangosfa Gelf a Chrefft yn un o'r goreuon erioed. Arddangoswyd gwaith gan grefftwyr lleol ynddi, ynghyd â darluniau o wahanol rannau o Feirionnydd a roddwyd ar fenthyg gan Adran Gelfyddyd yr Amgueddfa Genedlaethol, a chasgliad helaeth o lyfrau a llawysgrifau o eiddo Bob Owen Croesor.

'Cynheswyd calon pob Cymro a Chymraes a fu ar y maes gan yr ysbryd Cymreig iach oedd yn ffynnu ymhlith y miloedd a ddaeth i'r Ŵyl,' meddai Amanwy yn ei golofn 'O Gwm i Gwm' yn *Y Cymro*.[177] Yr oedd 'ymysg uchelwyliau llwyddiannus Cymru' yn ôl colofn olygyddol *Y Cymro*.[178] 'Cymreigrwydd Dolgellau a'i gwnaeth y fath lwyddiant,' meddai'r golygydd, ac o'i herwydd 'gall Caerffili symud ymlaen yn hyderus i drefnu gŵyl gyffelyb gan droi clust hollol fyddar ar yr adran honno o'r wasg Saesneg sy'n propagandeiddio'r nonsens hwnnw am anfanteision aruthr gŵyl heb Saesneg ynddi'.[179] 'I raddau helaeth enillwyd brwydr yr iaith,' meddai Selwyn Jones wrth adolygu cerddoriaeth yr Ŵyl yn yr un rhifyn o'r *Cymro*.[180] 'Eleni,' meddai, 'daeth corau o Loegr i ganu'n well yn Gymraeg na'n corau ni, ac yr oedd yn gywilyddus o beth cael y prif gorau'n canu cytgan Brahms yn Saesneg a geiriau Cymraeg ar gael'.[181]

Profodd Eisteddfod Dolgellau y gallai tref fechan wledig groesawu'r Brifwyl, a hynny heb wneud colled ariannol. 'Nid maint tref sy'n penderfynu pa un a fydd yr ŵyl genedlaethol yn llwyddiant ai peidio . . . pwysicach na maint yw cefndir Cymreig a brwdfrydedd eisteddfodol,' meddai'r *Cymro.*[182] Llwyddodd yr Eisteddfod i wneud dros £5,200 o elw, ac yr oedd hynny'n argoeli'n dda ar gyfer Prifwyliau uniaith Gymraeg yn y dyfodol. A bu'n rhaid i'r *Western Mail* newid ei diwn. Er mor siomedig oedd sawl peth yn yr Ŵyl, yr oedd nifer o bethau llwyddiannus yn Nolgellau, fel trefniadaeth a gweinyddiaeth, y Gerddorfa Ieuenctid, y Babell Lên fywiog a oedd yn llawn i'r ymylon ar adegau, a'r Arddangosfa Gelf a Chrefft. 'Everything considered, the happiest auguries for the future of this great national gathering were the numbers of the audience, the interest and knowledgeability they displayed, and the high percentage of young men and women among the regular attenders,' meddai'r papur, gan chwalu pob amheuaeth ynglŷn ag anallu trefi bychain fel Dolgellau i ddal y straen o gynnal yr Eisteddfod Genedlaethol.[183]

Ni chynigiwyd y Fedal Ryddaith yn wobr yn Eisteddfod Dolgellau, nac yn Eisteddfod Caerffili o ran hynny. Enillwyd cystadleuaeth y nofel a'r nofel antur gan Lewis Davies y Cymer, ac yntau dros ei 80 oed ar y pryd. Gofynnwyd am draethawd ar waith Hedd Wyn ym Mhrifwyl ei sir enedigol, ac fe wobrwywyd yr unig draethawd a anfonwyd i'r gystadleuaeth, sef eiddo W. R. Jones, Aberteifi. Enillodd hefyd gystadleuaeth y traethawd ar ryddiaith unrhyw ysgrifennwr Cymraeg, a chafodd hanner y wobr am lunio traethawd ar waith Ellis Wynne, er mai ef oedd yr unig gystadleuydd eto. Enillwyd Tlws y Ddrama gan F. G. Fisher o Langefni, ac mae enillwyr y gwobrau cysur yn yr Adran Ddrama yn hynod o ddiddorol. Rhoddwyd hanner y wobr am ddramâu byrion mewn gwahanol gystadlaethau i Elizabeth Watkin-Jones, Islwyn Ffowc Elis a J. D. Miller, a llai na hanner y wobr i Bobi Jones, Caerdydd, y bardd a'r llenor gwrthryfelgar ifanc a oedd wedi dysgu'r Gymraeg, yng nghystadleuaeth y ddrama radio yn Gymraeg. Dywedodd y beirniad, Dafydd Gruffydd, fod yr awdur 'yn delio â'r corff dynol, mewn ffordd na fyddai byth yn dderbyniol i'r mwyafrif o wrandawyr'.[184]

Yn nhref Seisnigedig Caerffili y cynhaliwyd Eisteddfod chwyldroadol 1950, ac amheuai llawer ai doeth oedd hynny. Yn wir, cododd yr hen ddadl ynghylch cynnal yr Eisteddfod mewn mannau di-Gymraeg ei phen eto. Bu cystadlu brwd i gael Eisteddfod 1950, ac ymgeisiodd wyth lle amdani: Caerffili, Merthyr Tudful, Glyn Ebwy, Aberystwyth, Caerfyrddin, Penarth, Abertawe ac Aberteifi. Er pob amheuaeth, estynnwyd croeso brwd i'r Eisteddfod gan drigolion y dref a'r cylch. Casglwyd mwy na £10,000 gan drigolion y fro fel cronfa warant i'r Eisteddfod, ac 'roedd brwdfrydedd o'r fath yn gwanhau dadleuon y rhai a fynnai gadw'r Ŵyl yn y bröydd Cymreiciaf. Cadarnhaol oedd agwedd *Y Faner*:[185]

> . . . pwy a fuasai'n credu ei bod yn bosibl cynnal y rhan fwyaf o bwyllgorau'r eisteddfod mewn lle o'r fath yn gyfangwbl yn yr iaith Gymraeg? A phwy a gredasai y gellid cael cyngerdd cwbl-Gymraeg gan gannoedd o blant y fro? Cyflawnwyd hyn oll, a mwy, yng Nghaerffili.

Bu dadlau tanllyd ynghylch cynnal Eisteddfod Genedlaethol uniaith Gymraeg cyn yr Ŵyl ac ar ei hôl. Hon oedd Eisteddfod gyntaf Cynan fel Archdderwydd, ac ef oedd un o'r rhai mwyaf brwd o blaid unieithrwydd yr Eisteddfod. Beio'r Gogleddwyr am fynnu troi'r Ŵyl yn un drwyadl Gymraeg a wnaeth y *Western Mail* ar drothwy'r Eisteddfod, gan amau na châi'r Brifwyl ei gwahodd mwyach i ardaloedd di-Gymraeg Cymru:[186]

> Without wishing to revive old controversies we shall await the outcome of the new régime with much interest. It follows naturally from a general tightening-up of procedure and a closing of the ranks that has been going on ever since North Walians established ascendancy in the ruling bodies. It may or may not be mere coincidence that the only district eager to act as host to the South Wales Eisteddfod of 1952 is Aberystwyth, where the Welsh language is still widely spoken. We do not think it an overstatement to say that a whole policy stands or falls by the results of the Caerphilly experiment – not the financial results, of course, but something far more difficult to assess, its effects on enthusiasm for things Welsh.

Yn ystod yr wythnos ei hun, bu llawer o ddadlau a ffraeo. Yr oedd diffyg ymateb y gynulleidfa i rai o'r beirniadaethau a draddodwyd yn y Gymraeg yn brawf na allai cyfran sylweddol o'r dorf yn y pafiliwn ddeall yr iaith. Ar y llaw arall, 'roedd brwdfrydedd yr ymateb i sylwadau Herbert Bardgett o Huddersfield ar y Brif Gystadleuaeth Gorawl yn frwd ac yn gynnes. Teimlai llawer, fel Neville Penry Thomas yn y *Western Mail*, fod yr Eisteddfod yn prysur droi yn sefydliad cul, cyfyngedig a detholedig. Haerodd na ddylid anwybyddu'r Saesneg yn llwyr. 'By making no concession at all in respect of the language question,' meddai am swyddogion yr Ŵyl, 'they are all betraying a rude and narrow nationalism as difficult to understand as it is impossible to excuse'.[187]

Er mor daer oedd y gorchymyn i gynnal Prifwyl 1950 drwy gyfrwng y Gymraeg yn unig, traddodwyd dwy araith Saesneg yn ystod yr Ŵyl gan greu cryn dipyn o gyffro a checru. Yn Saesneg y siaradodd George Williams, Arglwydd Faer Caerdydd, ar ddydd Mercher, a Ness Edwards, yr Aelod Seneddol Llafur dros Gaerffili a'r Postfeistr Cyffredinol, ar brynhawn dydd Sadrwn olaf yr Ŵyl, gan ennyn digofaint yr unieithwyr ac edmygedd y rhai a fynnai gadw'r Eisteddfod yn Ŵyl ddwyieithog. Amddiffynnwyd George Williams yn wyneb yr ymosodiadau arno o du'r unieithwyr gan y *Western Mail*:[188]

> Because a Welshman chooses to speak English in Wales is he to be damned as an alien and subjected to a political reprisal by way of punishment? Is this what nationalism is coming to – so grand a name for so mean a thing?

Ar ôl i'r Eisteddfod ddirwyn i ben, ac yn enwedig ar ôl i Ness Edwards draddodi ei araith ffrwydrol, yr oedd patrwm yn dechrau ei amlygu ei hun yn ôl y *Western Mail*. Trychineb fyddai mabwysiadu'r Rheol Uniaith ar raddfa barhaol, yn ôl colofn olygyddol y papur. Gallai hynny olygu colled ariannol i'r Eisteddfod i ddechrau, gan na fyddai unigolion a sefydliadau di-Gymraeg yn awyddus i estyn nawdd i'r Brifwyl. Yr oedd yr Eisteddfod unwaith yn asio'r Cymry yn un genedl, ond bellach ei hollti'n ddwy a wnâi:[189]

> How often have we been told that the Eisteddfod is the only institution in which the people of Wales could sink their differences and appear as a united family? Here at least party discords were resolved into almost perfect harmony. Caerphilly warns us that [i]f the all Welsh rule, strongly reminiscent as it is of the iron curtain and of the most extreme propaganda of the republicans and extreme nationalists, were to become permanent the whole character of the Eisteddfod would be radically changed very much for the worse.

Yn sicr, siom i gefnogwyr y Rheol Uniaith oedd nifer yr ymwelwyr â'r maes yng Nghaerffili. Ymwelodd 101,716 o eisteddfodwyr ag Eisteddfod 1950, ac aeth bron i bymtheng mil o'r rheini i weld yr arddangosfa Gelf a Chrefft arbrofol; ond isel oedd y nifer o gofio i 132,000 o bobl wthio drwy'r clwydi ym 1949 yn Nolgellau, ardal deneuach ei phoblogaeth o lawer na Chaerffili a'r cylch, ac i 135,000 ymweld â'r maes ym 1948 a 138,000 ym 1947. Chwarae ar y ffigurau hyn a wnaeth y *Western Mail*:[190]

> Is it not profoundly significant that the attendance was less than it should have been, in comparison with Dolgelley? The scene was set near the most populous area in Wales and Monmouthshire and within easy access. Nothing was spared by the local organisers to ensure an outstanding success. Yet in the light of past attendances at centres enjoying fewer advantages the result has proved disappointing.

At ei gilydd, yn ôl y papur, cystadlu anarbennig a gafwyd yng Nghaerffili, a beiwyd y Rheol Uniaith am hynny yn ogystal, gan awgrymu, gyda holl gymhlethdod israddoldeb y Cymro trefedigaethol, mai'r di-Gymraeg a rôi unrhyw fath o safon i'r Eisteddfod:[191]

> The all Welsh rule restricted competition, and as a result there were prizewinners who could hardly have succeeded if entries had been drawn as heretofore from a wider field. The rule tends inevitably to mediocrity, and not to the progressive improvement of eisteddfodic standards.

Y Rheol Uniaith oedd yn gyfrifol hefyd, yn ôl colofn olygyddol y *Western Mail*, am y ffaith nad oedd cystadlu mawr rhwng ardaloedd y De i gael Eisteddfod 1952.

Nid oedd Ness Edwards wedi bwriadu traddodi ei anerchiad yn gyfan gwbwl yn Saesneg brynhawn dydd Sadwrn yr Ŵyl, ond newidiodd ei feddwl:[192]

> Mr. Edwards said that up to Friday morning he had intended giving his speech half in Welsh and half in English. Then he heard an adjudicator criticising the enunciation of a North Wales competitor. "That finished me," he said, "and I decided it would be

> more in keeping with the dignity of the Eisteddfod if I confined myself to the English language."

Yr oedd y ffaith ei fod yn anwybyddu'r Rheol Uniaith yn ddigon i ennyn anghymeradwyaeth y dorf unwaith y dechreuodd lefaru, ond gwylltiwyd y gynulleidfa yn waeth byth gan fyrdwn ei anerchiad:[193]

> It will be a sad day when the people of Gwent and Rhymney are shut out from this great national festival. It will be terrible to feel that an iron curtain has been dropped between us and the National Eisteddfod. It will be a strange experience for us to feel that we are strangers in our own native land.

Cyfeiriodd at ddioddefaint De Cymru yn ystod blynyddoedd y cyni. Er bod trigolion y cymoedd bellach yn dechrau codi o'u dioddefaint materol, yr oedd rhai o'u cydwladwyr hwy eu hunain yn awr yn bygwth eu diarddel a'u hesgymuno yn ddiwylliannol. Byddai yn drasiedi i Gymru 'if the predominantly English-speaking areas are transformed into Welsh Sudetenlands, shut out of all things Welsh by a barrier of our own creation'.[194] Nid creu arwahander oedd diben yr Eisteddfod, ond meithrin heddwch, goddefgarwch ac arwain drwy esiampl. Yn ei dyb ef, 'roedd yr Eisteddfod ar groesffordd beryglus:[195]

> Once it becomes a preserve for a minority or coterie none will heed it and the one thing that keeps us all together will have gone from us. We quarrel far too much among ourselves. That may be inevitable, but let us keep the National Eisteddfod as a meeting ground for all.

Collfarnwyd George Williams a Ness Edwards yn llym gan amryw, er enghraifft, A. O. H. Jarman yn *Y Faner*. Yr oedd Jarman o blaid yr arbrawf yng Nghaerffili, ond credai y dylid rhoi arweiniad i'r di-Gymraeg ar yr un pryd:[196]

> Un o sefydliadau mawr y diwylliant Cymraeg yw'r Eisteddfod Genedlaethol. Ar yr un pryd pan ddaw hi'r tro nesaf i ardal a seisnigwyd (ac ni ddylid ar unrhyw gyfrif gyfyngu'r Eisteddfod i'r

> rhannau Cymraeg o Gymru'n unig) byddai'n fuddiol pe chwiliai'r Cyngor am ryw foddion i ddehongli ei harwyddocâd ac i egluro ei gweithrediadau i'r miloedd di-Gymraeg. Peryglus iawn fyddai rhoi'r argraff ar y bobl hyn . . . eu bod yn ysgymun yn eu gwlad eu hunain.

Traddododd Ness Edwards, meddai, 'araith lywyddol fwyaf amhoblogaidd yr ŵyl'.[197] Cynrychiolydd ydoedd 'o ddosbarth niferus y gwleidyddion Llafur Seisnigedig a gododd yn Neheudir Cymru yn ystod hanner cyntaf y ganrif hon'.[198] Cynnyrch cyfundrefn addysg Seisnigedig oedd Ness Edwards, ac ymosododd A. O. H. Jarman yn hallt arno:[199]

> Ni all Mr. Edwards ddeall y gall Eisteddfod gwbl Gymraeg fod yn "bropaganda" effeithiol dros y Gymraeg mewn ardal Seisnig, ac ni ddaw'r delfryd o ail-Gymreigio'r rhannau o Gymru a Seisnigwyd ar gyfyl ei feddwl. Er bod pwnc ei araith yng Nghaerffili yn bwysig, nid ef oedd y dyn i'w drafod. Nid oedd ganddo unrhyw gyfraniad adeiladol at ddatrys ei broblem. Effaith ei eiriau oedd nid dwyn y ddwy garfan yng Nghymru yn nes at ei gilydd eithr eu pellhau, a chynhyrfu llid a[t] yr iaith Gymraeg ymhlith y rhai na allant ei siarad.

Anwybodus yn hytrach na mileinig oedd araith George Williams. Ffolineb llwyr oedd iddo glodfori'r 'Union Jack', gan honni fod Cymru yn perthyn i'r Gyfundod Brydeinig o genhedloedd. Baner a gofnodai uniad Lloegr, Yr Alban ac Iwerddon oedd yr 'Union Jack', ac nid oedd Cymru yn rhan ohoni. Canmolodd George Williams am iddo fod yn bresennol yng nghinio Plaid Cymru i groesawu'r gwladweinydd a'r cenedlaetholwr Gwyddelig Éamon De Valera i Gymru flwyddyn ynghynt, am y cymorth o roddodd i'r ymdrech i sefydlu ysgol Gymraeg yng Nghaerdydd, ac am ei waith yn hyrwyddo diwydiannau bychain yn rhai o ardaloedd dirwasgedig Cymru. Ni ddylid dieithrio na gelyniaethu'r di-Gymraeg yn ôl Jarman, eithr apelio at yr ysbryd Cymreig a feddai rhai ohonyn nhw, a cheisio ennill eu cydymdeimlad. Drwy eu gelyniaethu 'fe gynhyrchir Cymry o deip Mr. Ness Edwards, A.S.; Mr. George Thomas, A.S., a'r Dr. Aneirin Bevan, A.S.'.[200]

Llongyfarchwyd Pwyllgor Lleol Caerffili gan W. J. Gruffydd yn ei nodiadau golygyddol yn *Y Llenor*. Gresynodd fod yr 'hen ddadl atgas' ynglŷn â phriod iaith yr Eisteddfod wedi codi ei phen yng Nghaerffili ac wedi cael llawer gormod o sylw gan y wasg.[201] Diffiniodd hanfod a swyddogaeth yr Eisteddfod:[202]

> Amcan sylfaenol yr Eisteddfod Genedlaethol yw hyrwyddo gwahanol agweddau'r diwylliant *Cymraeg*. Mynegir yn groyw yn ei Chyfansoddiad mai Cymraeg yw iaith yr Eisteddfod, a rhaid i bob pwyllgor lleol y dyfernir yr Eisteddfod iddo bob blwyddyn ymrwymo i gadw'r amod *sylfaenol* hwn. Am fod yr amod yn y cyfansoddiad y mae goreugwyr Cymru yn rhoi amser ac arian i gynnal yr Eisteddfod Genedlaethol; pe bai rhyw ffolineb gwyrthiol yn peri i'w rheolwyr ddilyn cynllun Mr. Ness Edwards, aem ati'n ddiatreg i godi Eisteddfod newydd.

Y 'gwir adfydus' yn ôl Gruffydd oedd '(1) na wŷr gwŷr fel Mr. Ness Edwards ddim o gwbl am yr Eisteddfod ac na buasai'r un ohonynt yn breuddwydio am annerch unrhyw gynhadledd arall heb yn gyntaf holi rhywfaint am eu hamcanion, a (2) mai dynion ydynt na buont erioed o'r blaen yn yr Eisteddfod ac na ddônt yno byth eto'.[203] Nid drwg o beth, er hynny, oedd yr holl ddadlau a fu ynghylch Eisteddfod Caerffili, oherwydd fe allai 'roi gwers i bwyllgorau lleol y dyfodol yn eu dewisiad o lywyddion'.[204] 'Ni ellais erioed ddeall paham y mae'n rhaid cael yr Aelod Seneddol lleol i lywyddu bob blwyddyn,' meddai, oherwydd 'mae ei weithgarwch ef yn perthyn i fyd nad oes ganddo gysylltiad o gwbl â'r Eisteddfod'.[205] 'Snobri' Cymru oedd peth fel hyn yn ôl Gruffydd.[206]

Un o'r rhai a wrthwynebai Eisteddfod uniaith Gymraeg oedd Jac L. Williams. Dadleuodd o blaid Eisteddfod ddwyieithog yn *Y Faner* ar ôl Eisteddfod 1948, a gwnaeth hynny drachefn ar ôl Eisteddfod Caerffili. Pregethodd y dylid cydnabod bodolaeth y Saesneg yn y Brifwyl gan mai honno oedd iaith y mwyafrif o drigolion Cymru. Collwyd cyfle i ddenu'r di-Gymraeg yn ôl i fynwes Cymru yng Nghaerffili, a cham tuag at ddryllio undod cenedl oedd y gwaharddiad hwn ar y Cymry di-Gymraeg. Ni chafwyd llawer o hwyl yng Nghaerffili am na allai'r rhan fwyaf o'r gynulleidfa ddeall yr hyn a ddywedid o'r llwyfan. Difethwyd y Gymanfa Ganu yno oherwydd ystyfnigrwydd yr unieithwyr:[207]

> . . . yn y cyfarfod olaf yn y pafiliwn nos Sul, aethpwyd mor ystyfnig â gwrthod gofyn am ddistawrwydd yn iaith y bobl. Yn rhesymol ddigon, ni chafwyd y distawrwydd a oedd mor angenrheidiol i'r fath gyfarfod. Yn hytrach, aberthwyd llwyddiant cymanfa a ddylasai fod yn wledd na ellid ei hanghofio . . . Mae'n sicr y buasai'r dorf fawr yn croesawu ychydig frawddegau i esbonio'r emynau iddynt yn eu hiaith eu hunain, ac i'w cynorthwyo i ailafael yn eu treftadaeth. Ni wnaethpwyd dim o'r fath beth, eithr dal ati'n heriol i siarad mewn iaith nas deallai'r lliaws, a pha ryfedd i'r dorf, a oedd mor awyddus i ddod i'r gymanfa fwy nag awr cyn pryd, ddechrau llifo allan hyd yn oed ar ôl yr emyn cyntaf!

Anodd dilyn trywydd rhesymeg o'r fath, ond cynrychiolai agwedd Jac L. Williams safbwynt sawl unigolyn ar y pryd. Ni allent weld pa mor gyfeiliornus oedd yr athrawiaeth mai trwy gyfrwng y Saesneg y gellid achub y Gymraeg, yn hytrach na thrwy'r Gymraeg ei hun. Disgynnodd yr areithiau gwych a gafwyd yng Nghaerffili ar glustiau byddar, ychwanegodd, ac ni allai sawl cystadleuydd ddeall y feirniadaeth ar ei berfformiad. Pregeth fawr Jac L. Williams oedd y dylid addysgu pobl drwy gyfrwng iaith a ddeallent, ac nid trwy gyfrwng iaith a oedd yn estron iddyn nhw. 'Yn anffodus,' meddai, 'mae lle i gredu i bolisi uniaith y Cyngor greu peth teimlad gwrth-Gymraeg, onid gwrth-Gymreig, yn Neheudir Cymru'.[208] Nid protestio geiriol yn unig a gafwyd yng Nghaerffili, o blaid neu yn erbyn y Rheol Uniaith. Llosgwyd baner yr 'Union Jack' gan ddau aelod o Fudiad Gweriniaethol Cymru, Gwyndaf Evans a Clifford Bere, y ddau o Gaerdydd, yn ystod wythnos yr Ŵyl. Dringodd y ddau i ben un o dyrau castell Caerffili, gostwng y faner a chwifiai o'r tŵr, a'i chodi drachefn ar ôl ei chynnau, gan efelychu protest gyffelyb yn Nolgellau flwyddyn ynghynt. Derbyniodd Clifford Bere ddirwy o £25, a Gwyndaf Evans ddirwy o £15.

Ni chytunai pawb â barn pobl fel Ness Edwards a Jac L. Williams. Yn ôl 'T.Ll.E.' yn *Y Faner*, Caerffili oedd y lle gorau i wahodd y genedl iddo, a hynny am ddau reswm: '[e]r mwyn argyhoeddi'r Cymry Cymreig nad yw'r tân Cymreig wedi diffodd yn llwyr mewn lleoedd fel Caerffili, ac er mwyn argyhoeddi'r Cymry Seisnig fod Cymru a Chymraeg yn bod ac yn urddas i'r rhai sy'n eu harddel'.[209] Beirniadwyd y côr o naw cant o blant a ganodd yn Gymraeg yn eu cyngerdd ar nos Fawrth yr Eisteddfod gan mai

Saesneg a siaradai'r plant â'i gilydd ar ôl perfformio. Arwynebol, felly, oedd gorfodi'r Gymraeg ar yr Eisteddfod, yn ôl y beirniaid, ond, meddai 'T.Ll.E.', '[p]e baent wedi canu mewn Lladin byddai'r taeogion Seisnig yn gorfoleddu'.[210]

Nid aeth Eisteddfod y Trobwynt, ac Eisteddfod hanner ffordd yr ugeinfed ganrif, heibio yn ddihelynt, felly, ac nid ynghylch ei hunieithrwydd yn unig y bu dadlau a ffraeo. Clywyd sawl cŵyn o gyfeiriad yr Arddangosfa Gelf a Chrefft. Wrth agor yr arddangosfa ddydd Llun yr Eisteddfod, diolchodd Iorwerth Peate i'r bobl leol a fu wrthi'n ddiwyd yn paratoi'r arddangosfa, ond achubodd ar ei gyfle i dynnu sylw at safle israddol y celfyddydau gweledol ac ymarferol o fewn y gyfundrefn eisteddfodol, gan ailadrodd ei gŵyn flwyddyn ynghynt. 'Os ymneilltuodd y llenorion i'r babell len, deuant yn eu rhwysg i'r pafiliwn ar ddau, yn wir ar dri bellach, o ddyddiau'r eisteddfod,' meddai, 'ond erys y crefftwr a'r artist o hyd megis gwahangleifion y tu allan i'r porth'.[211] 'Roedd angen diwygio'r adran, meddai, ac un o hanfodion y diwygio hwnnw fyddai sicrhau fod y celfyddydau gweledol yn rhan anhepgor o weithgareddau'r Ŵyl. Canmolodd yr arddangosfa yng Nghaerffili. Yr oedd, meddai, yn dangos y ffordd i'r dyfodol. Ni allai'r Eisteddfod sefydlu ysgol o artistiaid Cymreig, ond gallai helpu:[212]

> . . . a helpu trwy osod y safonau yn arbennig: trwy ddewis beirniaid a ŵyr rywbeth am gefndir ein bywyd cenedlaethol, ac am ein hysgolion a'n haddysg. Yr wyf yn ffyddiog fod yr adran hon o'r Eisteddfod Genedlaethol yn graddol gyfeirio ein camau i'r llwybr hwn. Pan gawn hefyd werin sy'n adnabod y gwych a'r gwael mewn crefft a chelfyddyd, ac yn barod i gefnogi'r gwych yn gyson ac i hawlio gweddustra mewn pensaernïaeth a chynllunio, fe fydd wedyn obaith cryf am gelfyddyd nodweddiadol o Gymru.

'Roedd y ddau arbrawf a gynhaliwyd yng Nghaerffili, sef arddangos gweithiau i'w prynu, o eiddo artistiaid fel Brenda Chamberlain, John Elwyn, Ceri Richards, Esther Grainger (Ysgrifenyddes y Pwyllgor Celfyddyd Gain), ac arddangos peth o gynnyrch mwyaf diweddar technoleg, fel setiau 'radio-lygad' (setiau teledu) a chlociau trydan, yn gamau ymlaen. Mewn gwirionedd, hepgorwyd cystadlu yn yr Adran Gelfyddyd Gain yng Nghaerffili, yn bennaf oherwydd i'r arlunydd, y beirniad a'r hanesydd Celf, David Bell, ymosod ar yr egwyddor o gystadlu ym myd y Celfyddydau Cain yn y *Welsh Review* ym 1947. Daeth Bell ei hun i Gaerffili i draethu ei farn ar y gweithiau a arddangosid yno. Gwerthwyd nifer o'r darluniau a wahoddwyd i'w harddangos yng Nghaerffili, a bu'r arbrawf, o'r herwydd, yn bur lwyddiannus, er i Thomas Richard Henry ymosod yn *Y Faner* ar waith yr arlunwyr cydnabyddedig a phroffesiynol hyn. Nid oedd un llun cwbwl arbennig yn y casgliad, meddai, a cheid dros gant 'o rai sâl dros ben'.[213] 'Roedd rhai o'r lluniau, meddai, yn peri i blant chwerthin, ac, yn wir, 'roedd adran y plant ysgol yn uwch o lawer o ran safon.

Eisteddfod wleidyddol ei naws, felly, a gafwyd yng Nghaerffili, a hynny'n anochel, ond ni ddylid anghofio ochor weinyddol a diwylliannol yr Ŵyl. Cafwyd maes a phafiliwn gwych yng Nghaerffili, ac arbedwyd oddeutu £8,000 i'r pwyllgor lleol drwy'r antur newydd. Costiodd y pafiliwn, a allai ddal oddeutu 8,000 o bobl, £12,000 am y flwyddyn gyntaf, a bwriedid ei ddefnyddio yn y pum Eisteddfod ddilynol. Cafwyd rhai cyngherddau llwyddiannus yn ogystal, fel y perfformiad cyntaf erioed o'r *Elijah* yn Gymraeg, gyda Chôr yr Eisteddfod yn canu cyfieithiad T. H. Parry-Williams o'r gwaith. Yng nghystadleuaeth y Corau Merched yr oedd un côr o Loegr yn cystadlu, sef Côr Birkenhead, ac 'roedd gan y côr fwy o siaradwyr Cymraeg, bron i hanner yr aelodau, na'r côr buddugol, Côr Merched Caerffili.

Torrwyd tir newydd yn Eisteddfod Caerffili pan osodwyd cystadleuaeth arbennig yn yr Adran Ddrama. Gofynnwyd i feirniad cystadleuaeth y ddrama un-act, D. Matthew Williams, ddewis y tair drama orau yn y gystadleuaeth, gyda'r bwriad o gael tri chwmni i'w perfformio yn ystod yr wythnos, a dewis y ddrama orau wedyn ar ôl perfformio'r tair drama fuddugol. Dewiswyd pedair drama gan D. Matthew Williams, a pherfformiwyd pob un yn ystod yr Eisteddfod: *Mantell y Brenin* gan David Roberts, *Munudau Duw* gan Tudor Jones, *Y Grafanc* ac *Ar yr Olwyn Fawr*, y ddwy gan Edward Rees, a dyfarnwyd *Y Grafanc* yn fuddugol.

A dyna beth o hanes a chefndir yr Ŵyl Uniaith gyntaf, er i ddau areithiwr wrthod plygu i'r drefn a mynnu annerch y dorf yn Saesneg. Cwynwyd mai Eisteddfod ddi-fflach ac oeraidd oedd Prifwyl 1950. '[T]here is no doubt that this Eisteddfod lacks the "hwyl" of Dolgelley,' oedd dedfryd y *Western Mail*, oherwydd '[t]here is either too much Welsh on the platform or not enough in the audience'.[214] 'Roedd llawer o eisteddfodwyr eraill yn cytuno. 'Credaf mai'r farn gyffredinol ydyw ei bod yn eisteddfod ddigon diddorol, heb lawer o frwdfrydedd, yn rhedeg yn esmwyth iawn, a bod pawb o'r swyddogion yn gwrtais a charedig,' meddai'r *Faner*.[215] 'Doedd dim llawer o lewyrch ar y cystadlaethau rhydd-iaith ychwaith. Un yn unig a anfonodd nofel i mewn i'r gystadleuaeth arbrofol-fentrus 'Nofel Fer Seicolegol i Ddehongli Cymeriad 'Efnisien'', ond bu'n rhaid i John Gwilym Jones atal y wobr, yn union fel yr ataliwyd Tlws y Ddrama gan D. T. Davies.

Ac eto, Eisteddfod Caerffili oedd yr Eisteddfod bwysicaf erioed yn holl hanes yr Eisteddfod.

FFYNONELLAU

1. 'Croeso', Wil Ifan a W. T. Richards, *Rhestr Testunau Eisteddfod Genedlaethol Frenhinol Cymru Penybont-ar-Ogwr Awst 5-10 1940*, t. 10.
2. 'Rhagair ac Apêl', Cynan a D. R. Hughes, *Rhestr Testunau Eisteddfod Genedlaethol Cymru, Aberpennar, Awst 6-8, 1940*, t. 7.
3. Ibid., t. 5.
4. 'Cyhoeddi 'Steddfod Bae Colwyn', *Y Cymro*, Mehefin 29, 1940, t. 1.
5. 'Cynan yn Egluro Pa Fodd y Caed yr Eisteddfod Eleni', ibid., Awst 10, 1940, t. 5.
6. Ibid.
7. Ibid.
8. 'Eisteddfod Genedlaethol Aberpennar, 1940', Cynan, *Adroddiadau 1939-44 ynghŷd â Hanes, Cyfrifon a Rhestrau Buddugwyr Eisteddfodau Dinbych (1939), Aberpennar (1940), Hen Golwyn (1941), Aberteifi (1942), Bangor (1943) a Llandybïe (1944)*, dim dyddiad, t. 36.
9. 'Eisteddfod Genedlaethol Ryfeddaf Erioed', *Y Cymro*, Awst 10, 1940, t. 1.
10. Ibid.
11. Ibid.
12. Ibid.
13. 'Eisteddfod on the Air: A Disappointing Session', *Western Mail*, Awst 6, 1940, t. 3.
14. Ibid.
15. 'Morriston Male Voice Choir Wins/D.L.G. on Wales's Interest in Struggle For Freedom', ibid., Awst 8, 1940, t. 5.
16. Ibid.
17. Ibid.
18. 'Eisteddfod Genedlaethol Ryfeddaf Erioed', t. 1.
19. Ibid.
20. 'Anrheithio'r Iaith mewn Rhith o'r Ŵyl', *Y Faner*, Awst 14, 1940, t. 8.

21. Ibid.
22. 'Llais y Wlad: Amddiffyn Eisteddfod yr Awyr', ibid., Awst 21, 1940, t. 4.
23. 'Led-led Cymru', ibid.
24. 'Gair o Groeso', Daniel Jones, *Rhaglen Swyddogol Eisteddfod Genedlaethol Lenyddol Cymru*, t. 9.
25. *Testunau Eisteddfod Genedlaethol Lenyddol Cymru . . . Hen Golwyn, Awst 6, 7, 8, 1941*, t. 14.
26. Ibid., t. 15.
27. 'Rhagair', Cynan a D. R. Hughes, ibid., t. 3.
28. 'Yr Eisteddfod: Beth Fydd Rhan Cymru wedi'r Drin: Araith Mr. Lloyd George', *Y Cymro*, Awst 9, 1941, t. 12.
29. Ibid.
30. Ibid.
31. 'Seiat y Llenorion', ibid., Awst 16, 1941, t. 1.
32. Ibid.
33. Ibid.
34. 'Llosgi'r Ysgol Fomio: y Cefndir a'r Canlyniadau', A. O. H. Jarman, *Saunders Lewis*, Goln D. Tecwyn Lloyd a Gwilym Rees Hughes, 1975, tt. 121-2.
35. 'Eisteddfod Genedlaethol Colwyn, 1941', E. Pryce Jones, *Adroddiadau 1939-44*, t. 45.
36. 'Rhyngom Ni a'n Gilydd', *Y Cymro*, Awst 23, 1941, t. 5.
37. Ibid.
38. Ibid.
39. 'Mr. Lloyd George's Post-War Challenge to Wales', *Western Mail*, Awst 8, 1941, t. 3.
40. 'Nodiadau'r Golygydd', W. J. Gruffydd, *Y Llenor*, cyf. xx, rhif 3, Hydref 1941, t. 102.
41. 'Ni Lwyddodd yr Ŵyl Lenyddol', J. T. Jones, *Y Cymro*, t. 1.
42. Ibid.
43. Cystadleuaeth y nofel fer: beirniadaeth Stephen J. Williams, *Cyfansoddiadau a Beirniadaethau Eisteddfod Genedlaethol Lenyddol, 1941 (Hen Golwyn)*, Goln R. T. Jenkins a Thomas Parry, t. 163.
44. Ibid. t. 164.
45. Ibid.
46. Ibid.
47. Cystadleuaeth yr ysgrif: beirniadaeth E. Prosser Rhys, ibid., t. 145.
48. Ibid.
49. Ibid.
50. Ibid., t. 147.
51. Cystadleuaeth y stori fer: beirniadaeth T. Hughes Jones, ibid., t. 153.
52. Ibid., t. 154.
53. Cystadleuaeth y Traethawd 'Diwydiannau coll unrhyw ardal yng Nghymru': beirniadaeth Iorwerth C. Peate, ibid., t. 143.
54. Ibid., t. 144.
55. Cystadleuaeth y ddrama hir: beirniadaeth D. Matthew Williams, ibid., t. 165.
56. Ibid.

57. Ibid., t. 170.
58. Ibid., t. 171.
59. 'Nodiadau'r Golygydd', t. 101.
60. 'Gŵyl ar Raddfa Fawr Eto', *Y Cymro*, Awst 23, 1941, t.1.
61. 'Cyfle i'r Gwerinwr Deallus', Caerwyn, ibid.
62. Ibid.
63. 'Llenyddiaeth i'r "Ychydig": Pwy Sydd a Hawl i Benderfynu?', ibid., Awst 16, 1941, t. 3.
64. 'Eisteddfod ar Raddfa Lai', ibid.
65. 'Mr. Lloyd George's Post-War Challenge to Wales', t. 3.
66. 'Eisteddfod Genedlaethol Colwyn, 1941', t. 45
67. 'Nodiadau'r Golygydd', t. 101.
68. 'Rhagair', *Testunau Eisteddfod Genedlaethol Lenyddol Cymru, Caerfyrddin Awst 5, 6, 7 – 1942*, Cynan a D. R. Hughes, t. 5.
69. 'Efrydydd yn Cipio'r Goron', *Y Cymro*, Awst 8, 1942, t. 1.
70. Ibid.
71. 'Cerddoriaeth Ystrydebol yn yr Ŵyl Genedlaethol', W. Albert Williams, ibid., Awst 22, 1942, t. 4.
72. Ibid.
73. 'Neges Mr. Lloyd George i Gymru', ibid., Awst 8, 1942, t. 12.
74. Ibid.
75. Ibid.
76. Ibid.
77. 'Rhyngom Ni a'n Gilydd', ibid., Awst 22, 1942, t. 5.
78. Ibid.
79. 'Eisteddfod Chair Withheld' , *Western Mail*, Awst 7, 1942, t. 3.
80. 'In and Around the Eisteddfod', ibid., Awst 5, 1948, t. 3.
81. Cystadleuaeth y nofel fer: beirniadaeth John Gwilym Jones, *Cyfansoddiadau a Beirniadaethau Eisteddfod Genedlaethol 1942 (Aberteifi)*, Gol. Thomas Parry, t. 155.
82. Ibid., t. 154.
83. Cystadleuaeth y ddrama un act: beirniadaeth J. Kitchener, Davies, ibid., t. 184.
84. Cystadleuaeth Detholiad o ganeuon gwreiddiol yn ymwneud â bywyd ardal: beirniadaeth Saunders Lewis, ibid., t. 83.
85. Cystadleuaeth y traethawd beirniadol ar waith unrhyw fardd Cymraeg: beirniadaeth Griffith John Williams, ibid., t. 94.
86. Cystadleuaeth y traethawd ar fywyd a gwaith (a) Peter Williams, neu (b) John Rhys: beirniadaeth Henry Lewis a Thomas Richards, ibid., t. 91.
87. 'Eisteddfod Crown Sensation', *Western Mail*, Awst 6, 1942, t. 3.
88. 'Eisteddfod Genedlaethol Aberteifi, 1942', W. R. Jones, *Adroddiadau 1939-44*, t. 53.
89. 'Eisteddfod Crown Again Won By a Student', *Western Mail*, Awst 5, 1943, t. 3.
90. 'Croesawu Tramorwyr', *Y Cymro*, Awst 7, 1943, t. 1.
91. 'European Guests Make Eisteddfod History', *Western Mail*, Awst 6, 1943, t. 3.
92. 'Disgrifiad Gwleidydd Slofac o'r Eisteddfod', *Y Cymro*, Awst 28, 1943, t. 1.

93. Ibid.
94. Ibid.
95. 'Disgrifiad o'r 'Steddfod gan Wleidydd o Belgium', ibid., Medi 4, 1943, t. 8.
96. Ibid.
97. 'Meddai Anerchwyr yr Ŵyl', ibid., Awst 7, 1943, t. 1.
98. Ibid.
99. 'Rhyngom Ni a'n Gilydd', ibid., Awst 14, 1943, t. 3.
100. Ibid.
101. 'European Guests Make Eisteddfod History', *Western Mail*, Awst 6, 1943, t. 3.
102. 'Mountain Ash Wins Chief Coral at the Eisteddfod', ibid., Awst 7, 1943, t. 3.
103. Cystadleuaeth y ddrama un-act: beirniadaeth Elsbeth Evans, *Cyfansoddiadau a Beirniadaethau Eisteddfod Genedlaethol 1943 (Bangor)*, Gol. William Morris, t. 184.
104. Ibid., t. 188.
105. 'Rhagair', *Testunau Eisteddfod Genedlaethol Cymru Llandybie Awst 9, 10, 11*, Cynan a D. R. Hughes, 1944, t. 5.
106. 'Eisteddfodwyr Make Way for Evacuees', *Western Mail*, Awst 7, 1944, t. 3.
107. 'Eisteddfod Genedlaethol Llandybie, 1944', Alun Talfan Davies, *Adroddiadau 1939-44*, t. 77.
108. 'Rhyngom Ni a'n Gilydd', *Y Cymro*, Awst 18, 1944, t. 5.
109. 'Steddfod i Bawb o Bobl y Byd?', ibid.
110. Ibid.
111. 'Deg Cynrychiolydd', ibid., t. 1.
112. 'Eisteddfod Genedlaethol Llandybie, 1944', *Adroddiadau 1939-44*, t. 77.
113. ' "Gŵyl y Fuddugoliaeth" ', *Y Cymro*, Awst 11, 1944, t. 1.
114. 'Y Ddrama yn yr Ŵyl: Trem gan Elsbeth Evans (yn ffurf sgwrs)', ibid., Awst 18, 1944, t. 12.
115. Ibid.
116. Ibid.
117. 'Y Ford Gron', ibid., t. 5.
118. 'Y Ford Gron', ibid., Awst 4, 1944, t. 5.
119. 'Eisteddfod Genedlaethol Llandybie, 1944', *Adroddiadau 1939-44*, t. 77.
120. Ibid., t. 76.
121. 'Rhyngom Ni a'n Gilydd', *Y Cymro*, Awst 18, 1944, t. 5.
122. 'Eisteddfod Genedlaethol Llandybie, 1944', *Adroddiadau 1939-44*, t. 77.
123. Cystadleuaeth y ddrama un-act: beirniadaeth D. Matthew Williams, *Cyfansoddiadau a Beirniadaethau Eisteddfod Genedlaethol 1944 (Llandybïe)*, Gol. Gomer M. Roberts, t. 178.
124. Ibid., tt.178-9.
125. Cystadleuaeth y gerdd *vers libre*: beirniadaeth Saunders Lewis, ibid., t. 99.
126. Ibid., t. 100.
127. Cystadleuaeth yr ysgrif: beirniadaeth J. O. Williams, ibid., t. 152.
128. Cystadleuaeth 'Cerdd ar ryw ddigwyddiad diweddar yn hanes ardal': beirniadaeth Gwilym Myrddin, ibid., t. 97.

129. Ibid.
130. 'Eisteddfod Genedlaethol Rhos Llannerchrugog, 1945', J. T. Edwards, *Adroddiad 1945 ynghŷd â Hanes, Cyfrifon a Rhestr Buddugwyr Eisteddfod Rhos Llannerchrugog*, t. 14.
131. Ibid., tt. 14-5.
132. '"A Oes Heddwch?" Call Comes to Life in the Pavilion', *Western Mail*, Awst 11, 1945, t. 3.
133. 'Eisteddfod Genedlaethol Rhos Llannerchrugog, 1945', t. 14.
134. ' "A Oes Heddwch?" Call Comes to Life in the Pavilion', *Western Mail*, Awst 11, 1945, t. 3.
135. 'Druids, Poets, but, Alas! No Crown', ibid., Awst 9, 1945, t. 3.
136. 'Celfyddyd Gain yn y Brifwyl', *Y Cymro*, Awst 10, 1945, t. 6.
137. 'Dyfodol ein Diwydiant', ibid., t. 1.
138. Ibid.
139. 'O Faes yr Eisteddfod', ibid., t. 12.
140. 'Bridgend "National" Opens – Eight Years Late', Ernest Hughes, *Western Mail*, Awst 2, 1948, t. 1.
141. 'Rhagair y Cyd-Ysgrifenyddion', Cynan a D. R. Hughes, *Adroddiad 1945 ynghŷd â Hanes, Cyfrifon a Rhestr Buddugwyr Eisteddfod Rhos Llannerchrugog*, t. 10.
142. 'Yr Agoriad Swyddogol', *Y Faner*, Awst 7, 1946, t. 8.
143. 'Eisteddfod Crowd Opens its Heart to the Princess', *Western Mail*, Awst 7, 1946, t. 3.
144. Ibid.
145. 'O'r Brifwyl yn Aberpennar', *Y Faner*, Awst 14, 1946, t. 8.
146. Ibid.
147. Ibid.
148. 'Eisteddfod Standard of Music', *Western Mail*, Awst 12, 1946, t. 2.
149. 'Gŵyl y Crefftwyr', *Y Faner*, Awst 14, 1946, t. 6.
150. "The Messiah' Was a Disappointment', *Western Mail*, Awst 9, 1946, t. 3.
151. 'O'r Brifwyl yn Aberpennar', *Y Faner*, Awst 14, 1946, t. 8.
152. Ibid.
153. 'Angen am Awduron â Gweledigaeth', ibid., Awst 7, 1946, t. 8.
154. Cystadleuaeth y nofel hir: beirniadaeth Kate Roberts, *Cyfansoddiadau a Beirniadaethau 1946 (Aberpennar)*, Gol. T. J. Morgan, t. 101.
155. Cystadleuaeth y ddrama hir: beirniadaeth E. Ernest Hughes, ibid., t. 231.
156. *Adroddiad 1948 ynghŷd â Rhestr o'r Aelodau, Hanes, Cyfrifon a Rhestr Buddugwyr Eisteddfod Penybont-ar-Ogwr*, t. 35.
157. Cystadleuaeth y traethawd beirniadol ar y nofel ar ôl Daniel Owen: beirniadaeth Llewelyn Wyn Griffith, *Cyfansoddiadau a Beirniadaethau 1946 (Aberpennar)*, t. 101.
158. 'Eisteddfod Genedlaethol Cymru, 1947 Bae Colwyn', Elwyn Roberts, *Adroddiad 1947 ynghŷd â Rhestr o'r Aelodau, Hanes, Cyfrifon a Rhestr Buddugwyr Eisteddfod Bae Colwyn*, t. 23.
159. Ibid., t. 22.
160. 'Rhagair y Cyd-Ysgrifenyddion', Cynan ac Ernest Roberts, ibid., t. 10.

161. 'Wales – the Envy of Celtic-Speaking Countries', Ernest Hughes, *Western Mail*, Awst 6, 1947, t. 1.
162. 'English "Invaders" Carry Off Choral Honours', ibid., Awst 7, 1947, t. 4.
163. Ibid.
164. 'Lloffion o Faes Prifwyl y Bae', *Y Cymro*, Awst 15, 1947, t. 5.
165. 'Y Gloyn Byw yn Dychwelyd', ibid., t. 1.
166. 'Y Saith Rhyfeddod ym Myd Dramau'r Brifwyl', Elsbeth Evans, ibid., t. 8.
167. ' "National" Site at Bridgend Best Ever', Ernest Hughes, *Western Mail*, Awst 3, 1948, t. 1.
168. 'Drama Had Counter-Attractions', D. R. Davies, ibid., Awst 5, 1948, t. 3.
169. 'Male Choir's Third Successive Win', ibid., Awst 9, 1948, t. 3.
170. 'Choir Wins Trophy by a Single Point', ibid., Awst 7, 1946, t. 3.
171. 'Y Babell Awen', Dewi Emrys, *Y Cymro*, Awst 20, 1948, t. 4.
172. 'Gwrthymosod gan Luoedd yr Eingl-Gymry', ibid., Medi 10, 1948, t. 1.
173. 'Eisteddfod's Future', *Western Mail*, Awst 31, 1948, t. 2.
174. Ibid.
175. 'Eisteddfod Eve', ibid., Gorffennaf 30, 1949, t. 2.
176. 'Fe arglwyddiaethodd y Gymraeg ar lwyfan a maes '49', *Y Cymro*, Awst 12, 1949, t. 10.
177. 'O Gwm i Gwm: Lloffion o'r Maes', ibid., t. 12.
178. 'Ardderchog Ddolgellau', ibid., t. 5.
179. Ibid.
180. 'Cor yr Eisteddfod oedd Pinacl yr Wyl', ibid., t. 7.
181. Ibid.
182. 'Fe arglwyddiaethodd y Gymraeg ar lwyfan a maes '49', ibid., t. 10.
183. 'What Dolgelley Achieved', *Western Mail*, Awst 8, 1949, t. 2.
184. Cystadleuaeth y ddrama radio yn Gymraeg: beirniadaeth Dafydd Gruffydd, *Cyfansoddiadau a Beirniadaethau Eisteddfod Genedlaethol 1949 (Dolgellau)*, Gol. John Lloyd, t. 242.
185. 'Y Brifwyl Unwaith Eto', *Y Faner*, Awst 9, 1950, t. 4.
186. 'Caerffili, 1950', *Western Mail*, Awst 7, 1950, t. 3.
187. ' "No English" at Caerphilly', ibid., Awst 8, 1950, t. 4.
188. 'Eisteddfod Scare', ibid., Awst 11, 1950, t. 2.
189. 'The Eisteddfod Aftermath', ibid., Awst 14, 1950, t. 2.
190. Ibid.
191. Ibid.
192. 'Eisteddfod Presidents Differ on All-Welsh Question', ibid., t. 4.
193. Ibid.
194. Ibid.
195. Ibid.
196. 'Cwrs y Byd: Eisteddfod Caerffili', A. O. H. Jarman, *Y Faner*, Medi 6, 1950, t. 8.
197. Ibid.
198. Ibid.

199. Ibid.
200. Ibid.
201. 'Nodiadau'r Golygydd', W. J. Gruffydd, Y Llenor, cyf. xxix, rhif 4, Gaeaf 1950, t. 158.
202. Ibid., t. 159.
203. Ibid.
204. Ibid.
205. Ibid.
206. Ibid.
207. 'Ai Doeth Eisteddfod Uniaith?', Jac L. Williams, ibid., Awst 30, 1950, t. 5.
208. Ibid.
209. 'Glyner wrth yr ŵyl Gymraeg!', 'T.Ll.E.', ibid., Awst 23, 1950, t. 1.
210. Ibid.
211. 'Yr Arddangosfa: Anerchiad y Dr. Peate', ibid., Awst 9, 1950, t. 1.
212. Ibid., t. 5.
213. 'Celfyddyd yn yr Eisteddfod', Thomas Richard Henry, ibid., Awst 23, 1950, t. 3.
214. 'Exiles' Day at the National Eisteddfod', *Western Mail,* Awst 10, 1950, t. 1.
215. 'Gŵyl Gwbl Gymraeg?', *Y Faner*, Awst 23, 1950, t. 4.

Rhan 3

‘Syllu’n Ôl dan Addoli’

Yr Awdl a’r Canu Caeth: 1940-1950

Er i’r degawd 1940-1950 gynhyrchu un o awdlau mwyaf yr Eisteddfod Genedlaethol yn yr ugeinfed ganrif, ac er iddo esgor ar un o awdlau mwyaf poblogaidd y Genedlaethol erioed, yn ogystal â chynhyrchu un neu ddwy o awdlau da eraill, credai llawer o feirdd a beirniaid y cyfnod fod yr awdl yn ffurf dreuliedig, ganoloesol nad oedd iddi le mwyach ym marddoniaeth yr ugeinfed ganrif. Er i gystadleuaeth ddidestun 1940 ddenu 23 o awdlwyr, nid oedd yn argoeli’n dda ar gyfer y dyfodol. ‘[Y]chydig o newydd-deb ac o fenter a ganfyddir, ac ychydig o weledigaeth prydyddol yn y dull o drin y testunau,’ cwynai Griffith John Williams.[1] Y broblem oedd fod y ‘rhan fwyaf o’r ymgeiswyr yn parhau i rygnu ar yr un tannau, ac i ddynwared y triciau a’r stranciau sy’n nodweddu’r awdl eisteddfodol’.[2] Ceid yn y gystadleuaeth ‘lawer o feirdd sydd wedi meistroli celfyddyd cerdd dafod, ond ychydig yw nifer y prydyddion a welir yn eu mysg’.[3] ‘I’r hen drefn a’r hen ddull y perthynant gan mwyaf,’ meddai J. Lloyd Jones am yr awdlau flwyddyn yn ddiweddarach, a ‘rhyfedd mor ddiflas yw’r hen wrth ochr y newydd’.[4] Yn aml, i fenthyg llinell gan Dewi Emrys o’i awdl ‘Yr Alltud’, ‘syllu’n ôl dan addoli’ a wnâi’r beirdd caeth, yn hytrach nag edrych ymlaen i’r dyfodol â chân newydd, fwy heriol.

Pryderai llawer am ddyfodol yr awdl ar ddechrau’r pedwardegau. Er i’r beirniaid flwyddyn ar ôl blwyddyn grefu’n daer ar y beirdd i osgoi’r hen ystrydebau a’r hen ieithwedd dreuliedig, cyndyn oeddynt i symud ymlaen gyda’r oes. ’Roedd yr awdl wedi ei hangori yn ei hunfan, ac anodd oedd ei chael i godi’r angor honno a hwylio ymaith am orwelion newydd. Dywedodd R. Williams Parry, wrth feirniadu awdlau 1942, nad oedd 'beirniadu awdlau diweddar yn waith gwefreiddiol iawn'.[5] 'Y mae'n diffodd ysbryd dyn, nes peri iddo anobeithio'n llwyr am ddyfodol y canu caeth,' meddai.[6] Perthyn i'r gorffennol a wnâi'r awdl o hyd, ac 'roedd cysgod y gorffennol arni mewn dwy ffordd, yn ôl rhai o feirniaid y Gadair. 'Roedd yr awdl fel ffurf fydryddol, i ddechrau, yn perthyn i'r canol oesoedd, ac nid i'r ugeinfed ganrif. 'Barddoniaeth y gymdeithas bendefigaidd, Gatholig oedd barddoniaeth beirdd yr Oesoedd Canol, a disgyblaeth y gymdeithas honno arnynt oedd y pedwar mesur ar hugain,' meddai Gwenallt ym 1942.[7] 'Roedd yr Eisteddfod, awgrymodd, yn glynu'n rhy dynn wrth yr hen fesurau wrth ofyn am awdl ar y nifer a fynner o bedwar mesur ar hugain Dafydd ab Edmwnd. 'Roedd yr hen fesurau yn gweddu'n berffaith i'r gymdeithas a'u creodd, yn ôl Gwenallt, oherwydd: 'Gan fod y gymdeithas yn gymdeithas Gymraeg yr oedd gan y beirdd eirfâu cyfoethog, ac nid oedd mesur hir unodl, fel Hir-a-thoddaid a Gwawdodyn Hir, heb sôn am gerdd gyfan unodl, yn straen arnynt'.[8] Wrth feirniadu cystadleuaeth y Gadair ym 1946, gofynnodd Gwenallt: 'Pam y mae'n rhaid i fardd heddiw lynu mor dynn wrth yr hen feirdd, mor fathemategol dynn â Syr John wrth eu mesurau a'u rheolau?'[9]

Perthynai'r awdl i'r gorffennol hefyd gan mai o'r gorffennol y tynnai'r beirdd eu hysbrydoliaeth. Awdlau eisteddfodol y gorffennol oedd eu patrymau llenyddol, yn hytrach nag unrhyw ganu cyfoes aneisteddfodol. Parodïau ar awdlau'r gorffennol oedd nifer o awdlau cystadleuaeth 1942, meddai R. Williams Parry, a'r parodïo mor amlwg nes ymylu ar fod yn ddychan neu'n watwareg, heb fwriadu hynny wrth gwrs. '[P]e gofynasai Cyngor yr Eisteddfod,' meddai, 'am awdl ddychan a watwarai ddull beirdd dechrau'r ganrif hon, neu'r ganrif o'r blaen, neu'r unfed ganrif ar bymtheg, neu ganol yr ugeinfed, buasai'r pedair awdl y dyfynnwyd ohonynt yn bedwar campwaith pwysig,' ac 'roedd syniad o'r fath, ychwanegodd, yn drist.[10] 'Prif ddiffyg yr awdlau hyn yw eu bod yn disgrifio Rhyfel ein canrif ni yn iaith y bedwaredd ganrif ar bymtheg,' gofidiai Gwenallt yntau, oherwydd '[p]an ddisgrifiant ddinistr y Rhyfel, dinistr "Dinystr Jerusalem" sydd ganddynt, a phan soniant am alar mamau ar ôl eu meibion, galar Gwilym Hiraethog yn ei awdl ar "Heddwch" yw eu galar, a'i "Heddwch" ef hefyd yw eu heddwch hwy'.[11] 'Roedd un cystadleuydd wedi sôn am fomio Essen, a phrofiad a berthynai i'r ugeinfed ganrif yn ei hanfod oedd y profiad o fod yn awyrennwr, ond er hynny, yn iaith Eben Fardd y mynegwyd y cyfan.

Cwynodd Gwilym R. Jones ym 1943 fod 'dylanwad un neu ddwy o'r awdlau a ganlyn – "Gwlad y Bryniau," "Ymadawiad Arthur," "Yr Haf," "Eryri" a'r "Arwr" – yn drwm ar y rhan fwyaf o'r cyfansoddiadau'.[12] 'Roedd y beirdd wedi benthyca 'eu cystrawennau, eu geirfâu, a hyd yn oed eu trawiadau cynganeddol'.[13] 'Canu'n rhamantaidd a wnaeth y rhai ar "Codi Angor," fel y disgwylid; canu i 'hud' a 'breuddwydion' a rhyw ynys ddelfrydol dros y môr, er bod llai o "niwl" yn yr awdlau hyn na'r rhai gynt . . . eithr dilyn cerddi rhamantaidd dechrau'r ganrif a wnaethant yn eu geirfa a'u cynganeddion,' meddai Gwenallt wrth drafod rhai o awdlau 1946.[14]

Mynnai'r beirdd roi natur yn gefndir i'w hawdlau o hyd, yn union fel y gwnaethai awdlwyr y dauddegau. 'Drwg yw'r arwydd pan orfydd ar fardd ganu serch a natur mewn awdl i ryfel,' gofidiai R. Williams Parry drachefn ym 1942.[15] 'Roedd Gwenallt yn cytuno. 'Gellir tybied, wedi darllen yr awdlau hyn, mai canu Natur yw'r canu caeth,' meddai.[16] Wrth feirniadu cystadleuaeth y Gadair ym 1945, tynnodd T. H. Parry-Williams sylw at rai o wendidau awdlau diweddar. 'Dyna'r stribedu canu-natur melys ond di-bwynt y mae'r cynganeddwyr rhugl mor hoff ohono,' meddai, gan gollfarnu arferion eraill digon cyfarwydd: 'dyna'r eirfa awdlaidd o ddechrau'r ganrif, sydd wedi ailfarw ac eto'n fyw; dyna'r "lleisiau" rhamantus sydd wedi colli eu hapêl i raddau helaeth'.[17]

Daliai'r beirniaid i amau gallu'r awdl i ymdrin â'r bywyd cyfoes, yn union fel y gwnaethai W. J. Gruffydd ym 1928 pan wrthodwyd cadeirio awdl 'Y Sant' gan Gwenallt, a bodloni ar adael y Gadair yn wag. Ac 'roedd Gwenallt ei hun, bron i bymtheng mlynedd yn ddiweddarach, yn amau gallu'r awdl i ymdrin â phynciau cyfoes. Gofynnodd nifer o gwestiynau ym 1942: 'A ellir canu i ddiwydiant a pheirianwaith ar y mesurau cynganeddol? Ai ar y mesur penrhydd yn unig y gellir gwneud hyn, fel pryddest y Goron y llynedd?'[18] Dyma gwestiynau pwysig, yn sicr. 'Roedd J. M. Edwards wedi cynganeddu rhannau helaeth o'i bryddest, a phryddest fodern oedd 'Peiriannau' o safbwynt deunydd ac ymdriniaeth. Profodd y gallai'r gynghanedd ymdrin yn llwyddiannus â'r bywyd modern, a dyna oedd y broblem o safbwynt yr awdl. Y mesurau ac nid y gynghanedd a gâi drafferth i ymdrin â'r bywyd cyfoes. 'Roedd J. M. Edwards wedi canu ar sawl mesur ac wedi amrywio hyd ei linellau, gan asio'r rhithm â'r ystyr. 'Roedd yn anodd gwneud hynny gyda'r mesurau traddodiadol byr-sillafog a chynnil-gyfyngedig. Diben amgenach oedd iddyn nhw.

Gofidus oedd Gwilym R. Jones yntau ynghylch dyfodol yr awdl wrth feirniadu cystadleuaeth y Gadair ym 1943. 'Erys y pryder ynghylch cystadleuaeth yr awdl, y pedwar mesur ar hugain, a'r gynghanedd ei hun,' meddai.[19] 'Roedd angen arbrofi, yn ôl Gwilym R.: cadw'r gynghanedd ond newid y mesurau. 'Ai gormod o fentr fyddai gwahodd y cystadleuwyr i arbrofi am gyfnod, caniatáu iddynt ddewis eu testunau a'u mesurau, a'u cymell i lunio mesurau newyddion?' gofynnodd.[20] Byddai caniatáu rhyddid o'r fath, efallai, wedi tynnu'r gynghanedd o'r twll yr oedd ynddo ar y pryd, oherwydd nid ar y gynghanedd yr oedd y bai ond ar ffurf a chonfensiwn treuliedig yr awdl. Methwyd sylweddoli fod cynganeddwyr penigamp yn bodoli y tu allan i gylch yr englyn, y cywydd a'r awdl, ac na fynnai pob bardd a chanddo'r gallu i gynganeddu ei fynegi ei hun drwy gyfrwng y mesurau caeth. J. M. Edwards, er enghraifft. Awdlwr gwantan ydoedd, a methodd ennill y Gadair ar sawl achlysur. Yr oedd yn un o awdlwyr aflwyddiannus 1943 (*Melos*), er i'r beirniaid ei osod yn weddol uchel; ar y llaw arall, defnyddiodd y gynghanedd yn effeithiol iawn yn 'Peiriannau'. Dyfalodd Gwilym R. Jones, yn anghywir hollol, mai 'newydd feistroli'r gynghanedd a mesurau cerdd [dafod]' yr oedd *Melos*, gan broffwydo y dôi'n awdlwr cryf yn y man![21]

Enillwyd Cadair gyntaf y cyfnod dan sylw gan T. Rowland Hughes, awdlwr buddugol 1937. Gadawyd y testun yn agored, gyda Griffith John Williams, R. Williams Parry a William Morris yn beirniadu. 'Pererinion' oedd testun ei awdl, a chanodd am bererinion yn sefyll o flaen delw'r Sant yn Nhyddewi, a Dewi yn eu holi am y Gymru ar y pryd a hwythau'n ei ateb. 'Cymru fel y gwelir hi gan fardd a geir yma, a'i bywyd fel y mae bardd yn ei deimlo,' meddai Griffith John Williams amdani.[22] Cydnabu fod camp ar y canu, ond 'roedd llawer o 'anwastadrwydd ac o ansicrwydd' a 'mynegiant gwan yn difwyno penillion da' ynddi hefyd.[23] 'Petai'r bardd galluog hwn wedi ymboeni i berffeithio ac i loywi ei waith,' meddai, 'petai ganddo amynedd a dyfalbarhad . . . credaf yn sicr y byddai wedi rhoi inni awdl y gellid ei dodi ymhlith awdlau gorau'r blynyddoedd diwethaf hyn'.[24] Cytunai cyd-feirniaid Griffith John mai awdl *Cynor* oedd yr orau yn y gystadleuaeth, a'i bod yn deilwng o'r Gadair.

Yn 'Pererinion', mae clochydd yr eglwys gadeiriol yn cyflwyno rhyfeddodau pensaernïol yr eglwys i'r pererinion, ac yn sôn am ei sefydlwyr a'i phenseiri. Ceir un o benillion gloywaf yr awdl yn nhraethiad y clochydd:

Gwelwch y cain naddiadau ugeinmil
Lle bu'r cŷn ar hyd llwybrau cynnil
Yn agor swp o flagur swil – dilwch
Heb rwygo heddwch eu brigau eiddil . . .

Daw'r clochydd at y ddelw o Ddewi wedyn. Dechreua'r ddelw lefaru wrth y pererinion, gan ofyn am fywyd ysbrydol Cymru. Mae'n gofyn hefyd a ydyw'r Cymry yn parchu eu hiaith ac yn gwerthfawrogi harddwch y wlad o hyd:

. . . A gerir
Heddwch a thegwch ei thir,
Iaith bêr ei cheinder a'i chân?
Ai diflas pob nwyd aflan?

Mae'r pererinion yn ei ateb yn optimistaidd gadarnhaol, ac yn cyflwyno darlun rhamantaidd a delfrydedig o'r wlad:

Yr heniaith bêr a geri?
Deil ymdaith ei hafiaith hi
Hyd lwybrau heirdd beirdd y bau
Ym mynych sain emynau.

Cyflwynir darlun rhamantus, a hynod farddonllyd, hyd yn oed o'r pyllau glo tanddaearol:

A than ei chwildro, y glo a glewion
Yn naddu gorwyll neuaddau geirwon,
Gwŷr di-fraw dan grwd y fron – â chwys drud
Yn hyrddio'r golud o'r garw ddirgelion.

Barddonllyd a blodeuog ryfeddol yw galw pyllau glo yn 'orwyll neuaddau geirwon'.

Wedyn mae 'rhyw ŵr unig' yn taro nodyn o anghytgord ac yn cyflwyno darlun hollol wahanol o'r Gymru fodern i'r un a gyflwynwyd gan y pererinion eraill. Nid yw Cymru mor ddilychwin grefyddol ag yr honnir gan y lleill: 'Ni thawelwyd morthwylion/Y taeog ar grog dy Grist'. Mae cyfalafiaeth a diwydiant hefyd yn hagru ac yn ysbeilio harddwch y wlad:

Cyfeiliorn pob Cyfalaf
Â'i 'winedd ar wedd yr haf.
Tyr y coed oddeutu'r cwm:
Rhydd barlys lle'r oedd bwrlwm
Yr afonig ar fynydd,
A llwybrau dan gangau gwŷdd.
Lle bu gardd, lle bu harddwch
Taria lloer uwch tyrau llwch.

Cyffyrddir â diweithdra Cymru yn ystod y tridegau llwyd wedyn. Er cymaint chwant diwydiant, y mae caethweision y gyfundrefn gyfalafol yn un fyddin segur:

Ac er anferth ryferthwy
Holl chwant eu diwydiant hwy,
Oni thry gwael o'i aelwyd
I ŵydd lleng y gruddiau llwyd?
Yn ddi-waith, ni wêl weithian
Ond mwg llin chwerthin a chân.

Ceir un llinell drawiadol iawn yn yr adran hon wrth ddisgrifio glöwr di-waith, 'Hyd eira'i groen dua'r graith'.

Rhan o'r darlun du, realistig o Gymru, ac o'r byd yn gyffredinol, yw'r sôn am y Rhyfel sy'n anrheithio Ewrop:

Heddiw, diddanwch yr hardd dyddynnod,
Yfory, dannedd yng ngyddfau'r dinod
A thaenu ar fythynnod – fflamau'r dur
Didostur yn rhu'r anfad eryrod.

Bellach, 'Safnrhwth y bwth a fu'n llawn gobeithion' ar ôl y cyrchoedd awyr. Daw'r awdl i ben gydag araith fer gan y Sant. Yn ôl at Dduw y daw popeth yn y diwedd, meddai, a bydd Duw yn drech na drygioni a helbulon y dydd: 'Uwch llwch anwadalwch dydd/Ei arfaeth Ef a orfydd'.

Awdl dau safbwynt yw hon mewn gwirionedd. Ceisiodd T. Rowland Hughes dynnu sylw at wir gyflwr Cymru ar y pryd, gan ymosod ar y Cymry hynny a ramanteiddiai eu gwlad, heb weld perygl i'w hiaith, nac i'w harddwch naturiol drwy anrhaith diwydiant. Proffwyd o ryw fath yw'r gŵr unig yn yr awdl, llais proffwydol unig ymysg y mwyafrif mud, difater a dall. Er ei bod yn cyferbynnu rhwng nerthoedd ysbrydol Cymru yn y gorffennol a gwacter a gwarth ei phresennol, mae'n rhaid cyhuddo'r awdl hon eto o leoli sefyllfa gyfoes yn y canol oesoedd, gan fod canu am Gymru'r canol oesoedd yn haws i'r awdl ac i'r gynghanedd na thrafod sefyllfaoedd cyfoes drwy gyfrwng iaith gyfoes. 'Roedd yr ieithwedd awdlaidd gydnabyddedig yn edrych yn fwy cartrefol yn llysoedd a chestyll y canol oesoedd nag yng ngheginau cawl y tridegau. Gyda'r testun yn agored ym 1940, 'doedd dim angen tynnu ysbrydoliaeth o'r canol oesoedd. Ac mae'r ieithwedd yn cyd-fynd yma ag awyrgylch ganol-oesol yr eglwys. Ceir ynddi hen ffurfiau fel 'mal' am 'fel', a'r ffurf gydnabyddedig gerdd-dafodaidd 'ôd' am 'eira' – 'Mal hwrdd o gymylau ôd'. Yn y darn am awyrennau'r Natsïaid yn rhuo yn yr awyr ar eu rhawd ddinistriol, daw'r eos ramantaidd, aderyn prin ryfeddol yng Nghymru, i rannu'r cwpled â'r peiriannau difaol hyn: 'Drwy'r awel lle dôi'r eos/Y plaen dur yn naddu'r nos'. Mewn gair, 'roedd T. Rowland Hughes yn lleisio'i brotest yn erbyn erchyllter rhyfel a thrachwant a rhaib diwydiant ar femrwn â chwilsyn yn ei law yn hytrach na thrwy feicroffôn y stiwdio ddarlledu. Mae'n wir i'r awdl ymateb yn gynnar i'r Rhyfel, ond cyf-oesedd dan gochl hen ieithwedd a geir yma, fel codi cegin fodern mewn ogof o oes y cerrig. Mae'n anodd credu mai cymysgu ieithweddau a chyweiriau a wna T. Rowland Hughes yma, oherwydd nid oes llawer o wahaniaeth rhwng mynegiant y darlun delfrydedig o Gymru a'r darlun realistig ohoni.

Yn sicr, nid yw 'Pererinion' gystal awdl â cherdd fuddugol 1937. Mae'n anodd osgoi'r argraff mai clytio dwy gerdd ynghyd a wnaeth Rowland Hughes, cerdd am yr eglwys gadeiriol yn Nhyddewi, a chyw-ydd am gyni economaidd a gwallgofrwydd militaraidd y cyfnod. Ac ar ben popeth, mae hi'n diweddu'n swta ryfeddol, gydag wyth llinell o broffwydo cysurlon yn llifo o enau'r nawddsant. Er pob gwendid, ceid yn yr awdl ymdrech onest i drafod argyfwng Cymru yn ystod cyfnod o anwareidd-dra ac i fynegi pryder am ei dyfodol o ganol cyfnod o ddi-ffeithdra ysbrydol.

Rowland arall, Rolant o Fôn, neu R. H. Jones, a enillodd Gadair Eisteddfod Lenyddol Hen Golwyn ym 1941. 'Hydref' oedd y testun a derbyniwyd 14 o awdlau. 'Roedd y presennol cythryblus, a hynny mewn gwrthgyferbyniad â rhyw orffennol perffaith, yn yr awdl hon eto, ynghyd â phroffwydoliaeth optimistaidd am oes well ar y diwedd. Mewn gwirionedd, yr ydym yn ôl ym myd awdl 'Yr Arwr' Hedd Wyn gydag awdlau 1940 a 1941. Cafodd y beirniaid drafferth i ddeall awdl Rolant. 'Os wyf yn deall yr awdl hon yn iawn,' meddai J. Lloyd Jones, 'wedi ymboeni nid ychydig â hi, credaf mai pechod a'i wae yw'r hyn a awgrymodd *Hydref*, neu os mynnir, y byd wedi dyfod pechod iddo'.[25] Fel hyn y dehonglwyd yr awdl gan J. Lloyd Jones, 'yn gam neu'n gymwys', a chan gyfaddef fod rhannau ohoni yn aros yn aneglur iddo:[26]

> . . . yn yr hydref collir gogoniant yr haf, ac y mae'n ddarlun o'r adfyd a ddug pechod yn lle'r gwynfyd cynt. Gorchfygir hydref yntau gan y gaeaf, a chan hynny y mae'n arwyddlun o ddiwedd bywyd yn yr angau a'r bedd, ac o ddiwedd byd. At hynny y mae, yn ei weddau, yn drosiad gwych o ofid a dioddefaint. Ceir y rhain oll yn y gân, ac afraid galw sylw at hydrefolrwydd y portreadau a geir ynddi o dristwch, hiraeth, gwae a phoen. Y mae, yn wir, yn gyforiog o hydref, ond credaf mai'r drychfeddwl sy'n unoli'r cyfan yw'r trueni a ddaeth gyda phechod, a hiraeth am wynfydedigrwydd a gollwyd.

Er nad oedd popeth yn yr awdl yn glir iddo, credai 'fod ar y gân nodau dychymyg byw, grym a hyder dawn, a medr celfyddyd', a bwriodd ei goelbren o blaid ei chadeirio, er mai o blaid atal y Gadair yr oedd ar y dechrau.[27]

Nid oedd Edgar Phillips yn gwbwl fodlon ar awdl Rolant ychwaith. '[T]ywyll ddigon yw rhannau o'i awdl,' meddai, gan ei gyhuddo o lusgo pethau amherthnasol i mewn iddi.[28] Yr oedd diffyg gorffennedd yn perthyn i'r holl awdlau, meddai, gan gynnwys yr awdl fuddugol, a beiodd argyfwng yr amserau am y gwendid hwn: '. . . priodol i feirniad ofyn iddo ef ei hun a ddylid disgwyl i feirdd eleni gyrraedd safon dyddiau hamdden a heddwch?'[29] Beirniadwyd rhai o'r awdlau 'yn sŵn y gynnau' meddai, ac efallai 'i'r beirdd eu canu i'r un cyfeilant'.[30] Penderfynodd er hynny, 'gan gadw mewn golwg yr amgylchiadau anhapus presennol' fod awdl Rowland Jones yn deilwng o'r Gadair oherwydd bod ynddi 'lawer o wreiddioldeb a thinc gyfriniol na chlywir mohoni'n rhy fynych ym marddoniaeth Cymru heddiw'.[31]

Gosodwyd yr awdlau mewn dau ddosbarth gan y trydydd beirniad, T. H. Parry-Williams, sef 'Yr awdlau hawdd eu dilyn, sef y rhai disgrifiadol pur, gan mwyaf' a'r 'awdlau sydd heb fod mor hawdd eu dilyn'.[32] I'r ail ddosbarth y perthynai awdl Rolant. Ar ôl '[d]echrau gobeithiol a hyderus' y pennill cyntaf, 'anodd dilyn yr ail bennill' ac 'roedd 'y trydydd yn anos fyth'.[33] Gwendid yr awdl yn ei dyb oedd ei haneglurder o safbwynt mynegiant a chynllun. Amheuai mai 'argraffiadau awenyddol digyswllt' a geid yn yr awdl, a gofynnodd sawl cwestiwn:[34]

> Os simbol o ddioddefaint yw Hydref ganddo, a ydyw wedi gallu defnyddio'r dull arwyddluniol yn llwyddiannus? Y mae gwae a dioddefaint y Fam-Wyry Ofidus a'i Mab ym mlaendir ei ddarlun, a Hydref Natur yn rhyw fath o gefndir felly, y mae'n debyg. Os fel yna y mae "deall" y pictiwr, neu hyd yn oed os cyfuniad cyfriniol ac annatod o'r ddau a fwriadwyd, a lwyddodd celfyddyd y bardd i gyfleu ei Hydref yn ddigamsyniol a'n hargyhoeddi o'i weledigaeth? Naddo, yn fy marn i.

Nid oedd yr awdl yn bodloni Parry-Williams 'fel cyfanwaith synwyradwy ar y testun,'[35] ac ni welai fod awdl Rolant o Fôn, nac unrhyw awdl arall ychwaith, yn deilwng o'r Gadair.

Awdl astrus, anodd oedd yr awdl fuddugol, felly, yn ôl y beirniaid, a hynny'n eironig braidd o gofio mai *Syml* oedd ffugenw direidus Rowland Jones; ond er y diffygion yn ei chynllun, ac er mai trwsgl yw'r mynegiant yma a thraw, anodd deall pam yr achosodd gymaint o anhawster iddyn nhw. Mae'r hir-a-thoddaid agoriadol yn consurio rhyw wlad hud berffaith, rhyw ddelfryd dilychwin a gollwyd:

> Trwy y niwloedd tu hwnt i'r anialwch
> Mae dyffryn dirgel yn llawn tawelwch,
> A rhin afradus rhyw hen hyfrydwch
> Yn dwys bereiddio'i hud a'i sobreiddiwch;
> Yno mae isel elwch mewn prennau,
> A mwynder heiddiau mewn daear heddwch.

Ac eto, yn nhermau'r presennol – 'mae' ac nid ''roedd' – y disgrifir y 'dyffryn dirgel'. Mae'r dyffryn yn bod o hyd, ond ymhell o'n gafael.

Collwyd y ffordd tuag yno mewn oes mor gyfeiliornus a llwyr amddifad o werthoedd. Dyma, mewn gwirionedd, 'Gwm Tawelwch' beirdd cyfnod yr Ail Ryfel Byd, a'r cyfnod ôl-Ryfel. Down wedyn at y pennill anodd ei ddilyn yn nhyb Parry-Williams:

> Ac yno daw'r hydref pêr drwy'r deri,
> O weirglodd i waun fel arglwydd heini.
> Cly ei ogoniant am y clogwyni,
> A'i edau manaur am goed a meini.
> Traidd ei swyn drwy y llwyni megis nwyd
> A nefoleiddiwyd gan ddyfal weddi.

Anodd gweld unrhyw wir anhawster yn y pennill hwn, er mor wlanog yw'r mynegiant. Mae'r hydref a ddaw i'r dyffryn dirgel yn hydref hardd a naturiol, yn hydref sy'n un â chylchdro'r tymhorau. Daw fel arglwydd bywiog yn ei rwysg a'i ogoniant a'i ysblander. Gwawn yr hydref yw'r 'edau manaur', ac mae'r gwawn yma, yn euraid ei liw yn yr haul a chochni'r dail yn gefndir iddo, wedi ei daenu dros goed a cherrig. Mae swyn yr hydref yn treiddio drwy lwyni'r dyffryn, fel pe bai grym a dwyster gweddi wedi ewyllysio'r dyffryn i fodolaeth, ac wedi rhoi iddo ryw awyrgylch nefol, dwyfol, hynny yw, mae'n ddyffryn hud, mae'n fyd perffaith y bu i ddyn ddyheu amdano, a gweddïo amdano.

Mae'r trydydd pennill yn oleuach na'r ail, er gwaethaf honiad T. H. Parry-Williams, ac mae'n bennill grymus at ei gilydd:

> Heddiw cyfaredd yw cofio'i erwau
> A'i fiwsig annwyl, yn nherfysg gynnau;
> Cofio'i gellweirus, siaradus rydau,
> A hwythau'r pysg yn gymysg â gemau
> Haul haf ar wydrog lif ei raeadrau.
> Yno nid oes na chroesau, na didraeth
> Basiwn hiraeth yn rheibio synhwyrau.

Cyfareddol yw cofio am y dyffryn delfrydol, y gwynfyd perffaith, yn ystod cyfnod o ryfel. Mae'r ansoddeiriau sy'n disgrifio sŵn dyfroedd y fro, ei rhydau, ei hafonydd a'i rhaeadrau, sef ei 'miwsig annwyl', yn ddewinol: '[c]ellweirus, siaradus rydau'. Mae lliwiau'r pysgod yn cymysgu â lliw'r haul ar y dyfroedd yn yr haf. Efallai fod rhywfaint o ddylanwad y darn cyfareddol hwnnw yn 'Ystrad Fflur' Hedd Wyn yma: 'Tramwyais yn hedd prin y boreddydd/Fin Teifi donnog, wydrog, dafodrydd', ac fe adleisir diweddglo 'Ymadawiad Arthur' yn y ddwy linell olaf. Nid oes marwolaeth yn y dyffryn hwnnw, nac ychwaith hiraeth, angerdd ('pasiwn') hiraeth nad oes modd ei fynegi na thraethu amdano, hiraeth sy'n chwilfriwio rhywun yn llwyr, yn drysu'r synhwyrau.

Nid yn y penillion unigol hyn y mae gwir anhawster yr awdl. 'Roedd y beirniaid yn iawn: mae ôl brys arni. Ni lwyddodd y bardd i greu undod organig, gorffenedig o'r thema lywodraethol, sef yr hydref o ddioddefaint a ddaeth i'r byd yn sgîl pechod, diffyg crefydd a rhyfelgarwch dyn. Awdl anafus, anghyflawn ydyw. Mae'r bardd yn neidio o un peth i'r llall, ac wrth inni ddechrau dilyn un trywydd mae'n newid cyfeiriad yn gwbwl ddirybudd. Mae'r tri phennill cyntaf yn ddigon clir. Creu darlun o'r dyffryn a gollwyd a wneir yn y tri phennill cyntaf. Daw'r pedwerydd pennill â throbwynt, ac yma y cyferchir Mair am y tro cyntaf yn yr awdl:

> Frenhines Nef, daeth chwa ddigrefydd
> I ddifwyno mawredd afonydd.
> Ffoes yr hwian a'r gân o'r gweunydd,
> Treiodd mwyniant distawrwydd mynydd.
> Oerach a dwysach yw dydd na'r ôd,
> A gwn ddarfod o'r gwin ni dderfydd.

Mae rhywbeth, felly, wedi dod i ddifwyno ac i wenwyno'r byd. 'Chwa ddigrefydd' yw'r rhywbeth hwnnw. Collwyd golwg ar y dyffryn delfrydol, y byd perffaith. Gwynfyd coll yw hwnnw bellach. Mae'n bod o hyd, ond ni allwn ei gyrraedd. Bellach difwynwyd yr afonydd a difethwyd distawrwydd a thangnefedd y mynydd. Mae'r pennill uchod yn amlygu un o wendidau mawr yr awdl, sef yr haniaethu di-ben-draw a geir ynddi. 'Roedd y ddau bennill cyntaf yn weddol haniaethol, ac yn y pedwerydd pennill, ar ôl trydydd pennill diriaethol a byw, eir yn ôl at yr haniaethau: 'mawredd afonydd' (byddai 'I ddifwyno dyfroedd afonydd' yn llai haniaethol), a 'mwyniant distawrwydd mynydd'.

Bellach, mae'r hydref yn dechrau troi'n symbol o'r dioddefaint a ddaeth i'r byd yn sgîl y 'chwa ddigrefydd' hon: 'Llwyr yw'r ing lle rhôi yr haf/Dynerwch ei dân araf'. Mae'r hydref naturiol, yr hydref a oedd yn rhan o amrywiaeth a harddwch y ddaear unwaith, bellach yn hydref symbolaidd. Mae'n hydref dioddefaint Mair, i ddechrau, oherwydd i'r byd ymwrthod â'i Mab a'i lofruddio:

> Wyry deg, lle ceir dy wae,
> Gwaeda'r irgoed i'r argae.

Mae'r dyfroedd sy'n goch gan adlewyrchiad y dail marw ynddyn nhw bellach yn symbol o gur ac archoll Mair. Mae gwaed yr hydref yn cynrychioli ei phoen. Ni cheir mwyach yn yr hydref

> Dim ond ôl dy dwymyn di
> Yn y drain yn drueni;
> Duon ddrain dan ddwyreinwynt
> A arddai gorff un hardd gynt.
> Gwisgant, pan gofiant ei gur,
> Lurig ddail rhag ei ddolur,
> A chuddio dan gysgod gwŷdd
> I gelu hen gywilydd.
> Ni chwyth awel lle'r elwy,
> Na thaen warth eu noethni hwy.

Mae'r ystyr, y syniad llywodraethol, yn hollol glir yma, ac nid yw'r mynegiant yn cymylu'r ystyr yn ormodol y tro hwn, er bod hynny'n digwydd yn aml yn yr awdl. Nid oes gan yr hydref harddwch mwyach, dim ond ôl twymyn neu ofid Mair. Mae pydredd a chochni gwaed y dail yn dynodi trueni Mair, ac mae'r trueni hwnnw yn weladwy ymhob coeden a llwyn a pherth. Mae yn y drain, yn un peth, y drain a fu'n goronbleth ar ben ei Mab. Dyma'r drain a fu'n aredig ei gnawd gynt, yn agor cwysi yn y cnawd. Mae'r llwyni drain bellach yn cywilyddio oblegid eu rhan yn y Croeshoeliad, a'r modd y bu iddyn nhw waedu a gwawdio Crist. Pan gofiant am gur Crist, gwisgant arfwisg ('llurig') o ddail, gorchudd o ddail, er mwyn cuddio'r pigau dan y dail, rhag gorfod cofio am ddioddefaint Crist, a'u rhan hwythau yn y dioddefaint hwnnw. Gwisgant orchudd o ddail rhag gorfod cofio am y dolur a achoswyd ganddynt. Maen nhw hefyd yn swatio yng nghysgod y coed mwy, mewn cywilydd, ond mae pob awel, ym mhrofiad y bardd, yn taenu eu gwarth ac yn dinoethi'r pigau drain dan y dail, drwy chwythu'r dail ar wahân ar brydiau.

Mae dadansoddi a thrafod yr awdl, ar lawer ystyr, yn ymarferiad mewn dehongli barddoniaeth astrus, ac eto, pa mor astrus yw hi mewn gwirionedd? Ai'r beirniaid a wnaeth inni feddwl hynny? Mae'r darn am y llwyni drain yn cywilyddio ac yn ceisio ymguddio yn arddangos dychymyg byw, cymhleth. Ar y llaw arall, mae 'Hydref' yn nodweddiadol o sawl awdl a gafwyd yn ystod y ganrif, sef yn y modd y mae'r mynegiant ar brydiau yn cymylu'r ystyr yn hytrach nag yn ei chrisialu. Mae awdl Rolant o Fôn mewn mannau yn enghraifft o gynnwys a mynegiant, mater a modd, yn gweithio'n groes i'w gilydd, yn hytrach na chyda'i gilydd yn undod organig, byw. Achosodd yr hir-a-thoddeidiau canlynol gryn dipyn o grafu pen i'r beirniaid:

Mae anwel ddyffryn, lle troes yr oesau
I'w llwybrau anial rhwng canwyllbrennau;
Ac yno yn nhes a gwenwyn nosau
Yr ymbalfalent, addolent ddelwau.
Eiddilach eu meddyliau anghelfydd
Na gwawn briwydd ym mhylgain boreau.

Draw, fel banllef, drwy'r corsydd hydrefol
Y torrai gwaedd eu hiraeth tragwyddol;
Anniddan hiraeth torfeydd yn eiriol,
A Duw'n eu hysu'n ei burdan oesol.
Rhagddyn 'roedd newyn, o'u hôl flinderau
Y tir dihafau a dicter dwyfol.

Erys eu cysgod ar faes diflodau,
A'u gwae a'u hingoedd ar noethion gangau.
Lle eu hoferedd yw'r candryll furiau
A chwipiodd llid a gofid gaeafau.
Hwynt-hwy o frig coedwig gau yn hongian,
I edwi yn nhân y syrthlyd nennau.

Gofynnodd T. H. Parry-Williams, yn ddigon teg, ai'r dyffryn y cyfeiriwyd ato yn y pennill cyntaf oedd yr 'anwel ddyffryn'? Mae'r holl beth yn gamarweiniol o amwys, wrth gwrs. Mae'n ymddangos mai am ddyffryn arall y sonnir, oherwydd mae'n bur wahanol i'r dyffryn delfrydedig a geir yn y pennill cyntaf. Byddai 'Mae dyffryn arall' wedi osgoi'r amwysedd, heb amharu dim ar y gynghanedd. Yn y dyffryn hwn, sonnir am rywrai yn cerdded 'llwybrau anial', yn ymbalfalu yn y tywyllwch, ac yn y dydd o ran hynny, mewn lle digon gwenwynig. Maen nhw'n addoli delwau, ac mae eu meddyliau yn wannach na gwawn y boreau. Dyma un o wendidau'r gerdd. Daw'r bardd i mewn i'r traethu, yn ddisymwth fel y myn, a chyflwynir eraill, fel y 'torfeydd' hyn, 'torfeydd digrefydd' mewn pennill arall, neu'r 'ni' a geir yn nes ymlaen. Tybiai Edgar Phillips mai at adfeilion hen fynachlog y cyfeirid yn y darn hwn, ac mai muriau adfeiliedig y fynachlog oedd y 'candryll furiau'. Amheuai yn ogystal mai ymosodiad ar Gatholigiaeth a geid yma, gan y cyfeirir yn ddirmygus at yr addolwyr delwau ac at y purdan, mae'n debyg, ond 'does dim sôn o gwbwl am fynachlog yma. Yn hyn o beth ar y bardd yr oedd y bai am fod mor aneglur o amwys. Mae'r modd y cyferchir ac y dyrchefir Mair drwy'r awdl, 'Frenhines Nef', 'Wyry deg', 'Wyry wen', 'Wyry hardd', 'Wyry Nef' a 'Wyry Fair', yn Babyddol yn ei hanfod, a byddai'n fwy rhesymegol tybio mai Pabydd oedd yr awdur.

Beth yw union ystyr y penillion hyn, felly? Nid ymosod ar grefydd y Catholigion, yn sicr. Mae'n debyg mai arwyddocâd y pennill cyntaf o'r tri yw i'r ddynoliaeth grwydro oddi wrth Dduw, ac oddi wrth hanfod Cristnogaeth, drwy addoli delwau: yn grefyddol, addoli delw o Grist yn hytrach nag addoli'r gwir Grist; yn gyffredinol, addoli gwrthrychau materol yn hytrach nag addoli Duw. Er bod goleuni ar gael, goleuni canhwyllau'r Eglwys, sef goleuni'r Eglwys ei hun yn y pen draw, y mae'r trueiniaid coll hyn yn rhodio rhyw lwybrau anial, tywyll. Mae'r delweddu yn y fan hon, mewn gwirionedd, yn deillio o fyd y canu plygain yn hytrach nag o ddefodau'r Catholigion. Canhwyllau'r plygain a geir yma, oherwydd fe geir 'ym mhylgain boreau' yn llinell olaf yr hir-a-thoddaid cyntaf a ddyfynnwyd o'r tri. Yn wir, mae'r 'pylgain' hwn yn rhyw fath o symbol drwy'r awdl, yn symbol o ddioddefaint a drygioni dynion, ac o'r tywyllwch y trigant ynddo. Cyfeirir at y rhai a ddaeth ar ôl preswylwyr yr anwel ddyffryn, eu disgynyddion, fel 'Blagur eu hanfad blygain'. Dyma'r genhedlaeth sy'n gorfod dioddef oherwydd plygain drygionus y cenedlaethau a fu o'u blaenau. Yn nes ymlaen yn yr awdl mae'r 'torfeydd digrefydd', preswylwyr yr oes newydd a'r ddynoliaeth yn gyffredinol yn ystod cyfnod tywyll yr Ail Ryfel Byd, yn gofyn:

Onid yw Iesu inni'n dywysydd
Drwy'r hydrefol hirnos, beunos beunydd,
Oni'n dwg i heulwen dydd, o bylgaint
Ein dioddefaint, nid yw o Ddafydd.

Er mai deillion sydd bellach ar goll yn y gors yw'r 'torfeydd' y cyfeirir atyn nhw, mae ganddyn nhw ddyhead angerddol am Dduw o hyd, er eu bod ar gyfeilorn llwyr mewn cors o anobaith. Mae'r rhain yn bobl rhwng deufyd, mewn purdan tragwyddol, gyda newyn ysbrydol o'u blaenau ac o'u holau flinderau 'Y Tir dihafau', sef tir yr hydref tragwyddol, a 'dicter dwyfol'. 'Erys eu cysgod ar faes diflodau' meddir wedyn, sef cysgod, ôl a dylanwad y bobl golledig hyn. Darlun o wlad wedi'i hanrheithio gan ryfel, nid darlun o fynachlog adfeiliedig, a geir yma, ac mae'r 'noethion gangau' a'r 'candryll furiau' yn cadarnhau hynny: delwedd o faes y gad, yn ddiflodau, yn ganghennau llosgedig a maluriedig ac yn adfeilion tai. Yr hyn a ddywedir, yn y pen draw, yw fod pechodau'r tadau yn difwyno'r plant. Cyrhaeddodd canrifoedd o bechu, o greulondeb a rhyfelgarwch, ryw fath o uchafbwynt yn yr Ail Ryfel Byd. Canlyniad canrifoedd o gefnu ar Dduw yw'r Armagedon. Mae'r tadau hynny bellach fel dail yr hydref, yn pydru ac yn crino: 'Hwynt-hwy o frig coedwig gau yn hongian,/I edwi yn nhân y syrthlyd nennau'.

Mewn gwirionedd, nid yr hydref yn unig sy'n difa'r dail hyn ond y tân yn yr awyr, tân y bomio a'r ffrwydro. Mae'r 'candryll furiau' yn perthyn i'r tai a ddifawyd ac a losgwyd gan y cyrchoedd bomio, a'r fflamau, wrth iddyn nhw losgi, yn ymestyn i'r awyr. Mae'r dail hyn, mewn gwirionedd, yn cael eu difa gan y tân a grewyd ganddyn nhw eu hunain. Canlyniad pechodau'r tadau yw'r rhyfel presennol, yn ôl y bardd, ac mae'r genhedlaeth bresennol yn gorfod dioddef oherwydd camweddau a drygioni'r cenedlaethau a fu:

Eu cyrff, dinefoedd oeddynt
Fel hen goed o flaen y gwynt.
Ninnau yw'r had tyfadwy,
Ac adladd eu hymladd hwy.

'Adladd eu *hymladd*', sef y rhai sy'n gorfod talu'r pris am ryfelgarwch y tadau gynt, yw'r genhedlaeth bresennol a hyrddiwyd i ganol rhyfel byd arall. Y Rhyfel Mawr a esgorodd ar yr Ail Ryfel Byd. Ail gnwd, neu ail dyfiant, yw adladd, yr hyn a ddaw ar ôl y prif gnwd. Y Rhyfel Mawr oedd y cnwd cyntaf, a'r Ail Ryfel Byd oedd yr ail gnwd, yr adladd. Cyfeirio at y Rhyfel Mawr a wna 'adladd' yn yr awdl, a daw'r ymadrodd Saesneg, 'aftermath of war', i feddwl dyn hefyd. Cafwyd cyhuddiad tebyg yn erbyn cenhedlaeth y Rhyfel Mawr, mewn gwirionedd, yn y bryddest fuddugol flwyddyn yn ddiweddarach.

Daw Crist i mewn i'r awdl ar ôl sôn am bechodau'r tadau ac am gyflwr gofidus yr oes. Bellach mae'n hollol amlwg mai symbol o ddioddefaint Crist yw'r hydref, yn ogystal â bod yn dymor pydredd a marweidd-dra'r ddynoliaeth yn gyffredinol. Mae dail y coed, wrth iddyn nhw droi'n goch, bellach yn ddelwedd o ddwylo a chorff gwaedlyd Crist ar y Groes:

Dail y coed sy'n edliw cur
Diango'r dwylo dolur.
Garw hirnych a geir arnynt
A lliw y gwaed didwyll gynt.

Wrth weld yr hydref yn ddarlun o ddioddefaint Crist ar y Groes, ceir y ddelwedd drawiadol hon:

Mwyar aeddfed mewn rhedyn,
Un â'i wallt yw'r llwyni hyn.

Ni thynnwyd sylw at rymuster y ddelwedd gan y beirniaid. Mae'r mwyar duon yn y rhedyn fel talpiau o waed ar wallt (y rhedyn yw'r gwallt), sef gwallt Crist yn ddafnau o waed wrth i'r goron ddrain ei wanu. Ond wedyn fe ddifethir yr effaith drwy geisio ymestyn y ddelwedd a chyf-annu'r darlun, gan ymdrechu i ail-greu golygfa'r croeshoelio ar yr un pryd gyda'r cyfeiriad at len y deml yn rhwygo:

I'w wedd rhôi y ddaear hen
Liw y medd a'r balmwydden;
Düwch y gyfnos dawel
Ar aeliau mawr eiliw mêl;
Llen dellni y dywyllnos
Fel yn rhwyd am felyn ros.

Daw gaeaf ar fyd wedyn, ac mae rhyw 'ŵr du' yn 'cwympo'r dail'. O achos dyfodiad y gaeaf, chwelir y ddelwedd hon o'r Crist croeshoeliedig:

> Tywylla baith gynt lle bu
> Ar ffosydd liw corff Iesu;
> Rhoed i ddail wrid ei dduloes,
> Ac ar y graig wawr ei groes.

Mae'r gaeaf yn dileu'r darlun hwn o Grist, ac yn peri i ni ei anghofio. Yn wir, mae rhyw farweidd-dra wedi cau am y byd:

> Heddiw du yw'r ardd dywyll
> Fel creulon galon y gwyll.
>
> Wyry Fair, caeodd ar fyd
> Huawdl ust dy law astud.

Bellach:

> Byd a baid, a'r bywyd byr a â'n ôl
> I'r niwloedd digysur.
> Pan ddaw'r llif, ei deml ddifur
> Fel egwan degan a dyr.

Ceir tua'r diwedd nifer o epigramau cynganeddol, digyswllt braidd, cyn y cawn y bardd yn proffwydo ailddyfodiad y gwanwyn yn ôl trefn anochel pethau. Mae rhyw ysbryd newydd yn cyniwair drwy'r tir, ond mae dail y pren a fu'n delweddu dioddefaint Crist bellach dan draed:

> Mae heno anadl ym manadl mynydd
> Hafal i anadl ysbryd aflonydd;
> Rhoes dlysni'r pren ysblennydd dan fy nhraed,
> A hidlir ei waed hyd le'r ehedydd.

Collwyd golwg ar y pren, felly,

> Ond daw i'r enaid weled tirionwch
> Hen yr addewid, tu draw i ddüwch

Cloddiau'r bedd; gorffwys heddwch y nefoedd
Ar wyll a niwloedd yr holl anialwch.

Yma awn yn ôl at y dyffryn a leolir 'Trwy y niwloedd tu hwnt i'r anialwch' yn y pennill agoriadol. Mae'n hydref ar ddynoliaeth, ond daw'r gwanwyn yn y man:

Ni bu wynt na bai yntau'r haul o'i ôl,
A'i wawr wanwynol yn golchi'r nennau.

Yn y pennill clo, dychwelir at y ddelwedd o blygain, plygain henaint, tywyllwch a chrinder:

Ar fordaith deg ryw hydref diegwyl,
Yn hafan Iesu mi fynnaf noswyl;
Ffoaf a chyfodaf hwyl o bylgaint
Diwaddol henaint, i'w ddwylo annwyl.

Ai T. H. Parry-Williams oedd yn iawn? Ie, yn sicr. Nid oedd yr awdl ddigynllun hon yn haeddu'r Gadair, er i'r Eisteddfod wobrwyo'i salach sawl tro, cynt ac wedyn. Cafodd Rolant afael ar thema dda, ond thema anodd, serch hynny, ac mae'n rhaid cydymdeimlo â'r bardd hefyd. Ni chafodd ddigon o amser i gyfannu'i ddeunydd yn waith gorffenedig. 'Roedd angen mwy na chwta flwyddyn i lunio cerdd lwyddiannus ar thema mor ddyrys. Ni lwyddodd, er enghraifft, i wau'r ddwy thema, hydref y ddynoliaeth a'r hydref a ddelweddai ddioddefaint Crist, yn un.

Oedais yn weddol hir gyda'r awdl hon, nad yw'n teilyngu'r holl sylw a roddwyd iddi yma mewn gwirionedd, am ddau reswm. I ddechrau, mae hi'n enghraifft o fath o dywyllwch mewn barddoniaeth, barddoniaeth gynganeddol yn enwedig, er nad yw'n awdl annealladwy o bell ffordd. Mae hi'n enghraifft o fyfyrdod a mynegiant yn gweithio ar wahân i'w gilydd. Mae'r cynganeddu yn annibynnol ar y syniadau a'r delweddau, hynny yw, nid gyda'i gilydd y daeth y myfyrdod a'r mynegiant, y cynnwys a'r cyflead, ac felly, ni chafwyd darn o lenyddiaeth a oedd yn undod annatod, tynn.

Yn ail, mae hi'n amlygu un o wendidau mawr yr holl gyfundrefn gystadleuol-eisteddfodol. Gofynnid i feirdd lunio cerdd weddol hir mewn byr amser, ac mae'n anochel fod ôl brys ar sawl awdl a phryddest eisteddfodol fuddugol. Mae'r ffaith fod rhai beirdd wedi ailwampio'u cerddi buddugol, flynyddoedd ar ôl i'r Eisteddfod eu hanrhydeddu, yn profi gwendid y drefn. Yr enghraifft loywaf, wrth gwrs, yw 'Ymadawiad Arthur', T. Gwynn Jones. Mae'r modd yr aeth y bardd ati i ailweithio'r gerdd yn rhoi llawer o rym i'r honiad mai prentisweithiau da yw hyd yn oed y cerddi eisteddfodol gorau. Cyfeiriwyd droeon at awdl drobwyntiol 1902 fel campwaith o awdl. Nid oedd yn gampwaith, er ei bod yn un o gerddi mwyaf yr Eisteddfod. Pe bai 'Ymadawiad Arthur' yn gampwaith, ni fyddai Gwynn Jones wedi ei hail-greu flynyddoedd yn ddiweddarach. Ni ellir gwella ar gampwaith, ond fe ellir cryfhau prentiswaith.

'Roedd gan Roland Jones ddigon o feddwl o 'Hydref', yr awdl a'i gwnaeth yn Brifardd ar ôl hir-aros, i fynd ati i'w hailwampio, a'i hailwampio'n llwyr. Cyhoeddwyd y fersiwn newydd yn *Yr Anwylyd a Cherddi Eraill* (1963). Mae'r ail fersiwn, yn sicr, yn rhagori ar y fersiwn gwreiddiol. Dileodd y tri phennill agoriadol gwreiddiol, sef y rhai tywyll yn ôl Parry-Williams, a rhoddodd hir-a-thoddeidiau eraill yn eu lle. Mae'r hir-a-thoddaid agoriadol newydd yn cyplysu'r hydref â dioddefaint Crist yn hollol ddiamwys. Delwedd glir o Grist yn dioddef ar y Groes yw'r hydref bellach:

> Ing yr Ieuengwr yng nghur ei angau,
> A'i drist dawelwch sydd dros y dolau.
> Mae'r bicell fain uwch cywain y caeau,
> A hyd dalerydd mae gwaed doluriau.
> Llwyni pîn sy'n llawn poenau; – llawn yw'r byd
> Weithian o'i glefyd a thân ei glwyfau.

Nid yn unig y mae'r ddelwedd bellach yn hollol glir, ond ychwanegwyd ati yn ogystal, er mwyn creu darlun llawnach. Picwarch y cynaeafwyr yn awr yw'r bicell fain y trywanwyd ystlys Crist â hi. Cadwyd y cwpled a ddelweddai'r mwyar mewn rhedyn fel talpiau o waed ar wallt, ond dilewyd dau o'r cwpledi gwreiddiol a geisiai ymestyn y ddelwedd, ac yn hynny o beth 'roedd greddf Rolant o Fôn yn iawn. Mae agoriad hir-a-thoddaid newydd arall yn dileu'r amwysedd ynghylch yr addolwyr delwau. Nid pabyddion mohonynt ond eilun-addolwyr:

Tithau ei fam, rhag 'y cam â'r Cymod',
A elwi ei enw o'r gors eilunod.

Mae gweddill y pennill yn consurio darlun o oes o wegi a diffeithwch ysbrydol, oes y bu'r addolwyr delwau yn gyfrifol am ei chreu drwy iddynt gefnu ar Grist ac ar grefydd:

Hyd heol a gwrm mae bustl ac wermod,
A throes ysblander y sêr yn sorod.
O'i ôl y mae'r bwystfilod yn pesgi;
Gwae y trueni a'r gwacter ynod.

Daw'n amlwg hefyd mai dyffryn gwahanol i'r dyffryn anwel yw'r dyffryn dirgel. Er mwyn osgoi'r amwysedd gwreiddiol eto, dilewyd y cyferiadau at y ddau ddyffryn. Yn lle 'Mae anwel ddyffryn, lle troes yr oesau' ceir 'Tan arwydd ei Groes ffwndrodd yr oesau'. Er i'r newidiadau hyn, a nifer o welliannau eraill, ei chryfhau, awdl gymeradwy yn hytrach na chanmoladwy a gafwyd hyd yn oed ar ôl ei diwygio.

Cyffyrddwyd â'r Rhyfel, felly, gan brifeirdd cadeiriol 1940 a 1941. 'Roedd yr awdl fel pe bai, o'r diwedd, yn dechrau ymgiprys â phynciau a materion cyfoes, ond mae'n ddiddorol sylwi mai mewn cyd-destun hanesyddol neu ysgrythurol y gosodid y Rhyfel. Nid oedd yr awdl yn barod i drafod cyfoesedd ar ei delerau ei hun, heb gymorth o du'r gorffennol. Pan roddwyd 'Rhyfel' yn un o destunau'r Gadair yn Eisteddfod Aberteifi ym 1942, ni chafwyd teilyngdod. 'Creiddylad' oedd y testun arall, ac er i bob ymgeisydd ddewis canu ar 'Rhyfel', awdlau di-lun oedd yr un awdl ar ddeg a dderbyniwyd. 'Roedd testun o'r fath yn ormod o dasg i'r beirdd, meddai Williams Parry wrth feirniadu'r gystadleuaeth. 'Roedd gofyn 'awen Dante a dychymyg Elis Wyn' i ymgodymu â'r fath bwnc dirdynnol, 'oherwydd uffern yn wir yw rhyfel'.[36] Go brin y gallai'r awdl eisteddfodol fynd i'r afael yn llwyddiannus â thema o'r fath. 'Roedd yn gwbwl eironig, ac yn brawf eto fyth o barodrwydd y prydd-estwyr i ymdrin â phynciau a materion cyfoes, mai cerdd am y Rhyfel a wobrwywyd yng nghystadleuaeth y Goron y flwyddyn honno, er nad oedd y testunau a osodwyd yn gwahodd cerdd o'r fath. Ond mae'n ddiddorol nodi mai yng nghyd-destun y gorffennol y lluniwyd y bryddest honno yn ogystal.

Rhoddwyd dewis o ddau destun i'r beirdd awdlaidd yn Eisteddfod Genedlaethol Bangor ym 1943, y naill â sawr crefydd arno, 'Cymylau Amser', sef ymadrodd o emyn enwog Islwyn, 'Gwêl Uwchlaw Cymylau Amser', a'r llall, 'Gorsedd Arberth', yn perthyn i fyd chwedloniaeth. Y beirniaid oedd T. Gwynn Jones, Sarnicol a Gwilym R. Jones, ac 'roedd y tri yn unfryd-unfarn mai awdl *Hapus Luddedig* oedd yr awdl orau. Dewi Emrys, yn ennill ei drydedd Gadair, oedd hwnnw. O'r tair awdl ar ddeg a dderbyniwyd i'r gystadleuaeth, dewiswyd 'Gorsedd Arberth' gan dri ymgeisydd, a dewiswyd 'Cymylau Amser' gan y lleill. Yn ôl T. Gwynn Jones, awdl Dewi Emrys oedd yr awdl orau mewn cystadleuaeth dda, a dyna oedd barn y ddau feirniad arall.

Seiliodd Dewi Emrys ei awdl ar emyn Islwyn, i raddau, a cheir sawl cyfeiriad at yr emyn ynddi. Gormes amser yw'r thema, a'r broblem oesol o geisio treiddio y tu hwnt i'r byd hwn o amser i'r byd diamser, a chael cip ar y tragwyddol: thema oesol y cnawd yn garchardy'r enaid, mewn gwirionedd. Ar lawer ystyr, mae hi'n awdl yn yr un mowld ag awdl fuddugol Gwilym R. Jones, un o'r beirniaid, ym 1938. Ceir dwy ran gyferbyniol yn y naill awdl a'r llall, 'Y Gorchfygedig' a'r 'Gorchfygwyr' yn "'Rwy'n Edrych dros y Bryniau Pell", ac yn awdl Dewi Emrys, yr un sy'n gaeth i amser ac yn methu canfod anfarwoldeb yr enaid y tu hwnt i farwoldeb y cnawd sy'n llefaru yn rhan gyntaf y gerdd, ac 'Eoslais hyder Islwyn' sy'n llefaru yn yr ail ran, ac yn dadlennu bro'r gogoniant a'r gorfoledd i amheuwr y rhan gyntaf.

Agwedd y Gorchfygedig yn awdl Gwilym R. Jones a geir yn rhan gyntaf 'Cymylau Amser'. Dyma'r cymylau neu'r niwloedd a ddaw rhyngom a'r gorffennol. 'Cuddiwyd doe daear' gan y cymylau hyn, ac nid yn unig hynny. Mae'r cymylau hyn yn ymgasglu yn yr wybren, ac yn ein rhwystro rhag canfod y 'lluoedd claerwynion', yr ymadawedig, uchod ym mro'r gogoniant. Daw düwch y cymylau rhyngom a'r goleuni:

> Cwmpaser y maith uchelder weithion,
> A welir yno luoedd claerwynion?
> Gyr ei gymylau dros greigiau moelion
> I gladdu'r golau a oedd i'r galon.
> Lle drylliwyd hen freuddwydion, – croes anodd
> Yw'r ing a welodd golli'r angylion.

Mae marwolaeth yn gwbwl derfynol. Mae llinellau fel

> O! mor wag yno eu mawr ogoniant!
> Beilchion yn fudion yng ngwyll difodiant . . .
>
> Mae Jesebel fawr, â'i glaif, yr awron?
> Anolau ei chaer, anial ei choron.
> Fe'i taflwyd hithau, yn ysig ddigon,
> I'r hen dywyllwch sy'n dychryn deillion . . .

yn ein hatgoffa am ddarnau digon tebyg yn awdl Gwilym R. Jones:

> Estron glai sy' druan glog
> I'r dewisaer dywysog,
> Hyn a fydd ohono fo –
> Rhuddin pridd yn pereiddio.

Byd 'anolau' yw'r byd hwn lle mae'r cnawd yn gaeth i orthrwm amser – 'Anialwch byd anolau'. Cipiwyd mam *persona*'r gerdd gan 'niwloedd trwm' marwolaeth, ac er iddi fynnu 'Fod cri taer weddi yn rhwygo trwyddynt', ni all y mab gredu ei bod ym mro'r goleuni:

> Na chwilier corlan y sêr amdani,
> Eithr disgyn i'r glyn lle paid goleuni.

Mae'r mab wedi colli'r ffydd gref a oedd yn eiddo i'w fam. Meddai am yr hen gartref, yn un o englynion gorau'r awdl:

> Haws ei arddel na'i weled, – y distiau'n
> Gydwastad â'r pared,
> A'r gwyll yn edliw'r golled
> I grwt a gollodd ei gred.

Dull yr amheuwr yn yr awdl o wrthsefyll gorthrwm amser yw ailfyw'r gorffennol drwy gyfrwng y cof:

Ym merw byd y mae awr bêr – i wyliwr,
Awr chwalu trais Amser,
Awr y swyn pan losgo'r sêr
Edefyn y cnawd ofer.

Awr annwyl yw'r awr honno, – rhyw nef fach,
A'r hen feichiau'n syrthio,
Rhiniol awr gweld ailwawrio
Rhyw oes gain a aeth dros go'.

Daw llais Islwyn wedyn i dorri ar fyfyrdod y bardd. Anfarwoldeb yr enaid – 'Chwâl enaid yntau'r gell bridd sydd iddo' – yn unig a all chwalu trais amser yn y pen draw. Nid gweld y gorffennol drwy'r cof ond canfod tragwyddoldeb yw'r unig wir waredigaeth rhag gorthrwm amser. Mae ysbryd Islwyn yn annog y bardd i wneud hynny:

Uwchlaw twrf byd, Bro Dawel – a erys,
Bro arwyr annychwel.
Mae'n uwch na phob maen uchel –
Ofned y gwan! F'enaid, gwêl!

Carreg ateb o awdl yw hon eto, ac fe efelychir T. Gwynn Jones, un arall o feirniaid 1943, yn ogystal â Gwilym R. Jones gan yr awdlwr buddugol, gan ein gadael â theimlad annifyr mai gwenieithu'i ffordd tuag at y Gadair yr oedd Dewi Emrys. Lle digon tebyg i Afallon 'Ymadawiad Arthur' yw nefoedd Islwynaidd Dewi Emrys:

Cei yno'r Frodir nas tery hirnych,
Hoen hen gywiriaid, eurnennau gorwych;
Ac ni bydd sêl nas torrir pan elych
I'w hyfryd leoedd o'th fur dilewych.
Gwêl heno'i meithder gleinwych! – Clawdd nid oes
Na rhwymau einioes nac oriau mynych.

Ac ym myd Henry Vaughan a Gwilym R. Jones yr ydym ar ddiwedd yr awdl:

Hwy ddeuant cyn hir i Dir mwynderau,
I heulog fedel uwchlaw gofidiau,
Cânt wybr â'i lleuer fel glain y gleiniau,
Awel mor dyner â salm ar dannau.
Ffy Amser i'w hen erwau – tywyll, llaith,
A theflir ymaith afael ei rwymau.

Er y ceir ynddi ambell linell dda, ac un neu ddau o englynion cofiadwy, mae'r awdl yn llawn o wendidau arferol Dewi Emrys, llinellau trystfawr ac ansoniarus, geirfa ystrydebol, dreuliedig y confensiwn awdlaidd, ymollwng i rethregu a mynegiant diriaethol ('Mireinddydd cynnydd ceinion', er enghraifft). Mae hi hefyd yn enghraifft arall o fyd caeëdig, parasitaidd yr awdl, yn enghraifft o'r modd yr oedd y canu awdlaidd yn ei ail-greu ei hun, yn ailadrodd awdlau'r gorffennol. Os rhoddodd llinell mewn emyn gan Bantycelyn awdl 1938 inni, rhoddodd llinell mewn emyn gan Islwyn yr un awdl inni, ar ei newydd wedd, ym 1943. Un teulu oedd yr awdl yn aml, a nodweddion y rhieni yn amlwg ar y plant, ac ar eu plant hwythau.

D. Lloyd Jenkins a enillodd Gadair Eisteddfod Llandybïe ym 1944, ar y testun 'Ofn'. 'Roedd y testun ynddo'i hun yn wahoddiad agored i'r beirdd i gofnodi eu hymateb i'r Rhyfel, a derbyniwyd y gwahoddiad gan rai. Yn ôl un o'r beirniaid, S. B. Jones, y 'ddau beth agosaf at y testun ar hyn o bryd yw Seicoleg Ddiweddar a'r rhyfel presennol'.[37] Canu diafael a gafwyd ar y naill thema, seicoleg ddiweddar, ac yn yr awdlau a soniai am y Rhyfel, y bomio o'r awyr oedd y thema amlycaf; ond yn y cyswllt hwn, traethu am y difrod a wneid yn hytrach na mynegi'r ofn a deimlid a wnaeth y beirdd. Un o'r cystadleuwyr aflwyddiannus oedd Edgar Phillips, Trefîn (*Rhealydd*), a'r cyrchoedd bomio oedd thema ei awdl.

Edgar Phillips oedd y trydydd i bob pwrpas. Yr ail oedd Rolant o Fôn (*Pen Cei*), yn chwilio am ei ail Gadair. Cydnabu'r beirniaid mai ef oedd bardd grymusaf a galluocaf y gystadleuaeth, ond 'roedd yr awdl yn dywyll ac yn annelwig ar brydiau. Heb weld yr awdl yn ei chrynswth, anodd ei barnu, ond mae mwy o rym yn yr ychydig linellau a ddyfynnir yn y Cyfansoddiadau nag yn yr awdl fuddugol drwyddi draw. Credai Rolant iddo gael cam yn Llandybïe, a chredai eraill hynny hefyd, yn enwedig ar ôl darllen yr awdl fuddugol siomedig.

Mewn gwirionedd, cystadleuaeth wachul a gafwyd yn Llandybïe. 'Nid gornest rhwng cewri mo gystadleuaeth y gadair eleni, ond ffrwgwd rhwng meidrolion digon ffaeledig, deunaw ohonynt,' meddai Thomas Parry.[38] Esgymunwyd pedwar o'r deunaw am iddynt anwybyddu'r rheol mai am awdl ar y nifer a fynner o bedwar mesur ar hugain Dafydd ab Edmwnd, gan gynnwys un neu ragor o'r 'Mesurau Awdl', y gofynnid. 'Roedd un o'r pedwar hyn wedi canu rhigwm digynghanedd.

Mae'n rhyfeddod, mewn gwirionedd, i'r tri beirniad wobrwyo awdl brennaidd, gwbwl ddi-fflach D. Lloyd Jenkins. Gorganmolwyd y budd-ugwr gan S. B. Jones. 'Y mae awen y bardd hwn yn llwyr ddisgybledig, a chwynnodd ei ardd yn lân, lân,' meddai.[39] Os chwynnodd ei ardd, fodd bynnag, diwreiddiodd bob blodyn ynddi ar yr un pryd, a gadawodd ar ei ôl ddarn o dir anial, llwm. Mwy gochelgar oedd Thomas Parry yn ei feirniadaeth. Awdl 'awdlaidd' ydoedd, efelychiad o awdl a ddibynnai'n helaeth ar yr hen eirfa dreuliedig a chonfensiynol. 'Cynnwys,' meddai, 'yr holl hen eiriau diawgrym a adfywiwyd gan lu o feirdd yr awdlau yn y ganrif hon'.[40] 'Disgybl pencerddaidd' oedd *Pryderi* yn hytrach na phen-cerdd, a chadeirio disgybl a wnaethpwyd yn Eisteddfod 1944.[41] Awdl ddof, ddifenter ydoedd yn ôl T. H. Parry-Williams. Mewn 'cystadleuaeth flêr a di-ias',[42] er mai pregeth o awdl oedd ymgais *Pryderi*, ac 'awdl dda-dda ddiogel' nad oedd yn meddu ar '[d]disgleirdeb ymadrodd na grymuster awen' *Pen Cei*,[43] yr oedd T. H. Parry-Williams yntau, fel ei gyd-feirniaid, o blaid ei chadeirio.

Anodd osgoi'r argraff mai testunoldeb ei awdl yn anad dim a roddodd y Gadair i D. Lloyd Jenkins, yn enwedig gan i'r beirniaid fethu canfod y testun yn yr awdlau ail a thrydydd orau. Ofn cynhenid, greddfol dyn ar hyd yr oesoedd oedd yr 'Ofn' yn yr awdl fuddugol, yr ofn na thawelwyd ac na liniarwyd mohono nes i Grist ddod i wella'r rhai afiach, i gysuro'r galarus, i borthi'r newynog ac i orchfygu marwolaeth. Ofer chwilio am unrhyw fflach ynddi, a chymedrol yw'r awdl hyd yn oed ar ei huchel-fannau, er enghraifft:

> Rhyw Un a fu yn nhrueni'i fywyd,
> Ond â'i hyder glew yn dân dyhewyd;
> Bu Hwn yn heulwen, yn ben anwylyd
> Yr ysig galon dan groesau celyd:
> I'w wyneb ef poerai'n byd ei lwon,
> Rhôi i Hwn goron o ddrain ein gweryd.

Ym mlwyddyn olaf y Rhyfel, gofynnwyd am awdl ar y testun 'Yr Oes Aur', hen destun Y Barri, bum mlynedd ar hugain ynghynt, wedi'i atgyfodi. Soniodd sawl un o'r deuddeg cystadleuydd dilys (ar ôl diystyru dau gyfansoddiad digynghanedd) am y Rhyfel, gan ragweld rhyw oes aur Gristnogol newydd, a byd heddychlon, ffyniannus, yn dilyn o'i ôl. 'Roedd yr awdl ail-orau, eiddo *Llef ni Thau* (Mathonwy Hughes), yn ymwneud yn uniongyrchol â'r Rhyfel, gan mai 'I chwi'r Arglwyddi Rhyfel, a'ch addolwyr ar achlysur dathlu'r heddwch 1945 y cyflwynwn ni'r lladdedigion yr awdl hon'. Aeth y bardd buddugol, Tom Parry-Jones, ar drywydd hollol wahanol, fodd bynnag.

Mae Tom Parry-Jones yn enghraifft arall o fardd a oedd yn llwyr ddibynnol ar yr Eisteddfod am symbyliad ac ysgogiad, ac yn enghraifft hefyd o'r drwg y gall gormod o gystadlu ei wneud i fardd. Bu'n cystadlu yn y Genedlaethol am bron i hanner can mlynedd. Gellir cydymdeimlo ag ef ar lawer ystyr, gan mai'r Eisteddfod, ac yntau'n lled-orweiddiog am flynyddoedd ar ôl damwain â beic-modur yn 19 oed, oedd ei seiat lenorion a'i gymdeithas lenyddol. Pan enillodd Gadair y Rhos ym 1945, a hynny â chryn ganmoliaeth, dylai fod wedi ymatal rhag cystadlu, ond ni wnaeth. Parhaodd i gystadlu, ac, o'r herwydd, safonau'r Eisteddfod a holl naws, awyrgylch, arddull ac idiom y canu cystadleuol fu ei safonau drwy'i oes, nid safonau uchaf llenyddiaeth anghystadleuol yn gyffredinol. Defnyddio'r Eisteddfod a wnaeth Gwenallt, er enghraifft, i fwrw'i brentisiaeth ynddi cyn mynd ymlaen i ganu ei gân fawr ei hun yn ei idiom a'i arddull ef ei hun, ond nid felly Tom Parry-Jones. Bu'n agos am y Gadair a'r Goron yng Nghaernarfon ym 1935, ac yn drydydd, i bob pwrpas, ym Machynlleth ddwy flynedd yn ddiweddarach. Yn y gystadleuaeth honno fe'i galwyd yn athrylith gan J. Lloyd Jones, a'i alw gan yr un beirniad yn fardd mwy na Waldo, a ddaeth yn ail am y Gadair yn Abergwaun ym 1936. Ym 1937 hefyd bu'n gydfuddugol ar y soned, ac ef oedd un o sonedwyr buddugol 1945 yn ogystal. Ar ôl ennill y Gadair ym 1945, ceisiodd ennill y Gadair a'r Goron drachefn y flwyddyn ddilynol. Ef oedd *Ossian* yng nghystadleuaeth y Gadair yn Aberpennar, ond ni chyrhaeddodd y dosbarth cyntaf hyd yn oed, er iddo gael ei ganmol i'r entrychion yn Rhosllannerchrugog; ef hefyd oedd *Agorwch y Pyrth* yng nghystadleuaeth y Goron, yr ail yn ôl J. M. Edwards, y trydydd yn ôl y ddau feirniad arall, T. J. Morgan a William Morris. Fe enillodd y Goron, wrth gwrs, ym 1963 a 1965, a'r Fedal Ryddiaith ym 1957. Cododd nifer o fân wobrau hefyd, fel deuddeg o gerddi byrion ym 1959, cyfres o storïau byrion ym 1961 (cydfuddugol), y ddychangerdd ym 1962 (cydfuddugol), 1964 a 1973, anterliwt ym 1967 (rhannu'r wobr ag eraill) ac yng nghystadleuaeth y ddrama hir wreiddiol ym 1969, bu bron iddo ennill Tlws yr Eisteddfod pan ddyfarnwyd drama o'i eiddo yn gydradd ail gyda drama o waith Urien Wiliam, ar ôl i John R. Evans ennill y Tlws a hanner y wobr ariannol. Eto, er iddo ennill y prif wobrau hyn oll a phrofi pa mor wirioneddol amryddawn ydoedd, ni ellir ei restru ymhlith beirdd pwysicaf na llenorion disgleiriaf ei genedl yn yr ugeinfed ganrif, oherwydd mai ffrwyth cystadleuaeth oedd llawer peth o'i eiddo. Ddeng mlynedd ar hugain ar ôl iddo ennill ei Gadair gyntaf, parhâi i chwilio am yr ail, ond 'roedd cenhedlaeth newydd o feirdd wedi codi erbyn hynny. Gerallt Lloyd Owen a enillodd Gadair 1975, a Tom Parry-Jones yn ail iddo. Flwyddyn cyn ei farwolaeth, yr oedd yn cystadlu am y Gadair eto, yng Nghaernarfon ym 1979. 'Roedd yn un o ddau awdlwr gorau'r gystadleuaeth, ond ataliwyd y Gadair honno. Fel Lewis Davies y Cymer ym myd rhyddiaith, bu'n cystadlu bron nes iddo dynnu ei anadl olaf.

'Roedd awdl Tom Parry-Jones ar ei phen ei hun yng nghystadleuaeth y Gadair ym 1945. 'Roedd yn fardd grymus ac yn 'grefftwr gwych' yn ôl T. H. Parry-Williams.[44] Un o ychydig wendidau'r awdl oedd y ffaith fod ei hawdur wedi benthyca yma a thraw oddi ar feirdd eraill, a thynnodd T. H. Parry-Williams sylw at bedwar benthyciad amlwg, er enghraifft, 'roedd y cwpled

> Ni ddaw y wawr wen ddwywaith,
> Na chog ac enfys ychwaith

yn ddyledus i gerdd W. H. Davies, 'A Great Time', am ei fodolaeth:

> A rainbow and a cuckoo's song
> May never come together again.

Gwendid arall oedd ei mynegiant afrwydd ar brydiau, cyhuddiad a wneid yn aml yn ei erbyn ef a'i gyd-brifardd o Fonwysyn, Rolant o Fôn, yn eu mynych ymdrechion cystadleuol. Un o'r enghreifftiau o fynegiant aneglur y bardd a nodwyd gan Parry-Williams oedd y ddwy linell

O daw cymylau nid co' melys
O ddu'r wynfa ond gwedd yr enfys.

Mae'r mynegiant yn anfoddhaol, yn bennaf oherwydd absenoldeb ail ferf, ond mae'r ystyr yn amlwg: 'Os daw cymylau, nid cof melys am y fro wynfydedig yn ei düwch a goleddir neu a gedwir, ond cof amdani dan liwiau'r enfys', hynny yw, y mae dynion yn delfrydu'r gorffennol, yn paentio darlun rhosynnog o analdir llwm. At ei gilydd, canmoliaeth orhael a roddwyd i'r awdl, er nodi rhai gwendidau prin ynddi. 'Ni welsom awdl â'i llinellau mor drwmlwythog oddi ar Awdl yr Haf,' meddai D. J. Davies amdani.[45] Yn ôl Dewi Morgan 'roedd i'r awdl ddyfnder meddyliol, a hyd yn oed os oedd wedi benthyca oddi ar eraill, 'ni fenthyciodd ddim heb ei wneuthur yn eiddo iddo ef ei hun'.[46]

Ceir dwy ran i'r awdl, 'Atgof' a 'Gobaith'. Thema'r gerdd yw mai rhywbeth yn y meddwl, dyhead yng nghalonnau dynion, yn hytrach na rhywbeth sy'n bod o ddifri, yw pob Oes Aur. 'No Golden Age called itself one only expected it' yw'r dyfyniad a roddwyd uwchben yr awdl. Ni sylweddolai'r rhai a oedd yn fyw ar y pryd mewn Oes Aur eu bod yn byw mewn cyfnod unigryw. Haneswyr diweddarach sy'n galw cyfnodau disglair o'r fath yn oesoedd aur. Mewn gwirionedd, y ddihareb Saesneg 'The Golden Age was never the present age' – y gorffennol, ac nid y presennol, yw'r Oes Aur – yw thema'r awdl.

I'r gorffennol yn unig y perthyn yr Oes Aur; hyd yn oed os yw'r presennol yn oes lewyrchus o'r fath, ni all y sawl sy'n byw ynddi weld hynny. Mewn atgof, felly, ac o edrych yn ôl, y gwelir yr Oes Aur:

Teg fyth mewn atgof yw hon,
Hi yw golau y galon;
Hi yw bywyd pob awen
Ac ysbrydiaeth hiraeth hen.
Diddarfod ei darfod yw,
Rhyw wynfyd o hyd ydyw.

Ni welwyd yr Oes Aur yr oedden nhw'n byw ynddi ar y pryd gan y rhai a fu'n gyfrifol am ei chreu – artistiaid, beirdd, athronwyr, proffwydi, arweinwyr, cerddorion – a hynny am ddau reswm. Yn un peth, 'roedd rhemp ymhob camp. Anodd oedd i grewyr a hyrwyddwyr yr Oes Aur sylweddoli eu bod yn grewyr oes o'r fath gan iddynt ddioddef gwawd, poen, erledigaeth a marwolaeth wrth ymlafnio i godi'r ddynoliaeth i dir uwch:

> Ai euraid iddynt oriau eu dyddio?
> Socrates – gwenwyn wedi'i ddifwyno;
> Ac Euripides, – gwŷr pau i'w wawdio;
> Duw i Gaersalem – wedi'i groeshoelio . . .
> Y pla'n niweirdeb camp Leonardo;
> Beethoven gain yn ofer glustfeinio . . .
> O'u cur hen, er creu yno brydferthwch,
> Onid diddanwch iddynt oedd huno?

Er i'r rhain greu prydferthwch, rhyddhad iddynt o'u hadfyd oedd marwolaeth. Ni allai chwyldroadwyr ac arloeswyr o'r fath sylweddoli eu bod wedi creu oes aur, ychwaith, oherwydd bod dyheu am gyfnod gwell na'i gyfnod ef ei hun yn rhan o natur a gwneuthuriad pob dyn:

> Ni welwyd hon gan yr un ohonynt
> Ac ni bu'i hawlio yn eiddo iddynt;
> A'r un gwynddydd nid oedd dirion ganddynt . . .
> Ai rhy anniddig ym mhair hon oeddynt
> I'w gweld wrth ei chreu hi gynt gan elwch
> Golau ei harddwch a'u disgwyl erddynt?

Yn yr ail ran, 'Gobaith', dyhead dyn am yr Oes Aur yw'r thema. Chwilio am ryw ddelfryd y mae dyn drwy'i fywyd. Ni wêl berffeithrwydd mewn dim, gan mai delfryd yw perffeithrwydd, rhywbeth i ymgyrraedd ato yn hytrach na rhywbeth i'w feddiannu, rhywbeth anghyffwrdd, pell yn hytrach na rhywbeth diriaethol agos:

> Erys y Gân na Chanwyd, nas daliaf;
> A'r rhosyn tecaf hyd haf nis tyfwyd!
>
> Os cael eos yr orau nis clywyd;
> A'r mwyaf hawddgar geneth nis carwyd!
> Am hynny mi a anwyd ger y ffridd
> Yn bridd o bridd, ond yn bridd a breuddwyd!

Nid creadur meidrol yn unig yw dyn: y mae'n gyfuniad o bridd a breuddwyd, o freuder ac o frwdfrydedd, o wead marwol a dyhead angerddol. 'Oes Ddianedig' yw pob Oes Aur yn ôl y bardd, gan mai delfryd ydyw, ac i yfory y perthyn: 'Yfory biau nef orau bywyd'. Caiff dyn gip ar yr Oes Aur yn ei ddychymyg, weithiau, dro arall drwy edrych ar gampweithiau'r meistri, sef y meistri a berthynai gynt i ryw Oes Aur heb fod yn ymwybodol o hynny, ac y mae'r gorffennol, o'i ddelfrydu, hefyd yn gip ar yr Oes Aur:

> Heulog pob peth erstalwm
> A'i holl aur mewn pellter llwm!

Ar ôl cael cip o'r fath ar yr oes anghyffwrdd hon, y mae dyn yn treulio'i fywyd yn chwilio amdani, ac mae'n fodlon aberthu er mwyn ei chyrraedd:

> A'i profodd unwaith, pêr a fydd ynni
> A waria'i ddyheu er ei chyrraedd hi.
> Rhydd, ac nid ofer rhoddi yn y llwch,
> Ei wyrth o harddwch yn aberth erddi.
>
> Gŵr gan ei hiraeth ar grog yn oeri
> Neu'n ewyllysgar wrth stanc yn llosgi.
> Chwiliodd â chledd i'w chael hi. Ymhob oes
> Hael oedd am einioes. Ni welodd moni.

Mae'r ddwy linell gyntaf yn enghraifft arall o'r cystrawennu straenllyd y soniodd y beirniaid amdano, ond, unwaith yn rhagor, mae'r ystyr yn amlwg: y mae'r sawl a brofodd yr Oes Aur unwaith, y sawl a gafodd gipolwg arni, yn fodlon rhoi'i holl egni ar waith er mwyn ei chyrraedd, a bydd yr egni hwnnw yn egni pêr, gan mai braint a hyfrydwch fydd gweithio i sylweddoli'r delfryd. Anffodus yw'r 'A waria'i ddyheu'. Er mai llwch ydym, gwead marwol yn unig, gall y cnawd dynol o lwch greu harddwch. Crynhoir holl thema'r awdl yn y pennill olaf:

> Mwy na gweled y gog ym Medi
> Neu ôd y llynedd hyd y llwyni,

Ni wêl dy einioes dy Euroes di!
Am y rhoddwyd megis môr iddi
Anniddigrwydd oedd hen cyn d'eni!
Dyn ni wêl ei Heden hi yn ei ddydd –
Poen ydyw'r gwynddydd pan drig ynddi . . .

Yn sicr, fe geir rhai darnau grymus, rhai llinellau a rhai delweddau trawiadol, yn 'Yr Oes Aur', fel y llinell wych, 'Cyfaill iawn yw cof llenor', ac eraill fel 'Y dall ni ŵyr fod lliw'n ei oriau', a'r cwpled a ddyfynnwyd gan bob un o'r tri beirniad:

Gweld peth cain na welai neb,
A'i weld yn anfarwoldeb!

'Roedd 'Yr Oes Aur' yn awdl berthnasol iawn o gofio mai yng nghanol oes arw y lluniwyd hi, ac mae'r llinell 'Hi ydyw'r trannoeth teg wedi'r trinoedd' yn cysylltu'r awdl yn uniongyrchol â'i chyfnod. I raddau, colli golwg ar yr Oes Aur a fu'n gyfrifol am y Rhyfel, dynion wedi colli eu delfrydau, eu gweledigaeth a'u breuddwyd. O'i phlaid hefyd y mae'r ffaith nad oes ynddi fawr ddim o'r hen eirfa awdlaidd, yn wahanol i awdl y flwyddyn flaenorol, ac yn wahanol hefyd, o ran hynny, i'r awdl ail-orau, y ceir ynddi, er mor drwyadl gyfoes ei deunydd, hen eiriau fel 'galon' (gelyn) a 'myg' (sanctaidd). Nid yw'r awdl yn gampwaith o bell ffordd, ond o leiaf 'roedd ynddi ddigon o egni, gweledigaeth a bywyd i fwrw amheuaeth ar yr haeriad fod yr awdl wedi chwythu ei phlwc ac y gallai eto gynhyrchu campweithiau.

Yr oedd un peth anfoddhaol ac anfaddeuol ynghylch yr awdl, fodd bynnag. Sylwodd y beirniaid swyddogol ar sawl benthyciad ynddi. Un peth yw cyfieithu, cyfaddasu neu led-gyfaddasu; gall bardd a wna hynny droi'r gwreiddiol yn eiddo iddo'i hun. Os ydyw'r cyfieithiad neu'r cyfaddasiad ar gynghanedd, mae hynny yn ei Gymreigio ar unwaith, ac os oes graen arbennig ar y dweud, mae'n perthyn i gynhysgaeth lenyddol y wlad a'i mabwysiadodd yn ogystal ag i'r wlad a'i creodd yn y lle cyntaf. Yn anffodus, fodd bynnag, lladrataodd Tom Parry-Jones gwpledi cyfain oddi ar feirdd eraill. 'Rydym yn dechrau symud yn awr o fyd cyfieithiad a chyfaddasiad i fyd llên-ladrad. Un peth yw adleisio llinell gan fardd arall, yn ddamweiniol; peth arall yw adleisio cwpled cyfan. Un o gwpledi 'Yr Oes Aur' yw hwn:

Hi a fynnodd nwyf einioes,
A'i thlysni egni eu hoes.

Yn 'Breuddwyd y Bardd', 1931, Gwenallt, ceir:

E fynni holl nwyf einioes,
A sugni egni ein hoes . . .

Gan Tom Parry-Jones ceir y cwpled:

Creu addurn o'u cur oeddyn',
Heb gur ni cheid addurn dyn.

O gystadleuaeth yr awdl ym 1931 y daw'r cwpled hwn hefyd. Ceir y ddwy linell ganlynol gan D. J. Davies, un o feirdd anfuddugol Bangor:

Heb gur ni chair addurnwaith; – wedi poen
Y daw pinacl campwaith.

Gan i D. J. Davies gyhoeddi'r awdl honno mewn pamffledyn, yr oedd ar gael i'r cyhoedd. Yn awdl Tom Parry-Jones ceir hefyd y ddwy linell:

Y llygaid ar agor fel allorau
A adawodd y duwiau . . .

ac yn 'Difodiant', Gwyndaf, awdl ail-orau Caerdydd ym 1938, dan y teitl ''Rwy'n Edrych dros y Bryniau Pell'', ceir y ddwy linell:

Llygaid ar agor, fel allorau
A hen adawyd gan y Duwiau.

Dyfynnwyd y cwpled yng Nghyfrol y Cyfansoddiadau a Beirniadaethau, felly 'roedd y ddwy linell uchod ar gael i'r cyhoedd yn ogystal. Adleisir y llinellau hyn wedyn, o 'Peniel', E. H. Thomas, pryddest fuddugol 1938,

Ac er na bo ond rhoi i'w rith anghyfan
Lonyddwch marmor neu fireinder cân

gan y tair llinell hyn yn 'Yr Oes Aur':

> A rhoent i'w hanghyfan rith
> Fireinder cân, hyder côr,
> A mwyn lonyddwch mynor.

Yn wir, mae'r tair llinell uchod yn debycach i gyfeiriadaeth nag i fenthyciad, ond anodd gweld beth fyddai diben cyfeiriadaeth o'r fath. Mae'r holl gyfieithu, y cyfaddasu a'r lladrata a geir yn yr awdl yn codi cwestiwn annifyr. A ddylid bod wedi ei gwobrwyo? Yn syml: na ddylid. Hyd yn oed os bu beirniaid y Gadair yn ddigon llygadog i ganfod rhai adleisiau yn yr awdl, bu Tom Parry-Jones yn ffodus iddynt fethu canfod yr enghreifftiau hyn o lên-ladrad noeth o'r Gymraeg, er iddyn nhw ganfod un adlais o gerdd gan Wil Ifan. Yn wir, o fewn deg llinell i'w gilydd yn 'Yr Oes Aur', ceir tri benthyciad amlwg. 'Ped elid ati i ymchwilio'n fanwl, nid oes wybod pa faint [o fenthyciadau] a ddarganfyddid,' meddai T. H. Parry-Williams, a gwir hynny.[47] Gellid dadlau mai dwyn yn anfwriadol, yn ddiarwybod iddo'i hun, a wnaeth Tom Parry-Jones, yn enwedig gan fod un o'r beirdd y lladratawyd oddi arno yn beirniadu, ond nid yw hynny yn lliniaru dim ar y ffaith mai awdl a luniwyd gan Tom Parry-Jones ac eraill oedd 'Yr Oes Aur', ac ni chaniatéid cywaith; a chywaith, ac nid campwaith, a gafwyd ym 1945. Ac eto, fe ddylid bod yn ddiolchgar am sawl peth cain a geir ynddi.

Os na chynhyrchwyd campwaith ym 1945, fe wnaethpwyd hynny flwyddyn yn ddiweddarach. Cynigiwyd dau destun i'r beirdd ganu arno yn Eisteddfod Aberpennar ym 1946, 'Codi Angor' ac 'Awdl Foliant i'r Amaethwr'. Derbyniwyd 13 o awdlau dilys, wyth ar 'Codi Angor' a phump ar 'Awdl Foliant i'r Amaethwr'. Yr oedd tair awdl ar y brig: eiddo *Moel Hebog* (Dewi Emrys), *Ponc y Felin* (Rolant o Fôn) a'r awdlwr buddugol, *Y Marchog Gwyllt* (Geraint Bowen). Canodd Dewi Emrys a Geraint Bowen fawl i'r Amaethwr, tra dewisodd Rolant ganu am feidrolyn yn codi'r angor ac yn hwylio i'w farwolaeth, gan fordeithio i gyfeiriad y Porthladd Tragwyddol yn y pen draw.

'Roedd awdl foliant Geraint Bowen yn awdl draddodiadol yng ngwir ystyr y term. 'Roedd y syniad o awdl fawl yn ganol-oesol yn ei hanfod, i ddechrau, ond mabwysiadodd Geraint Bowen yn ogystal batrymau mydryddol Beirdd yr Uchelwyr, fel y gadwyn o englynion a geir yn rhan gyntaf y gerdd, a gwnaeth un mesur yn gywreiniach na'i ofynion, hyd yn oed, gan droi'r mesur yn ddau, mewn gwirionedd, neu gyfuno dau fesur yn un. Awdl gymharol fer ydyw, ond awdl gywrain ryfeddol, ond yn y trydydd caniad y gwelir y cywreinder mwyaf, sef, ar ôl englyn i agor ac un arall i gloi, cyfres o benillion pedair llinell sydd yn gyfuniad o ddau doddaid, ond gan ailadrodd yr odlau ymhob cynghanedd Sain a Llusg a geir yn y llinell gyntaf, ac yn y cyrch, ym mhob cwpled ar yr orffwysfa, ac weithiau o flaen yr orffwysfa yn ogystal, yn yr ail linell bob tro, er enghraifft:

> Cofia gr*oes* Ei l*oes* lwyswedd; – dyro'r gr*oes*,
> Yr eli eini*oes*, ar wal annedd.
>
> Lle gwl*ych* y bust*ych* bu eistedd – Mair w*ych*;
> Edr*ych* a wel*ych* mewn gorfoledd.

'Roedd pob cwpled toddaid fel hyn yn llunio pennill o gyhydedd hir yn ogystal. Yn ychwanegol at y cywreinder hwn, canwyd y rhan hon o'r gerdd i gyd ar yr un odl, fel y gwneir yn yr ail ran.

Yn wir, gan mor gywrain oedd yr awdl, 'roedd Tom Parry ar flaenau'i draed rhag ofn mai taflu llwch i'w lygaid yr oedd y bardd, hynny yw, ofnai y gallai'r fydryddiaeth gywrain fod yn cuddio cyffredinedd a baster meddyliol, fel ffenestr liw yn wynebu tuag at dirlun moel ac anniddorol. 'Y mae dyn,' meddai, 'yn dal ei wynt wrth ddarllen, a meddwl pa faint o synnwyr a fedr y campwr geiriau hwn ei roi yn y cymhlethdod mydryddol a ddewisodd'.[48] Wedi darllen yr awdl i gyd, rhyfeddodd iddo gyflawni gystal camp. Er hynny, rhaid oedd gofyn y cwestiwn: ai dangos ei orchest yn unig a wnâi'r bardd, neu a oedd y fydryddiaeth gywrain a chymhleth yn dweud rhywbeth trawiadol ac arwyddocaol, a gwir farddonol? Cadarnhaol oedd ateb Thomas Parry. Yr oedd gan y bardd buddugol 'graffter teimladwy i weld cymhariaeth, a dawn i'w chyfleu mor gryno â Thudur Aled'.[49] 'Roedd gwir fardd yn llefaru yn yr awdl, 'nid areithiwr na rhigymwr na chynganeddwr yn unig'.[50] Credai Gwyndaf fod awdl *Y Marchog Gwyllt* yn 'gyfanwaith gorffenedig' er y ceid ynddi englynion gwantan a rhai ymadroddion cymhleth a thywyll.[51] 'Roedd ei gwendidau yn amlwg, honnodd. Canmolwyd yr awdl gan Gwenallt yn ogystal, ond tynnodd sylw at amherseinedd ambell linell, ac 'roedd y trydydd caniad yn rhy gywrain, ac 'ynddo fwy o glyfrwch nag o gelfyddyd'.[52] Edliwiodd Gwenallt iddo mai dull aredig Iolo Goch a oedd gan y bardd buddugol, ac nid y dull modern. Ac fel yna y croesawyd awdl y daethpwyd i'w hystyried yn gampwaith ac yn glasur yn ddiweddarach.

Yn ôl i orffennol yr awdl yr aeth Geraint Bowen am ei ysbrydoliaeth – nid at orffennol cymharol agos yr awdl eisteddfodol, fel cynifer o feirdd eraill y cyfnod – ond at ei gwir orffennol, at ei hoes aur. Mabwysiadodd batrymau mydryddol Beirdd yr Uchelwyr, i ddechrau, ac 'roedd un caniad yn fwy addurnedig-gywrain na hyd yn oed eu mydryddiaeth hwy; dododd gwpled o eiddo Iolo Goch, o'i gywydd 'Y Llafurwr', uwch yr awdl, ac adleisiodd y cwpled hwnnw yn gyfeiriadol ar ddechrau'r gerdd; ac, wrth gwrs, canu mawl oedd priod swydd y beirdd gynt, a chanu mawl a wna Geraint Bowen yntau. 'Roedd Saunders Lewis wedi sylwi, wrth ddyfarnu casgliad Geraint Bowen yn y gystadleuaeth 'Detholiad o ganeuon gwreiddiol yn ymwneud â bywyd ardal' yn gydfuddugol â chasgliad Richard Hughes ym 1942, mai 'cais pendant i edfryd gorchwyl a chrefft "cerdd dafod" y bymthegfed ganrif' a geid yng nghasgliad *Y Marchog Ieuanc*, a chafodd Geraint Bowen gyfle drachefn i adleisio'r traddodiad ym 1946.[53] 'Roedd yr awdl wedi dychwelyd i'w gwir gynefin, ac i'w gwir gyfnod, ar ôl bod yn byw'n alltud yng nghanol dynwaredwyr ac ymhonwyr ers canrif a hanner.

Dyfynnir cwpled Iolo Goch uwchben yr awdl, gan daro'r cyweirnod priodol o fawl o'r dechrau:

> Gwyn ei fyd, trwy febyd draw,
> A ddeily aradr â'i ddwylaw.

Adleisir y gwynfydu hwn yn yr englyn cyntaf oll yn y caniad cyntaf, 'Gosteg y Bardd':

> Ac ef yw'r neb o'i febyd – fu'n gymar
> I'r ddaear werdd, ddiwyd;
> Y gŵr a arddo'r gweryd,
> A heuo faes; gwyn ei fyd.

Mae'r englyn cyntaf hwn yn bwysig oherwydd ei fod yn sefydlu delweddaeth ganolog yr awdl. 'Cymar' y ddaear yw'r amaethwr, ac fe'n tywysir at y syniad o briodas ac uniad rhwng dau ar unwaith. Mae'r ail englyn yn cryfhau ac yn parhau'r ddelwedd:

> Wynned ei fyd a fedo – y gronyn
> O'r grynnau a lyfno;
> Y gŵr a wêl gywiro
> Adduned yr oged, dro.

Mae'r syniad o aredig, hau hadau a medi grawn yn gynhenid rywiol, ac mae'r syniad o 'gywiro/Adduned' yn awgrymu'r syniad o ddau yn tyngu llw i'w gilydd. Ceir yn y pedwerydd englyn gyflwyno'r syniad o 'oed', gan gyplysu'r carwriaethol a'r amaethyddol:

> 'Roedd bronnydd gwyrdd y bryniau – hyd orwel
> Yn dawel; a diau,
> Lle bu'r og a lle bu'r hau,
> Dôi'r oed i dorri'r ydau.

Mae'r delweddu rhywiol hwn yn cyrraedd uchafbwynt yn yr englyn canlynol, cyn arwain at yr ail ran amlwg erotig:

> I dawel hafn lle dôi i lyfnu – y daeth
> Hen dymp yr aeddfedu;
> A thrymlwythog feichiog fu
> Bronnau erwau'r braenaru.

'Hafn', 'tymp', 'aeddfedu', 'trymlwythog feichiog' a 'bronnau': geiriau ac iddynt gysylltiadau rhywiol bob un. Cloir y rhan gyntaf gan awgrymu fod bywyd yr amaethwr yn rhan o drefn barhaol bywyd:

> Pan dry'r haf yn aeafol,
> A'r gaeaf yn haf yn ôl.

Mae'r ail ran, 'Cân y Ddaear', yn parhau'r delweddu erotig a synhwyrus y cyffyrddwyd ag ef yn y caniad cyntaf. Mae'r ddaear yn dyheu am ei chariadfab yn y gwanwyn, ar ôl iddyn nhw dreulio'r gaeaf ar wahân:

Tyrd ataf yn ôl! Ti biau 'nolydd;
Fab fy neheulaw, bodlona f'awydd;
  Fy llwynau, fy llawenydd, – sydd erot;
Heb air 'rwy' eiddot hwyr a boreddydd.

Mae 'bodlona f'awydd' a 'llwynau' yn amlwg o rywiol eu hawgrym, ac mae 'Cân y Caniadau' yn gefnlen i'r holl ganiad:

Gwêl ogoniant perarogl y gweunydd,
A'r myrr a'r aloes a roes y rhosydd;
  Eneiniwyd fy nhorlennydd; – torrwyd blwch
Y barrug a harddwch brig y wawrddydd.

Y pennill mwyaf erotig o'r cyfan yw hwn:

Moes in ymgaru – 'rwy'n flin aflonydd,
'Rwy'n glaf, mi'th geisiaf – dan y ffigyswydd;
  Am oraenau fy mronnydd – rho dy law,
A rho ddwylaw ar fy iraidd ddolydd.

Amlwg yw'r chwarae mwys ar air a geir yn y drydedd linell: 'bronnydd'/ 'bronnau'. O'r caru nwydus hwn, o'r aredig erotig, daw beichiogrwydd a ffrwythlondeb:

Ac yna fe wisgir meini'r mynydd,
A defaid cyfebron fydd ar fronnydd;
  Ac ar y creigiau ger crogwydd – bydd myllt,
Lle bu'r ewig wyllt yn llwybro gelltydd.

A bydd mynnod lle bu'r niwl gawodydd,
A gwair a mêl fydd yng nghreigiau'r moelydd;
  Ger ffrydiau'r bannau lle bydd – diadell,
Daw blewyn manwellt i ebolion mynydd.

Moliant yng ngwir ystyr y gair a geir yn y rhan olaf, 'Cân yr Angylion'. Molir yr Amaethwr am gynnal trefn Duw ar y ddaear, a molir Duw fel cynhaliwr popeth byw. Y mae'r nefolion yn moli'r amaethwr, ac anogir yr amaethwr yntau i roi mawl i'r nefolion, i Dduw, i Grist ac i Fair:

Fab, rho fawl yn awr i'w mawredd; – mor fawr
O hyd, hwyr a gwawr, eu trugaredd;
Cofia groes Ei loes lwyswedd; – dyro'r groes,
Yr eli einioes, ar wal annedd.

Lle gwlych y bustych bu eistedd – Mair wych;
Edrych a welych mewn gorfoledd.
Wrth gefngor yno'r oedd unwedd – yr Iôr,
Trysor ar ogor, swp o fregedd.

Y mae cysylltiad agos rhwng Crist a bywyd yr amaethwr. Ganed Crist yn y man 'Lle gwlych y bustych'. Y mae'n agos at yr amaethwr o hyd, a'r amaethwr yn agos ato yntau:

Mewn llwch mae harddwch Ei hedd – didristwch,
A chyll ei hagrwch a'i holl lygredd;
Sawr dwys Baradwys ar wedd – ac ar gŵys,
Pren Ei grwys ar bwys llaw a bysedd.

Gwêl ei frau ynau glanwedd, – pan fo'n cau
Ar og a heglau eira'r gogledd;
Plyg gynfas fenthyg Ei fedd – ar gesyg;
Rho hyd y cemyg rwd y camwedd.

Awdl lenyddol, glasurol a gafwyd gan Geraint Bowen yn Aberpennar. Mae byd o wahaniaeth rhyngddi a'r awdl amaethyddol arall honno a gadeiriwyd ugain mlynedd yn ddiweddarach, 'Cynhaeaf', Dic Jones. Amaethu yn yr hen ddull a geir yn y naill, ac amaethu modern yn y llall. Edmygu'r amaethwr o hirbell a wna Geraint Bowen; canu'i brofiad ef ei hun a wna Dic Jones. Amaethwr pob oes yw amaethwr Geraint Bowen; amaethwr y bywyd cyfoes yw amaethwr Dic Jones. Ieithwedd glasurol, ysgrythurol a geir yn awdl Aberpennar; ieithwedd naturiol-werinol yn awdl Aberafan. Mae'r ddwy hefyd yn adlewyrchu'r newidiadau mawr a gafwyd ym myd yr amaethwr yn ystod yr ugain mlynedd rhwng Aberpennar ac Aberafan. Aredig â cheffylau a geir yn awdl Geraint Bowen, a chydag ych hyd yn oed:

> Dro ar ôl tro yn ymlid tres, – yn troi,
> Yn trin, â'i feirch cynnes . . .
>
> O ddydd i ddydd ar y ddôl, – yn gefnog
> Uwch corniog ych carnol . . .

Prin yw'r sôn am beiriannau yn awdl Aberpennar, ac eithriad yw'r pennill a ganlyn:

> Clyw yn nhawelwch harddwch yr hirddydd
> Rwnan dy beiriannau hyd wybrennydd;
> Cyfod gaerog hilogydd – a rhengau
> Dy fydylau o irdwf y dolydd.

Awdl hynod o grefftus a wobrwywyd yn Aberpennar, awdl soniarus a synhwyrus, ond arweiniwyd ymgyrch ddidrugaredd yn ei herbyn gan Dewi Emrys drwy gyfrwng ei golofn farddol yn *Y Cymro*. Credai Dewi iddo lunio awdl fwyaf ei fywyd ar gyfer Aberpennar, ac fe'i siomwyd yn ddirfawr gan ddyfarniad y beirniaid. 'Roedd ganddo hefyd bryddest yng nghystadleuaeth y Goron, dan y ffugenw *Llais y Llyn*, ond gosodwyd honno yn weddol isel. Er i gyfranwyr a chefnogwyr 'Y Babell Awen' golbio pryddest fuddugol Rhydwen Williams yn ogystal, gyda Dewi yn eu hannog, awdl Geraint Bowen oedd y gwir gocyn hitio. Parhaodd y dadlau ei chylch am dri mis yn *Y Cymro*, ac mae'n amlwg nad oedd yr awdl urddasol hon yn apelio at werin Cymru ar y pryd.

Aethpwyd yn ôl i'r gorffennol yn Eisteddfod Bae Colwyn y flwyddyn ddilynol. Cynigiwyd dau destun, 'Y Porthladdoedd Prydferth' a 'Maelgwn Gwynedd', testun ysgrythurol a thestun hanesyddol unwaith yn rhagor. O ran hynny, aeth yr awdl a'r bryddest i'r fynachlog ym 1947, yr awdl i Fangor Is-coed a'r bryddest i Lyn y Groes. Yn Llyfr yr Actau (27:8) y ceir yr ymadrodd 'Y Porthladdoedd Prydferth', a hwn oedd y testun mwyaf poblogaidd gan yr awdlwyr. Ymgeisiodd deg, a chafwyd pedair awdl ar y testun hanesyddol a chwe awdl ar y testun ysgrythurol. Y pedwar bardd gorau oedd E. Llwyd Williams (*Brynach*), Rolant o Fôn

(*Arfor*), Dewi Emrys (*Y Tant Olaf*), a'r buddugwr, J. T. Jones (*Euddug*). Un gerdd yn unig a oedd o safon y Gadair Genedlaethol yn ôl Cynan, ac awdl John Eilian oedd honno.

Canolbwyntiodd John Eilian ar un agwedd yn unig ar fywyd Maelgwn Gwynedd, mab Cadwallon Lawhir a gor-ŵyr i Gunedda Wledig, a fu'n teyrnasu ar Wynedd yn ail chwarter y chweched ganrif. Yr agwedd honno oedd y traddodiad amdano, yn ôl Gildas, yn cefnu ar frenhiniaeth Gwynedd ac yn encilio i fynachlog, ac wedyn yn ailafael ym mrenhiniaeth Gwynedd drachefn. Yng ngherdd fuddugol John Eilian, y mae dau o'r seintiau a fu'n athrawon i Faelgwn Gwynedd yn plannu delfryd yn ei feddwl, sef uno Cymru yn wlad Gristnogol, ac amddiffyn y wlad Gristnogol honno rhag y bygythiad o du'r barbariaid a'r paganiaid. Nid cefnu ar fywyd mynach er mwyn ailafael mewn grym milwrol nac er mwyn adfer ei statws blaenorol a wna yn y gerdd, ond er mwyn troi gweledigaeth hanfodol ysbrydol yn ffaith. Yr oedd dehongliad John Eilian o hanes Maelgwn yn wahanol i ddehongliad Gildas ohono. Nid awch am rym a barodd i Faelgwn gefnu ar fynachaeth ond yr awydd i weld Cymru yn wlad Gristnogol unol.

Yr awdl hon, ar fesur 'Madog' T. Gwynn Jones, oedd y gerdd orau o gryn dipyn yn y gystadleuaeth. Er hynny 'roedd nifer o bethau yn poeni Cynan yn ei chylch. I ddechrau, a oedd yr awdl ar dir hanesyddol digon cadarn i'w gwobrwyo? Daeth i'r casgliad fod dehongliad John Eilian yr un mor ddilys â dehongliad Gildas. Gellid gofyn hefyd: pa mor ddilys ddiragfarn oedd dehongliad Gildas ei hun? Fodd bynnag, barnodd Cynan nad 'sgrifennu cronicl manwl neu gatalog moel o ddigwyddiadau hanesyddol marw yw nod bardd, hyd yn oed pan gân ar gymeriad hanesyddol, ond creu cymeriad byw, newydd, trwy'i ddychymyg ei hun, a chyflwyno'r cymeriad dychmygol hwnnw yn argoeddiadol inni trwy holl ddawn a chrefft barddoniaeth'.[54] Yn hynny o beth 'roedd John Eilian wedi llwyddo.

Er ei bod yn awdl hanesyddol yn ei hanfod, ac er mai i'r chweched ganrif y perthynai o ran pwnc a deunydd, yr oedd yn awdl gyfoes ar lawer ystyr. Y gwahaniaeth sylfaenol rhwng yr awdl a'r bryddest yn hanner cyntaf yr ugeinfed ganrif yw tuedd y naill i drafod y presennol drwy gyfrwng y gorffennol tra bo'r llall yn trin cyfoesedd yn uniongyrchol. Alegorïol yw'r awdl yn fynych; uniongyrchol yw'r bryddest. Yr oedd T. Gwynn Jones yn fwy cartrefol yn trin ei gyfnod ei hun drwy leoli ei gerdd hir gynganeddol 'Madog' mewn cyfnodau pell. Mae 'Madog' yn gondemniad ar ei oes ei hun, ar wareiddiad dyn yn ystod blynyddoedd y Rhyfel Mawr, ond mae'n collfarnu ac yn beirniadu ei oes drwy drafod cyfnod arall. 'Maelgwn' yr Ail Ryfel Byd a chyfnod y Rhyfel Oer oedd 'Madog' y Rhyfel Byd Cyntaf. Sylweddolodd Cynan mai trwyadl gyfoes oedd awdl fuddugol 1947 yn ei hanfod. 'Yr un math o siarad ag a glywir gan rai heddiw, "Ai dyma ddiwedd gwareiddiad?" "A yw dyn ar ddarfod amdano?"' a geid yn yr awdl.[55] Peth arall a'i poenai oedd dyled amlwg John Eilian i T. Gwynn Jones, ac nid dyled mesur yn unig mo'r ddyled honno. Meddai:[56]

> Y mae'r ddwy gerdd yn adrodd stori am ŵr ifanc, wedi cael digon ar y byd "helbulus di-reol bawlyd," yn amau a oedd dyfodol i ddyn ac a ddarfu am Gristnogaeth. Yn y ddwy gerdd fe osodir gerbron y gŵr ifanc gan Sant ac Ysgolhaig ddelfryd newydd sy'n ddigon i danio ei enaid a'i symud o'i ddigalondid. Rhoddir y gweddill o'r ddwy gerdd i adrodd hanes y gŵr ifanc yn ceisio sylweddoli'r delfryd – a hynny mewn caniadau â mynd a chyffro ynddynt. Yna, fe gloir y ddwy ar nodyn tawel, â brawddeg gynnil, gwta,
>
> "Bwlch ni ddangosai lle bu"
>
> – ar ddiwedd awdl "Madog."
>
> "Ac felly y bu"
>
> – ar ddiwedd awdl "Maelgwn."

Ar ôl ei fodloni ei hun nad oedd cerdd John Eilian yn pwyso'n ormodol ar gerdd T. Gwynn Jones, ac er gwaethaf rhai mân-frychau eraill, fel ambell wall cynghanedd a'r gwall hanesyddol amlwg o alw tad Maelgwn yn Gaswallon yn hytrach na Chadwallon, barnai Cynan fod rhinweddau'r gerdd yn llwyr orbwyso'i hychydig wendidau. Yr oedd ynddi 'fwy o wreiddioldeb meddwl' na'r un awdl arall, ac 'roedd y gerdd hefyd yn 'undod cyfan a boddhaol'; ceid ynddi 'arbenigrwydd ar y mynegiant sy'n deilwng o'r thema arwrol a ddychmygodd' a hefyd 'mae yma gyfoeth iaith ac y mae yma gyfoeth cynghanedd – a delw arddull ddisgybledig, ar y naill a'r llall'.[57] Cytunai William Morris fod awdl John Eilian yn sefyll ar ei phen ei hun yn y gystadleuaeth er gwaethaf rhai mân-wendidau.

Mae'r awdl, wrth agor, yn cyfeirio'n gudd at flynyddoedd tywyll yr Ail Ryfel Byd ac at y bygythiad i wareiddiad yn yr Oes Atomig:

> Taer oedd y nos-ddefosiwn ym Mangor emyngoeth ers oriau;
> Ionawr oedd hi, a'r dwyreinwynt ar ofwy dros Ddyfrdwy ddu.
> Ei och yn y tewgoed uchel i bang y byd ymdebygai;
> Cynnes, mor gynnes, acenion lluest y Brodyr gerllaw.

Gwysir Maelgwn gan yr Abad i ymddangos o'i flaen. Dunawd, yn ôl un traddodiad, oedd sefydlydd mynachlog Bangor Is-coed, a'i habad cyntaf. Mae Maelgwn yn edrych ar dai'r fynachlog o'i amgylch wrth fynd at yr Abad. Cristnogaeth ei hun yw'r fynachlog, noddfa ac amddiffynfa yn y dyddiau blin:

> Tre oedd hon i rai truain, eu nawdd ym mlynyddoedd dychryn,
> Tyno'r goleuni Cristianus, rhagfur gwylwyr y Gwir;

Mae'n cyfarch y fynachlog:

> "O nerth," ebr Maelgwn wrthi, "O nyth i benaethiaid toredig,
> Diau, rhyglyddwr pob diolch yw Duw. Amddiffynned Ef
> Dy fintai rhag ei chaseion."

Mae'n plygu ei ben o barch i Dduw, ac yn gofyn 'A yw dyn ar ddarfod amdano?' Ni ddaw ateb, fodd bynnag, oherwydd 'Gwag oedd dolefain y gwynt'.

Yn y fynachlog ei hun, mae Dunawd, 'y Dunawd o enw ardderchog,/ Dunawd y pen diwinydd, y llyw ar y meistri llên', a'i fab Deiniol, yn aros amdano. Mae Deiniol yn atgoffa Maelgwn am weledigaeth Arthur gynt:

> Deall oedd iddo, a dyhewyd, o fyned Rhufeiniaeth heibio,
> I uno teirhan yr Ynys yn gryf yng nghysgod y Grog.

Bellach nid oes gan Gymru nac arwr na gweledigaeth, a hynny ar adeg pan fo angen mwy o arweiniad nag erioed:

> "Dyn, fy mab," ebr Dunawd, "dyn wrth y da nid erys.
> Dyn, trwy raib a godineb, sy'n herio a digio Duw.
> Gwnaeth tywysogion, hwythau, rwyg ar Ei air a'i orchymyn.
> Nos sy'n ceisio teyrnasu; trais pa le bynnag y trown.

Amlwg yw'r ddyled i T. Gwynn Jones wrth iddo yntau bortreadu oes fawaidd, dreisgar gyffelyb yn 'Madog':

> Waeled yw byw yn hualau ynfydion ddefodau meirwon,
>   Moli trachwant a malais, byw ar elyniaeth a bâr;
> Ystryw rhwng Cymro ac estron, a brad rhwng brodyr a'i gilydd,
>   Celwydd yn nyfnder calon, a'i dwyll ar y wefus deg;
> Lladd heb ymatal na lluddio, a mawl am wanc a gormesu,
>   Dial ar feddwl a deall, clod am orchest y cledd . . .

Dyna gyflwr pethau ym Mhrydain Maelgwn Gwynedd yn ogystal:

> Yn Rhufain ei hun, trwy ryfyg, ffieidd-dra Asia a drig.
> Ai eres fod dyn dan hiraeth, ei bwyll ar ballu gan dryblith,
> Ei enaid dan anniddanwch, a gwayw i'w galon rhag ofn?

Cadwyd yr Eingl dan reolaeth ers cenhedlaeth:

> Rhad a roddwyd ar Brydain, a'r Eingl yn rhwym ers cenhedlaeth;
> Gwyrth y pendefig Arthur oedd hyn, ond bellach ni ddeil.

Gan fod y barbariaid yn codi eto, mae angen arweinydd gwrol a galluog ar Brydain:

> Llaw sydd yn eisiau i'n llywio, llaw ar y lliaws anghyngres,
> A gŵyr pob Brython o fonedd a fedd ein mynachlog fwyn
> Nad oes, O Faelgwn, dywysog â dawn ond tydi yn unig;
> Gwelant uniondeb dy galon, a di-ail ddisgleirdeb dy dŷ.

Clodforir cyndeidiau Maelgwn am amddiffyn eu tiriogaethau rhag y gelyn, ond bellach mae angen ailennill y tir a gollwyd:

> Edrych yn awr ar enbydrwydd dwys dy hen etifeddiaeth,
> Ar don y Brithion yn brathu, a rhyfel y Gwyddel gwyllt.
> Edrych ar hynt y lladron i gilion Gwalia a'i pherfedd,
> Y molest a'r cam-hualu, y sarn ar gywirgais oes.

Ymateb Maelgwn i anogaeth Dunawd yw datgan ei fod wedi cefnu ar bopeth bydol, a'i fod ers tro yn byw bywyd meudwyaidd a heddychlon ymhlith y Brodyr:

> Ceisiais o'r mannau cysegr iachâd i'm pechodau ysgarlad;
> Os sorod pob ymgais arall, a diwerth, prydferth yw'r pridd,
> A'r Arglwydd a sieryd trwyddo.

Ateb yr Abad yw mai hon yw'r awr i daro ac i roi safbwyntiau a daliadau personol, hunanol o'r neilltu:

> Ond awr ydyw hon i daro, a llaw sydd yn llym ar hunan
> Yw'r un a ddyry arweiniad, a'r holl deg ffrwyth sy'n parhau.

Mae'n atgoffa Maelgwn am ogoniant yr Eglwys yn y gorffennol, a'i phwysigrwydd yn y byd gwareiddiedig, sef yr union fyd y cais y barbariaid ei ddinistrio:

> O fwg ei dioddefaint hi a fagodd bwyll, a bellach i'w diben
> Tridant sydd i'w chatrodau: llên a llafur a llafn.
> Ei rhawd sydd rawd o fawrhydi, yn her i holl ddieifl Afagddu;
> Glân yw yng nghanol gelynion; di-ofn trwy gydol y daith.

Mewn gwirionedd, mae 'Maelgwn Gwynedd' yn ddadl ynghylch heddychaeth a milwriaeth, pwnc trafod mawr yng Nghymru yn ystod yr Ail Ryfel Byd. Meddai Dunawd Abad:

> Nid hawdd bod o'r neilltu heddiw; y ffagl i'r Ffydd rotho feinflaen,
> A phuro i Grist offeryn dianwadal i gynnal y Gwir.

Safbwynt Dunawd yw safbwynt yr un sy'n credu na ellir sefyll ar wahân mewn cyfnod o argyfwng. Tri pheth sydd yn cynnal yr Eglwys, meddai, sef llên, diwydrwydd ac arfau. Mae'n rhaid bod yn barod i ymladd i amddiffyn yr Eglwys, a gwareiddiad yn gyffredinol. I raddau helaeth, safbwynt yr heddychwr yw safbwynt Maelgwn:

> Na omedd im fan nad oes imi na siom na symud mynyddoedd;
> O hyfrydlais y fro i waedlan a'i gwaedd, paid â'm hannog i.

I ba raddau y gall dyn o ddifri sefyll ar wahân pan fo rhyw unben yn codi ac yn bygwth holl wareiddiad dyn? Dyna un o'r cwestiynau mawr a godir gan y gerdd. 'A red y di-gred dros Brydain?' gofynna Dunawd. Sut y bydd i genedl warchod ei gwerthoedd ysbrydol mewn byd sy'n rhuthro at ddibyn difancoll? Dyna un arall o themâu'r gerdd. Yn sicr, nid trwy anwybyddu'r bygythiadau allanol hyn y trechir hwy. Anghywir, fodd bynnag, fyddai honni fod 'Maelgwn Gwynedd' yn pregethu militariaeth. Pledio cyfrifoldeb a gwir ymroddgarwch a wna, a fflangellu difrawder. Ofnai llawer o Gymry y byddai buddugoliaeth Prydain a'i Chynghreiriaid yn yr Ail Ryfel Byd yn cryfhau Prydeindod ond yn gwanhau Cymreictod. Pryderai W. J. Gruffydd, er enghraifft, y byddai Lloegr yn ennill y Rhyfel a Chymru yn ei cholli. Mae Maelgwn yn cynrychioli'r Cymro dihyder ar lawer ystyr, yr un na wêl obaith parhad i'w etifeddiaeth a'i dreftadaeth. Meddai, wedi i eiriau Dunawd ei ysbrydoli a'i galonogi:

> Fy nhad, maddau f'anhyder; chwith ydyw f'anian, a cham.

Daw Maelgwn i sylweddoli hefyd na all neb warchod traddodiadau gorau Cymru, ei gwerthoedd a'i gwychder, ond y Cymry eu hunain:

> Heno, nid oes ond ni'n hunain; bro yn ymdeimlo â'i braich.

Daw Maelgwn yn ymwybodol o orffennol arwrol ei genedl wedi iddo wrando ar Ddunawd, ac mae'n erfyn am gymorth y gwroniaid hyn i adfer y gogoniant a fu, oherwydd 'Rhoed yn rhy hir ar eu Prydain lawdrwm lywodraeth ymherawdr':

> Buddug fo'n gwylio'r beddau; Caradog fo'n credu i'n hymgais;
> Arthur, bydd dithau wrthym, a threch fydd ehofndra na thrais.

Dewrder ac ymroddiad, yn hytrach na thrais, a all achub y Cymry. Mae rhan o araith Maelgwn, wrth iddo ymateb yn gadarnhaol i anogaeth Dunawd ar ôl ei diystyru i ddechrau, yn cyfeirio'n gyfrwys at yr ymdeimlad cryf o Brydeindod a geid yn ystod y Rhyfel, ac at y miloedd Cymry a wysiwyd i'r gad:

> Daeth, yn eu dyddiau diwethaf, wall ar ewyllys, parlystod:
> Rhwyd a glymid am Brydain, rhwyd eu holl geisiaid di-ri.
> Galwen i'r gad y gwladwr, ireiddwas y rhoddion o'r nefoedd,
> Cludus ddarperydd clydwch, stiward y llawen ystôr.

Wedi i Faelgwn fynegi ei barodrwydd i dderbyn yr her, mae Dunawd yn diolch iddo am ei frwdfrydedd a'i deyrngarwch i'r Eglwys ac i'w genedl. Wedyn mae Deiniol, ei fab, yn amlinellu'r sefyllfa wleidyddol a milwrol bresennol iddo. Amddiffyn Gwalia yw'r nod bellach, nid ehangu tiriogaeth:

> . . . rhag dyfod eto rwygo ar dir yn ein Lloegr deg
> Anfonir hyn o erfyniad i ti: paratoer at wneuthur,
> O anfodd, ein hamddiffynfa ola' yng Ngwalia wyllt.
> Eiddunwn na ddigwydd hynny, ond da bod hyn o ddoethineb –
> O Brydain y syber adail, Gwalia fyddo sicra'i sail.

Llwydda Maelgwn i drechu gelynion Gwynedd, a thrwy hynny, mae'n creu Gwalia Gristnogol, unol:

> A rhydd ar lwybrau ei heddwch ehed cenhadon y Datgudd;
> "Llenwch Walia â Llannau," oedd arch y penllywydd hoff:
> "Ei delwad fo i'r holl ardaloedd; Crist fyddo'u craig dragywydd;
> Un allor fo holl allorau ein bro, er sancteiddio'r tir."
> Bu ymateb; bu gweled ymledu clod y clych llawenlafar
> Yn gain trwy Walia, ac yna i maes dros ddaear a môr.

Mae'r awdl yn cloi yn orfoleddus obeithiol:

> "Dy Wynedd a bery, Deiniol, yn deg gerbron Duw a dynion,
> Dy Wynedd a'm ceidw innau i bawb." Ac felly y bu.

Awdl dda yw 'Maelgwn Gwynedd', awdl led-angof erbyn hyn gan fardd lled-angof a oedd yn fardd da iawn. Ar lawer ystyr, mae hi'n un o awdlau gorau ail chwarter yr ugeinfed ganrif, yn ei hymenyddwaith cadarn a'i saernïo clòs, er nad yw yn cymharu â'r bryddest odidog honno, 'Meirionnydd', pryddest fuddugol 1949. Ni roddodd y bardd lawer o gyfle iddo'i hun i ymgolli mewn delweddau synhwyrus a throsiadau cynhyrfus, oherwydd holl natur y gerdd, ond ceir cyffyrddiadau cofiadwy yma a thraw, fel 'Gwanu mae'i farch fel gwennol'; 'A sawr y briallu serog'; 'y gwragedd dagreugar'. Fel yn achos E. Prosser Rhys, cefnodd John Eilian ar farddoniaeth gan sianelu ei holl egnïon creadigol i gyfeiriad newyddiaduriaeth, a bu hynny'n golled aruthrol, i farddoniaeth o leiaf.

Aeth yr awdl yn ôl i'r gorffennol eto ym 1948, y tro hwn i gyfnod y Tuduriaid. 'Yr Alltud' oedd y testun, gyda T. H. Parry-Williams, Gwilym R. Jones a Simon B. Jones yn beirniadu. Derbyniwyd 14 o awdlau ac un tryblith digynghanedd. Dewi Emrys a enillodd y Gadair, ac 'roedd o leiaf dri o brifeirdd y dyfodol wrth ei sodlau, E. Llwyd Williams, Mathonwy Hughes a W. D. Williams, yr awdlwr ail-orau. Awdl grefftus yn hytrach na grymus a gafwyd, ac ni allai'r beirniaid ei chanmol i'r entrychion. Dywedodd T. H. Parry-Williams fod ynddi 'rywbeth amgenach na chynganeddu gwiw a mydru deheuig,'[58] ac 'roedd Simon B. Jones yn gywir pan ddywedodd mai 'o weithdy hen grefftwr' y daeth y gerdd.[59]

Cerdd am gyni tyddynwyr dan orthrwm pendefigaeth estron yw awdl 'Yr Alltud'. Dyfeisiodd Dewi Emrys ei stori ddychmygol ei hun, a chafodd gyfle, unwaith yn rhagor, i ochri â'r werin ac i ddifrïo'r crach. Am unigolion alltudiedig a dirmygedig y gymdeithas, ei hadar brith a phobl yr ymylon, yr hoffai Dewi Emrys ganu. Y mae'r syniad o erledigaeth ac o alltudiaeth yn drwch drwy'i farddoniaeth, a chanu ei brofiad ef ei hun a wnaeth i raddau helaeth yn awdl fuddugol 1948. Gwendid mawr Dewi Emrys oedd ei ymlyniad diollwng wrth y gyfundrefn gystadleuol. Ni newidiodd ei ganu fawr ddim drwy gydol y chwarter canrif a rhagor y bu'n cystadlu. Arhosodd yn ei unfan pan oedd popeth arall yn newid o'i gwmpas, fel hen geffyl blinedig na wyddai fod oes y tractor wedi gwawrio. Ceir yr un hen wendidau yn 'Yr Alltud' ag a gafwyd ganddo o'r dechrau, sef geirfa dreuliedig, ystrydebol y canu awdlaidd, cynganeddu afrwydd, swnllyd a rhodresa cynganeddol. Ceir yn yr awdl linellau fel 'Mal ych tan dost warllost oedd', 'Daeth arni drymder gwasgu atherrig' a geiriau fel 'erglyw', 'gwyar' (gwaed), 'terydd' ac yn y blaen. Er hynny, ceir llawer llai o wendidau o'r fath yn yr awdl hon nag a gafwyd ganddo yn y gorffennol, ac fe geir rhai llinellau rhagorol ynddi, fel 'A'i fore yn nos, a'i nos yn oesau', a cheir ambell englyn cofiadwy a dirodres:

Gynt, trwy'r tangnef cynefin, – ar redeg
Y troediais yr eithin.
Heno heb lam, druan blin,
Af yn ôl ar fy neulin.

Crëir awyrgylch iasol ar brydiau, a dewisir yr union air:

Wlad fy ngofuned! Â'r lleuad fedi
Yn glawio'i *gweniaith* ar dy glogwyni,
A'r ffrwd, fel rhyw osber tyner tani,
Yn y llonyddwch sy'n llawn o weddi . . .

Awdl y gellir ei chynnwys ymhlith y cerddi eisteddfodol hynny sy'n ymdrin â chyni a chaledi'r werin, o 'Y Bugail' Eifion Wyn a 'Gwerin Cymru' Crwys hyd at rai o bryddestau'r tridegau ac awdl foliant Gwilym R. Tilsley i'r glöwr ym 1950, yw awdl 1948. Cydymdeimlir â'r werin orthrymedig, ddioddefus:

A'r Werin drymfawr, warrog, – er lliw dydd,
Yn crafu'r moelydd a'r bronnydd brwynog.

Hen Werin hydrin, lwydrudd – a fu gynt
Fel corwynt y ceyrydd!
A aeth rhwysg ei theithio rhydd
Yn adfeilion hyd foelydd?

Ond fe'i canmolir am ei diwydrwydd a'i hunplygrwydd:

Cysegrodd lewder ymladdwr terydd
Yn daer ymosod ar dlodi'r meysydd;
Ieuo'r ych hywedd, â gwawn boreddydd
Yn dresi gwynion ar draws y gweunydd.
Prin y ffôi nos o'r rhosydd – nad oedd stŵr
Haearn ei gwlltwr ar fronnau gelltydd.

Yn y disgrifiadau o'r werin yn codi yn yr awdl, crisialwyd peth o'r ysbryd sosialaidd ac o wrthryfel y werin yn erbyn ei meistri cyfalafol yn yr ugeinfed ganrif, enghraifft arall o'r awdl yn trafod materion cyfoes o ganol rhyw orffennol pell:

> Ymsythai'r Werin drymfawr yr awron
> Ag arwydd llid ar ei gruddiau llwydion . . .
>
> Ac fe wawriodd y dydd, dydd y dyddiau,
> Dydd taflu ymaith groes gorthrwm oesau,
> Dydd nerth anghynnil hil yr hualau
> A hwtiai gyfnod y taeog ofnau,
> Dydd dial gwlad fy nhadau – rhag trymlwyth
> A gaeaf adwyth bara gofidiau.

Er mai dioddefaint y werin dan ormes pendefigion yw prif thema'r awdl, ceir thema amlwg arall ynddi hefyd, sef hiraeth alltud am fro ei febyd. Yr un thema a geir yma, mewn gwirionedd, ag a gafwyd yn 'Cymylau Amser'. Mae sawl rhan o'r awdl yn ymwneud â'r modd y mae dyn yn delfrydu ei orffennol ac yn gwyngalchu bro'i fagwraeth, ac yn hynny o beth, mae'n dilyn yr un trywydd ag awdl 1945 yn ogystal:

> Hen ddial hiraeth dan ei ddoluriau
> Yw troi a gollir yn berl y perlau . . .
>
> . . . Cans ni wêl nebun yn nef borefyd,
> Â'i lliwiau rhinfawr, mor llwyr ei wynfyd.

Awdl deilwng, ac nid awdl ragorol, oedd awdl fuddugol olaf Dewi Emrys.

Dewi Emrys oedd un o feirniaid y Gadair ym 1949 pan aeth yr Eisteddfod i Ddolgellau. Y ddau arall oedd Gwyndaf a T. H. Parry-Williams. 'Y Graig' oedd testun yr awdl, a derbyniwyd 19 o awdlau. Enillwyd y Gadair gan Rowland Jones, gyda Mathonwy Hughes ymhlith y goreuon. Bardd cystadleuol wrth reddf a natur oedd Rolant o Fôn, fel Dewi Emrys yntau, ac 'roedd ennill y Gadair am yr eildro o fewn yr un degawd yn rhyw fath o uchafbwynt i'w yrfa eisteddfodol. Er bod 'Y Graig' yn rhagori ar awdl fuddugol 1941, nid oedd y beirniaid yn gwbwl fodlon arni. 'Roedd y bardd weithiau, yn ôl Dewi Emrys, yn taflu llwch i lygaid y darllenydd, ac fe'i cyhuddwyd o fod yn dywyll ar adegau gan Gwyndaf. Gan T. H. Parry-Williams y cafwyd y feirniadaeth fwyaf manwl a chynhwysfawr ar awdl Rolant. Canfu lawer o wendidau yn y gerdd. Weithiau 'roedd y bardd yn ailadroddus droi yn ei unfan; anaddas ac anfoddhaol, ar brydiau, oedd ei ddewis o eiriau; 'roedd wedi codi un llinell yn ei chrynswth o awdl 1945 (yr 'Artful Dodger' yn lladrata oddi ar Fagin, fel petai!); 'roedd wedi dwyn oddi arno ef ei hun hefyd, a siom i Parry-Williams oedd canfod yn yr awdl linellau a welwyd gan *Ponc y Felin* yn Aberpennar. Cwynion eraill yn ei erbyn gan Parry-Williams oedd ei ymadroddi gorddieithr, '[p]enillion rhy aneglur ac anghysylltiol', gorddefnyddio rhai 'ffansi-eiriau', defnyddio gormod o gyfystyron am y graig ei hun, fel 'llaid', 'gro', 'graean', 'priddell', a'r ffaith fod Rolant yn 'ymollwng ambell dro yn rhy aflywodraethus ac yn rhempio'n afradlon, nes bod y dychymyg yn methu llwyr ymateb ag ef neu adweithio iddo'.[60] Ar y llaw arall, yr oedd i'r awdl ei rhinweddau amlwg, fel yr 'is-haen o ddeunydd y deall yn y gerdd . . . heb i hwnnw ymwthio i'r amlwg yn wybod oer ac yn draethu hanner-gwyddonol'; hefyd 'chwimder ysbryd ac ehofndra dychymyg', mydryddiaeth a mynegiant sgilgar, a'r rheini yn rhoi 'gogoniant ac ynni newydd yn y gynghanedd', miwsig yr awdl, a'r modd yr oedd y cyfan 'yn cynhyrchu hud a chyfaredd'.[61] Amheuai Parry-Williams ai 'gosber' oedd y gair priodol-gywir yn y cwpled 'Clybûm osber llawer llais/O farianlli'n fireinllais', ac mae hynny'n ddiddorol oherwydd mae'n dangos fel yr oedd y confensiwn awdlaidd eisteddfodol yn ei adleisio'i hun. Yr oedd 'gosber' yn un o hoff eiriau Rhamantwyr dau ddegawd cyntaf yr ugeinfed ganrif, ac fe'i ceir yn 'Yr Alltud' Dewi Emrys yn ogystal, a hynny yn yr un cyd-destun, sef wrth ddisgrifio ffrwd neu afon: 'A'r ffrwd, fel rhyw osber tyner tani'. Hefyd, rhodres noeth, a glynu'n rhy slafaidd wrth gonfensiwn yr awdl, a ddewisodd y ffurf hynafol 'clybûm', yn hytrach na 'clywais', yng nghwpled Rolant.

Y graig ei hun sy'n llefaru drwy'r awdl. Tragwyddoldeb natur a meidroldeb dyn yw thema'r gerdd, y modd y mae'r graig wedi goroesi nifer o wareiddiadau o eiddo dynion. Yn bwysicach na hynny, y mae'r Graig yn symbol o'r frwydr barhaol a fu rhwng dyn a natur drwy'r oesoedd, a thuedd dyn i lygru ac i ecsbloetio'i amgylchfyd. Ar lawer ystyr, felly, mae hi'n awdl broffwydol, yn gerdd sy'n rhagweld y dyddiau 'gwyrdd' a'r pryder ynghylch llygru'r amgylchfyd. Y mae yma frwydr rhwng y graig a dynion, ond y graig sy'n ennill bob tro. Bu dyn yn defnyddio'r graig i'w ddiben ei hun drwy'r oesoedd. Bu môr-ladron yn cuddio'u hysbail, eu casgenni o win a'u 'dibris foethau mewn cistiau costus', yn yr ogof:

> Cofiaf oedfaon y lladron llwydrudd,
> A'u hisel eiriau yn fy selerydd.
> Dygent i'm carchar fanna'r afonydd,
> I laid a gwawn dwyn golud y gwinwydd.
> Erys yn fy magwyrydd eu drycsawr,
> A'u rhegi mawr yn nhalfrig y morwydd.

Bu dynion yn malurio'r graig erioed, ac yn dwyn talpiau ohoni i adeiladu tai, cestyll, pontydd, eglwysi, a bu artistiaid yn naddu'r graig yn gerfluniau.

Drwy'r canrifoedd bu'r graig yn dial ar ddynion am ei hecsbloetio a'i hanrheithio:

> Malaf hwy yn fy melin. Wele'u rhan
> Fel yr us cyffredin.
> Ysaf gedyrn fel eisin,
> A delwau cred fel dail crin.

Mae'n dial ar ddynion drwy beri cwympiadau a damweiniau yn y chwarel a'r lefel lo:

> Cei frath fy nur, a'm gweld yn malurio
> Yr ifanc hen dan fy nghrafanc yno.

a hefyd drwy chwilfriwio llongau ar y môr:

> Pob hwyl simsan a wanwyd yn llawen
> Gan fy lluoedd briglwyd;
> Brau oedd pob llestr fel breuddwyd,
> A chelain mewn lliain llwyd.

A hyd yn oed drwy losgi'n yfflon drigfannau bregus dynion â lafa.

'Trachwant meidrol' dyn sy'n peri iddo anrheithio'r graig i'w ddiben ei hun. Yn eironig, nid yw campweithiau dyn â darnau o'r graig yn ei anfarwoli o gwbwl. Pwysleisio'i feidroldeb a wnânt:

> Lle dyrchafont eu pontydd, neu glasur
> Eglwyseg i'w crefydd,
> Gronyn o'm calon lonydd
> I'w talent yn fynwent fydd.

Bydd gronyn bychan o galon y graig yn fynwent i ddynion. Mae'r pontydd a'r eglwysi yn aros wedi i'r sawl a'u codasai hen ymadael, gan mai o ddeunydd tragwyddol y graig y lluniwyd y rhain yn y lle cyntaf, ond eu llunio gan feidrolion. Bydd y pontydd a'r eglwysi hyn yn rhyw fath o goffâd i'w crewyr. Er i frenhinoedd ac arglwyddi godi cestyll o'r graig, 'roedd gafael marwolaeth arnyn nhw drwy'r amser, er gwaethaf eu gorchestion:

> Lluniodd o'm priddell gastell, ac eistedd
> Ar gloddiau dôl yn arglwydd dialedd;
> A'r gwyfyn araf yn ei edafedd
> Yn troi ei degwch yn hagrwch llygredd.

Drwy'r awdl, pwysleisir breuder a byrhoedledd dynion, a phopeth byw, gan gyferbynnu hynny â grym arhosol y graig:

> Angau'n ei anterth yw pob prydferthwch,
> Eigion o ofid yw'r gwin a yfwch . . .
>
> Druan o'r haf a'i feddal betalau,
> Rhyw ias ddiaros yw hedd ei oriau . . .
>
> Awenydd y dorf a ddaw i'w derfyn,
> Ond tra bo daear llachar yw'r llwchyn.
> Cwymp y dail yw campau dyn, a bydd swae
> Y glaw ar y bae pan gilio'r bywyn.

Mewn gwirionedd, un o themâu Caradog Prichard yn 'Y Briodas' a geir yn 'Y Graig', sef brwydr dragwyddol dyn yn erbyn y mynydd, ac yn erbyn natur yn gyffredinol, a'r mynydd, yn ei gadernid a'i oesoldeb, yn dial ar ddynion am ei ysbeilio:

> Rhowch heibio dorchi eich crysau,
> Ddyneddon llesg y gwaith;
> Er gwanu â'ch dur f'ystlysau,
> Ni'm sernwch chwithau chwaith;
> Ond pan fo'ch arfau gloyw yn rhwd,
> Cewch dalu am y graith.

Gofynnir am gymod a chyfaddawd rhwng y graig a dynion yn hir-a-thoddaid olaf yr awdl, 'Cymodwn, fy mrawd', gan sylweddoli fod angen i ddyn barchu'i amgylchfyd yn hytrach na'i ddinistrio. Neges yr awdl yn y pen draw, os oes iddi neges, yw mai dinistr a thranc a ddaw o anrheithio natur a cham-ddefnyddio'r amgylchfyd, ac yn hynny o beth yr oedd awdl 'Y Graig' yn broffwydol. Yr awdl hon, yn sicr, oedd cerdd fwyaf Rolant o Fôn, er gwaethaf ei mynegiant clogyrnaidd ar adegau, a'i rhethregu byddarol droeon eraill.

Yn ôl at y graig yr aethpwyd drachefn, ac at y berthynas rhwng dyn a'i amgylchfyd, yng nghystadleuaeth olaf hanner cyntaf yr ugeinfed ganrif am y Gadair; aethpwyd yn ôl at yr awdl fawl yn ogystal. Gofynnwyd am awdl foliant i'r Glöwr neu'r Chwarelwr, gan obeithio, fe ellid tybied, ailadrodd camp 1946 yn Aberpennar. Yr oedd un anhawster o'r cychwyn, fodd bynnag, ac mae'n amlwg na ragwelwyd yr anhawster hwnnw gan y Pwyllgor Llên lleol. 'Roedd y syniad o awdl fawl yn ei hanfod yn perthyn i'r Canol Oesoedd. Un peth oedd moli crefft a galwedigaeth wledig, oesol a thraddodiadol yr Amaethwr; peth arall oedd moli crefft a galwedigaeth a berthynai i'r byd diwydiannol modern. Sut y byddai'r gynghanedd, a'r mesurau, yn ymgodymu â'r dasg? Yn wir, amheuai Gwenallt ai doeth oedd gofyn am awdl foliant yn y lle cyntaf. 'A ellir llunio Awdl Foliant yn yr ugeinfed ganrif? Mewn canrif Anghristionogol a rhamantaidd?' gofynnodd.[62] Pwynt Gwenallt oedd mai '[m]oli oedd barddoni [yn y Canol Oesoedd] am mai barddoniaeth Gristionogol oedd hi'.[63] 'Ceidwadaeth farw' yn ôl Gwenallt oedd gofyn am awdl fawl o gwbwl, a chamgymeriad hefyd oedd cyfyngu'r awdl i fesurau Dafydd ab Edmwnd, 'canys y maent hwythau hefyd yn gynnyrch crefydd ac athroniaeth yr Oesoedd Canol'.[64]

I'r Glöwr y canodd y rhan fwyaf o'r cystadleuwyr, 13 ohonyn nhw. Dau yn unig a ganodd am y Chwarelwr, a byddai'n rhaid iddo aros am un mlynedd ar hugain cyn cael ei awdl yntau. Isel oedd safon y gystadleuaeth, fodd bynnag, ac yn ôl Thomas Parry, dim ond dwy awdl a haeddai fod ar gyfyl y gystadleuaeth, ac o'r ddwy, un yn unig a haeddai ystyriaeth o safbwynt teilyngdod. Awdl *Berddig* oedd honno, ond nid oedd yn awdl gwbwl foddhaol. D. J. Davies oedd yr haelaf ei glod iddi. 'Awdl lân ydyw a'i mawredd yn ei huniongyrchedd a'i symlrwydd dirodres,' meddai, hynny yw, yr oedd yn awdl ddealladwy, hawdd ei darllen, a dyna fesur ei mawredd![65] 'Roedd Gwenallt a Thomas Parry yn llawer mwy beirniadol ohoni. Ni hoffai Gwenallt y gadwyn o englynion a agorai'r awdl. 'Roedd yn ddyfais ddianghenraid, 'dyfais ry gywrain i farddoniaeth ein canrif ni'.[66] Ar ben hynny, hollol ystrydebol oedd yr englynion hyn, a sylwodd Gwenallt fod yr ansoddair 'du' ynddynt bum gwaith, mewn llinellau mor ddienaid a dieneiniad â'r rhain, er enghraifft: 'I'w ddu gell ni ddaw dydd gwyn', 'Y du faen dan lwyd fynydd', 'Yn ddu annedd i ddynion', ac yn y blaen.

Mae'n rhaid cytuno â Gwenallt mai gwantan iawn yw'r gadwyn o englynion ar ddechrau'r awdl. Mynegi syniadau ystrydebol, arwynebol mewn cynghanedd simplistig a wneir yma, ac anodd osgoi'r argraff mai gwthio'r elfen o 'fawl' ar yr awdl a wnaed, oherwydd, yn y bôn, portread o'r Glöwr yn hytrach nag awdl o fawl iddo a gafwyd. Mae'r englynion agoriadol hyn yn hynod o wachul a diafael, er enghraifft:

Glo i dân y glyd annedd – a geir in
Trwy grefft ac amynedd
Y gŵr sy â llwch yn gorwedd
Yn gen ar ei wisg a'i wedd.

Nid yw'r ail ganiad fawr gwell, yn wir, os rhywbeth y mae'n waeth. Sonnir am y Glöwr yn dilyn camre ei dadau 'I'r gell ddigariad', ac yna ceir catalogio a rhestru carlamus wrth ddisgrifio amodau a nodweddion gwaith y Glöwr. Dyma hir-a-thoddaid enghreifftiol:

Ac yn y lofa bydd dygn ei lafur,
A bwria'i oes yn y bwllfa brysur;
Dysg am ei gormes a'i swyn difesur,

Am swydd a seigiau a misoedd segur;
Gŵyr gael cam, gŵyr gelu cur, – ac ar dro
Gŵyr daenu'i ddwylo am gâr dan ddolur.

Nid oes yma gyfleu dioddefaint o unrhyw fath; ni cheir yma hyd yn oed awgrymu dioddefaint. Cynganeddu rhwydd, carlamus, arwynebol ac ystrydebol a geir yma. Mae'r mynegiant yn bradychu anallu'r bardd i'w uniaethu ei hun â gwrthrych y gerdd, ac i ddioddef â'r dioddefus. Edrych ar y glöwr yn dioddef o hirbell a wna, gydag oerni a dihidrwydd robotaidd:

Gŵyr am bryderon dyfroedd yn cronni,
Neu'r ffoi anturus a'r rhaff yn torri,
A gŵyr ef am y dwys gri – pan chwalwyd
Yr haen a daniwyd a rhywun dani.

Nid *gwybod* am y pethau hyn yr oedd y glöwr.

Mae'r awdl yn dechrau gwella erbyn cyrraedd y trydydd caniad. Daeth peiriannau i fyd yr awdl bron i ddeng mlynedd wedi i beiriannau J. M. Edwards darfu ar dawelwch a llonyddwch gwledig yr awen yng Nghymru. Defnyddiodd Prifardd 1941 effeithiau a chlymiadau cynganeddol i gyfleu rhuthr a nerth y peiriannau, a dangosodd Gwilym R. Tilsley yntau y gallai mesurau traddodiadol y gynghanedd hefyd gyfleu egni, effeithiolrwydd a bwrlwm peiriannau:

Lle gynt yr oedd gannoedd o gynion
Yn rhwygo haenau o'r bargeinion,
Gwelir yn awr gan erydr mawrion
Hollti'r glo â chylltyrau gloywon.

Lle bu unwaith drymwaith y dramiau,
A'r garw halier yn rhegi'r rheiliau,
Yn awr heb achwyn cludir beichiau
Y glo i'r tip ar strip a strapiau.

Yn y gyfres o englynion a geir yn y caniad hwn, ceir un neu ddau gwirioneddol dda, wrth ddisgrifio'r modd y lladdwyd cymdeithas glòs y glowyr gan ddyfodiad y peiriannau:

Darfu afiaith cymdeithas – yn y gwaith,
A phob gwâr gyweithas;
Gweithiwr a wnaed yn gaethwas,
Cymydog yn gyflog-was.

Mae'r pedwerydd caniad yn cyflwyno'r ddelwedd o'r glöwr a welid ar bosteri cyhoeddusrwydd:

Rhoir ei lun ar furiau'r wlad
Yn ŵr dewr, clir ei doriad,
Gŵr mentrus, heintus ei wên,
A galluog a llawen.

Ni roir ei gur ar furiau
Na'i boen ar bosteri'r bau;
Dianaf ydyw yno,
Ystwyth dan ei lwyth o lo.

Rhugl a rhwydd yw'r cynganeddu, ac mae'r mynegiant syml yn bradychu diffyg myfyrdod. Efallai na roddwyd poen y glöwr ar bosteri'r wlad, ond ni roddwyd mohono yn yr awdl hon ychwaith. Portreëdir y glöwr fel gŵr llawen nid yn unig gan y posteri ond gan yr awdlwr ei hun. 'Gŵr llawen y talcennau' yw'r glöwr ganddo yn y trydydd caniad, ac yn y pumed caniad 'llon' a 'llawen' yw'r glöwr, a'i gwm yn 'wynfyd'. Yn y pumed caniad hwnnw, sonnir am y dauddegau a'r tridegau llwglyd, a'r gorymdeithiau newynog i Lundain a mannau eraill yn Lloegr. Unwaith neu ddwy daw'r awdl yn agos at gyfleu dioddefaint a chyni, fel yn y llinell honno, 'I gurio bellach rhwng segur byllau', ac ym mhedair llinell gyntaf yr hir-a-thoddaid hwn:

Yng nghwm y difrod aeth pawb yn dlodion,
A hagr oedd golwg y gruddiau gwelwon,
Yn nrysau eu tai dihoenai dynion,
A'u hepil newynog o'u plâu'n weinion,
Ac i'r lle y bu gwŷr llon – daeth dolur
A gwewyr a chur a dagrau chwerwon.

Ar ôl llwyddo i gyffwrdd â chyni'r gymdeithas lofaol yn y pedair llinell gyntaf, difethir y cyfan gan y delfrydu ar y gymdeithas honno. Yma eto yr ydym ym myd yr alltud hiraethus, ym myd y delfrydu a'r gwynfydu ar fro mebyd ac ar y gorffennol, thema amlwg iawn yn awdlau'r pedwardegau:

A throes ei wyneb o wlad ei febyd
A'r fan a garai o fewn ei gweryd,
Ac fel ffoadur rhag barn seguryd
Cefnodd o'i anfodd ar gwm ei wynfyd;
Y lawen fro a lanwai'i fryd – unwaith,
Ohoni i'w helldaith troes yn alltud.

Pell yw gwlad y pyllau glo – i'w lygaid,
Ond gwêl ei enaid y golau yno.

Rhoir yr argraff mai cymdeithas lawen, ddiofidiau oedd y gymdeithas a geid yn ardaloedd y meysydd glo, nes i ddirwasgiad y cyfnod rhwng y ddau Ryfel a'r broses o fecaneiddio'r pyllau ar ôl yr Ail Ryfel Byd ei dinistrio. Bywyd caled, pryderus a gofidus oedd bywyd y glöwr hyd yn oed pan oedd y diwydiant glo ar ei anterth, bywyd o geisio cael deupen y llinyn ynghyd ar gyflogau isel, a gorfod wynebu blynyddoedd o afiechyd ar ôl oes galed o waith. Efallai fod cymdeithas y glowyr yn gymdeithas glòs, lawen, ond llawenydd mewn adfyd ydoedd, llawenydd dan gysgod cwymp a ffrwydrad yn y pwll, a chlosrwydd yn nannedd galar, tlodi ac ofn yn fynych. Ni chyffyrddir dim â'r emosiynau cymysg hyn yn yr awdl. Defnyddio geiriau sy'n gysylltiedig â dioddefaint a wneir yn yr awdl, yn hytrach na chyfleu'r dioddefaint, gan dybio fod pentyrru geiriau o'r fath yn pwysleisio'r dioddef. Yn yr hir-a-thoddaid uchod, er enghraifft, ceir y cyfystyron 'dolur', 'gwewyr', 'cur', 'dagrau chwerwon', a dyna un o wendidau mawr yr awdl, y gor-restru a geir ynddi. Teflir ansoddeiriau atom fel conffeti yn aml:

Â i'w daith yn ffrom a dig,
Yn ofnus ac ystyfnig.

Gorweithir yr ansoddair ystrydebol 'du' ynddi. Y mae'n iawn ei ddefnyddio wrth ddisgrifio'r pyllau glo, 'du gell', 'llwch du', 'tipiau duon', ac yn y blaen, er mai ansoddair diog a diangen ydyw hyd yn oed yn y cyswllt hwn, ond wedyn fe'i defnyddir yn y modd mwyaf ystrydebol mewn cyd-destunau eraill, gan fwrw'r awdl yn ôl i ddechrau'r ganrif a chyn hynny. Ceir 'du aflwyddiant' a 'du aflwydd', er enghraifft.

Yn y pumed caniad sonnir am y glowyr yn ymadael â'u cwm i chwilio am waith, ac yn ymgartrefu yn Lloegr. Dychwel rhai ohonyn nhw i'w hen fro cyn diwedd eu heinioes, a'i gweld wedi newid. Daeth estroniaid i fyw yno:

> Diorffennol drigolion
> Heb fawredd buchedd, na bôn.

Mae'r llinellau sy'n disgrifio'r rhai a arhosodd ar ôl yn y cwm tra bu eraill '[m]ewn tre' bell yn trigo' yn gafael ac yn argyhoeddi:

> Ond yno ceir eto rai
> Na fu'u hynt gyda'r fintai;
> Llwydion yw pawb ohonynt,
> A hen cyn eu hoedran ŷnt.

Difethir yr effaith yn syth wedyn gan or-restru:

> Deillion yr hir dywyllwch
> Ac arwyr llesg erwau'r llwch;
> Glewion tân a galanas
> A dewrion ffyddlon y ffas.

Cloir yr awdl â chadwyn arall o englynion, a digon diafael yw pob un o'r englynion hyn. Ffilm ddogfen ddu a gwyn, ffilm wrthrychol-oeraidd a ffeithiol, o awdl a gafwyd yng Nghaerffili, ac nid drama emosiynol, ddirdynnol.

Nid oedd awdl 1950 yn awdl dda o gwbwl, a'r syndod mawr hyd y dydd hwn yw i gerdd mor gyffredin ennill y fath fri a phoblogrwydd. Taflwyd llwch glo i lygaid y darllenwyr. Prin y byddai neb wedi proffwydo y byddai'n awdl mor boblogaidd gan adroddwyr a cherdd dantwyr yn y dyfodol o ddarllen sylwadau'r beirniaid swyddogol arni ar y pryd, ac ymateb clorianwyr yr Eisteddfod iddi ar ôl ei chadeirio. Barn 'Mignedd' yn *Y Faner* ar yr awdl oedd ei bod yn cerdded 'ar hyd y llwybr disgrifiadol syml, yn ddigon celfydd a choeth, a'i theimlad meddal weithiau wedi'i gynganeddu'n bert'.[67] 'Roedd y sylwadau hyn yn rhai damniol, mewn gwirionedd. Pertrwydd ymadrodd a meddalwch teimladol a geir yn yr awdl, a hawdd fyddai gofyn: ai dyna'r modd a'r mynegiant mwyaf addas i ddisgrifio gwaith mor beryglus, mor galed a garw â gwaith y glöwr? O leiaf yr oedd yr awdl, yn ôl 'Mignedd' eto, yn rhoi taw ar y rheini a gwynai fod cerddi buddugol yr Eisteddfod yn dechrau ymbellhau oddi wrth y darllenydd cyffredin yn eu tywyllwch a'u cymhlethdod. Ond, meddai 'Mignedd' yn feirniadol, 'mae'n bosibl bod yn rhy olau hefyd'.[68] Mewn geiriau eraill, dawnsio'n ysgafn ar hyd wyneb y tir a wnâi'r awdl yn hytrach na phlymio i'r dyfnder tanddaearol, i grombil tywyll ac ansicr y ddaear.

Dwy awdl orau'r degawd 1940-1950 oedd yr awdl foliant i'r Amaethwr ym 1946, a 'Maelgwn Gwynedd' ym 1947, dwy awdl glasurol eu naws â'u gwreiddiau yn ddwfn yn y gorffennol. Y drydedd awdl orau oedd 'Y Graig', efallai, awdl â'i gwreiddiau yn y cynfydoedd pell. Dylid bod wedi atal y Gadair o leiaf deirgwaith, am wahanol resymau. 'Roedd awdlau gorau'r degawd, felly, yn tynnu eu maeth o'r gorffennol. Awdlau hollol anfoddhaol oedd y rhai a geisiodd drafod y bywyd cyfoes, 'Rhyfel' ac awdl foliant y Glöwr. Nid oedd yr awdl wedi symud fawr ddim oddi ar ddyddiau 'Gwlad y Bryniau', 'Yr Haf' ac awdlau Gwenallt yn y dauddegau ac ar ddechrau'r tridegau.

O safbwynt y canu caeth yn gyffredinol, gellir dweud i gystadleuaeth farddoniaeth fwyaf poblogaidd y Brifwyl, cystadleuaeth yr englyn, gryfhau yn ystod y cyfnod. Cafwyd sawl englyn da. Un o'r rheini oedd englyn buddugol Eisteddfod Radio 1940, 'Llwydrew', gan Evan Jenkins, Ffair Rhos, allan o 156 o gystadleuwyr, gyda Fred Jones, y Cilie, yn beirniadu:

> Yn oer drwch ar dir uchel – daw ei gen
> Wedi Gŵyl Fihangel,
> A daw i'r coed fel lleidr cêl
> Gan eu diosg yn dawel.

Yn ôl Fred Jones (y darllenwyd y feirniadaeth ar ei ran gan T. J. Morgan), 'roedd pum englyn gwych ar y brig, ond rhwng dau yr oedd y gystadleuaeth yn y pen draw, sef rhwng yr englyn buddugol a'r englyn hwn, o eiddo W. D. Williams:

Gannwr dôl, wyd gynnar di, – a hynod
Arluniwr ffenestri,
Ernes fod mwy o oerni
Liw nos yn ein haros ni.

Derbyniwyd 127 o englynion ym 1941, ond cyffredin iawn oedd yr englyn buddugol o eiddo R. Rowlands (Myfyr Môn), a enillodd hefyd gystadleuaeth y 'Tri Englyn Coffa' yn yr un Eisteddfod, am englynion hollol ddi-fflach. Cafwyd englyn gweddol dda gan E. Llwyd Williams, ar y testun 'Carreg yr Aelwyd', ym 1942, gyda William Morris yn synnu fod cynifer â 279 o englynion wedi cyrraedd y gystadleuaeth, er bod rhai ohonynt yn hollol ddigynghanedd. Gwobrwywyd un o englynion mwyaf poblogaidd y Brifwyl ym Mangor ym 1943 gan D. J. Davies, gyda 237 o ymgeiswyr yn cydgerdded yr un llwybr. Cryfder englyn buddugol J. T. Jones, 'Y Llwybr Troed', oedd symudiad petrusgar ei dair llinell gyntaf, hynny'n cyfleu cloffni ac arafwch yr henwr, a'i linell glo wrthgyferbyniol berffaith:

'Rwy'n hen a chloff, ond hoffwn – am unwaith
Gael myned, pe medrwn,
I'm bro, a rhodio ar hwn;
Rhodio, lle gynt y rhedwn!

Dirywiodd yr englyn am gyfnod byr ar ôl Eisteddfod Bangor. Englyn gwantan iawn a wobrwywyd gan W. Roger Hughes ym 1944, ar y testun 'Neidr', er i gynifer â 224 gystadlu, a'r rhan fwyaf o'r rhain yn englynion cyflawn yn ôl y beirniad. Englyn E. O. Jones a ddyfarnwyd yn fuddugol, ac englyn digon hen-ffasiwn a barddonllyd ydoedd. 'Roedd englyn 1945 yr un mor farddonllyd, gyda P. J. Beddoe Jones yn ennill. 'Hunllef' oedd y testun, a digon hunllefus o ran barddoniaeth oedd yr englyn buddugol. Derbyniwyd llai nag arfer o gynigion i'r gystadleuaeth honno, 171, ond 168 o englynion. 'Y Gloch' oedd testun 1946, a derbyniwyd 227 o gynigion, er nad englynion oedd chwech ohonynt. W. D. Williams oedd y beirniad, ac fe wobrwywyd englyn cyffredin iawn gan W. T. Ellis, gydag un o Brifeirdd y dyfodol, Gwilym R. Tilsley, yn dynn wrth ei sodlau.

Dechreuodd yr englyn godi drachefn ym 1947 pan ddyfarnwyd un o englynion mwyaf adnabyddus y Gymraeg yn fuddugol gan Gwenallt. 'Y Gorwel' oedd y testun, a derbyniwyd 220 o gynigion. Yr oedd yr englyn buddugol yn undod ac yn gyfanwaith bychan yn ôl Gwenallt, er nad oedd berffaith fodlon ar yr ail linell, a adleisiai rai o gywyddau T. Gwynn Jones a chanu natur Eifion Wyn. Dewi Emrys, wrth gwrs, a enillodd y gystadleuaeth honno. Gogoniant yr englyn yw ei esgyll, gyda'r paradocs a'r cyfochri cystrawennol a geir ynddo yn peri iddo aros am byth yn y cof, gan mor berffaith yw'r mynegiant:

Wele rith fel ymyl rhod – o'n cwmpas,
Campwaith dewin hynod;
Hen linell bell nad yw'n bod,
Hen derfyn nad yw'n darfod.

Gosodwyd englyn arall gan Dewi Emrys yn ail gan Gwenallt, ac yn yr un Eisteddfod 'roedd Dewi yn gydfuddugol â Gwilym R. Tilsley ar y soned ac yn ail yng nghystadleuaeth y ddychangerdd. Gwobrwywyd un arall o englynion poblogaidd y Genedlaethol ym 1948, pan ddyfarnodd S. B. Jones englyn Thomas Richards, Llanfrothen, i'r 'Ci Defaid' yn fuddugol o blith 218 o englynion. Prin fod angen ei ddyfynnu. Cafwyd englyn godidog drachefn ym 1949. 'Yr Hirlwm' oedd y testun, a derbyniodd y beirniad, Edgar Phillips, 218 o gynigion, er nad englynion oedd deg o'r rhain. Alun Jones y Cilie a enillodd â'r englyn perffaith hwn:

Adeg dysgub ysgubor, – hir gyni
A'r gwanwyn heb esgor;
Y trist wynt yn bwyta'r stôr
Hyd y dim rhwng dau dymor.

Bardd arall a chanddo gysylltiad â'r Cilie a enillodd ym 1950. Derbyniwyd nifer anhygoel o gynigion, 347, er nad englynion mo chwech ohonynt. Teimladau cymysg a oedd gan Gwenallt wrth feirniadu. Ymfalchïai, ar y naill law, 'fod cymaint o weithgarwch llenyddol yn y tir,' ac 'roedd hynny 'yn glod i ddiwylliant Cymru'; ar y llaw arall, 'roedd y cynganeddu yn flêr yn aml, ac ni wnaed unrhyw fath o ymdrech gan yr englynwyr i gyflwyno'u henglynion yn daclus, ac oherwydd hynny: 'Cynnyrch diwylliant esgeulus ydynt; cerddi cenedl siabi'.[69] Yr englynwr buddugol oedd T. Llew Jones, ond ni dderbyniodd ganmoliaeth uchel gan y beirniad, er bod ganddo ddelwedd lachar yn ei englyn buddugol, ar y testun 'Ceiliog y Gwynt':

> Hen wyliwr fry mewn helynt – yn tin-droi
> Tan drawiad y corwynt:
> Ar heol fawr y trowynt
> Wele sgwâr polîs y gwynt.

Condemniodd Gwenallt y gair 'helynt', ond mae'n gwbwl hanfodol i'r ddelwedd a'r darlun, sef delwedd o blismon traffig yn cael trafferth i reoli'r pedwar gwynt a ddaw ato o bob cyfeiriad. Mae'r 'tin-droi' yn wych yn ei gyd-destun, ac fe gyfennir y ddelwedd yn y cwpled clo. Bu'n rhaid i'r ceiliog hwn wynebu sawl drycin ar ôl yr Eisteddfod, a thaflwyd cerrig ato gan sawl un, er nad oedd yn haeddu'r fath driniaeth.

Gwobrwywyd cryn hanner dwsin o englynion rhagorol yn y pedwar-degau, a rhai ohonynt ymhlith englynion godidocaf a mwyaf adnabyddus yr iaith. Ymhlith yr englynwyr yr oedd dau o Brifeirdd y dyfodol ac un o Brifeirdd y gorffennol, Dewi Emrys. Fel y sylwodd Gwenallt ym 1950, 'roedd cystadleuaeth yr englyn yn y Genedlaethol yn tystio i weithgarwch diwylliannol anhygoel. Anfonwyd 2,424 o englynion i holl gystadlaethau'r degawd 1940-1950, 242 ar gyfartaledd i bob Eisteddfod. Fodd bynnag, dirywiad yn hytrach nag adfywiad a welid yn y cystadlaethau llai ym maes Cerdd Dafod.

Ni chynhyrchodd cystadleuaeth yr hir-a-thoddaid ddim o werth yn ystod y degawd hwn, ac nid oedd llawer o sglein ar y cywydd eistedd-fodol ychwaith. Cyffredinedd yw nodwedd amlycaf y cywyddau buddugol, a phrin ryfeddol oedd y cwpledi llachar hyd yn oed yn y goreuon. Rhyw lusgo bodoli a wnâi'r cywydd eisteddfodol o hyd. Cywydd tila oedd y Cywydd Serch a wobrwywyd gan Griffith John Williams ym 1940, gyda deg yn cystadlu. Er iddo ennill cystadleuaeth y cywydd am y trydydd tro yn olynol ym 1940, cyffredinedd oedd nod amgen cywyddau Edgar Phillips, a chywydd ystrydebol ac eildwym a oedd yn efelychu canu serch y Cywyddwyr a gafwyd ganddo ym 1940:

Euraid wallt a roed i hon,
Aur a chŵyr yw ei choron . . .
Llio fwyn a'i llaw fynor,
Gwae y dyn fyn gau ei dôr.

Er ei fod yn hen law ar y cywydd, digon cyffredin oedd cywydd 'Gwahodd yr Eisteddfod Genedlaethol' D. J. Davies yn Eisteddfod Lenyddol Hen Golwyn, gyda naw yn cystadlu. Rhyw grafu am deilyngdod o blith deuddeg cywyddwr a wnaeth Thomas Parry wrth wobrwyo Richard Hughes am ei gywydd 'Twm o'r Nant yn Sir Gaerfyrddin yn hiraethu am Ddyffryn Clwyd' ym 1942. Ceisiwyd cyfuno'r hen a'r newydd ym 1943 pan ofynnwyd am gywydd dyfalu 'Y Modur', ond siomedig oedd Cynan gyda'r wyth cywydd a ddaeth i law. Dyfarnodd ddau o'r cywyddwyr, T. O. Williams a Richard Hughes, yn gydfuddugol, ond tila yw'r naill gywydd fel y llall. Gwobrwywyd Richard Hughes drachefn ym 1944 gan B. T. Hopkins, ar y 'Cywydd Moliant: y Crefftwyr'. Anfonwyd deg cywydd i'r gystadleuaeth, ond cyffredin oedd pob un ohonyn nhw, a chwbwl ddifflach yw'r cywydd buddugol. Richard Hughes a enillodd eto ym 1945, a hynny am y tro olaf. Bu farw cyn i'r Eisteddfod gael ei chynnal. Cyfeiriad at hynny a gafwyd yn hir-a-thoddaid buddugol 1947 gan Dewi Aeron:

Cipiai'i awen ysblennydd – wobrau'r Ŵyl
A'n cyfaill annwyl mewn cafell lonydd.

'Roedd Gwenallt yn hynod siomedig yn y chwe chywydd a ddaeth i law, ac ar ôl hir betruso y penderfynodd roi'r wobr i Richard Hughes. 'Clawdd Offa' oedd y testun yn Eisteddfod y Rhos, a byddai dyfynnu rhyw chwe llinell ar antur o'r cywydd buddugol yn ddigon i ddangos safon y canu, a safon cystadleuaeth y cywydd yn gyffredinol. Dyma enghraifft o awen un o brif gywyddwyr yr Eisteddfod:

Holais am glawdd a welwyd
Yn gefn mawr ar y llawr llwyd,
Llun nerth, neu weddillion hyll,
Undrem â chastell candryll;
Ond ofer a fu'm dyfais,
Gorfu'r sofl ar gaerfa'r Sais.

Gwobrwyd cywydd truenus o wael gan W. J. Gruffydd yng nghystadleuaeth y Cywydd Coffa i R. G. Berry ym 1946. Cafwyd chwe chynnig ond pum cywydd, ac nid oedd Gruffydd yn fodlon ar y safon. T. O. Williams oedd yr enillydd, un o gywyddwyr cydfuddugol 1943. Gofynnwyd am gywydd 'Mawl i un o ddyffrynnoedd Cymru' ym 1947, a mawl i Ddyffryn Taf yn Nyfed a gafwyd gan y cywyddwr buddugol, Dewi Aeron (David Griffith). 'Roedd 14 yn cystadlu, mwy nag arfer, ac ni chafwyd yn y gystadleuaeth gwpled hafal i'r cwpled hwn o'r cywydd buddugol, yn ôl Meuryn, y beirniad:

> Y cwmwd lle mae cymen
> Wyrthiau haf ar berthi hen,

ond anodd deall pam y canmolwyd cwpled mor gyffredin ganddo. Nid oedd fawr o gamp ar y cywydd hwn ychwaith. Cyrhaeddwyd y gwaelodion eithaf ym 1948 pan wobrwywyd Prifardd gan Brifardd. 'Y Gorlan' oedd y testun, a Cledlyn Davies a enillodd dan feirniadaeth Edgar Phillips, o blith naw o gywyddwyr. Cywydd tila ryfeddol oedd hwn, a gwarth o beth oedd i feirniad wobrwyo cywydd ac ynddo linellau afrwydd fel y rhain:

> "Da thi!" medd Gwen, dan grio,
> "Clyw'r storm gref! yn nhref arhô!
> A lloer a sêr oll ar sigl,
> Bwy ŵyr, O Huw! dy berigl?
> I'w corlan, fe all Carlo
> Ddwyn yr ŵyn; da thi, arhô!"

Yn yr un Eisteddfod cafwyd cystadleuaeth 'Cywyddau Digri: 'Y casglwr trethi'n annerch y trethdalwr a'r trethdalwr yn ateb', yn ogystal, gyda Lizzie Jones yn ennill dan feirniadaeth Waldo, ac yn annisgwyl iawn, cafwyd trydydd cywydd buddugol yn Eisteddfod 1948 pan enillodd Evan Jenkins, Ffair Rhos, gystadleuaeth y gân er cof am Eluned Morgan, Patagonia. O leiaf ceir yn y cywydd hwnnw elfen o gyfoesedd iach, er nad oedd y pwnc yn hawlio hynny:

> Dau ryfel ar lawn drefi,
> Hyn, mewn oes a welsom ni;

Gwledydd yn gwylio'u hadeg
I droi'n drais bob dyfais deg:
Gwae ni! holwn, gan wylo,
Beth a fydd y trydydd tro.

Ni chafwyd cystadleuaeth llunio cywydd ym 1949, trwy drugaredd, ond ni adawyd i'r cywydd farw yn ei henaint siabi. Fe'i hatgyfodwyd drachefn ym 1950 pan ofynnwyd am gywydd coffa i I. D. Hooson, ond ni chafwyd teilyngdod. Yn wir, byddai cywydd coffa i'r cywydd ei hun wedi bod yn destun mwy addas. Un cywydd yn unig a anfonwyd i'r gystadleuaeth honno, gan beri i Gwilym R. Jones ofyn: 'A ydyw crefft y cywyddwr yn dyfod yn beth dieithr ymhlith ein prydyddion?'[70] Cafwyd teilyngdod yng nghystadleuaeth y Cywydd Digri, pan ddyfarnwyd cywyddau gan ddau o feirdd Sir Benfro, Tomi Evans a W. R. Evans, yn gydfuddugol. Yn wahanol i gystadleuaeth yr englyn, ni chynhyrchodd cystadleuaeth y cywydd yn y cyfnod 1940-1950 un cywydd da hyd yn oed, heb sôn am gampwaith. Ond 'roedd oes adferiad y cywydd eto i ddod.

FFYNONELLAU

1. 'Awdl y Gadair', *Y Cymro*, Awst 17, 1940, t. 4.
2. Ibid.
3. Ibid.
4. Cystadleuaeth y Gadair: beirniadaeth J. Lloyd Jones, *Cyfansoddiadau a Beirniadaethau Eisteddfod Genedlaethol Lenyddol, 1941, Hen Golwyn*, Goln R. T. Jenkins a Thomas Parry, t. 1.
5. Cystadleuaeth y Gadair: beirniadaeth R. Williams Parry, *Cyfansoddiadau a Beirniadaethau Eisteddfod Genedlaethol 1942 (Aberteifi)*, Gol. Thomas Parry, t. 1.
6. Ibid.
7. Cystadleuaeth y Gadair: beirniadaeth Gwenallt, ibid., t. 14.
8. Ibid., t. 15.
9. Cystadleuaeth y Gadair: beirniadaeth Gwenallt, *Cyfansoddiadau a Beirniadaethau Eisteddfod Genedlaethol 1946 (Aberpennar)*, Gol. T. J. Morgan, t. 17.
10. Cystadleuaeth y Gadair: beirniadaeth R. Williams Parry, *Cyfansoddiadau a Beirniadaethau Eisteddfod Genedlaethol 1942 (Aberteifi)*, t. 2.
11. Cystadleuaeth y Gadair: beirniadaeth Gwenallt, ibid., t. 10.
12. Cystadleuaeth y Gadair: beirniadaeth Gwilym R. Jones, *Cyfansoddiadau a Beirniadaethau Eisteddfod Genedlaethol 1943 (Bangor)*, Gol. William Morris, t. 13.

13. Ibid.
14. Cystadleuaeth y Gadair: beirniadaeth Gwenallt, *Cyfansoddiadau a Beirniadaethau Eisteddfod Genedlaethol Aberpennar (1946)*, t. 17.
15. Cystadleuaeth y Gadair: beirniadaeth R. Williams Parry, *Cyfansoddiadau a Beirniadaethau Eisteddfod Genedlaethol 1942 (Aberteifi)*, t. 2.
16. Cystadleuaeth y Gadair: beirniadaeth Gwenallt, ibid., t. 12.
17. Cystadleuaeth y Gadair: beirniadaeth T. H. Parry-Williams, *Cyfansoddiadau a Beirniadaethau Eisteddfod Genedlaethol 1945 Rhos Llannerchrugog*, Gol. J. T. Jones, t. 2.
18. Cystadleuaeth y Gadair: beirniadaeth Gwenallt, *Cyfansoddiadau a Beirniadaethau Eisteddfod Genedlaethol 1942 (Aberteifi)*, t. 12.
19. Cystadleuaeth y Gadair: beirniadaeth Gwilym R. Jones, *Cyfansoddiadau a Beirniadaethau Eisteddfod Genedlaethol 1943 (Bangor)*, t. 12.
20. Ibid.
21. Ibid., t. 18.
22. 'Awdl y Gadair', *Y Cymro*, Awst 17, 1940, t. 4.
23. Ibid.
24. Ibid.
25. Cystadleuaeth y Gadair: beirniadaeth J. Lloyd Jones, *Cyfansoddiadau a Beirniadaethau Eisteddfod Genedlaethol Lenyddol, 1941, Hen Golwyn*, t. 14.
26. Ibid., t. 17.
27. Ibid.
28. Cystadleuaeth y Gadair: beirniadaeth Edgar Phillips, ibid., t. 31.
29. Ibid., t. 32.
30. Ibid.
31. Ibid.
32. Cystadleuaeth y Gadair: beirniadaeth T. H. Parry-Williams, ibid., tt. 33 a 38.
33. Ibid., t. 40.
34. Ibid., t. 41.
35. Ibid.
36. Cystadleuaeth y Gadair: beirniadaeth R. Williams Parry, *Cyfansoddiadau a Beirniadaethau Eisteddfod Genedlaethol 1942 (Aberteifi)*, t. 2.
37. Cystadleuaeth y Gadair: beirniadaeth Simon B. Jones, *Cyfansoddiadau a Beirniadaethau Eisteddfod Genedlaethol 1944 (Llandybïe)*, Gol. Gomer M. Roberts, t. 1.
38. Cystadleuaeth y Gadair: beirniadaeth Thomas Parry, ibid., t. 11.
39. Cystadleuaeth y Gadair: beirniadaeth S. B. Jones, ibid., t. 10.
40. Cystadleuaeth y Gadair: beirniadaeth Thomas Parry, ibid., t. 18.
41. Ibid.
42. Cystadleuaeth y Gadair: beirniadaeth T. H. Parry-Williams, ibid., t. 19.
43. Ibid., t. 23.
44. Cystadleuaeth y Gadair: beirniadaeth T. H. Parry-Williams, *Cyfansoddiadau a Beirniadaethau Eisteddfod Genedlaethol 1945 Rhosllannerchrugog*, t. 7.
45. Cystadleuaeth y Gadair: beirniadaeth D. J. Davies, ibid., t. 16.
46. Cystadleuaeth y Gadair: beirniadaeth Dewi Morgan, ibid., t. 21.

47. Cystadleuaeth y Gadair: beirniadaeth T. H. Parry-Williams, ibid., t. 7.
48. Cystadleuaeth y Gadair: beirniadaeth Thomas Parry, *Cyfansoddiadau a Beirniadaethau Eisteddfod Genedlaethol 1946 (Aberpennar)*, t. 9.
49. Ibid.
50. Ibid.
51. Cystadleuaeth y Gadair: beirniadaeth Gwyndaf, ibid., t. 15.
52. Cystadleuaeth y Gadair: beirniadaeth Gwenallt, ibid., t. 24.
53. Cystadleuaeth Detholiad o ganeuon gwreiddiol yn ymwneud â bywyd ardal: beirniadaeth Saunders Lewis, *Cyfansoddiadau a Beirniadaethau Eisteddfod Genedlaethol 1942 (Aberteifi)*, t. 83.
54. Cystadleuaeth y Gadair: beirniadaeth Cynan, *Cyfansoddiadau a Beirniadaethau Eisteddfod Genedlaethol 1947 (Bae Colwyn)*, Gol. William Morris, t. 50.
55. Ibid., t. 49.
56. Ibid., t. 51.
57. Ibid., t. 53.
58. Cystadleuaeth y Gadair: beirniadaeth T. H. Parry-Williams, *Cyfansoddiadau a Beirniadaethau Eisteddfod Genedlaethol 1948 (Penybont-ar-Ogwr)*, Gol. William Morris, t. 7.
59. Cystadleuaeth y Gadair: beirniadaeth S. B. Jones, ibid., t. 23.
60. Cystadleuaeth y Gadair: beirniadaeth T. H. Parry-Williams, *Cyfansoddiadau a Beirniadaethau Eisteddfod Genedlaethol 1949 (Dolgellau)*, Gol. John Lloyd, tt. 72-3.
61. Ibid., t. 73.
62. Cystadleuaeth y Gadair: beirniadaeth Gwenallt: *Cyfansoddiadau a Beirniadaethau Eisteddfod Genedlaethol 1950 (Caerffili)*, Gol. T. J. Morgan, t. 74.
63. Ibid.
64. Ibid.
65. Cystadleuaeth y Gadair: beirniadaeth D. J. Davies, ibid., t. 73.
66. Cystadleuaeth y Gadair: beirniadaeth Gwenallt, ibid., t. 78.
67. 'Ledled Cymru', *Y Faner*, Awst 30, 1950, t. 4.
68. Ibid.
69. Cystadleuaeth yr englyn: beirniadaeth Gwenallt, *Cyfansoddiadau a Beirniadaethau Eisteddfod Genedlaethol 1950 (Caerffili)*, t. 124.
70. Cystadleuaeth y cywydd coffa: beirniadaeth Gwilym R. Jones, ibid., t. 117.

Rhan 4

'Fflam y Newydd Oes'

Y Bryddest a'r Canu Rhydd: 1940-1950

Cychwyn anaddawol a gafodd y bryddest yn y pedwardegau. Gadawyd y testun yn agored yn Eisteddfod Radio 1940, ond ni chafwyd teilyngdod. 'Roedd caniatáu i'r beirdd ddewis eu testun eu hunain yn gyfle gwych iddyn nhw ganu o'r enaid ac o'r galon, heb orfod cadw'n gaeth i gyfyngiad testun; ond nid felly y digwyddodd pethau. Yn wir, gyda'r testun yn agored, ofni'r gwaethaf a wnâi W. J. Gruffydd, un o feirniaid y gystadleuaeth. Er i 37 gystadlu, isel oedd y safon. '[R]haid tynnu casgliad go annymunol,' meddai Gruffydd, 'sef nad oes cymaint ag un o'r beirdd cystadleuol cyffredin yn canu can hir ar gynhyrfiad ei awen ei hun; nid yw'n canu ond er mwyn cystadlu, ac ni all gystadlu ar ei orau ond pan enwer y testun iddo'.[1] Hunan-amddiffyniad oedd prolog Gruffydd i'w feirniadaeth ar y cystadleuwyr. Ni allai ddeall, meddai, pam yr oedd cymaint yn cwyno ei fod mor llawdrwm fel beirniad, a cheisiodd, i'w gyfiawnhau ei hun, amlinellu swyddogaeth y beirniad eisteddfodol.

'Roedd ganddo dri phwynt yn benodol. Yn gyntaf, 'nid Cyfarfod Llenyddol blynyddol y Gymdeithas Ddiwylliadol yw'r Eisteddfod Genedlaethol,' meddai.[2] Hen gŵyn oedd hon. Drwy gydol y ganrif bu beirdd yn anfon cerddi o'r safon isaf i mewn i bob cystadleuaeth lenyddol, prydyddion gwlad, lawer ohonyn nhw, na feddent y syniad lleiaf o'r hyn a ddisgwylid yn y Genedlaethol. Gwobrwyo gwaith gwir deilwng oedd swyddogaeth yr Eisteddfod. 'Nid lle i galonogi ymdrech er mwyn ymdrech ydyw,' meddai Gruffydd drachefn, 'nid lle i ddarparu rhywbeth ar gyfer oriau hamdden i gadw'r ieuenctid rhag syrthio i ddrwg, ond lle i gydnabod gwaith artistig gorffenedig a fydd yn gyfraniad, yn ei ffordd ei hun, at ddiwylliant cyffredinol y genedl'.[3] Yn ail, 'dylai'r beirniad gynorthwyo i gadw safon yn chwaeth y genedl drwy wrthod cydnabod gwaith israddol a thrwy roddi ei gefnogaeth i waith teilwng'.[4] Yn drydydd, dyletswydd beirniad oedd galw sylw'r pryddestwyr 'at dueddiadau drwg yn eu gwaith' ac 'at arferion sydd wedi mynd yn ffasiwn ystrydebol'.[5]

Er i Edgar H. Thomas ddatgan ym 1941, wrth feirniadu cystadleuaeth y Goron, ei bod 'yn rhy gynnar i ddisgwyl adwaith y beirdd i gyffro a dryswch y rhyfel,'[6] 'roedd y beirdd rhydd sawl cam ar y blaen i'r beirdd caeth o safbwynt ymdrin â'r bywyd cyfoes. Nid cyndynrwydd y beirdd i ganu am y bywyd modern a boenai Thomas Parry flwyddyn ynghynt wrth feirniadu cystadleuaeth y Goron yn y 'Steddfod Radio, ond ansawdd eu hymateb i'r bywyd hwnnw. Meddai:[7]

> . . . un o'r ychydig bethau o werth a ddaeth o ryfeloedd yw adwaith y beirdd iddynt ar ffurf barddoniaeth; a dengys gwaith rhai o feirdd diweddar Lloegr, ac un neu ddau yng Nghymru, nad yw cyni cymdeithas yn amhosibl fel mater i fardd. Ac eto ni lwyddodd beirdd y gystadleuaeth hon i wneuthur barddoniaeth o'u hadwaith i amgylchiadau'r oes. Rhyddieithol ac anniddorol yw eu hymdrechion; ymosodiadau ydynt, a blinder i'w darllen.

Er bod rhai beirdd cystadleuol yn ceisio barddoni am y byd modern a'i broblemau, ychydig iawn iawn, o blith y ddwy garfan, a oedd yn fodlon canu i'r presennol heb ganu i'r gorffennol ar yr un pryd. 'Roedd 'Peiriannau' J. M. Edwards yn enghraifft loyw o gerdd a oedd yn gyfan gwbwl gyfoes, ond pan ganodd Herman Jones am y Rhyfel flwyddyn yn ddiweddarach, o fewn fframwaith *Y Gododdin*, cerdd fawr Aneirin, y lluniodd ei bryddest. Yr oedd bai ar y beirdd, i raddau, am gladdu eu pennau yn y tywod ac am wrthod wynebu bywyd fel ag yr oedd, ond nid ar y beirdd yn unig yr oedd y bai. 'Roedd y testunau rhwng 1940 a 1950 yn gwthio beirdd y bryddest i ryw orffennol pell. Yn y Beibl, yn Llyfr Gwyn Rhydderch a Llyfr Coch Hergest, yn Llyfr Du Caerfyrddin a llawysgrifau eraill, ac mewn llyfrau hanes, y ceid y testunau o hyd. Anodd oedd canu pryddestau cyfoes ar destunau fel 'Breuddwyd Macsen' (1941), 'Paul', 'Iesebel' a 'Myrddin' (1942), 'Rhosydd Moab' neu 'Hywel ab Owain Gwynedd' (1943), 'Coed Celyddon' (1945), ac yn y blaen. O gylch y chwedlonol, yr hanesyddol a'r Beiblaidd y trôi'r testunau yn ddieithriad, ac nid oedd fawr ddim o newid yn agwedd y pwyllgorau a ddewisai'r testunau oddi ar ddegawdau cyntaf yr ugeinfed ganrif.

Gellid dosbarthu testunau cystadleuaeth y Goron yn rhwydd o fewn ychydig gategorïau. Y Beiblaidd, i ddechrau: 'Paul' (1942), 'Iesebel' (1942: drama fydryddol), 'Rhosydd Moab' (1943), 'Jonah' (1947), 'O'r Dwyrain' (1948), 'Y Gaethglud' (1950). Dosbarth amlwg arall oedd y chwedlonol: 'Breuddwyd Macsen' (1941), 'Myrddin' (1942: drama fydryddol), 'Coed Celyddon' (1945), a 'Preiddiau Annwn' (1946). Amlwg hefyd oedd y testunau hanesyddol: 'Hywel ab Owain Gwynedd' (1943), 'Glyn y Groes' (1947), ac 'Ifor Bach' (1950). Perthynai rhai testunau i'r dosbarth natur a'r wlad, er enghraifft, 'Y Dyffryn' (1941), 'Yr Aradr' (1944) a 'Meirionnydd' (1949). Yr eithriadau oedd 'Peiriannau' (1941), 'Ebargofiant' (1942), 'Bara' (1945), 'Yr Arloeswr' (1946) a 'Difodiant' (1950). Mae'n ddiddorol nodi mai cerddi buddugol cyfoes eu deunydd a gafwyd ar dri o'r testunau hyn – cerddi yn ymwneud â'r Rhyfel ac â chyfnod y Rhyfel Oer – ac mai cerddi am y Rhyfel oedd dwy o'r pryddestau gorau (un ar y testun 'Bara') ym 1945, pan ataliwyd y Goron. Yr unig eithriad, eto, yw 'Yr Arloeswr', pryddest a aeth yn ôl i'r Beibl am ei hysbrydoliaeth. Pan geid testunau llai penodol a mwy agored, gwelai'r beirdd eu cyfle i ganu am y bywyd cyfoes. Digwyddodd hynny ym 1942 ('Ebargofiant'), er enghraifft. Go brin fod 'Rhosydd Moab', un o ddau destun 1943, yn sgrechian am ymdriniaeth gyfoes, ac eto 'roedd un cystadleuydd wedi gwyrdroi'r testun i drafod y Rhyfel, gan sôn am yr ymgyrch fomio ar Abertawe hyd yn oed.

O safbwynt cyfoesedd a modernrwydd eto, un peth a flinai rhai beirniaid oedd y ffaith fod y *vers libre* yn prysur ennill tir yng nghystadleuaeth y Goron, gan fygwth bwrw ffurfiau mydryddol mwy traddodiadol o'r neilltu. Poenai rhai beirniaid mai rhyddiaith noeth oedd *vers libre* y beirdd yn aml. 'Gyda dyfodiad y "Mesur Di-fesur" i'r maes, y mae'n mynd yn fwy anodd bob blwyddyn i wybod ai beirniadu rhyddiaith yr ydym, ai barddoniaeth,' meddai Wil Ifan, wrth feirniadu pryddestau 1943.[8] Wrth feirniadu'r un gystadleuaeth, mae'n amlwg na allai Griffith John Williams ymateb i'r *vers libre* o gwbwl, ac ni fedrai ychwaith ddirnad ei arwyddocâd. Ofnai mai dilyn ffasiwn a wnâi'r unig ymgeisydd a oedd wedi dewis y wers rydd, gan na allai weld fod agwedd y bardd at fywyd na'i ddull o feddwl yn hawlio'r mynegiant newydd hwn. W. J. Gruffydd a draddododd y feirniadaeth ar ran ei gydfeirniaid, Wil Ifan a Griffith John Williams, yn Chwaraedy'r Sir ym Mangor, ond cyrhaeddodd ei feirniadaeth yn rhy hwyr i'w chynnwys yng nghyfrol y Cyfansoddiadau. Dywedodd Gruffydd wrth draddodi'r feirniadaeth na welodd erioed gerdd *vers libre* nad oedd yn ddim byd mwy na rhyddiaith foel. Fodd bynnag, nid collfarnu'r ffurf a wnaeth Saunders Lewis wrth feirniadu cystadleuaeth y gerdd *vers libre* yn Llandybïe ym 1944, ond amlinellu hanes a thwf y mesur, ac esbonio rhai o'i ofynion. 'Mi dybiaf,' meddai, 'fod *vers libre* eto'n rhy newydd mewn Cymraeg iddo fod wedi meithrin digon o ddarllenwyr a fedr ei ddarllen yn greadigol'.[9] Er hynny, llwyddodd y gystadleuaeth i ddenu 19 o ymgeiswyr, ac fe wobrwywyd bardd y clywir rhagor amdano yn y bennod hon, sef, 'Elwyn Evans, *Royal Corps of Signals*, Iraq', fel yr argraffwyd ei enw yn y Cyfansoddiadau. Mae'r gerdd fuddugol, 'Rhwng y Ddwy Afon', yn ddiddorol am ddau reswm: yn gyntaf, mae'r gerdd yn seiliedig ar brofiadau'r bardd ac yntau'n gwasanaethu gyda'r Lluoedd Arfog yn y Dwyrain Pell ar y pryd, ac yn ail, fe welir ei fod yn fardd o gryn allu a wyddai sut i drin y wers rydd:

> Rhwng y ddwy afon tyf y palmwydd gwyrdd.
> Y mae gerddi a dinasoedd yma
> A gwŷr wrth eu gwaith:
> Y gof, y gwehydd, y crochenydd a'r eurych,
> Y cyfnewidiwr arian a'r ysgrifennydd crwydrad.
> Mae aml westy â'i dawlbwrdd a'i weis gosgeiddig,
> A'i ddwfr croyw â'i gysgod godidog.
> Mae Barnwyr yma a Brenhinoedd,
> A gwragedd a chŵn a phlant bach.
> Oddi allan nid oes ond y tir diffaith,
> Filltir a milltir o ddiffeithwch poeth,
> Môr marw o lwch gwyn, brwd, sur,
> Chwaraele'r scarab.

'Roedd yn ganu newydd yn y Gymraeg, o safbwynt deunydd, mynegiant a chefndir.

Yn aml iawn, y tu allan i gystadleuaeth y bryddest y derbynnid ac y gwerthfawrogid *vers libre* fwyaf. Anfonodd J. Kitchener Davies ei ddrama *Meini Gwagedd* i ddwy gystadleuaeth yn Eisteddfod Llandybïe, sef cystadleuaeth y gerdd *vers libre* a chystadleuaeth y ddrama un-act. Er i Saunders Lewis osod y gerdd-ddrama ymhlith y tair cerdd orau yn y gystadleuaeth, ni wobrwyodd mohoni, yn wahanol i D. Matthew Williams, a roddodd iddi'r wobr gyntaf gan dynnu sylw at feistrolaeth Kitchener Davies 'ar dechneg y canu penrhydd'.[10] Yn yr un modd, gwobrwyodd Thomas Parry ddrama Gwilym R. Jones, *Clychau Buddugoliaeth*, yn y gystadleuaeth 'Drama yn cynnwys gwaith ar gyfer côr adrodd' yn Eisteddfod Rhosllannerchrugog, a honno'n ddrama ar ffurf *vers libre* yn bennaf, gyda'r wers rydd wedi ei chynganeddu yn aml. Yr oedd y *vers libre* ei hun yn peri digon o drafferth i'r beirniaid, ond pan ddechreuodd y beirdd anfon pryddestau *vers libre* cynganeddol i gystadleuaeth y Goron, gan ddilyn arbrofion Gwyndaf a T. Gwynn Jones, ni wyddai rhai beirniaid beth i'w wneud. Ac eto, er gwaethaf amheuon rhai beirniaid, fe enillwyd y Goron ddwywaith yn ystod y degawd 1940-50 gyda cherddi *vers libre* cynganeddol.

Ar ôl y siom o atal y Goron ddwywaith yn olynol, gwobrwywyd un o bryddestau gorau a mwyaf poblogaidd yr Eisteddfod Genedlaethol yn Hen Golwyn ym 1941. Rhoddwyd tri thestun i'r beirdd ganu arno: 'Breuddwyd Macsen', 'Y Dyffryn' a 'Peiriannau'. Cystadleuaeth siomedig ydoedd o ran nifer, gyda dim ond saith yn cystadlu. Un yn unig a ddewisodd 'Breuddwyd Macsen', ond stomp o awdl a gafwyd ganddo, nid pryddest. Dewiswyd 'Y Dyffryn' gan ddau ymgeisydd, a chanodd y pedwar arall i'r 'Peiriannau', gan dderbyn her y bywyd cyfoes yn hytrach nag encilio i'r gorffennol chwedlonol neu i'r gorffennol gwledig.

Cystadleuaeth ddigalon oedd hi yn ôl T. Eirug Davies, ac un yn unig a deilyngai'r Goron. J. M. Edwards oedd hwnnw, yn ennill ei ail Goron Genedlaethol, ar ôl methu ei hennill flwyddyn ynghynt. Ef oedd *Meudwy* yng nghystadleuaeth y Goron ym 1940, a'r pryddestwr gorau yn yr holl gystadleuaeth yn ôl W. J. Gruffydd. Cerdd drwyadl gyfoes a oedd ganddo yn Hen Golwyn, a cherdd ar thema boblogaidd iawn ar y pryd. Meddai T. Eirug Davies:[11]

> Y mae yma rym a thosturi, angerdd a dyfais, rhuthr geiriau, mydr a meddwl, a sobrwydd dychrynllyd bywyd rhwng dannedd y peiriannau dur. Gwneir defnydd godidog o'r mesur Penrhydd, ac o eirfa ddiweddar byd y peiriant. Ni wn i am ragorach canu gan neb o'r beirdd hynny y sonnir amdanynt yn aml fel "the Pylon Poets" ymhlith y Saeson, – gwŷr fel Auden, Spender a Cecil Day Lewis.

Cryfder J. M. Edwards oedd ei alluoedd disgrifiadol, meddai Eirug Davies, nid cynllunio a phensaernïo. Er cystal bardd ydoedd, ac er iddo lunio cerdd ardderchog, yr hyn a wir edmygai T. Eirug Davies oedd y ffaith fod *Fwlcan* wedi cyflawni rhywbeth mwy anodd o lawer na llunio cerdd rymus, sef 'gweled ei destun yn nhermau bywyd cymhleth ac arswydus ein cyfnod, a throi arno y golau a allo er mwyn ei weled rywle yng nghanol patrymau rhyfedd a weodd meddwl ac ysbryd dyn yn ei ymdrech fawr o oes i oes i fod yn fwy na'i drychinebau'.[12]

Cystadleuaeth wan oedd y gystadleuaeth yn ôl Edgar H. Thomas yntau, ond 'roedd un pryddestwr ymhell ar y blaen i'r lleill. 'Camp y bardd hwn,' meddai[13]

> yw nad yw'n bodloni ar ladd ar y peiriannau, yn arwynebol yn null y ffug-ramantwyr; yn hytrach fe'n dwg o raid i sylweddoli'r ymdrech meddwl a brofodd wrth geisio dehongli eu hystyr a chael ffordd ddihangfa o'r dryswch. Y mae llun ac ieithwedd a rhythmau'r gân yn delweddu'r tyndra, praw lled sicr o ddiffuantrwydd teimlad. Mewn gair, y mae'n creu o welediad, ac am hynny'n lleisio'n annibynnol.

'Roedd mesurau J. M. Edwards, meddai, yn 'gweddu i'r aflonyddwch a'r cymhlethdod y ceisir ei gyfleu'.[14] Yn wahanol i'r ddau feirniad arall, nid oedd un bryddest sâl ymhlith y saith yn ôl Saunders Lewis. 'Roedd y beirdd aflwyddiannus yn chwech o grefftwyr da. Rhagoriaeth J. M. Edwards oedd iddo '[g]reu miwsig newydd, byw'.[15] Tybiai mai bardd ifanc oedd *Fwlcan*, a synhwyrai ddylanwad Gwenallt ar ei waith, ond er gwaethaf yr adleisiau, gan J. M. Edwards yr oedd yr unig gerdd yn y gystadleuaeth 'sy'n byw o'r dechrau i'r diwedd, a'i hegni ynddi ei hunan, nid yn ei hatseiniau'.[16]

Yng nghanol y dadleuon a'r amheuon ynghylch addasrwydd yr awdl i ganu am y bywyd modern, yn ogystal ag amau gallu'r gynghanedd i ddisgrifio'r bywyd cyfoes, 'roedd pryddest J. M. Edwards yn un heriol ac amserol o arwyddocaol. 'Roedd y ffaith ei bod yn bryddest fyw am oes y peiriant, ac am un o nodweddion amlycaf y bywyd modern, yn brawf pendant nad y gynghanedd oedd yn ddiffygiol o safbwynt ymdrin â'r bywyd modern, ond y mesurau traddodiadol. 'Roedd rhannau helaeth o'r bryddest wedi eu cynganeddu, ac un o'i chaniadau ar gynghanedd gyflawn yn ei grynswth. Ni ellid, felly, gyhuddo'r gynghanedd o fethu trafod bywyd cyfoes yn ei holl gymhlethdod.

Hen stori bryddestol y llanc yn ymadael â'r wlad ac yn cyrchu'r ddinas a geir yn 'Peiriannau', ond 'roedd mwy o rym a dilysrwydd i ddefnydd J. M. Edwards o'r thema nag a geid yng nghanu'r dauddegau, gan mai yng nghysgod y tridegau llwglyd y lluniwyd y gerdd; ond am ryw reswm, gan adleisio 'Y Sant' eto, yn ogystal ag atgyfodi un o dueddiadau'r dauddegau, cefndir Pabyddol sydd gan y llanc ifanc hwn:

> O waeau'r henfyd troi i'w deml am falm Iesu
> A rôi'i liniarus law ar glwy ein dydd;
> Yfed yno o ddirgelwch Crist a'i gymun
> Ar lin rhwng mawredd muriau hen fynachdy'r ffydd . . .
>
> O suddai'n ddwfn i 'mryd gyffes credo'r clwysty
> Nid ildiwn innau'n hawdd i'm horiog nwydau mwy!

Mae'r bryddest, er gwaethaf yr adleisiau o'r dauddegau a geir ynddi, yn perthyn i'r un byd ag 'Adfeilion' Gwenallt a 'Byddin Garpiog' Gwilym R. Jones, sef y canu a farwnadai dranc cefn-gwlad Cymru wrth i'r miloedd di-waith gyrchu'r ddinas am fodd cynhaliaeth. Yn y caniad cyntaf sonnir am lanc ifanc yn cefnu ar grefydd ei dad ac ar ei gynhysgaeth grefyddol. Bellach mae'r byd modern, byd y dyfeisiau technolegol diweddaraf, yn dynfa iddo. Mae'n cefnu ar y 'Prydferth Pur', harddwch natur a harddwch ysbrydol crefydd, wrth iddo ymdeimlo â 'patrwm yr angerddol/Fywyd a ffrwydrai'n ynni trwy'r cyfandir mawr'. Mae rhyw ysfa yn ei yrru ymlaen i gyfeiriad y bywyd dinesig, yn ei gymell i fyd y peiriannau. Diwerth bellach yw'r hen ffydd wrth i oes newydd alw arno:

> Ehangach byd na phlwy, nychodd y ffydd gyntefig
> O'm mewn pan glywais gyffro fflam y newydd oes.

Yn yr ail ganiad sonnir am y ddau lwybr gwaredigaeth, '[d]wyffordd ddewisol', a allai leddfu gwewyr y llanc gwledig yn y gerdd. 'Caer hen fy nhraddodiad' yw'r naill, a 'hynt fentrus i'r newyddfyd syn' yw'r llall. Dyma'r hen frwydr rhwng y wlad a'r ddinas unwaith yn rhagor, rhwng yr hen a'r newydd. Mae'r llwybr sy'n dirwyn i gyfeiriad y ddinas, i gyfeiriad y byd modern, yn llwybr dieithr 'nad adnabu'r traed'. Y mae'r dewis, yn y pen draw, rhwng yr hyn sy'n gyfarwydd ac yn ddiogel a'r hyn sy'n newydd ac yn ddiganllaw:

> Heb allor yn y byd, heb uchel ddelfryd,
> Heb dduw na chysegr lle'r achubwn dân fy nwyd.

Mewn gwirionedd, mae'r mynych gyfeiriadau at fynachdai ac at y grefydd Gatholig yn cymylu'r gerdd, ac yn ei hamddifadu o'i diffuantrwydd a'i dilysrwydd hanesyddol. Cymerer y pennill hwn, er enghraifft:

> Rhwng isel wastatiroedd y dwys fynachdai
> A'm gwlad anghyfannedd, fy naear ryfedd ei rhyw,
> 'Roedd afon ddofnddu, agored a thynged i'w thon
> Megis honno a red rhwng stad y meirw a'r byw.

Y 'wlad anghyfannedd' yw'r cefn-gwlad a led-wagiwyd o'i weithlu yn y tridegau wedi i weithwyr segur gyrchu'r ddinas i chwilio am waith. Dyma 'wlad adfeiliedig' Gwenallt yn y gerdd o'r un enw, a phrin fod angen llusgo mynachdai i mewn i'r darlun. Mae'r llanc yn 'Peiriannau' yn rhagweld marwolaeth yr hen ddull o fyw yn y wlad, ac mae hyd yn oed y sêr yn troi'n 'lampau haearn' iddo ('Llosgai lampau haearn y sêr uwch y byd'), wrth i'r hen ddelweddau gwledig golli eu grym ac wrth i'r ddinas lyncu'r hen ddull traddodiadol o fyw. Ysbrydion gwanllyd bellach yw'r hen draddodiadau a phreswylwyr yr hen fyd, gan mor daer yw'r dynfa tuag at y ddinas:

> Codai cysgodion hen ddulliau gwledig a gerais
> O lwydnos yr hanner angof i droi
> Eilwaith yn rhithiol ysbrydion, lu anwadal
> Oriau fy hunllef, ac yna'n gwynfannus, ffoi.

Disgrifir hagrwch a drygioni'r ddinas fodern yn y trydydd caniad, gan ein tynnu'n ôl i fyd 'Mab y Bwthyn' ac awdl 'Y Sant', ond dylanwad 'Ar Gyfeiliorn' Gwenallt, a cherddi eraill o'i eiddo, sydd ar y caniad hwn yn bennaf. Mae rhai penillion yn ein hatgoffa am rithmau a delweddau Gwenallt:

Lle goleuai'r nos eu hanferthedd, lle tywyllai'r dydd â gwg
Eu holl newyddbethau erchyll dan gwmwl llaes y mwg –
Mantell ein pwdr wareiddiad wedi'i gweu o'i goluddion poeth
Yn llinyn ar linyn dyfal trwy'r staciau a'r simneiau noeth . . .

Dociau dan haenau'r parddu yn ferw o ddiatal stŵr,
Llongau a'u howldiau beichiog yn gwanu bron bygddu'r dŵr;
O bobtu rhedai labrinth ddiddiwedd y teios salw
A thrwyddi graslef y ddinas wancus yn galw, galw.

Ac mae'r odlau yn ddigon Gwenalltaidd ar dro:

I lawr trwy'r sawyr a'r llaca hyd berfedd diwaelod y slym
Trwy dywyll-leoedd y Fabilon erch lle drewai'r sgym;

Darlunnir y ddinas fel un puteindy mawr o demtasiwn, eto yn null rhai o gerddi eisteddfodol y dauddegau:

Pleser ar werth ar gornel, morwyr mewn tafarnau a'u sŵn
A disglair nythle moeth ym mherarogl pob salŵn;
Lle goleuid lampau amliwiog y caffe ar gyfnosau serch
A themtio'r cnawd â swae osgeiddig hoywgorff merch.

Cyfalafiaeth a materoldeb sy'n rheoli bywyd y ddinas, ac mae'r peiriannau yn sugno egni a maeth o gyrff y gweithwyr:

Heibio i drystfawr dryblith y ffatri a'i simffoni sŵn
Lle gwelwai'r merched mwynwedd a'r gwragedd ym myddarol
grŵn
Eu treiswyr haearn a sychai eu cyrff bach gwyngnawd bob un
A'u taflu ar draeth anobaith yn hagr, oer, di-lun.

Yn y pedwerydd caniad 'fampir foethus' yw'r ddinas, fampir y mae ei chrafangau hir yn graddol hawlio'r wlad, ac nid hawlio'r wlad o ran tir yn unig, wrth i'r ddinas gynyddu ac ehangu, ond hudo trigolion y wlad yn ogystal, wrth iddyn nhw ymadael â'u cynefin i chwilio am waith, ac ymsefydlu yn y ddinas yn y pen draw. Dyma 'Fyddin Garpiog' Gwilym R. Jones ar dramp unwaith yn rhagor:

Cododd y gwersyll gwerin, ati troi
Dan hud ei thaerni, ecsodus y myrdd
Tyddynwyr plaen o grefft a fferm yn ffoi
Heb ddim i'w bron agored hyd y ffyrdd;
Gwerthu pob breintiau hen
Debygent hwy am draserch honno a'i thwyllodrus wên.

Bellach, mae arweinwyr yr ecsodus o'r wlad yn '[r]hoi mab ar eingion Fwlcan, merch ar allor chwant', hynny yw, yn aberthu eu plant ar allor materoliaeth a chyfalafiaeth. Fwlcan oedd duw'r gofaint a'r crefftwyr, ac anodd peidio â meddwl am linell gan Louis MacNeice wrth iddo ddisgrifio bryntni a chymhlethdod Birmingham: 'But beyond this centre the slumward vista thins like a diagram:/There, unvisited, are Vulcan's forges who doesn't care a tinker's damn'.

Darlun o wlad adfeiliedig a geir ym mhumed caniad y bryddest, a hynny mewn cwpledi decsill odledig gyda chynghanedd ymhob llinell:

Daeth malltod i le ffrwythau'r hafau hir
A'r chwyn anfarwol dros y dethol dir.

Mieri a'u menter lle bu pleser plant,
Edafedd eu llysnafedd dros y nant . . .

Lle bu ar gaeau ôl y breichiau brwd
Eu dilyn wnaeth y rhedyn coch a'r rhwd.

Dolau yn wag heb gri, heb gi na gwas
Ac aradr lwyd ni ddôi trwy'r glwyd i'r glas.

Ni cheir cariadon yn y wlad mwyach gan fod ieuenctid y fro '[y]n gaeth i'w trachwant wrth y peiriant pell':

Lle bu ar nosau brwd hen sibrwd serch
Dan lwyn nid oedd na morwyn wen na merch;
O! ddistaw, ddigusanau lwybrau'r wlad,
Tagwyd ffordd Coed y Llyn, i'r bryn daeth brad.

Mae'r cwpledi cynganeddol odledig yn adlewyrchu trefn a phatrwm, er mai trefn a gollwyd ydyw. Yn y chweched caniad, y peiriannau eu hunain sy'n llefaru, a hynny mewn *vers libre*, er mwyn pwysleisio'r cyferbyniad rhwng bywyd y wlad a bywyd yn y ddinas fodern. 'Nyni yw'r peiriannau' yw byrdwn eu cri, ac y mae'r hyn y mae dyn wedi ei greu bellach yn ei reoli:

> Treisiasoch fyd i'n cynllunio, rhwygasoch hen gyrff y
> mynyddoedd
> Am ein gwaed, mewn llaid a charreg gorweddem yn ddirym
> a mud;
> Heddiw mae rhythm ein dyrnodio yn eco tros feysydd a dinas,
> Nyni ydyw'r meistri, bellach ystyriwch eich taliad drud.

Pwysleisir arglwyddiaeth y peiriannau ar y rhai sy'n eu trin a'u gweithio yn y chweched caniad. Y peiriannau yw 'llywodraethwyr y ddaear', rheolwyr tynged y bechgyn a'r merched gwledig a hudwyd i'r ddinas i chwilio am waith 'a thynged y byd' yn ogystal. Mae'r peiriannau yn ffynnu ar gyrff dynol, ac ar '[i]raidd esgyrn meibion, plant a gwragedd', ond

> . . . eich gwŷr ieuainc a garwn yn orau,
> Onid ydynt mor gryf a dewr?
> Oni ddaeth i'w bryd hwy unwaith y medrent
> Arglwyddiaethu arnom? Hyrddiant eu hunain danom, tynnant ni,
> gwthiant ni,
> Ond ni fedrant chwarae plant â ni!
> Rhwng ein dannedd a'n pawennau yr ymnyddant,
> Gorachod brysiog, gwallgof, cellweirus rhwng gwefusau'r cogiau
> a'r gêr.

Mae'r peiriannau hefyd yn dinistrio merched ifanc:

> Chwarddwn pan lewygo'r genethod, druain bach,
> Yn eu heiddilwch, a'u cwymp gerllaw mor ddiymadferth!
> Hwy rythant arnom â'u llygaid mawrion, syn.
> Awyddwn hefyd am y bronnau . . .

Y bronnau twymion, gwynion, llawn;
Sugnwn eu pereidd-dra gan grechwenu'n haearnaidd
Pan ddêl atom gri egwan eu plant di-faeth,
A chlywed y llefain pell yng ngwingo eisiau eu rhai bach.

Er mai dynion a'u dyfeisiodd, 'Heb enaid, heb ymennydd, heb nerf', mae'r peiriannau yn magu eu hannibyniaeth eu hunain, y tu hwnt i reolaeth eu crewyr. Dinistrir y ddynoliaeth bellach mewn dwy ffordd gan y peiriannau, sef yn y ffatrïoedd ac mewn rhyfel:

Cyn hir daw awr eich barn arnoch,
Yna ni a esgynnwn hyd ein dirgel ffyrdd
Uwchben yn wybren y nos;
Lledwn yn rhydd lwythog adenydd ein dinistr
A'ch deifio â thân yr angau sydyn;
Llef eich wylofain a leinw'r tywyllwch
Hyd oni ffowch gan ddychryn am nawdd eich tyllau pridd,
Temlau eich gwareiddiad newydd!

Mae'r gerdd yn diweddu braidd yn siomedig, yn rhyddieithol ac yn athronyddol wan:

Ond deuthum innau ar flaen ton
Anterth fy myfyr ar drywydd y gwirionedd clir
Nad oes a'i gwad a welodd ysfa'r ymdrech,
Pangau'r byd yn ei ddofn groth o dan graig
Y crystyn salw, a'r bwriad cynnar
Yng ngwaith a gwewyr dynol-ryw.

Ac nid yw llinellau fel 'Dan groen hagr y presennol hwn/Aeddfeda cnewyllyn arall, perffeithiach yfory' yn ein hargyhoeddi. Er hynny, mae 'Peiriannau' yn bryddest rymus a chelfydd, ac yn un o bryddestau gorau 1940-50.

Yn Aberteifi ym 1942, rhoddwyd dewis i'r beirdd o ran testun a ffurf. Derbyniwyd 19 o gynigion, pum pryddest ar y testun 'Paul', un ar ddeg ar 'Ebargofiant', ond cystadlu gwachul a gafwyd ar y ddrama fydryddol, gyda thri yn unig yn cystadlu ar y testun 'Iesebel'. Anwybyddwyd y testun arall a roddwyd ar gyfer y ddrama fydryddol, 'Myrddin', yn llwyr.

Un o'r beirdd ffodus ennill-cynnig-cyntaf hynny sy'n ymddangos o unlle yn awr ac yn man yn hanes y Brifwyl, ac wedyn yn diflannu i'r cysgodion, fel beirdd o leiaf, a enillodd y Goron, sef Herman Jones o Ddeiniolen. Yr oedd yn fyfyriwr yng Ngholeg Bala-Bangor ar y pryd, ac ef, felly, oedd yr ail efrydydd-brydydd i ennill un o ddwy brif gystadleuaeth farddoniaeth y Brifwyl o fewn saith mlynedd, wedi i Gwyndaf ennill y Gadair ym 1935. Ni chafodd neb fwy o sioc na Herman Jones ei hun (awdur *Y Soned yn Gymraeg hyd 1900*, 1967). Ni ddisgwyliai ennill, ac ni phrynodd docyn ar gyfer diwrnod y coroni. 'O ran ryw ymyrraeth yr anfonais y bryddest yna i mewn o gwbl eleni,' meddai.[17] Yn wir, yr oedd chwys yr ystafell arholiad yn dew ar y gerdd.

'Roedd ôl ymarferiad llenyddol ar bryddest fuddugol 1942, ac er mai dau Ryfel Byd yr ugeinfed ganrif oedd thema'r gwaith, yng nghyd-destun *Y Gododdin*, Aneirin, y cyflwynwyd y deunydd, ymarferiad academaidd gan ŵr ifanc a oedd newydd raddio yn y Gymraeg ym Mangor. Ac yntau gynt yn un o feibion y ddrycin, apeliodd y gerdd at Cynan. '[E]rgyd drist y bryddest,' meddai, 'yw bod yr un hen abwyd a'r un teganau brau yn ddigon i swyno calonnau poeth ieuenctid ym mhob cenhedlaeth a'u troi'n offer arfaeth waedlyd gwleidyddwyr, er rhybudd trychineb y genhedlaeth o'u blaen'.[18] Cynan, awdur 'Mab y Bwthyn', oedd yn llefaru, nid Cynan y Gorseddwr a'r beirniad eisteddfodol. 'Ni sonnir . . . am ein dyddiau ni fel y cyfryw,' meddai drachefn, 'ond y mae ei harwyddocâd yn ddigon eglur i unrhyw dad a fu trwy uffern y rhyfel diwethaf os cyrhaeddodd ei fab erbyn hyn "oedran milwrol" '.[19] Canmolwyd pryddest Herman Jones yn hael gan Cynan, ond a oedd y ffaith fod y pryddestwr buddugol yn ceisio dinoethi'r 'hen gelwyddau sy'n ceisio rhamantu milwriaeth a gogoneddu rhyfel' wedi ei ddallu rhag gweld ei chyffredinedd?[20] 'Cafodd y bardd hwn weledigaeth, ac fe lysg ei ddychymyg yn fflam trwy'r gerdd,' meddai, ac fe geid yn y bryddest fuddugol 'fywyd a lliw a dwyster ac angerdd – a'r mesurau yn cyfateb i'r amrywiol foddau'.[21] Er iddo ei galw yn bryddest wych, nid oedd Prosser Rhys mor afradus ei glod iddi â Cynan, 'Roedd ôl diofalwch arni – cŵyn gyson yn ystod blynyddoedd yr Ail Ryfel Byd – a gallai'r grefft fod yn gadarnach mewn rhai mannau.

Nid Herman Jones oedd yr unig un i gael sioc yn Aberteifi. Beirniadaethau Cynan a Prosser Rhys yn unig a argraffwyd yng nghyfrol y Cyfansoddiadau, ynghyd â'r esboniad na lwyddodd W. J. Gruffydd i baratoi ei feirniadaeth ef o achos gwaeledd. Nodwyd hefyd nad pryddest Herman Jones oedd yr orau gan W. J. Gruffydd, ac nad oedd neb, yn ei dyb ef, yn deilwng o'r Goron. Gyda'r Goron wedi'i hatal ddwywaith yn olynol, mae'n amlwg mai crafu am deilyngdod yr oedd Prosser Rhys a Cynan, Cynan yn enwedig. Pe bai Gruffydd wedi cael y ddau arall i gytuno ag ef, byddai'r Goron wedi cael ei hatal am y trydydd tro yn olynol. Ond ni chafwyd unrhyw gytuno o'r fath. Yn wir, amheuai Gruffydd fod ei ddau gydfeirniad wedi gweithredu'n ddirgel y tu ôl i'w gefn. Ni wyddai Gruffydd fod coroni i fod. 'Clywais ar y Radio bod y goron i'w dyfarnu; mynegwyd hynny heb ymgynghori mewn unrhyw fodd a mi,' meddai ar ôl Eisteddfod Aberteifi, a 'gwnaed yr hysbysiad ar eu corn eu hunain gan fy nghydfeirniaid'.[22] Cafwyd eglurhad gan Cynan a Prosser Rhys. Gofynnwyd i'r beirniaid anfon eu beirniadaethau at ysgrifenyddion yr Eisteddfod erbyn Gorffennaf 6. 'Cyn ysgrifennu ein beirniadaethau disgwyliem am air oddi wrth yr Athro Gruffydd fel y beirniad *senior* yn ol yr arfer,' meddent, ond ni dderbyniwyd gair.[23] Ceisiwyd cysylltu â Gruffydd ddwywaith ar y ffôn cyn y dyddiad cau, ond ni chafwyd ateb. Ni wyddai'r ddau feirniad ym mha le y safai Gruffydd. 'Roedd y ddau wedi dyfarnu pryddest *Aneirin* yn orau ac yn deilwng o'r Goron, yn annibynnol ar ei gilydd, a chyflwynasant eu beirniadaethau i D. R. Hughes erbyn y dyddiad cau. Ddiwrnod ar ôl y dyddiad cau, nid oedd D. R. Hughes ychwaith wedi derbyn beirniadaeth Gruffydd, ac anfonodd ei ddau gydfeirniad deligrám ato yn ei hysbysu ynghylch eu penderfyniad, ac atebwyd y teligrám gan Gruffydd ar Orffennaf 11, a hwnnw'n mynegi ei safbwynt yntau. Ond ar y radio, ar Orffennaf 8, pan ddarlledwyd sgwrs gan gyd-ysgrifenyddion y Cyngor am ragolygon Aberteifi, y clywodd Gruffydd fod teilyngdod yng nghystadleuaeth y Goron. Mae'n debyg y byddai Gruffydd wedi ceisio darbwyllo'i gydfeirniaid fod pryddest Herman Jones yn annheilwng o'r Goron. 'Roedd Herman Jones yn ail gan W. J. Gruffydd, ond 'roedd y pryddestwr buddugol wedi camddeall rhagymadrodd Syr Ifor Williams i'w gyfrol, *Canu Aneirin*, gan nad math o rybudd yn erbyn meddwdod oedd *Y Gododdin*, ac nid oedd y bryddest ychwaith 'yn codi i dir uchel nac yn dangos unrhyw dreiddgarwch meddwl'.[24] *Ap Morgan* oedd y gorau gan W. J. Gruffydd, a bu am beth amser yn ystyried rhoi'r Goron iddo, ond nid oedd ymhlith y pryddest-wyr gorau gan Cynan, ac fe'i rhestrwyd gan Prosser Rhys ymysg y rhai nad oeddent yn deilwng o wobr mewn eisteddfod leol.

Ceir dwy olygfa yn y bryddest fuddugol, golygfeydd sy'n troi o gylch dwy gyfeddach. Y wledd a ddarparwyd gan Fynyddog Mwynfawr, pennaeth llwyth y Gododdin yn yr Hen Ogledd, ar gyfer y trichant o filwyr a fyddai'n ymladd ym mrwydr Catráeth ar ôl blwyddyn o hyfforddiant a mwyniant oedd y wledd gyntaf. Yr ail wledd yw'r un ddychmygol a gynhaliwyd gan etifedd Mynyddog yn 620, ugain mlynedd ar ôl y wledd gyntaf. Ar noson olaf yr ail wledd, daw henwr cloff i mewn i ganol y dathliadau. Aneirin, awdur *Y Gododdin*, yw hwn. Yr ebargofiant yn y bryddest oedd y ffaith fod pobl wedi anghofio erchyllter y Rhyfel Mawr mor rhwydd ac wedi ymhyrddio i ganol cyflafan fyd-eang arall:

Trannoeth 'roedd sŵn pedolau dur,
  A chwerthin yng nghân y gwynt;
Mor fyr eu hoes – dihidio wŷr
  O bant i bant, ar ofer hynt
  Heb gofio'r meirwon yng Nghatraeth gynt.

Arddull simplistig sydd i'r bryddest drwyddi draw, ac efelychiadol eil-dwym yw'r deunydd:

Trichant nwyfus i Gatraeth gynt,
  A'u llafnau'n loyw, ffraeth,
Ungwr unig yn ôl a ddaeth . . .

Cofiaf londer y trichan gŵr,
  Eu twrf a'u hwyl a'u cân,
Cofiaf waedd olaf Cadfan . . .

ac yn y blaen, gan gerdded ar hyd yr un gwastatir undonog drwy'r holl bryddest.

Gan droi at yr hanesyddol a'r Beiblaidd unwaith yn rhagor, gosodwyd dau destun ar gyfer cystadleuaeth y Goron ym Mangor ym 1943, 'Hywel ab Owain Gwynedd' a 'Rhosydd Moab'. Derbyniwyd pymtheg pryddest, a phob ymgeisydd ac eithrio un yn ffafrio 'Rhosydd Moab'. Dafydd Owen a enillodd y Goron, dan feirniadaeth W. J. Gruffydd, Wil Ifan a Griffith John Williams, ac yntau hefyd yn fyfyriwr yng Ngholeg yr Annibynnwyr, Bala-Bangor, ar y pryd, fel Herman Jones. 'Roedd Dafydd Owen wedi amlygu cryn dipyn o addewid fel bardd a llenor cyn ei fuddugoliaeth ym Mangor. 'Roedd yn ail i Gwilym R. Jones yng nghys-tadleuaeth y nofel fer yn Eisteddfod Hen Golwyn ym 1941, ac 'roedd yn barddoni ymhell cyn iddo ennill Coron 1943. Yn ail agos iddo ym Mangor 'roedd T. Rowland Hughes (*Bugail*), ac yn ail deilwng at hynny.

O Rosydd Moab y cafodd Moses gip ar Wlad yr Addewid, ac ar ôl y thema honno yr aeth Dafydd Owen. Yn ei eiriau ef ei hun: 'Collaswn fy nghyfaill a'm cyd-gystadleuydd ifanc, W. R. Jones o sir Aberteifi (a Swyddfa Gee) yn bur ddiweddar, a chofiais am y Ganaan honno a welai ef o'i Rosydd Moab, dan gwmwl y darfodedigaeth, sef gyrfa faith fel bardd'.[25] Yn ôl Wil Ifan 'roedd Dafydd Owen wedi canu'n 'ddigalon a braidd yn chwerw-goeglyd'.[26] 'Gwn mor ffasiynol, yn enwedig yn Lloegr, yw'r canu digalon yma,' meddai, ond llwyddodd y pryddestwr buddugol i'w ddarbwyllo 'nad melancoli gwneud mo gefndir ei gerdd ef'.[27]

Canmolwyd un gerdd yn arbennig gan y beirniaid, sef y gerdd am yr hen ŵr yn palu y tu allan i'r ysbyty lle mae'r claf yn orweiddiog. 'Uchafbwynt ei ddyfais fu rhoi cipolwg inni fwy nag unwaith ar yr hen ŵr yn palu,' meddai Wil Ifan, gan faentumio nad oedd 'angen cysylltu'r palu â'r syniad o dorri bedd oherwydd, ar wahân i hynny, y mae'n ddarlun creulon-wir o'r byd dihidio yn mynd ymlaen â'i orchwyl'.[28] W. J. Gruffydd a draddododd y feirniadaeth o'r llwyfan yn Chwaraedy'r Sir ym 1943 ar ran ei gydfeirniaid, er na chyhoeddwyd ei feirniadaeth yng nghyfrol y Cyfansoddiadau. Canmolwyd pryddest Dafydd Owen yn hael ganddo, ac ystyriai'r bryddest yn farddoniaeth drwyddi, yn enwedig telyneg yr hen ŵr yn palu. Barnai Wil Ifan fod Dafydd Owen yn rhagori ar T. Rowland Hughes yn y gystadleuaeth oherwydd ei fod 'yn adrodd ei stori brudd yn ddyfeisgar ac argyhoeddiadol, yn trin ei wahanol fesurau fel meistr, ac yn ennyn ynom ryw gydymdeimlad dwfn nid yn unig â'r claf ond â'r *bardd* claf'.[29]

Plentyn ei chyfnod erbyn hyn yw pryddest Dafydd Owen, ond rhaid cofio mai cerdd bardd ifanc yw 'Rhosydd Moab'. Mae'n llenyddolffurfiol ei naws ac yn gonfensiynol o ran ieithwedd ac arddull:

> Y llynedd . . . ond ba waeth! Bûm innau'n meiddio,
> A heriais natur a'i chariadon fyrdd;
> Fe gofiaf weld y dderwen yn gwefreiddio
> Yr afon dani i lonyddwch gwyrdd,
> A cherddais uwch a giliai'n ddi-ystŵr,
> Mor ddigoffâd â deilen gyda'r dŵr.

Ac efallai mai'r darn am yr hen ŵr yn palu y tu allan i'r ysbyty yw'r darn gorau yn y bryddest:

Mae yna heno eto,
  Er mynd o'r haul i lawr,
Yn palu wrtho'i hunan
  Yn y distawrwydd mawr.

Daeth oerni'r nos i'r meysydd
  A chyrchodd pawb dan do,
Ond para yn ei gwman
  Yn palu y mae o.

Ni sieryd fawr ag undyn,
  Nid oes a'i holo 'chwaith;
Ni chais ond heddwch cyson
  I ddal ymlaen â'i waith.

Rhydd drem i ben y bryniau
  A gwêl y niwl ar daen,
Cyn troi drachefn i'w gwman,
  A phalu, palu 'mlaen.

O leiaf 'roedd gan Dafydd Owen ddigon o feddwl o'r gerdd i roi *Yn Palu Wrtho'i Hunan* yn deitl i'w hunangofiant (1993).

'Yr Aradr' oedd testun y bryddest yn Llandybïe ym 1944, a derbyniwyd 30 o gyfansoddiadau. Dyfarnwyd pryddest gan J. M. Edwards yn fuddugol gan ddau o'r beirniaid, Dewi Emrys a Dyfnallt, ond ni chredai Waldo Williams ei bod yn deilwng o'r Goron. Gosodwyd dau fardd ar y brig, *Bardd y Gweunydd* a *Banc y Môr*, gan Dewi Emrys a Dyfnallt. 'Roedd *Banc y Môr* yn 'aeddfetach prydydd, a'i bortread yn gyflawnach nag eiddo'i gydymgeisydd,' yn ôl Dewi Emrys.[30] Nid mewn geiriaduron y cafodd y bardd ei eirfa, ond yn hytrach '[c]asglodd ei gynhysgaeth ym maes ein llenyddiaeth'.[31] Tynnodd Dewi Emrys sylw at ddefnydd effeithiol y bardd buddugol o eiriau cyfansawdd, gan ddyfynnu:

I fyrdwn triban llusgai'r ychen *llaesfron*
Garnau *trwm-drwstan* tanynt dros y rhych.

Tynnodd hefyd sylw at rai gwendidau yn y gerdd, er enghraifft, 'ystumio ffurf brawddeg nes peri dilunwch cystrawen a chwithigrwydd mynegiant,' a dyfynnodd y llinell 'Gwae'r dydd ar lwydfor y pridd y daeth trai' i brofi ei bwynt.[32] Er bod ynddi fân wendidau, 'roedd Dewi Emrys yn bendant ei farn mai pryddest J. M. Edwards oedd y bryddest orau yn y gystadleuaeth. Dyna oedd barn Dyfnallt yn ogystal. 'Y mae delw y crefftwr manwl, cynnil, coeth ar y gwaith,' meddai am y bryddest fuddugol, gan nodi ar yr un pryd nad oedd y gerdd 'y peth a ddymunem o ran ei hadeiladwaith'.[33] Yr un oedd cŵyn Waldo Williams yn ei herbyn. Cytunai â'r ddau feirniad arall mai pryddest *Banc y Môr* oedd y gerdd orau yn y gystadleuaeth, ond 'roedd y pedair rhan a geid yn y bryddest yn gweithio'n annibynnol ar ei gilydd, er bod camp ar bob rhan yn unigol. 'Roedd Dyfnallt a Waldo yn iawn, ond 'roedd pryddest J. M. Edwards yn bryddest gelfydd gan fardd o gryn allu, a dylai bod Waldo wedi cydnabod hynny, a bod yn fwy hyblyg. Trydedd ran y bryddest yw'r maen tramgwydd mewn gwirionedd. Tra bo'r rhan gyntaf yn sôn am oes bell yr aradr bren, yr ail ran yn sôn am yr aradr haearn, a'r bedwaredd ran yn sôn am oes y tractor a'r aradr deircwys, a'r gwahanol gyfnodau hyn yn rhoi unoliaeth i'r gerdd, sôn am yr ymrysonfa aredig, neu'r preimin, a wna'r drydedd gerdd, ac mae'n sefyll yn hollol ar wahân i'r gweddill.

Ceir pedair rhan i'r bryddest, a'r pedair rhan yn sôn am '[r]amant teiroes' yr aradr. Yn y gerdd gyntaf mae'r llafurwr wrthi'n aredig y tir gyda'i ychen a'i aradr bren cyn dyfodiad y Chwyldro Diwydiannol:

Rhywdro, ym mhellter dyddiau, gyrrai Mawrthwynt
Ei niwloedd dros yr haul ar orwel nen,
Pan grafai gŵr drwy wytnwch croen ei lechwedd
Â braich ei aradr bren.

Dyma '[h]wsmonaeth hen y wlad', ac fe efelychir yr hen ganu ychen yn ddeheuig gan y bardd:

Eto ynteu, ychen gwirion,
Pwy a'ch cafodd chwi'n anfodlon?

Dowch, fel y byddo derfyn ha'
I ddyn a'i dda gael digon.

Wedi oerni hin ddrycinog
Daw haul gwanwyn, dôl eginog.
O! dowch yn awr, a rhag pob cur
Cawn lafur i newynog.

Yr ail oes o deiroes yr aradr yw oes yr aradr haearn, a ddisodlodd yr aradr bren wedi dyfodiad y Chwyldro Diwydiannol. Fel yr arddwr cyntaf, mae arddwr yr ail ganiad yr un mor agos at bridd y ddaear â'i hynafiad pell, ac mae'n '[l]lawn o ymwybod y ddaear a synnwyr y maes a'i hedd'. Fel y llafurwr enwog yng nghywydd Iolo Goch, y cyfeirir ato gan J. M. Edwards yn ei bryddest, llafurwr disylw yw'r llafurwr hwn yn ogystal, ac ni ddethlir ei gampau fel y dethlir buddugoliaethau brenhinoedd ac arweinwyr:

Lle deffry ei swch gyfrinion distaw rhyw geinoes a fu,
Fe egyr blygion ei rhamant o femrwn y ddaear ddu.
Ni bydd, wedi camp ei ddiwrnod, na chodi baner na llef,
Ond huawdl fydd graen y gweryd yn datgan ei wyrthiau ef.

Ceir yn yr ail ran thema sy'n gyfarwydd iawn ym mhryddestau'r Eisteddfod yn ogystal ag yng nghanu J. M. Edwards, sef y modd y mae'r ddinas yn hudo pobl ifainc o'r ardaloedd gwledig, gan adael i'r wlad ddirywio a dadfeilio yn eu habsenoldeb:

Gan daerineb dinas a'i newydd lais,
    Sydyn y cipiwyd dy frodyr ar ffo,
Y duwdod diwydiant, haearnaidd gais,
    Yn eu galw dros warrau bryniau eu bro.

A dyma'r dirywiad anochel sy'n digwydd yn sgîl yr heidio hwn o gefn-gwlad i'r dinasoedd:

Hyn a fynegaf wrthynt hwy: Gwae chwi
Ddoe a redasoch â'ch holl nerth ar gri

Galwad eich meistri dur, o ddirgel
Lwybrau'r wlad, a holl hyfrydwch
Ei thir a thw ei llethrau a thawel
Ddilyn y wedd ar ddôl yn ei heddwch!
Cloi eich buarthau a phyrth eich anheddau,
Rhoi'r meysydd a'ch noddodd chwi gynt
Â llaeth a mêl eu bronnau dihysbydd
I newyn gwallgo'r gwynt.
Llusgodd seirff amldorch y mieri lle bu'r cwysi cain,
Lledodd y chwyn lle bu'r tywysennau'n dawnsio. Mae'r drain
Ffroenuchel a'r ysgall hyd lle cerddodd y meirch,
A gorchfygodd y danadl lle bu gymen y ceirch . . .

Oherwydd y symudiad torfol hwn i'r dinasoedd a'r trefi o'r wlad, gadewir yr aradr yn segur, ac mae'n colli ei phriod swyddogaeth. Wrth golli'r hen gymundeb â doethineb y pridd, mae dyn yn colli ei ffordd yn y byd, ac mae gwareiddiad yn datod. Bellach, a'r gwledydd yn rhyfela yn erbyn ei gilydd, troir sychau yn gleddyfau ac yn arfau cad:

Erioed nid agorodd hynt yr aradr i chwi
Namyn llwybrau cyson llawnder; dros orwel lli
Eto draw clywaf drwst, gwae yr anorfod gad,
Dur ar ddur yn ymdaro fel y cerddo brad.
Tu ôl i'r mynyddoedd mae sain y morthwylion
Lle bwriwch eich offer yn llu
I'w hasio'n ôl bwriad y cynllun rhyfelus
A nytha yng nghiliau'r ymennydd du.
Tawdd y sychau, rhedant i foldiau'r cledd,
Arfau syml o bellter y tir a'i hedd
Ym mheiriau arglwyddi'r drin;
Pladuriau, arnodd ac adain eich aradr lân
Bellach yn gyhyrau dreigiau, y tanciau tân
Ar drothwy yfory blin.

Ni ddaw tangnefedd yn ôl i'r byd nes y daw'r gwladwr yn ôl i'w gynefin: 'Hyd oni ddychwelo at ddoethineb y ddaear fel cynt/O estrondir ei ddialgar hynt', a hyd nes y toddir y cleddyfau yn sychau drachefn:

Pan dynno'r cleddyf o'r cnawd a wingodd,
O'i gwaedlyd wely y bicell fain,
Ffwrneisio'u malurion a'u llyfnu eilwaith
I fwyn oruchwyliaeth ei lain;
Yna dychwelyd i'w heddwch, er dyfned y graith,
A byw yn dangnefedd â byd, mewn gŵyl a gwaith.

Yr ail ran yw uchafbwynt y bryddest mewn gwirionedd. Disgrifiadol yw'r drydedd ran am y gystadleuaeth aredig, ac mae'r bedwaredd ran yn sôn am oes y tractor a'r aredig mwy effeithiol a llai blinderus. Mae'n anodd deall beth yn union sydd gan y bardd dan sylw yn y rhan olaf. Mae'n sicr iddo ramantu caledwaith yr aradrwr yn ormodol yn y gerdd, ac yn hytrach na diolch i'r drefn fod cynnydd a champ technoleg wedi hwyluso gwaith y llafurwr, mae'n ymddangos mai condemnio hynny a wna. Yn sicr, fe aeth oes ac fe ddaeth oes, a daeth y tractor i ddisodli'r ceffyl gwedd:

Oddi ar yr hytir pylodd gwawr gogoniant
A chilio o ddisgleirdeb llyfn ei wedd.
Gynt lle serennai carn daeth rhuthr olwynion
Peiriannydd ar ei sedd.

Eistedd ar ben tractor a wna'r amaethwr mwyach, nid cerdded y ddaear, ac o'r herwydd fe ddaeth y peiriant rhyngddo a'r pridd:

Yntau, na rydd ei droed yn ffresni'r priddlawr,
Ni ŵyr ar ei ergydiog lwyfan fry
Esmwyth ymildio tir i'r aradr firain
A sigl ei deuddwrn hi.

Ni ddaeth i feddwl y bardd, mae'n ymddangos, fod y ffaith y gellid bellach drin y tir yn hwylusach ac yn fwy proffidiol yn fwy tebygol o dynnu plant y wlad o'r ddinas yn ôl i'w cynefin nag y byddai cadw at yr hen ddulliau araf ac anhylaw o amaethu. 'Dieithr wareiddiad a dramwya'r meysydd' bellach, meddai'r bardd, ond byddai hynny'n well na gadael cefn-gwlad i ddirywio a marw. Ond er pob gwendid, yr oedd 'Yr Aradr' J. M. Edwards yn sicr yn haeddu'r Goron.

Bardd y Gweunydd yn y gystadleuaeth oedd Gwilym Morris, Penydarren, a lluniodd gerdd *vers libre*. 'Y mae'n ganadwy yn ei law, a dyma gamp go fawr,' meddai Dyfnallt amdano.[34] Canodd yntau hefyd am y rhyfel a oedd yn anrheithio Ewrop ar y pryd, ac am y modd y trowyd y sychau'n gleddyfau:

> Clywaist ffarwel olaf y byddinoedd ar y ffyrdd
> A'r ochain yn y ffosydd
> A chadlef newydd
> O drum ac o draeth,
> Drygfyd i drueiniaid
> Gwae
> Ac alaeth hyd fedd!
>
> Torraist gŵys ar ôl cŵys,
> Cŵys ar ôl cŵys
> A'r canrifoedd yn griddfan
> A'r heuwr yn gwaedu.
> Y llaw a unionai'r gŵys
> A chwifiodd gledd
> A phentyrru celanedd ar gelanedd
> Gan ruddo'r erwau â gwaed eu rheibwyr.
>
> Daeth ufel o efeiliau
> Grym Fwlcan i fraich bythynwyr,
> A sŵn yr angau yn sain yr eingion
> A gwaedd am ddurwisg
> A tharian Achael
> I fro'r adwyth a'r loes.

Ac ym mhryddest ail-orau Gwilym Morris, fel yn y bryddest orau, rhagwelir y bydd dyn yn gorfod troi'r cleddyf yn swch drachefn, oherwydd bod yr angen i fwydo'r ddynoliaeth yn gryfach greddf na rhyfela a lladd:

> Mwyach nid oes a'th etyl ar dy daith,
> Gwêl rhaid dyn na ddaw rhwd ar gylltyrau.
> Daw haen gancrog

I ddifa deufin y cleddyfau,
Meglir traed catrodau
Gan ddawns gynddeiriog y dail,
A gwtero'r byd â beddau
A fed ar domennydd y diawl.

Ataliwyd y Goron yn Eisteddfod Rhosllannerchrugog ym 1945, pan osodwyd dau destun: 'Bara' a 'Coed Celyddon'. Er i gynifer â 25 gystadlu, isel oedd y safon yn ôl y beirniaid, T. Eirug Davies, Iorwerth C. Peate a David Jones, ac yr oedd aneglurder mynegiant yn andwyo pob un o'r cerddi gorau. Yn wir, 'roedd Iorwerth Peate wedi gwangalonni cyn dechrau ar y dasg o feirniadu'r cerddi:[35]

> Fe'm rhybuddiwyd lawer gwaith gan amryw o gyn-feirniaid pryddestau'r Eisteddfod Genedlaethol fod cerddi rhyfedd i'w cael o flwyddyn i flwyddyn yn y gystadleuaeth hon; ond yn wir os casglwyd ynghyd erioed o'r blaen gynifer o gyfansoddiadau cocosaidd ag a welir yn y dosbarth isaf eleni, mae fy mharch at hir-amynedd fy rhagflaenwyr yn y swydd hon yn ddiderfyn. Awgrymaf i Bwyllgor Llên Cyngor yr Eisteddfod y dylid paratoi cyfrol (ar lun *The Stuffed Owl*) o "farddoniaeth" anfuddugol yr Eisteddfod Genedlaethol (gyda darnau o waith rhai buddugwyr hefyd). Fe geid cyfraniad sylweddol i'r gyfrol o'r gystadleuaeth hon eleni.

Canodd deunaw o'r pryddestwyr ar y testun 'Bara' a'r gweddill ar 'Coed Celyddon'. Dau o feirdd gorau'r gystadleuaeth gan y beirniaid oedd G. J. Roberts a Dilys Cadwaladr. Un arall o'r goreuon aflwyddiannus oedd G. Gerallt Davies, bardd angof erbyn heddiw, ac awdur *Yn Ieuenctid y Dydd* (1941), *Y Dwyrain a Cherddi Eraill* (1945), a'r gyfrol a gyhoeddwyd ar ôl ei farwolaeth, *Yr Ysgub Olaf* (1971). Cyhoeddwyd ei bryddest anfuddugol yn *Y Dwyrain a Cherddi Eraill*.

Mae'n ddiddorol sylwi fod dwy o'r pryddestau gorau yn Eisteddfod Rhosllannerchrugog yn trafod y Rhyfel. Canodd Dilys Cadwaladr ('Bara') am un o drigolion y Ffrainc ddarostyngedig yn cynnig ei wasanaeth i'r Almaenwyr am ychydig o fara i dorri ei newyn:

Ond wedi nosi fe ddaeth Gwas y byd –
 Gwelais ei wên a'r fidog ar ei wn.
'Roedd lleisiau bloesg yn gyrru'r nos o'r stryd,
 Ond fe ddaeth bara i fwrdd y tyddyn hwn.

Ni fynnwn gofio dim am awr y prynu,
 Nac am yr hyn a fu pan alwodd ef.
Fy nhâl oedd gweld y pethau a fu'n rhynnu
 Yn codi dwylo eto tua'r nef . . .

Torthau y Temtiwr ydynt – bara gosod
 Y temlau halog – heb eu hau na'u medi;
Cynhaeaf diffrwyth rhyw annhymig sorod,
 Briwfwyd a daflodd Satan o'i bocedi.

Ond pryddest ryfeddol o hen-ffasiwn o ran geirfa a mynegiant yw hon.

Milwr yr Oesoedd, a rhyfel drwy'r oesoedd, a geir ym mhryddest G. J. Roberts. Yr Ail Ryfel Byd oedd y Coed Celyddon cyfoes, a natur ryfelgar dyn drwy'r canrifoedd yw thema'r gerdd. Cyfoesodd y chwedl wreiddiol:

Pedair canrif ar ddeg yn troi yn eu holau
Dros lwybrau amser.
A phererindota at fedd Gwenddolau
Yn ôl eu harfer . . .

Neithiwr fe'ch gwelais yn dod fel cynt,
Cysgod wrth gysgod ar ddistaw hynt;
Dod yn lladradaidd o feddau pell
A llercian fel arfer wrth ffenestr fy nghell,
Lloffa yng nghoffrau eich creiriau llwydion
A bodio breuder eich hen freuddwydion.

Mud eich gorymdaith ar loriau'r nos,
Mud megis gorthrwm y niwl ar y rhos,
Ni chyffroir y sguthan o glwyd ei chainc
Pan lithrwch fel heno o feddau Ffrainc
A chyrchu anheddau'r canrifoedd tawel
Nad edwyn wylo ond wylo'r awel.

Digon cyffredin, fodd bynnag, oedd y naill bryddest fel y llall, ac 'roedd dyfarniad swyddogol y beirniaid yn hollol gywir.

Rhoddwyd dau destun eto yn Aberpennar ym 1946, 'Yr Arloeswr' a 'Preiddiau Annwn'. Derbyniwyd 23 o bryddestau, ugain pryddest ar y testun 'Yr Arloeswr' a thair ar y testun arall. Gwahanol oedd barn T. J. Morgan i farn Iorwerth Peate flwyddyn ynghynt:[36]

> Hwyrach mai fy niffyg profiad i a bair imi ddweud hyn, ond yn wahanol i lawer o'm rhagflaenwyr yng nghystadleuaeth y bryddest, rhaid imi ddatgan fy syndod at safon y cynhyrchion. A chaniatáu fod pryddestau arobryn y pymtheng mlynedd diwethaf yn safon i farnu wrthi, mentraf ddweud fod pedair o leiaf o'r tair ar hugain yn haeddu coron eisteddfodol . . . Yn wir, y mae llawer yn yr ail ddosbarth yn dangos medrusrwydd mawr a bod ganddynt feistrolaeth ar grefft hyd yn oed os na chafwyd dim tebyg i welediad pryddol y tro hwn.

'Am bryddestau'r dosbarth cyntaf nid oes gennyf ond cryn ganmoliaeth a synnu at safon dda cynifer o gerddi yn yr un gystadleuaeth,' meddai J. M. Edwards, gan gytuno â T. J. Morgan.[37] Y tri bardd uchaf yn y gystadleuaeth gan y tri beirniad, T. J. Morgan, J. M. Edwards a William Morris, oedd Tom Parry-Jones (*Agorwch y Pyrth*), a ddewisodd ganu ar 'Preiddiau Annwn', Dafydd Jones, Ffair Rhos (*Y Bryn Glas*), prifardd coronog Eisteddfod Aberafan ym 1966, a Rhydwen Williams (*Llef*). Cystadleuydd arall a oedd yn uchel gan y tri beirniad oedd *Elwy*, sef James Kitchener Davies.

Pryddest Rhydwen Williams a ddyfarnwyd yn orau gan y tri. Yn ôl T. J. Morgan, '[b]ardd cymharol ifanc yw'r awdur, yn feiddgar ei feddwl, a'i eirfa'n mentro ymhellach dros nyth traddodiad er mwyn cyrraedd termau a ffigurau i gyfleu ei syniadau modernaidd'.[38] Yr oedd elfen o'r grotésg yn y bryddest, ond 'roedd hynny, ym marn T. J. Morgan, 'yn rhan hanfodol o idiom farddonol yr oes hon'.[39] 'Nid oes amheuaeth am ddawn a dychymyg y bardd,' meddai, 'os derbynnir ei idiom o draethu; a hyd yn oed os yw'r pwnc yn ormod i'w arddull, y mae rywfodd yn debyg i ymdrech Islwyn yn *Yr Ystorm* yn ceisio cyfleu ei feddyliau am y cread mewn haniaethau a oedd yn ormod i Gymraeg prydyddol ei gyfnod'.[40] 'Ceir ganddo fywiogrwydd arddull hyderus, ymadroddi cyhyrog iawn, a threiddgarwch meddwl llymach na neb o'i gyd-ymgeiswyr,' meddai J. M. Edwards am y pryddestwr buddugol, gan osod Rhydwen yn gyntaf, Tom Parry-Jones yn ail, a Dafydd Jones yn drydydd.[41] 'Y mae'n fwy o fardd nag *Elwy* [James Kitchener Davies], yn fwy celfydd nag *Agorwch y Pyrth*, yn fwy newydd na'r *Bryn Glas* ac yn braffach meddyliwr na'r cwbl,' meddai William Morris, yntau hefyd yn gosod pryddest Dafydd Jones yn ail.[42] Pryddest ar ffurf sonedau llaes yn null sonedau R. Williams Parry yn y tridegau a sonedau 'Terfysgoedd Daear' Caradog Prichard yw'r bryddest fuddugol, gyda soned reolaidd ar ddechrau pob un o'r tair rhan.

Yr arloeswr ym mhryddest Rhydwen Williams yw Duw, yr arloeswr a greodd fyd a bydysawd. Ar y gwaith arloesol hwnnw y canolbwyntir yn y rhan gyntaf, a cheisir cyfaddawdu rhwng dysgeidiaeth y Beibl a dysg wyddonol:

Gwybu amoeba'r palfu, llechwraidd bryfocio,
anadl-einioes arloeswr yn goglais ei glai,
a droes ei stwff terfynol, o'i brocio a'i brocio,
yn llun a delw tragyfyth fod.

Yn yr ail ran, mae gwaith y Crëwr yn cyrraedd uchafbwynt gyda geni Crist i'r byd, ac mae'r ddelweddaeth a geir yn y soned ganlynol yn enghraifft berffaith o'r idiom newydd y ceisiai Rhydwen Williams ei chreu, ond stroclyd a straenllyd yw'r canlyniad:

Fel gweithiwr a gydia'n ei offer ac eiddgar brofi
hyfrydwch ei grefft, gwn innau ddiddanwch f'awr;
ias arbenigwr a gwefr pencampwr wrth ddofi
y metel berwedig a lif yn argaeau mawr
o ffwrnais nwyd. Cans deunydd crai crëwr yw dyndod,
pridd yng nghynharaf radd proses y Gwyddon hen,
cloch-y-dwfr denau o bibell dewin pob syndod
a droir yn fyd diddarfod. Rhoes fy llun a'm llên
mewn cyfrol o glai, a thechneg fy nghlyfrwch yng ngwead
nofel datblygiad; ar ôl y cymonni maith,
y twtio a'r taclu a phenderfynu dilead,
daeth o wasg yr Ymgnawdoliad y copi perffaith o'm gwaith.

Gwerthais fy nghamp yn rhad i bwy bynnag a gredo –
heuwr yn hau a dyfalu'n bryderus a fedo!

Cerdd Rhydwen Williams, mewn gwirionedd, oedd y bryddest eisteddfodol gyntaf i drafod y posibiliad y gallai'r bom atomig lwyr ddifa'r byd. Yn y drydedd ran mae dyn yn ymyrryd â natur ac yn graddol ddadwneud gwaith Duw'r Arloeswr a'r Crëwr. Yr Arloeswr sy'n llefaru yma:

Undon neu ir laswelltyn, ofered eu ffinio,
a'u galw'n eiddo i ti, mwy na'r cybydd ei god!
A'r temig atomig – ddistadlaf ogof f'ymguddio –
dryllia'r diddorau annedd! Fel Promethews gynt
pan fradodd gyfrinion duw dig, daw iti gystuddio
a phesga fwlturiaid arnat cyn dy gynnig i'r gwynt.
Er chwarae ohonot â'r mellt heb losgi dy fysedd,
disgyblaf â gronyn anorthrech dy gabl a'th rysedd.

Ond mae dyn, wedi iddo lwyddo i ddarganfod cyfrinach yr atom, yn troi'r ddaear yn anghyfannedd unwaith yn rhagor, a rhaid i'r Arloeswr greu dyn a daear o'r newydd. Sylweddola'r Arloeswr iddo greu byd amherffaith y tro cyntaf, gan fod poen a marwolaeth ac amser yn rhan o'r byd hwnnw, ond os crea fyd heb farwolaeth nac amser yn rhan ohono, ni all lladd na dinistrio na rhyfela fod yn rhan o'r byd hwnnw byth, oherwydd nid oes bwrpas i ryfela os nad yw marwolaeth yn bod mwyach. Marwolaeth, wedi'r cyfan, a oedd yn terfysgu'r pererin o ddyn ar y ddaear:

. . . caf ddeffro'n ddireidus â'm hanadl gread cymysglyd
cyn rhoddi i Angau angau, a bedd i fedd
drachefn . . . Caf weld o lafur fy enaid pan af i anwylo,
ar ôl yr arloesi hir, gwaith newydd fy nwylo.

Caf rodio'n hamddenol, bryd hynny, ar hyd glyn cysgod Angau,
'rôl claddu'n ddiseremoni'r sgweiar a gwagio ei blas;
a phrofaf dangnefedd mewn goror lle gynt y bu pangau
marw'n terfysgu pererin, hen etifedd fy nhras.
Bydd Amser, gwas bach yr ystâd, yn rhoi'i gryman i'r ddaear

i rydu dros byth ar ôl torri'r canrifoedd ir;
bydd myrdd yforyau'n wfftio'u morwyndod claear,
a brysio'n eu gofal i eni pob heddiw hir . . .
Caf orffwys yn dawel mewn byd na fedd ond dechreuad,
myfi, yr arloeswr, mor dawel â'r dyn yn y lleuad!

Mae'n rhaid cyfaddef mai pryddest eiriog ac afrwydd ei mynegiant a gafwyd gan Rhydwen, pryddest hollol wahanol i bryddest afieithus a byrlymus 1964.

'Roedd Tom Parry-Jones wedi llunio cerdd neu ddrama *vers libre* cynganeddol, ond yn ei babandod yr oedd y wers rydd gynganeddol ar y pryd, ac mae Tom Parry-Jones yn dilyn arbrofion cynharaf T. Gwynn Jones â'r ffurf, gan dreisio egwyddor yr acen. Meddai T. J. Morgan:[43]

> Y mesur drwodd (ar wahân i gân Orffëws) yw *vers libre*, ond y math hwnnw sydd wedi ei seilio ar y theori y dylai *vers libre* yn Gymraeg gael rhyw ddrych o'r mesurau caethion arno, ac felly gael tinc o'r gynghanedd. Yr ydwyf yn coleddu'r ddamcaniaeth hon fy hunan, ond fy nheimlad yw nad yw'r briodas rhwng y mesur a'r gynghanedd yn un hapus yma, ac mai'r theori sy'n feistres. Nid llwyddo i gael cynghanedd sydd bwysicaf ond bod ffurf rhai o'r llinellau a'u haceniad yn ailgynhyrchu effeithiau aceniad llinellau cynganeddol. Mewn gwirionedd y mae gwthio'r gynghanedd i mewn i bob llinell yn y bryddest hon wedi golygu aberthu rhythm yn bur fynych. Peth arall, meddylier am linell o un sillaf ar ddeg a rhyw draws fantach o gynghanedd rhwng y gyntaf a'r olaf; y mae'r nawsill ddigynghanedd yn llwyr ganslo'r cyffyrddiad cynganeddol bob pen.

'[R]haid oedd chwilio amdani o hyd, a cham-acennu er mwyn rhoi iddi ei gwerth,' meddai J. M. Edwards yntau am y gynghanedd ym mhryddest *Agorwch y Pyrth*, gan ei gyhuddo lên-ladrad dan ei anadl fel petai wrth ddyfynnu'r llinell 'Ar hanner llam wedi'i rewi yna': 'Am y llinell . . . gweler Awdl Hen Golwyn: "Rhewa lli ar hanner llam" '.[44] Dyma'r math o beth a olygai'r beirniaid, o ddyfynnu un darn ar ddechrau'r gerdd:

Ffroena/Cerberws y byw, dyna'r *cyffro unig*.
Dofa/fy ngwyliwr y byw ar ffin *deufyd*,

Hir wylia farwoldeb meidrolion;
Gwyliwch/chwithau fy mhair a'i garcharor o'r *golwg*,
Ac anadl/o'ch gwefus grin yn ei *gynnau*.

Dim ond y drydedd linell sy'n foddhaol yma. Mae'r llinellau eraill yn treisio holl egwyddor y gynghanedd.

Yr arloeswr ym mhryddest Dafydd Jones yw'r tyddynnwr a droes y mynydd-dir gwyllt yn annedd ac yn dir ffrwythlon. 'Roedd y bryddest yn sicr wedi apelio at T. J. Morgan, a roddodd gryn glod iddi:[45]

> Y mae'n anodd osgoi gormodiaith wrth geisio cyfleu fedrused crefftwr yw awdur y cerddi hyn. Y mae ganddo nid yn unig amrywiaeth o fesurau, ond brithir ei gerddi hefyd gan bob cywreinrwydd ac addurn – odlau dwbl, odl gyrch, "cynghanedd sain" yr hen fesurau carolaidd; ac nid rhyw "orchest y beirdd" yw'r gelfyddyd ychwanegol yma.

Yr unig reswm a oedd ganddo, meddai, 'dros beidio â dyfarnu'r cyfansoddiad hwn yn orau yw fod pryddestwr arall wedi ymgyrraedd at uwch nod'.[46]

Bu llawer o'r farn fod Dafydd Jones wedi cael cam. 'Roedd Thomas Parry, er enghraifft, wrth adolygu barddoniaeth yr Eisteddfod ar y radio, yn weddol lawdrwm ar bryddest Rhydwen:[47]

> Gellid efallai sôn mwy nag a wnaeth y beirniaid am wendidau'r bryddest. Y mae gennyf fi'n bersonol ragfarn yn erbyn ebychnodau. Y maent yn frith drwy'r gân hon, fel polion teligraff diwifrau, ac yn llawn mor ddibwrpas. Ond peth bach yw hynny. Pwysicach yw defnyddio geiriau Saesneg fel 'sgalp' a 'chwarae rhôl,' ac ambell air amheus fel 'pererino.' Nid wyf ychwaith yn hoff o bethau fel 'nofel datblygiad,' 'gwasg yr Ymgnawdoliad,' a 'radio tosturi,' 'gwardrob Duw.' Nid wyf yn gweld fod dim gwahaniaeth rhyngddynt a phethau y buom oll yn eu condemnio yng ngwaith beirdd y ganrif ddiwethaf, fel 'nos Sadwrn amser,' 'llong yr Iachawdwriaeth' neu 'fwlch yr argyhoeddiad.'

Nododd rai beiau eraill yn ogystal, ac meddai, gan awgrymu y gallai pryddest *Y Bardd Glas* fod yn well na'r bryddest a wobrwywyd: 'Y gamp yw gweld gogoniant y mân bethau, a dyna pam y mae'r dyfyniadau o gerdd 'Y Bryn Glas' wedi ennill fy ffansi i'.[48]

Cyhoeddwyd pryddest *Y Bryn Glas* ar ôl yr Ŵyl, gyda rhagair gan neb llai na T. J. Morgan. Yn y rhagair hwnnw, mae'n sôn am y cyfyng-gyngor yr oedd ynddo wrth feirniadu'r pryddestau. Nid oedd yn hollol dawel ei feddwl ei fod wedi gwneud y peth iawn, a phoenai fod Dafydd Jones wedi cael cam:[49]

> Pe bai raid, gallwn ofyn i Mr. Tom Parry dystio imi ddatgan fy ofnau wrtho ar faes yr Eisteddfod cyn cyhoeddi cyfrol y *Cyfansoddiadau.* Dywedais y pryd hynny y gallwn deimlo'n fwy pendant fy meddwl ymhen pum mlynedd a oeddem wedi dyfarnu'n gywir, ar ôl gweld ôl traul ychydig flynyddoedd ar y ddwy bryddest a oedd ar y blaen. Arwydd oedd hyn o'm hamhendantrwydd a'm hanesmwythyd. A soniodd un gohebydd eisoes fod gan un o'r tri beirniad fwy o eirda i bryddest anfuddugol nag sydd ganddo i'r fuddugol. Arwydd o'r un peth yw hynny eto, er bod beirniad fel rheol yn ceisio bod yn ddiamheuaeth yn ei feirniadaeth, i'w gyfiawnhau ei hun. Wedi iddi fynd yn rhy ddiweddar y trawodd y syniad i'm pen, sef y dylai fod dwy goron yn Aberpennar.

Rhaid dweud fod pryddest Dafydd Jones yn ddyfeisgar ac yn gywrain o grefftus, a'i mynegiant yn llawer mwy caboledig a llai stroclyd na mynegiant Rhydwen. Mae 'Cân y Tyddyn', er enghraifft, yn cynnwys odlau mewnol dwbwl:

> Do, fe fu llwyr *ysigo*
>   A *brigo* o'r grug drwy'r pridd
> Yn glytwaith o'r *godreon* –
>   Ar *eon* rawd i'r ffridd.
>
> Cans daeth arloeswr *barfog*
>   Yn *arfog* ddewr drwy'r tarth
> A'r niwl, i lunio *hafod*,
>   A *thrafod* brwynog barth.

Ceir arbrawf tebyg mewn cerdd arall ganddo, 'Cân y Plant':

Clywsom yn gynnar am ryw *arloeswr*
  A fu'n *gydoeswr* â'r iwrch a'r hydd –
Yn gorffen llunio ei herber gerrig
  O'r hwyr dileuad i doriad dydd.

Cadwasom ninnau – ei olaf *llinach* –
  Gyfrinach ei lwyddiant o'r braidd yn fyw;
Ond am ein llafur a'n dwys drallodion
  Bellach ni sieryd y gweryd gwyw.

Ac fe wnaeth y bardd ddefnydd helaeth o'r gynghanedd yn y bryddest. Yn y pen draw, dewis ydoedd rhwng bardd a amcanai at newydd-deb o ran deunydd a mynegiant, er iddo fethu yn aml, a bardd a amcanai at fynegiant mwy telynegol a chrefftus gywrain, ond mwy treuliedig ei ddeunydd.

Gosodwyd dau destun i'r beirdd yng nghystadleuaeth y Goron ym Mae Colwyn, 1947, 'Jonah' neu 'Glyn y Groes (Egwestl)'. Coronwyd bardd newydd sbon, G. J. Roberts, wedi iddo ddod yn agos am y Goron ym 1945; ar y llaw arall, mae'n ddiddorol sylwi mai *AP* yn y gystadleuaeth oedd prifardd coronog 1946, Rhydwen Williams, ac un o'r tri ar ddeg a ddewisodd 'Jonah' yn destun. Ni chafodd feirniadaeth dda er i'r beirniaid gydnabod fod ganddo ddawn. Tri yn unig a ddewisodd y testun arall. Cystadleuaeth wan a gafwyd ym 1947, a bu'n rhaid i'r beirniaid, Thomas Parry, Wil Ifan a Gwilym R. Jones, grafu am deilyngdod. 'Nid yw'r bryddest yn farddoniaeth aeddfed, orffenedig, nac yn gampwaith,' meddai Thomas Parry, ac fe geryddwyd y pryddestwr buddugol gan y tri beirniad am ddefnyddio geiriau a oedd wedi hen farw yn yr iaith ac am fod yn aneglur ei fynegiant.[50] Yn wir, yn ôl Thomas Parry, fe ddefnyddiodd Griffith John Roberts ambell air 'heb fod yn gwbl sicr o'i ystyr'.[51]

Drwy'r bryddest fe geir defnyddio berfenwau nes bod y ddyfais yn troi'n undonedd merfaidd gan gadw'r canu yn statig-ddigyffro ar yr un pryd:

Dyfod Duw i loetran i Bowys Fadog
  A gwario ei amser yng Nglyn y Groes,
Dod â chwr o'i baradwys i gesail goediog
  A'i hawlio'n dreftad weddill Ei oes;

Codi mur Ei abaty ar lan Eglwyseg
  A sincio'i rwndwal i'w doldir glas,
A chynnwys Ei Fair i anwesu ei chysteg
  A llosgi ei channwyll yn oriau'r clas;
Clywed acen Ei enw ym mhader abadau
A dotio ar ddefosiwn eu hordinhadau.

Fel y dywedodd Gwilym R. Jones:[52]

> . . . teimlaf fod *Bened* yntau yn ddiffygiol fel crefftwr. Pentyrra ciriau fel "breyr," "arras," "murnio," "heusor," etc., nad oes ddichon iddynt gyfleu dim i'r darllenydd anacademig, a chymysga eiriau ac ymadroddion o idiom ddiweddarach â'r hen eiriau yma. Enghreifftiau o hyn yw "rhiglo'i wal," "dirwestu ei chwant," "sincio'i rwndwal", "pac," "dotio," "crymowta," "lapiodd," a "mwc-lys." Nid ydynt yn ieuo'n dda ag "alb," "amis," "cysteg," a "brisg."

Derbyniad gwael a gafodd pryddest Griffith John Roberts. Defnyddiwyd y bryddest fuddugol i dynnu sylw at wendidau canu pryddestol y cyfnod yn gyffredinol. Ond nid ar y pryddestwyr yr oedd y bai yn aml. 'Roedd testun fel 'Jonah' yn bwrw'r bryddest yn ôl i ddiwedd y bedwaredd ganrif ar bymtheg a dechrau'r ugeinfed ganrif, a'r testun arall, fel un o destun-au'r Gadair ym Mae Colwyn, 'Maelgwn Gwynedd', yn dirwyn yn ôl i'r Canol Oesoedd.

Testun y bryddest ym 1948 oedd 'O'r Dwyrain', ac fe wobrwywyd cerdd *vers libre* cynganeddol am y tro cyntaf yn hanes y Goron, gan wireddu un o ofnau mawr rhai beirniaid yn y cyfnod. Flwyddyn ynghynt ym Mae Colwyn, fe fynegodd Wil Ifan gryn dipyn o bryder ynglŷn â'r cyfrwng newydd hwn:[53]

> Mae ein "canu rhydd" drwy'r blynyddoedd wedi arfer cynnwys ambell gyffyrddiad o gynghanedd, ond beth a ddywedir am linell ar ôl llinell o gynghanedd gyflawn? Y mae gennym un cystadleu-ydd eleni a phob llinell o'i eiddo yn gynganeddol, er nad yw'n defnyddio mesurau'r Awdl. Fel y cofiwch, mewn Eisteddfod Gen-edlaethol beth amser yn ôl, fe ddyfarnwyd cerdd debyg o ran ei saernïaeth yn Awdl y Gadair ['Magdalen', Gwyndaf, Caernarfon

> 1935], ac ychydig cyn hynny fe gadeiriwyd cerdd arall ar fesur Tri Thrawiad lle na chynganeddwyd pob llinell yn y pennill ['I'r Duw nid Adwaenir', Cynan, Pont-y-pŵl 1924]. Onid oes perygl i'r Awdl a'r Bryddest redeg i'w gilydd?

Daeth 19 o bryddestau i law'r beirniaid, ac yn ôl Crwys, 'roedd yn gystadleuaeth ardderchog gyda phump o leiaf yn deilwng o'r Goron.

Euros Bowen a enillodd Goron Pen-y-Bont. 'Roedd ei frawd, Geraint Bowen, wedi ennill y Gadair yn Aberpennar ym 1946. Newydd ddechrau barddoni ym 1947 yr oedd Euros Bowen, ac mae ôl llaw prentis ar y gerdd yn aml. Mae ynddi hefyd adleisiau o waith beirdd eraill, er mai Euros Bowen ei hun fyddai'r cyntaf i wadu hynny. 'Nid wyf i'n ystyried ei bryddest yn gampwaith boddhaol,' meddai Saunders Lewis, un o'r beirniaid; ac ymhellach: 'Y mae rhannau canol y gerdd yn weinion yn ôl fy marn i, yn llac ac yn ddiafael a'r ansoddeiriau'n ddiddarlun'.[54] Cytunodd T. Eurig Davies: 'Er bod yn y caniad hwn [y trydydd] lawer o hoen ymadroddi da, nid yw mor gryno'i ergyd â'r ddau o'i flaen, na'r ystyr cyn gliried, a theimlaf hefyd nad yw lawn mor destunol'.[55] Canmol y gerdd a wnaeth Crwys, fodd bynnag: 'Cerdd aruchel, gwaith artist yn wir. Y cyfan mewn cynghanedd ystwyth gyda golud o ddrychfeddyliau a disgrifiadau digymar'.[56] Ac eto:[57]

> Y mae awen fel hon yn diarfogi beirniad, ac yn ei gario ymaith megis â llifeiriant. Y mae yma fwy na chynghanedd, mwy na syniadau, a mwy na rheolau – y rhywbeth hwnnw sydd yn fwy na'r cwbl ac yn parchu a chynnwys y cwbl yr un pryd.

Efallai fod y beirniaid, Crwys yn enwedig, wedi canmol gormod. Mae arddull y bryddest yn aml yn sefyll fel gwahanfur anhydraidd rhwng y darllenydd a mater ac ystyr y gerdd ei hun. Chwithig a chlogyrnaidd yw'r agoriad, ac mae'r llinell gyntaf un yn amhersain ryfeddol:

> A gwenlloer ar wib ar hyd gwynllawr yr wybr
> yn gyrru i'w lluest tua'r gorllewin,
> deuai hyd oror o du y dwyrain
> herodlu clau y pelydr goleuni.

Mae'r haul yn symbol o ddaioni bywyd yn y bryddest. Mae'n bŵer adfywiol sy'n cynnal bywyd. Disgrifir yr haul fel brenin yn dychwelyd i'w deyrnas.

> Y gwyll i'w encil pell a giliodd
> yrhawg, ac ymwêl dirfawr gymylau
> o erchyll wedd, megis meirch llwyd,
> o foel geyrydd hen fynyddoedd,
> a rhag mawrhydi ymddofi o ddyfod
> cerbyd rhudd y wawrddydd erddynt,
> yn hywaith barod wrth byrth y bore,
> wedi noswyl, yn disgwyl y dydd . . .
>
> Yntau'r haul a ddôi i'w hynt, a'i radd
> fel eneiniog, o'i flaen yn annos
> gwastrodedig syberwyd digoll,
> annog awenau ei hen ogoniant
> i gyrchu ei olud i gyrrau'r uchelion.

Mae'r haul hwn, rhannwr daioni, yn bendithio'i ddeiliaid, sef popeth o fewn byd natur yn gyffredinol yn ogystal â'r ddynoliaeth, a cheir drwy'r rhannau agoriadol un ddelwedd estynedig o'r haul yn holl rwysg ac ysblander ei frenhiniaeth yn rhannu'i fendithion a'i oludoedd:

> Y rhedyn a'r llus a wêl ei rasusau,
> a brigau'r pinwydd a'r ffawydd ei ffordd;
> daw ei riniau i'r bedw a'r onnen,
> a bodd o'i drem a wybydd y draen;
> nerth ei wialen ddiwarth a welir
> ar ywen y llan a grawn y llwyni,
> ei deyrnwialen ar dderwen y ddôl . . .
>
> Anwylo y gwaith a wnelo gwŷr –
> eu prysur lafur a'i elw hefyd –
> y doeth a gâr fendith gwaith!
> Rhoddi heb wg ar wedd y bugail
> arwydd y mwyniant a'r iraidd amynedd . . .

Yn gyferbyniol i'r daioni yn y cread fe geir drygioni, ac fe gyflwynir y drygioni hwnnw, yr elfen ddinistriol yn y cread ac ym mywydau dynion, ar lun bwystfil. Cyflwr y ddaear a chyflwr y ddynoliaeth cyn y wawr o'r dwyrain a gyflwynir yn ail ran y bryddest, y cyfnod pan oedd y ddaear yng ngafael y galluoedd dinistriol:

Daethai i'w rawd fel dieithr rith
o du y dwyrain, ac oedi o'i herwa
yn flin greadur wedi syrffed anturiau,
a lludw'r drin yn llwyd ar ei drem . . .

Gwelsai aneirif lu'r canrifoedd
ei nod engur ar eu llafur a'u llwydd
ac ôl ei anrhaith ar eu talaith a'u teulu,
a chlywsai olyniaeth y cenedlaethau
yng nghynneddf eu cân ac yn neddf eu cŵyn
ei draha'n gord ar droeon y gerdd . . .

Ei ru yn oer fel ei erwin wg,
dychryn ydyw uwch oernadau,
megis cerdded diarbed milwrus dorf
ac ysglein ei dig a'i sgil yn dân,
neu ymlid lori ar ôl lori ar hyd lôn
a reiat llid yn eu rhowtiau llawn,
megis grŵn awyrblan ar awyrblan yn eu rhawd
a blys gwaed yn blasu y gŵyn,
megis taro bomio bâr
na phaid ei doll na phe dôi diawl,
megis sirenadau seirennau rhwth
a modd eu chwedl fel y meddw chwil . . .

O'r dwyrain y daeth y doethion i Jerwsalem i dalu gwrogaeth i'r baban Crist, a daeth Crist ei hun i'r ddaear i fod yn oleuni fel yr haul ym mywydau dynion ac yn wrthbwynt i anwareidd-dra a drygioni. Mae geni a dadeni yn thema gref ac amlwg yn 'O'r Dwyrain', a rhaid cofio mai newydd ddechrau barddoni yr oedd Euros Bowen ar y pryd, adeg gaeaf gerwin Chwefror a Mawrth 1947. Fel y dywedodd ef ei hun:[58]

> . . . gwnaeth yr heth yma yn 1947 imi deimlo'n agos at natur. Doeddwn i ddim wedi profi'r peth o'r blaen, gweld mor ddibynnol oeddem ar elfennau natur. A'r peth elfennaidd yma na ellid hwyrach fod wedi ei brofi mewn tref fel y gwneid yng nghefn gwlad, mae'r peth wedi aros yn rym yn y dychymyg i mi. Felly pan es ati i lunio'r gerdd "O'r Dwyrain" elfennau natur a roddodd imi'r delweddau wrth gynllunio'r gwaith – yr haul, y dwyreinwynt a fu mor egr yn ystod heth 1947, y lleuad a'r sêr, ac wrth gwrs gwmpasoedd byd natur yn y plwy lle roeddwn yn byw.

Mewn gwirionedd, fe roddodd heth 1947 ddwy bryddest olynol i'r Eisteddfod, gan mai yn ystod y cyfnod hwnnw o eira mawr a thywydd gerwin y lluniodd G. J. Roberts bryddest 1947 yn ogystal, ac yntau wedi cael ei gaethiwo yn y tŷ am wythnosau.

Mae'r rhan am y nos yn y gerdd yn gyfystyr â'r nos yn enaid y bardd ei hun, cyn ei eni'n Gristion, ac wedyn yn fardd:

> Ar ddu nos y cerddwn i
> yn drist ac ofer, nes gweled seren
> a rôi olau cu ar oriel y cof
> a oedd megis cerdd amryw angerdd hen,
> canys gwelwn y dwthwn da
> y daeth y doethion dewrion o'r dwyrain . . .

Mae'r seren hon yn ei atgoffa am seren Bethlehem, a gwêl y doethion yn ymweld â Mair a'i phlentyn yn ei ddychymyg:

> Yn ogo'r llety hir synnu y sydd
> am rad diogel, a rhyfeddu o weled
> rhoi i forwyn daer fawrhau ein Duw,
> a rhoi i'r isel gario yr Iesu;
> arddel i Mair ddelw y Mawredd.

Yn rhan olaf y gerdd, dychmyga'r bardd weld y goleuni a ddaeth gyda Christ i'r byd yn ysgubo drwy Gymru, gan ymweld â gwahanol fannau a gwahanol unigolion drwy'r canrifoedd, a sylweddola'r bardd ei fod yntau hefyd yn rhan o draddodiad clasurol a Christnogol Cymru. Mae goleuni

Crist yn ymweld â Dewi Sant ym Mynyw ac yn bendithio'i wenyn yno, yn ymweld â'r merthyr John Penry yn Ystrad Tywi a Chefn Brith, â'r Ficer Prichard yn Llanymddyfri, â Phantycelyn, â Henry Richard ym Merthyr Tudful a Thregaron, ac ag Emrys ap Iwan yn ei gartref yn y Rhewl, Sir Ddinbych:

Daw ef ar dro i'n bro â braint
i Mynyw, ei ennaint i emynau yno,
a rhoi ynni Duw ar wenyn Dewi
i hel i grwybr â manwl gribyn;
a bydd desgant cwfenoedd ar fantau:
"Gweddi a mawl yn dragywydd mwy." . . .

Daw a diwel ar Bant-y-celyn
wlith ei fendith, a'r gân a fydd
fel barrug ar gae yng ngwres cynhaeaf
a niwl a aeddfedo'r oleddfa ydau;
a bydd desgant maddeuant ar fantau:
'Gwyddom y modd yn dragywydd mwy."

Cerdd am ddadeni'r goleuni ysbrydol a'r galluoedd daious yw 'O'r Dwyrain', a'r goleuni hwn yn trechu'r galluoedd dinistriol sy'n y cread. Er bod iddi feddylwaith cadarn, mae'r gynghanedd yn anhyblyg ar dro, a cheir llawer gormod o eiriau hynafol ynddi, fel 'engur', 'marwerydd'. 'chwyl', ac yn y blaen. Mae'r gystrawen ar brydiau yn gymhleth iawn, a cheir ynddi ymadroddion Mabinogaidd fel 'erchi nawdd' ac ieithwedd ramantaidd fel 'ysgawn' a 'sud'. Anodd deall pam na cheir treiglo yn y llinellau 'arddel i Mair ddelw y Mawredd' ac 'i Mynyw, ei ennaint i emynau yno'. Ceir sawl adlais ynddi, er enghraifft mae '[c]erbyd rhudd y wawrddydd' gyda 'gwawl ei olwynion' yn dod â llinellau Milton yn *Comus* i'r cof:

And the gilded car of day
His glowing axle doth allay
In the steep Atlantic stream.

Ar y llaw arall, fe sylweddolodd Euros Bowen, yn wahanol i Tom Parry-Jones ym 1946, fod yn rhaid i gynghanedd y *vers libre* ddilyn yr un egwyddor â'r gynghanedd yn y mesurau caeth, a bod rhaid i'r llinell fod yn undod llawn o ran aceniad, rhithm a chyfatebiaeth, yn hytrach na bod y gyfatebiaeth a'r acen ymhell bell oddi wrth ei gilydd, gyda rhesi hir o eiriau digyswllt a digyfatebiaeth rhyngddynt.

Gosodwyd pryddest gan Elwyn Evans, mab Wil Ifan, yn ail i bryddest Euros ym 1948. '[R]haid gosod cân fel hon ymysg y rhai yr erys eu gwerth, pa un a enillant y goron ai peidio,' meddai Crwys am y gân 'ardderchog' hon, a ddisgrifiwyd ganddo hefyd fel cerdd '[f]eiddgar a chyffrous'.[59] Canmolwyd y bryddest gan Saunders Lewis yn ogystal: 'Defnyddia hwn iaith, fel llenor disgybledig, yn syml ac yn rymus. Mae ei bryddest yn gyfanwaith'.[60] Teimlai hefyd 'fod y bardd dan orfod i'w sgrifennu hi,' ac mai '[d]amwain yw ei fod yn cystadlu' oblegid 'rhoi trefn ar ei brofiad ac ar ei fywyd y mae ef yn ei bryddest'.[61] Yr unig beth a wnaeth i Saunders Lewis betruso yn ei chylch oedd y 'teimlad mai dawn nofelydd neu storïwr yn hytrach na dawn arbennig bardd sy gan *Fab y Bryn*'.[62] Fe'i canmolwyd gan T. Eirug Davies yntau.

I Elwyn Evans y dylid bod wedi rhoi'r Goron. Coroni prentiswaith a wnaed ym Mhen-y-bont yn hytrach na choroni cerdd aeddfed, brofiadus. Mae pryddest Elwyn Evans yn onest, yn llawn o ddilysrwydd profiad, yn ddisgrifiadol wych, ac yn gelfydd o grefftus. Seiliodd ei bryddest ar ei brofiadau fel milwr yn y Dwyrain Canol yn ystod yr Ail Ryfel Byd. Yn y bryddest mae'n myfyrio ar y profiadau hynny wrth hedfan ar ei ffordd yn ôl i Gymru. Mae'r agoriad yn wych ac yn amheuthun o newydd, a'r gynghanedd achlysurol yn asio'r cyfan ynghyd, fel yn y drydedd a'r bedwaredd linell yn y dyfyniad a ganlyn:

> Oddi tanaf mae'r Dwyrain Agos
> Ar led fel un o garpedi Ispahân:
> Trefi bwaog a diog bentyrrau o dywod
> Ac afon a chaeau a phyramidiau a'r môr
> Yn cyd-flodeuo'n un patrwm perffaith,
> A chywrain fel y patrwm ar wal y mosc
> A gymhlethwyd o lythrennau'r adnod sancteiddiaf
> Yn y Sanctaidd Gorân.

Mae'n cael ei rwygo gan euogrwydd wrth ddychwelyd 'at yr un a fu'n fy aros cyd':

Patrwm sy oddi tanaf, tryblith ynof.
Mae wyneb gwelw a llygaid mawr
Yr un a gofleidiais neithiwr,
Mae blas ei gwefusau a'i thafod ac ymchwydd ei bronnau,
Mae poethder a noethder y cnawd a doddai'n fy mreichiau
Cyn inni godi'n pennau trwm a gweld goleuadau pell
Llongau anwel y Môr Canoldir yn gymysg â'r pellaf sêr –
Mae hyn i gyd
Rhyngof a'm doe a'm hyfory hefyd.

Cofia am y cyfeillion o filwyr a adawodd ar ôl:

Maen-nhw'n gorwedd 'nawr, fy nghyfeillion,
Yn y gwacter di-lwybr,
Dau wacach nag o'r blaen,
Heb sŵn ond sŵn yr achlysurol wynt
I ysgafnu baich annioddefol
Y distawrwydd byw
Sy'n swatio'n anifeilaidd dros eu beddau unig.

Ac mae'n eu coffáu mewn cwpledi decsill cynganeddol:

Mae ifanc Sais a gerais yn gorwedd
Dan fôr o dywod mewn dinod annedd.

Mae'n ddieithr-ddwys ond ni all orffwyso:
Enaid aflonydd, beth sy'n dy flino?

Ai dy rwygo yn ŵr dwy ar hugain
O'r deg fro y'th aned a'i merched main?

Sefais yn fodlon dros wlad fy nhadau
Yn y rhengoedd, gan sialensio'r Angau.

Wel paham na chysgi wedi'r adwyth,
Di, aelod di-glod o'r trancedig lwyth?

Am fynd o'm cyfeillion a'u tirionwch
Adre yn ôl o wlad yr anialwch.

Mwy ni'm henwir lle chwythir llwch weithian
Ar hyd y rhesi mud o groesau mân . . .

Mae'r gerdd yn gignoeth o onest mewn mannau. Mae un rhan yn trafod perthynas hoyw rhwng y milwyr, y tro cyntaf i berthynas o fath gael ei thrafod mewn pryddest oddi ar i E. Prosser Rhys ysgwyd y byd llenyddol yng Nghymru i'w seiliau ym Mhont-y-pŵl ym 1924:

Ond gwn fod chwant yn brigo a blodeuo
Mewn ugeiniau o welyau gyda'r nos –
Gwelyau gwŷr mewn gwlad tu hwnt i gariad gwragedd –
A phob gŵr wedi ei faglu'n dynn
Yng ngheinciau disglair, diffrwyth
Ei ddychymyg dyrys ei hun rhwng cwsg ac effro.

Yn fy aflendid daliwn afael
Ar bob rhyw lendid prin, a nesu yn fy mhydredd
At bawb a oedd yn iach.
Cofiaf amdano
A welais gyntaf yn sefyll yn nrws fy mhabell
A'r haul yn taro ar wenith ei wallt
Ac yn taflu disgleirdeb o gwmpas ei ben.
Cu iawn fu ef gennym ni,
Y milwr wrth ei broffes,
A'i wedd a'i swagro ifanc a'i garedigrwydd
Yn achosi rhyw nerth a chysur.

Mae'r gerdd yn diweddu'n wych. Mae tri bellach yn sefyll rhyngddo a'i ddyweddi, tri sydd wedi gadael argraff arno am byth a thri na all byth eu hanghofio, y milwr o Sais a garodd ac a gladdwyd dan dywod Libya, y milwr eurwallt a fu'n gysur i'r milwyr eraill, a'i gariadferch o Arabes:

Myfi a ymddieithrodd, myfi. Yr ifanc Sais
Dan donnau tywod Libya:

Annichon i'm hanwyliaid yw'r pang
A wanodd fy enaid wrth ei adael ef.
Y milwr amrwd, euraid:
Pwy fyth a gawn i'w weld
Fel y safai yn nrws fy mhabell
Pan ymlusgasai llwch a llygredd
Ar draws ein dyddiau?
Fy masw Arabes ddiomedd, anllad, gain:
Pa ddyweddi nas ffieiddiai
Neu a faddeuai
Iddi hithau ac i minnau'r fath gymundeb?
Tonnau sy oddi tanaf a minnau'n tynnu
At rai a adnabu fy noe.
Ond y mae'r tri'n tywyllu'r haul
Â rhwygol atgofion
Na fedraf eu hadrodd.
Patrwm sy oddi tanaf a thryblith ynof.
Mae'r tri yn sefyll rhyngof
A'm doe, a rhyngof fi a'm hyfory hefyd.

Dyma un bryddestau gorau hanner cyntaf yr ugeinfed ganrif, ac 'roedd greddf Saunders Lewis yn iawn pan wobrwyodd gerdd Elwyn Evans yng nghystadleuaeth y gerdd *vers libre* yn Llandybïe ym 1944.

'Meirionnydd' oedd y testun yn Nolgellau ym 1949, gyda 13 yn unig yn cystadlu. Enillwyd y Goron gan J. T. Jones, John Eilian, a enillodd y Gadair ym 1947. Yr ail, yn ôl dau o'r beirniaid, Gwenallt a William Morris, oedd Elwyn Evans unwaith yn rhagor. Fe'i gosodwyd yn drydydd gan Iorwerth C. Peate, a osododd bryddest hen-ffasiwn ac ystrydebol gan T. E. Nicholas yn ail. Canmolwyd y bryddest fuddugol yn hael gan y tri beirniad. 'Roedd y gerdd yn undod yn ôl Gwenallt. 'Deil i'w darllen, oherwydd tyfodd y geiriau a'r brawddegau'n brydferth o'r myfyrio awenyddol a roes fod iddynt,' meddai William Morris.[63] 'Anaml, ysywaeth, y daw cerddi mawrion bellach o gystadlu eisteddfodol,' meddai Iorwerth Peate, yn ochelgar, ac fe adleisiodd bryder Wil Ifan ddwy flynedd ynghynt:[64]

Cyfyd cystadleuaeth y goron yn y blynyddoedd diwethaf hyn broblem bwysig. Gwobrwywyd cyn hyn 'bryddest' gwbl gyngan-

> eddol ac y mae yn y gystadleuaeth eleni o leiaf un debyg iddi. Ni chredaf fy hun mai dyna bwrpas cystadleuaeth y bryddest a dichon y daw'r dydd yn fuan, oni phrotestia'r beirniaid, pan na bydd unrhyw wahaniaeth o bwys rhwng cystadleuaethau'r gadair a'r goron. Y mae yn y gystadleuaeth hon eleni un gerdd o'r math a wobrwywyd cyn hyn â *chadair* yr Eisteddfod Genedlaethol. Os yw hyn i'w gymeradwyo, dilëer un o'r ddwy gystadleuaeth. Cyhyd ag y rhodder coron am bryddest, ni ddisgwyliaf i gerdd wedi'i chynganeddu trwyddi'n fwriadol.

Fodd bynnag, ei siomi ar yr ochor orau a gafodd Iorwerth Peate. 'Y mae'n gynnil ei chelfyddyd, yn hael ei hawen, yn gyfoethog ei Chymraeg ac yn sicr ei hymadrodd,' meddai am y bryddest fuddugol.[65] Rhoddid y Goron i J. T. Jones, meddai, 'am gerdd sy'n glod iddo ef ac i Eisteddfod Dolgellau, a cherdd a'm bodlonodd i'n fwy nag a wnaeth unrhyw bryddest ers blynyddoedd'.[66]

Pryddest ar yr un mesur drwyddi draw yw 'Meirionnydd', yn union fel yr oedd 'Maelgwn Gwynedd' gan y bardd yn awdl ar un mesur yn unig ddwy flynedd ynghynt. O ran mydryddiaeth, seiliodd John Eilian ei bryddest ar un o fesurau ein canu rhydd cynnar, er enghraifft, y darn hwn o un o gerddi *Dulliau'r Canu Rhydd* (Gol. Brinley Rees, 1950):

> Val dyma yr dydd: O lywenvdd
> i ganed mab dvw: gwir iawn ydiw
> Pob dyn er mwyn mab y Vorwvn
> parchan y dydd o Lywenydd.

Ac fel y sylwodd Iorwerth Peate wrth feirniadu'r gystadleuaeth, 'roedd y mesur a ddewisodd John Eilian yn debyg iawn i fesur 'Gwlad Hud' T. Gwynn Jones yn ogystal. Llinellau decsill gan amlaf ac iddynt bedwar curiad a geir yn y bryddest, a phob llinell yn cynnwys un odl acennog ac un odl ddiacen. Dyma agoriad y gerdd:

> A thros y garreg i'r Hendre deg,
> I'm cynnar drig, yn nhawelwch Nadolig,
> Y deuthum, bererin, o'r twrf a'r trin.
> Cusanaf fy mro. Mwy nid breuddwydio

Yr wyf am y bryn wrth Ddôl-y-Melynllyn
Nac am y sibrwd wrth Gapel y Ffrwd.

Yn aml iawn, fe dorrir ar draws y rheoleidd-dra mydryddol hwn drwy gynnwys ambell linell gyflawn o gynghanedd:

Yma yng nghreigwedd wirionedd y bryniau
Mae eto fyd sydd yn breswyl i'r ysbryd.
A ddengys i oes ddig y rhagordeiniedig
Gytgord rhwng dyn â'i aruchel gychwyn:
Tir Meirionnydd yw ffiol fy ffydd.
Arno mae nod y di-sigl gyfamod,
Hwn yw ein crud anghoncweradwy:
Bys Duw yma sydd, a nefol lawenydd
Nas dyry dyn ac nas dyco diawl.

Trwy ganu'r bryddest ar yr un mesur rhoddwyd iddi un naws, un awyrgylch di-dor, a chwbwl addas hefyd yw'r mesur araf hwn i gyflwyno'r meddwl a'r deunydd. Oherwydd yr odl fewnol a'r pedwar curiad ymhob llinell, ni ellir ei darllen ar frys. Fe'n gorfodir i oedi, i symud ymlaen yn bwyllog araf, ac i flasu pob gair. Y mae'r modd a'r meddwl yn un yn y bryddest, a'r mesur hamddenol hwn yn cyfleu arafwch di-ruthr bywyd cefn-gwlad Meirionnydd yn berffaith:

Ninnau yn ein siom, yno'r wylasom
Wrth feddwl a chofio am ein braint a'n bro.
I ba le y try y plant i gyfannu
Eneidiau toredig? Wele'r hen drig
A'r llechweddau'n llon o ddychwelyd afradlon
O'i hir gyfeiliornad i dŷ ei dad.
Boed y byd o'i le, cynnes yw'r Hendre,
Cynheiliad y gwiwfoes o oes i oes.
Yn y fro ddi-frys yr hen ust a erys,
Gosteg ar osteg, eira ar eira,
Llonyddwch prydferth a nerth pob nerth . . .

Mewn gwirionedd, y thema bryddestol stoc o'r alltud yn dychwelyd i'w gynefin yn y wlad ar ôl treulio blynyddoedd yn y dref neu'r ddinas a geir yn 'Meirionnydd':

> Nyni, dir fy nghlod, yw dy ddefaid disberod.
> Clywsom gan ddydd chwiban y pibydd,
> Y pibydd brith o fro hud a lledrith,
> A myned i'w ddilyn yn dyrfa dynn.
> Fe'n canodd ni i ysfa trefi,
> I'r melinau hyll ac i'r tyrau tywyll,
> O'n trysor a'n tras i'r troi dibwrpas
> Nes dyfod cynfyd yn farn ar y byd:
> Cynfyd yr heyrn, rhaib a gormesdeyrn,
> A chwympo'r anwar a chwympo'r gwâr.

Yn y cefndir y mae blynyddoedd terfysglyd yr Ail Ryfel Byd yn ogystal â'r cyfnod o fyw dan gysgod bygythiol y bom a ddilynodd y gyflafan fawr, a thrwy'r bryddest fe geir dyhead tawel am lonyddwch a thangnefedd rhag y byd ym mherfeddion Meirionnydd.

Mae rhyw gyfaredd rhyfedd yn y bryddest hon, ac ynddi nifer o linellau sy'n canu am y Dirgelwch, sef 'Y peth di-sôn y daw parabl o'i galon', a cheir ynddi ddarnau sy'n ein codi o'r byd a'r bywyd hwn:

> Yn dy ffydd, ffawydden, y bodlon bren,
> Disgwyliaist wrth ddyn i ymuno i ennyn
> Â'r pridd ac â'th ddail ac â phob anifail
> Un anthem bur o dragywydd Wneuthur.
> Maddeuer, maddeuer, ufuddferch Nêr.

Yr arallfydedd anniffiniol hwn a geir yn 'Meirionnydd' ac mewn cerddi eraill o'i eiddo yw'r elfen rymusaf yng nghanu John Eilian. Gellir diystyru'r rhan fwyaf helaeth o'r hyn a ddywedodd am waith R. Williams Parry yn *Gwŷr Llên* Aneirin Talfan Davies, ond mae'r hyn a ddywed am farddoniaeth Williams Parry yn gweddu i'r dim i farddoniaeth John Eilian ei hun, 'Pe gwelem y byd fel y mae yn nrych llygad ac ysbryd Robert Williams Parry,' meddai, 'fe welem fro wledig ac eglwys, heuwr a chredadun, daear a drws y nefoedd, a'r tir a'r ysbryd yn ymadnewyddu dan dawelwch ymerodrol y Creawdr: pob dim mewn undod â'i gilydd, a gofid yn ei galon am bob rhyw beth a fo'n mennu ar y darlun a'r drefn'.[67] Darllener rhai darnau o 'Meirionnydd' yng ngoleuni'r hyn a ddywedodd am R. Williams Parry, er enghraifft:

> Fy Meirionnydd ddidwyll, tir iechyd a phwyll,
> Yn dy ynys o dawelwch dianaf
> Ni roddi i neb namyn dy hen ffyddlondeb,
> A thaer yw dy gri, yn ein hamddifedi,
> Mai haelaf y fro po amlaf y fraich.
> I gynnal dy nawdd, pa ffos, pa warchodglawdd
> A godwn: pa dŵr i'th gadw yn anghyffwr'
> Rhag yr eang frad a'r hagr ymddatodiad?
> Iôr pob Iôr, gwna fi'n briodor,
> Yn glòs wrth y wig a'r pridd cysegredig,
> Yn gyflawn aelod, i fyw ac i fod
> Gyda hi o'm deutu, gyda digon heb ry –
> Meirionnydd yn fy ngwedd, yn fy nechrau, yn fy niwedd,
> Y Feirionnydd fireinwen lonaid ffroen a phen.

Pryddest ragorol yw 'Meirionnydd', ac nid rhyfedd i Thomas Parry gynnwys detholiad ohoni ym Mlodeugerdd Rhydychen.

Rhoddwyd tri thestun i'r beirdd ganu arno ym 1950. Tair pryddest yn unig a gaed ar y testun 'Ifor Bach', naw ar 'Y Gaethglud' ac un ar bymtheg ar 'Difodiant'. Euros Bowen a enillodd y Goron yng Nghaerffili am ei bryddest wych 'Difodiant'. Mae'n aeddfetach cerdd nag 'O'r Dwyrain', yn dynnach ei gwead ac yn sicrach ei cherddediad. Dyfarnwyd y gerdd yn fuddugol gyda chryn ganmoliaeth gan y tri beirniad, T. Eurig Davies, J. M. Edwards a Caradog Prichard. Euros Bowen oedd '[c]refftwr medrusaf y gystadleuaeth' yn ôl T. Eurig Davies, er iddo hefyd ddatgan y 'gallai'r tri chaniad fod yn sicrach eu hundod'.[68] Cytunai Caradog Prichard â'i gydfeirniad, ond canmolwyd y gerdd i'r entrychion gan y trydydd beirniad, J. M. Edwards: 'Y mae glendid gorffenedig pethau wedi eu naddu i'r byw ar ei baragraffau, grym anghyffredin mewn rhai o'i ymadroddion, a gŵyr rin a blas geiriau gan ymhyfrydu yn eu lliw a'u gwerth'.[69]

Mae'r gerdd yn agor trwy greu awyrgylch sinistr o bydredd, llygredd a marwolaeth, a bu'r llinellau agoriadol hyn yn enwog ar un cyfnod:

Mae marc gwaed ar y mwyar a'r cyll.
Daw ar yr ysgaw bryder o'u hoedl,
A hen yw'r griafolen eleni.

Cyfeirir at y llinell enwog yng Nghanu Llywarch Hen yma, 'Hi hen, eleni ganed', ond damweiniol yn hytrach na bwriadol yw'r modd yr adleisir llinellau agoriadol 'Magdalen' Gwyndaf yn llinellau agoriadol Euros:

Mae sŵn gwae yn ymson y gwynt
  a rhwd yng nghân yr adar,
  llywethau egin yn crino
  a'r haul fel rhyw wyliwr hen
uwchben anwadalwch byd.

Mae llinellau agoriadol 'Difodiant' yn cyflwyno thema'r gerdd, sef ymyrraeth ddinistriol dyn â byd natur, ac fe roir grym i'r dweud drwy gyfeirio at farwnad Llywelyn ap Gruffudd gan Gruffudd ab yr Ynad Coch:

Oni welwch-chwi anelu ar ein tir a'n tai
Arfau rhawt i frathu'r fro
A llarpio'i nwyfiant yn llerpynnau ofer,
A'r tarfu ohonynt ar y terfynau
Yn gryndod yng nghreigiau'r hendir?

Oni welwch-chwi gefn dydd golau
Ddirfing ddurfeirch
Yr herwyr croch ar ei rhiwiau crain
Yn crensian yn wantan ei hesgyrn hi
A dulio'i chlod o lech i lwyn?

Cerdd am y modd y mae dyn yn dinistrio'i amgylchfyd yn enw cynnydd a materoldeb yw 'Difodiant'. Tir diffaith Eliot a gwlad adfeiliedig Gwenallt ac Auden yn y tridegau a geir yma mewn gwirionedd:

Oni welwch-chwi anialwch
Gwag wag, gwyllt wyllt,
Fel tŷ adfail tan afliad dihidwynt,

A'r ysbrydion nos ar y rhos a'r waun
A'u hisian yn ysgrytian hesg a'r grug,
A phan dawelo'r gorwel,
O grachgoed y wadd ysgrech gwdihŵ
Fel rheg ar awyr fregus?

Dinistriwyd yr hen ffordd o fyw:

A ddaeth anap ar hen ddoethineb
A oedd yma'n nawdd y mynyddoedd
Yn teidio ac yn neinio yn hir,
Yn tadu, ac yn magu maeth
A rhoi ei ddiddanwch i harddu wyneb mab a merch?

Bellach meddiannwyd dynion gorff ac enaid gan y peiriant wedi iddyn nhw ffurfio cynghrair â'r 'Cawr Angau', sef gwanc a materoldeb dinistriol y bywyd modern. Hawdd gweld dylanwad 'Peiriannau' J. M. Edwards ar y gerdd. Ni all dynion wrthsefyll gormes y Cawr, sy'n defnyddio'r cyfryngau i ledaenu ei genadwri ac i gyflyru'r ddynoliaeth:

Rhwng Cawr Angau a dynion, ei weision ef,
Mae cynghrair, a llestair ni all llais na llaw
Rym yr amod â'i nwyd a'i nerth,
Cans caed campau'r glew yn y papur newydd,
A'i orchmynion a roed ar chwim enau y radio hwyr a bore,
A'i air yw'r twrf o'r hwteri.

Mae'r ddynoliaeth yn gweini ar y Cawr ac yn ei borthi:

Mae craeniau o'r deciau a'r doc
Yn taro'n ddiwyd heyrn y ddaear
Yn gig bras i geg brwnt,
A moethus diwn i glust y glwth
Yw byrdwn y crochan hwnnw
A'r ffrio ohono yn egru'i ffroenau.
Ac yng ngwres angar chwyrn y gwarchod
Ysig yw'r caeth sy'n pesgi'r Cawr.

Gwelwch biston ar biston, ellyllon ei ewyllys,
Yng nghymhelri ffatrïoedd
Yn nawsio ei rin ac yn dawnsio i'r hwyl.
Hwy ddenant ddynion,
A nodi i'w elw hyder eu dwylo
A nerth braich toreth eu bro.
Meddwant eu hoen a'u hynni, meddiannant dân eu henaid,
A'u treulio fel treuliad olwynion ar olewon y wlad.

'Difodiant' oedd yr ail bryddest fuddugol yn y cyfnod 1940-50 i sôn am y bygythiad i'r ddynoliaeth gan y bom atomig. Mae gwyddonwyr bellach yn cydweithio â'r Cawr Angau:

Mewn cytgord i'r labordai
Daw yn wrogaeth o'i threfedigaethau
Fudreddi a chlefri ei chlêr
Yn osgorddion gwg, yn wasanaethyddion gwanc,
A mywion twymynau y tomennydd
Hwythau weithion yn dorf ferw yn ei deorfeydd
Yn dodwy egin eu darfodedigaeth
Yn llaw ddreng i'w llywydd yrhawg.

Disgrifir effaith ffrwydrad y bom atomig ar fyd:

Ei ruad a dyr fel gweryrad y daran
A'i floedd sy'n arswyd o'i flaen,
Ac awyr mwy yn feichiog o'r mellt
A'r gwynt yn cyfebru gwae.

Ond mae yna obaith, ac fe ddelweddir y gobaith hwnnw drwy gyfrwng y darlun o bren a anafwyd gan y ffrwydrad atomig, a'r pren hwnnw â'i olygon ar bren arall, sef y Croesbren:

Ar wared
Wedi anafau rhwth 'roedd coeden a frathwyd
A'i bryd ar y cymrawd bren
A welwyd gynt a goludog waed

Yn ei gynnal rhag unwaith
Fethu o'i frig ar waethaf rhu
Y glwth a rhwygau ei lid,
A chyffrôdd hon â'i hawch y ffridd ddi-nwyd
I wisgo'r nerth am ei hesgyrn noeth
Ac annog i ynni
Yr hen hiraeth yn y tir yn aros
Hil a gâi weled
Drych y Pren ar ymdrech pob rhawd.

Yn y pen draw glynu wrth y daioni ac ymwrthod â'r drygioni a wna'r ddynoliaeth, oherwydd bod yr hil yn gweld 'Drych y Pren'. A daw'r bryddest i ben gyda buddugoliaeth y goleuni ar y tywyllwch:

Ar wared yr awron
Safai brodyr – mwyn herwyr – a'u chwiorydd
Yn gwylio bugeiliaeth Prynedigaeth y Pren
Ar eu llafur oll a'i ofyn,
Yn bur eu gwisg fel bara gwyn
A'u cân ieuanc yn win newydd,
A than arddeliad atseiniad y sêr
Un anadl ni ddihunai gof am yr ofnad gynt
A'i ing i enaid, a'r Angau ei hunan
Ar ei olaf ru o weled
Golau ar gyrrau'r gorwel
O'u blaen a chwyth ei blwc,
A'i lach a dawai fel chwŷd awyr
Ar fentr yn yr entrych.

Dyfarnwyd pryddest o eiddo Harri Gwynn, *Pythagoras* yn y gystadleuaeth, yn ail i bryddest Euros. Yn rhyfedd iawn, gan awgrymu fod canu pryddestaidd o'r fath eisoes yn dechrau datblygu'n ffasiwn, canodd yntau hefyd am gymdeithas gyfoes y trefi diwydiannol ac am reolaeth y peiriant ar fywydau dynion. Fel yr oedd y 'twrf o'r hwteri' yn air i'r Cawr Angau yng ngherdd Euros Bowen, y mae dynion yng ngherdd Harri Gwynn yn gaeth i'r 'Hwter Mawr':

Lle y cyfyd draw y golofn fwg
O'r tyrau duon,
Fe drig yr Hwter Mawr.
Fy mhobl a ddyrchafant eu llygaid i'r simneiau
I drigfan yr Hwter Mawr.
Clywant alwad yr Hwter Mawr
A'u cyrff a symudant
Mewn ufudd-dod a pharchedig ofn.
O allorau'r ffwrneisi
Y mwg ymdonnog a gyfyd,
O orfoledd cordeddog tafodau tân.
Rhed gwefr drwy'r breichiau dur
Ar gychwyn tabyrddau'r pistonau
A throelli dawns yr olwynion,
Ar alwad yr Hwter Mawr
Fy mhobl a borthant y fflamau
A chadw tabyrddau i guro,
Fel na bo pall ar y ddawns.
Gogoneddant yr Hwter Mawr
Canys fy lleferydd ydyw.

Yn sicr, 'roedd y bryddest yn cryfhau wrth i'r pedwardegau ddod i ben. Pe bai'r beirniaid wedi gwobrwyo pryddest Elwyn Evans ym 1948, byddem wedi cael tair pryddest benigamp yn ystod y blynyddoedd 1948-50, a byddai 'Adfeilion' T. Glynne Davies yn ymuno â'r tair ym 1951 i roi inni bedair pryddest o safon. 'Roedd y bryddest o leiaf yn ddiogel – am y tro.

Y cystadlaethau mwyaf poblogaidd ym maes y canu rhydd yn ystod 1940-50 oedd y soned a'r delyneg. Parhawyd i osod cystadlaethau baled a dychangerdd, caneuon ysgafn, carolau, emynau, ac yn y blaen, ond ni chynhyrchwyd dim byd o werth arhosol. Parhau i rygnu ymlaen yn yr un hen rigolau treuliedig a wnâi'r delyneg. 'Roedd hi bellach wedi ymrigoli yn ei ffurf stroclyd ei hun, ac ni sylweddolai fawr neb fod oes aur y delyneg ar fin dirwyn i ben, ac mai'r oes efydd oedd hi ar y cyfrwng mwyach. Parhai i fod yn gystadleuaeth boblogaidd er hynny. Denwyd 60 i gystadlu ar y 'Tair Telyneg Newydd' yn Eisteddfod Radio 1940, ond 'doedd sylwadau W. J. Gruffydd ddim yn argoeli'n dda ar gyfer y dyfodol. Gwelai yng ngwaith y trigain cystadleuydd 'ryw debygrwydd undonog . . . dibynnu ar syndod y 'stroc' yn hytrach nag ar rywbeth hanfodol yng ngwelediad y bardd,'[70] er mai rhannu'r wobr rhwng dau hen law a wnaethpwyd, Evan Jones, Prengwyn, Llandysul, a William Jones, Tremadog. 'Os yw beirdd lleiaf Cymru,' ychwanegodd, 'yn mynnu astudio ac efelychu'r beirdd mwyaf, awgrymwn iddynt roi sylw arbennig i ganu natur R. Williams Parry, a gwelant mai yng nghyfanrwydd y gweledigad ac nid mewn rhyw un gymhariaeth 'drawiadol' y mae hanfod ei lwyddiant'.[71]

Gofynnwyd am dair telyneg drachefn ym 1941, ar y tri thestun chwedlonol-ramantaidd 'Gwenhwyfar', 'Olwen' ac 'Enid'. R. Bryn Williams, un o Brifeirdd y dyfodol, a enillodd mewn cystadleuaeth wan ryfeddol, gyda chwech yn unig yn cystadlu. Testunau colegol oedd y rhain yn ôl y beirniad, Wil Ifan, a dylid osgoi gosod testunau a roddai'r digoleg dan ormod o anfantais. Yr oedd gan R. Bryn Williams, meddai, un delyneg gampus, un delyneg deilwng ac un wantan, ond cyffredin yw'r tair, mewn gwirionedd. 'Roedd testun 'academaidd' tebyg yn un o destunau 1942, 'Aber Henfelen', ynghyd ag 'Y Ferch o Blwy Penderyn' ac 'Yr Ysgyfarnog'. O'r 43 o delynegion a dderbyniodd Waldo Williams, dim ond dau fardd a ddewisodd 'Aber Henfelen'. Gwobrwywyd Arthur Gwynn Jones, mab T. Gwynn Jones, am delyneg wachul, gyda mwy o ganmoliaeth nag yr haeddai. Gellid honni fod testun y delyneg ym 1943 hefyd yn destun colegol, 'Y Beddau a Wlych y Glaw', llinell allan o 'Englynion y Beddau' yn Llyfr Du Caerfyrddin. 'Ni synnwn i ddim na bydd rhywrai'n codi eu cloch am i'r pwyllgor osod testun fel hyn, gan haeru nad yw'n deg â'r "dyn cyffredin," "y gwerinwr" neu'r "bardd gwlad," a'i fod yn rhoi mantais annheg i "feirdd y colegau," a'r cyffelyb lol,' meddai Thomas Parry wrth feirniadu.[72] Testun colegol neu beidio, denwyd 51 o delynegwyr, ond siomedig oedd y gystadleuaeth yn ôl y beirniad. Heb lawer o frwdfrydedd, dyfarnodd delyneg gan William Jones, Tremadog, yn fuddugol, ac, yn sicr, am yr Ail Ryfel Byd y canodd William Jones:

> Y cynfardd, pam y cenaist
>   I'r beddau hynny gynt,
> A wlychai defni'r gawod,
>   A sychai ton y gwynt?

Oni fai'n rheitiach canu
I degwch gwyll a gwawr,
I droediad y tymhorau,
A gwyrthiau'r wybren fawr?

Dallwyd dy lygaid dithau
Gan gof am lanciau cu,
A aeth yn ddewr ddiofal
I'w terfynedig dŷ.

Rhannwyd y wobr gan Crwys ym 1944 am delynegion cyffredin iawn gan E. Llwyd Williams a Percy Hughes ar y testun 'Y Seren Ddydd', gyda 44 yn cystadlu. Methodd William Jones ddod o hyd i deilyngdod ym 1945, ar y testun 'Niwl', er bod 107 wedi cystadlu. Cystadleuaeth siomedig oedd hi yn ôl y beirniad. Llwyddodd Alun Llywelyn-Williams i ddod o hyd i enillydd yn Aberpennar ym 1946 yng nghystadleuaeth y 'Tair Telyneg Natur', sef D. E. Williams, Pontyberem, gyda 59 yn cystadlu, ond 'roedd yn gyndyn iawn i roi'r wobr iddo, a'r rhyfeddod yw iddo'i wobrwyo o gwbwl. 'Roedd y delyneg bellach ar ei gwely angau. Cafwyd telyneg well nag arfer ym Mae Colwyn, 'Yr Hafod Lom', eto gan Arthur Gwynn Jones. Derbyniodd Robert Beynon 62 o delynegion i'w beirniadu, ond dim ond nifer fechan o delynegion cymeradwy a dderbyniodd.

Wrth feirniadu cystadleuaeth y chwe thelyneg (Gwobr Goffa Ieuan o Leyn) ym 1948, fe grisialwyd y sefyllfa ynglŷn â'r delyneg eisteddfodol yn y cyfnod i'r dim gan T. H. Parry-Williams:[73]

> Y mae'r rhan fwyaf o'r caneuon a anfonwyd i'r gystadleuaeth hon yn gyffredin a diafael. Y mae'r awduron wedi bodloni ar adleisio, ar ddilyn yr hen rigolau, ac ar ganu "fel y daw hi." Ychydig iawn o ôl caboli a thrimio sydd yma. Symolder a chyffredinedd yw'r prif nodweddion. Y mae techneg y canu yn ddi-raen gan mwyaf. Fe ddilynwyd patrymau sydd bellach yn rhy dreuliedig. Ychydig iawn o geisio synio'n ffres a gafwyd . . . Nid oes yma fentro mawr o gwbl . . . Nid yw patrymau neu siapau'r caneuon yn aml yn ddim i ryfeddu atynt. Yn wir, caneuon bach ffwrdd-â-hi a di-siâp yw llu mawr ohonynt.

A dyna draddodi pregeth angladd uwch bedd y delyneg eisteddfodol. Llwyddodd T. H. Parry-Williams i ddod o hyd i un telynegwr a oedd yn teilyngu'r wobr, ac un yn unig, sef John Roberts, Porthmadog, hen law ar y delyneg, ond rhaid dweud mai cyffredin iawn yw'r telynegion hyn hefyd. Ni chafwyd cystadleuaeth telyneg neu gasgliad o delynegion ym 1949, ac ym 1950, ataliwyd y wobr gan Arthur Gwynn Jones. Derbyniodd 29 o delynegion ar y testun 'Y Golomen Latai', ond isel iawn oedd y safon unwaith yn rhagor.

Cystadleuaeth arall a barhai i hudo'r beirdd rhydd oedd y soned. Derbyniwyd 50 o sonedau ym 1940, ar y testun 'Pen y Bryn', ac i William Jones, Tremadog, yr aeth y wobr. Cafwyd cystadleuaeth dda yn ôl y beirniad, T. H. Parry-Williams, er bod nifer o'r sonedau yn rhai gweddol gyffredin. Pen Calfaria oedd gan William Jones dan sylw yn ei soned, ac mae'n well na sawl soned a wobrwywyd ar ei hôl, er nad oes ynddi gamp aruchel:

> Hyd briffordd fflat ein byw cymfforddus ni
> Hysiasom ef at greigiog droed y bryn.
> Pwy ydoedd ef i godi'n bowld ei gri,
> A dal yn daer mai du oedd lliw ein gwyn?
> Hwyl reiol iawn a gawsom ar y ffordd,
> Ein lleisiau'n crygu wrth weiddi mor ddi-daw,
> A chalon pawb yn curo megis gordd
> Gan gyffro'r sbri a lluchio'r main a'r baw.
> Ac wedi cyrraedd crib y copa llwm
> Ei grogi'n swta'n wobor am ei boen,
> Gwrando ei faldordd bloesg a'i anadl trwm,
> A'r gwaed yn distyll drwy agennau'r croen.
> Ac yna'i ado ar ben bryn yn dyst
> I'r sawl a'i dynwaredo faint a gyst.

Denwyd 24 gan destun 1941, 'Y Cei', ond ni lwyddodd T. Rowland Hughes i ddod o hyd i deilyngdod. Synnodd at safon isel y sonedau, a dywedodd iddo ddarllen rhai canmil gwell 'mewn eisteddfod leol dro yn ôl'.[74] O. M. Lloyd a enillodd gystadleuaeth y soned ar y testun 'Y Tyrpeg' ym 1942, gyda T. H. Parry-Williams yn beirniadu. Dim ond pum soned allan o 33 a oedd yn dod yn agos at safon yr Eisteddfod Genedlaethol yn ôl Parry-Williams, ac ni allai deimlo'n frwd ynghylch y soned fuddugol mewn unrhyw ffordd. Tebyg oedd profiad Gwenallt flwyddyn yn ddiweddarach. Derbyniodd 50 o ymdrechion, ond nid oedd 'yr un soned o safon y sonedau a wobrwyir yn yr Eisteddfod Genedlaethol, fel, er enghraifft, y soned a wobrwywyd y llynedd,' ac ataliodd y wobr.[75]

Derbyniodd Iorwerth C. Peate 54 o sonedau ym 1944, ar y testun 'Carcharorion'. O. M. Lloyd a enillodd eto, gyda soned am ysbyty meddwl Cefn Coed yn Abertawe:

O ben Cefn Coed fe welir Penrhyn Gŵyr
  A morlan Mwmbwls. Ond mae cadarn glo
Ar ddrysau'r gaer gaeëdig fore a hwyr,
  A gwylwyr tal yn gwarchod yn eu tro.
Tu fewn i'w cell mae lleng breuddwydwyr prudd
  Yn mwmial hanner iaith, a'u deall pŵl
Yn gwthio ambell fflach o'i chornel gudd
  Yn wisg am frenin neu yn glog i ffŵl.
Y deillion bach, heb amau hawl y teyrn
  A'u llyffetheiriodd hwy bob un i'w gamp;
Ni thyr mo'r gadwyn dynn na'r barrau heyrn
  Er dieuogrwydd eu hanniben dramp.
O Dduw, dy dostur arnynt beunydd foed –
Ni welant Benrhyn Gŵyr o ben Cefn Coed.

Bwriwyd amheuaeth ar addasrwydd 'breuddwydwyr prudd' a 'deall pŵl' gan Iorwerth Peate wrth feirniadu, a phe bai'r awdur 'wedi ymboeni mwy uwch ei phen, a chaboli rhagor ar ambell ymadrodd, buasai'r soned hon yn em gorffenedig,' meddai, ond fel y safai pethau, 'credaf ei bod yn deilwng o'r wobr mewn cystadleuaeth nad oedd yn nodedig am ddim ond nifer y cystadleuwyr'.[76] Camddeallwyd y soned gan Iorwerth Peate, fodd bynnag. Ni wyddai mai ysbyty meddwl oedd Cefn Coed, a chredai mai sôn am garchar i droseddwyr a wnâi O. M. Lloyd. Goleuwyd y beirniad ar ôl yr Eisteddfod, ac ymddiheurodd i O. M. Lloyd wrth adolygu cyfrol y Cyfansoddiadau yn *Y Cymro*, gan farnu fod y soned, yng ngoleuni'r wybodaeth newydd hon, yn un o sonedau gorau'r Eisteddfod Genedlaethol.

Rhannwyd y wobr rhwng Tom Parry-Jones ac L. Phillips ym 1945 gan T. J. Morgan gyda rhyw 29 yn cystadlu, ond dwy soned gyffredin a gafwyd. Gadawyd y testun yn agored ym 1946, gyda Pennar Davies yn beirniadu. Derbyniodd 136 o sonedau, a gwobrwywyd soned wael gan W. St. John Williams o Langefni. 'Y Fom Atomig'. 'Cefais fy siomi, rhaid imi gyfaddef, yn ansawdd gyffredinol y gwaith a ddanfonwyd i mewn,' meddai, gan adleisio'r un hen gŵyn ymhlith beirniaid y canu rhydd yn y cyfnod.[77]

Gwobrwywyd dwy soned ym 1947, un gan Gwilym R. Tilsley ac un gan Dewi Emrys, ar y testun 'Malurion'. Soned seml a sentimental braidd a gafwyd gan Gwilym R. Tilsley, ond o leiaf 'roedd yr iaith yn gyfoes a heb fod yn farddonllyd. Hen-ffasiwn ryfeddol oedd soned Dewi Emrys, a'i geirfa yn farw gorn:

> Balch oedd yr Iôr o'i wyrth – yr asur do,
>   Y ddaear werdd a'r diniweidrwydd hardd
> Na wybu wrid ond hwnnw a roes Efô
>   Yn dân dihalog ar ganghennau'r ardd . . .

T. E. Nicholas oedd y beirniad, a derbyniodd tua 30 o sonedau. Rhoddwyd dewis o dri thestun ym 1948, a W. J. Bowyer a enillodd gyda soned ar y testun 'Noswyl' dan feirniadeth Amanwy. Daeth 68 o sonedau i'r gystadleuaeth, ond 'does dim camp o gwbwl ar y soned fuddugol. Ataliwyd y wobr ym 1949 gan Gwilym R. Jones. Derbyniodd 15 o sonedau dilys, nifer ryfeddol o isel, ar y testun 'Yr Hengwrt', ond siomedig iawn oedd y gystadleuaeth hon hefyd. Huw Huws a enillodd ar y soned ym 1950, ar y testun 'Sain Ffagan', gyda Iorwerth Peate yn beirniadu. Derbyniodd 21 o sonedau, ond cyffredin oedd y safon unwaith yn rhagor, a rhyddieithol a chyffredin yw'r soned fuddugol yn ogystal.

Felly, rhyw rygnu byw yr oedd y canu rhydd eisteddfodol yn ystod y cyfnod 1940-1950 y tu allan i gystadleuaeth y bryddest. 'Roedd y soned yn glaf, ond yn byw mewn gobaith y câi adferiad yn y dyfodol; ar y llaw arall 'roedd y delyneg wedi hen farw, a dylid bod wedi ei chladdu'n barchus. Un o wendidau Adran Lên yr Eisteddfod erioed, yn ogystal â rhai beirniaid, fu glynu wrth ffurfiau a oedd wedi hen oroesi eu defnyddioldeb a'u diben ac anwybyddu ffurfiau newydd a chyfoes. Bu'r Brifwyl yn gyndyn i gydnabod bodolaeth y *vers libre*, er enghraifft, a dim ond ambell dro y ceid cystadleuaeth *vers libre* yn yr Ŵyl. Fe gafwyd cystadleuaeth *vers libre* ym 1950, a gwobrwywyd T. Glynne Davies, a fyddai'n ennill y Goron ymhen blwyddyn, gan Pennar Davies. Yn ail iddo yr oedd Harri Gwynn, bardd y bu bron iddo ennill y Goron fwy nag unwaith. Mae'n ddiddorol nodi mai pedair cerdd eisteddfodol yn unig o'r cyfnod 1940-50 a gynhwyswyd gan Thomas Parry yn *The Oxford Book of Welsh Verse*, sef detholiadau o awdl 'Yr Amaethwr' Geraint Bowen a 'Meirionnydd' John Eilian, englyn 'Y Gorwel' gan Dewi Emrys a 'Cân y Ceiliog' Harri Gwynn. 'Cân y Ceiliog' oedd y gerdd *vers libre* a ddaeth yn ail i gerdd T. Glynne Davies ym 1950, er i Harri Gwynn newid y teitl yn ddiweddarach o 'Cyffes', sef un o destunau'r gerdd *vers libre* ym 1950, i 'Cân y Ceiliog'. 'Roedd y gerdd ail-orau hon yn rhagori ar bob telyneg fuddugol yn ystod y cyfnod 1940-1950.

FFYNONELLAU

1. 'Atal y Goron Eleni', *Y Cymro*, Awst 10, 1940, t. 1.
2. Ibid., tt. 1/12.
3. Ibid., t. 12.
4. Ibid.
5. Ibid.
6. Cystadleuaeth y Goron: beirniadaeth Edgar H. Thomas, *Cyfansoddiadau a Beirniadaethau Eisteddfod Genedlaethol Lenyddol, 1941, Hen Golwyn*, t. 53.
7. 'Cystadleuaeth y Goron: Crynodeb o Feirniadaeth Mr. Tom Parry', *Y Faner*, Awst 14, 1940, t. 2.
8. Cystadleuaeth y Goron: beirniadaeth Wil Ifan, *Cyfansoddiadau a Beirniadaethau Eisteddfod Genedlaethol 1943 (Bangor)*, t. 35.
9. Cystadleuaeth y gerdd *vers libre*: beirniadaeth Saunders Lewis, *Cyfansoddiadau a Beirniadaethau Eisteddfod Genedlaethol 1944 (Llandybïe)*, t. 99.
10. Cystadleuaeth y ddrama un-act: beirniadaeth D. Matthew Williams, ibid., t. 178.
11. Cystadleuaeth y Goron: beirniadaeth T. Eirug Davies, *Cyfansoddiadau a Beirniadaethau Eisteddfod Genedlaethol Lenyddol, 1941, Hen Golwyn*, t. 51.
12. Ibid., t. 52.
13. Cystadleuaeth y Goron: beirniadaeth Edgar H. Thomas, ibid., t. 57.
14. Ibid.
15. Cystadleuaeth y Goron: beirniadaeth Saunders Lewis, ibid., t. 61.
16. Ibid., t. 62.
17. 'Efrydydd yn Cipio'r Goron', *Y Cymro*, Awst 8, 1942, t. 1.
18. Cystadleuaeth y Goron: beirniadaeth Cynan, *Cyfansoddiadau a Beirniadaethau Eisteddfod Genedlaethol 1942 (Aberteifi)*, t. 30.

19. Ibid.
20. Ibid., t. 31.
21. Ibid.
22. 'Yr Anghydwelediadau ynglŷn a'r Pryddestau', *Y Cymro*, Awst 15, 1942, t. 12.
23. Ibid.
24. Ibid.
25. *Yn Palu Wrtho'i Hunan*, Dafydd Owen, 1993, t. 87.
26. Cystadleuaeth y Goron: beirniadaeth Wil Ifan, *Cyfansoddiadau a Beirniadaethau Eisteddfod Genedlaethol 1943 (Bangor)*, t. 39.
27. Ibid.
28. ibid.
29. Ibid., tt. 39-40.
30. Cystadleuaeth y Goron: beirniadaeth Dewi Emrys, *Cyfansoddiadau a Beirniadaethau Eisteddfod Genedlaethol 1944 (Llandybïe)*, t. 39.
31. Ibid.
32. Ibid.
33. Cystadleuaeth y Goron: beirniadaeth Dyfnallt, ibid., t. 52.
34. Ibid., t. 49.
35. Cystadleuaeth y Goron: beirniadaeth Iorwerth C. Peate, *Cyfansoddiadau a Beirniadaethau Eisteddfod Genedlaethol 1945 (Rhos Llannerchrugog)*, t. 42.
36. Cystadleuaeth y Goron: beirniadaeth T. J. Morgan, *Cyfansoddiadau a Beirniadaethau Eisteddfod Genedlaethol 1946 (Aberpennar)*, t. 29.
37. Cystadleuaeth y Goron: beirniadaeth J. M. Edwards, ibid., t. 36.
38. Cystadleuaeth y Goron: beirniadaeth T. J. Morgan, ibid., t. 34.
39. Ibid., t. 35.
40. Ibid.
41. Cystadleuaeth y Goron: beirniadaeth J. M. Edwards, ibid., t. 49.
42. Cystadleuaeth y Goron: beirniadaeth William Morris, ibid., t. 58.
43. Cystadleuaeth y Goron: beirniadaeth T. J. Morgan, ibid., tt. 33-4.
44. Cystadleuaeth y Goron: beirniadaeth J. M. Edwards, ibid., t. 47.
45. Cystadleuaeth y Goron: beirniadaeth T. J. Morgan, ibid., t. 34.
46. Ibid.
47. 'Llenyddiaeth yr Eisteddfod', Thomas Parry, *Y Faner*, Awst 28, 1946, t. 3.
48. Ibid.
49. 'Rhagair', T. J. Morgan, *Yr Arloeswr: Pryddest Ail Orau Eisteddfod Genedlaethol Aberpennar, 1946*, David Jones, 1946, t. 3.
50. Cystadleuaeth y Goron: beirniadaeth Thomas Parry, *Cyfansoddiadau a Beirniadaethau Eisteddfod Genedlaethol 1947 (Bae Colwyn)*, tt. 77-8.
51. Ibid.
52. Cystadleuaeth y Goron: beirniadaeth Gwilym R. Jones, ibid., tt. 83-4.
53. Cystadleuaeth y Goron: beirniadaeth Wil Ifan, ibid., t. 62.
54. Cystadleuaeth y Goron: beirniadaeth Saunders Lewis, *Cyfansoddiadau a Beirniadaethau Eisteddfod Genedlaethol 1948 (Penybont-ar-Ogwr)*, t. 40.

55. Cystadleuaeth y Goron: beirniadaeth T. Eirug Davies, ibid., t. 47.
56. Cystadleuaeth y Goron: beirniadaeth Crwys, ibid., t. 37.
57. Ibid., t. 38.
58. 'Holi: Euros Bowen', *Mabon*, rhif 1, 1969, t. 15.
59. Cystadleuaeth y Goron: beirniadaeth Crwys, *Cyfansoddiadau a Beirniadaethau Eisteddfod Genedlaethol 1948 (Penybont-ar-Ogwr)*, t. 37.
60. Cystadleuaeth y Goron: beirniadaeth Saunders Lewis, ibid., t.40.
61. Ibid.
62. Ibid.
63. Cystadleuaeth y Goron: beirniadaeth William Morris, *Cyfansoddiadau a Beirniadaethau Eisteddfod Genedlaethol 1949 (Dolgellau)*, t. 91.
64. Cystadleuaeth y Goron: beirniadaeth Iorwerth C. Peate, ibid.
65. Ibid., t. 97.
66. Ibid., t. 98.
67. 'Robert Williams Parry', John Eilian, *Gwŷr Llên*, Gol. Aneirin Talfan Davies, 1948, t. 182.
68. Cystadleuaeth y Goron: beirniadaeth T. Eirug Davies, *Cyfansoddiadau a Beirniadaethau Eisteddfod Genedlaethol 1950 (Caerffili)*, t. 90
69. Cystadleuaeth y Goron: beirniadaeth J. M. Edwards, ibid., t. 101.
70. 'Gweddill y Beirniadaethau', *Y Cymro*, Awst 17, 1940, t. 4.
71. Ibid.
72. Cystadleuaeth y delyneg: beirniadaeth Thomas Parry, *Cyfansoddiadau a Beirniadaethau Eisteddfod Genedlaethol 1943 (Bangor)*, t. 62.
73. Cystadleuaeth Gwobr Goffa Ieuan o Leyn: beirniadaeth T. H. Parry-Williams, *Cyfansoddiadau a Beirniadaethau Eisteddfod Genedlaethol 1948 (Penybont-ar-Ogwr)*, t. 90.
74. Cystadleuaeth y soned: beirniadaeth T. Rowland Hughes, *Cyfansoddiadau a Beirniadaethau Eisteddfod Genedlaethol, 1941 (Hen Golwyn)*, t. 82.
75. Cystadleuaeth y soned: beirniadaeth Gwenallt, *Cyfansoddiadau a Beirniadaethau Eisteddfod Genedlaethol 1943 (Bangor)*, t. 71.
76. Cystadleuaeth y soned: beirniadaeth Iorwerth C. Peate, *Cyfansoddiadau a Beirniadaethau Eisteddfod Genedlaethol 1944 (Llandybïe)*, t. 78.
77. Cystadleuaeth y soned: beirniadaeth Pennar Davies, *Cyfansoddiadau a Beirniadaethau Eisteddfod Genedlaethol 1946 (Aberpennar)*, t. 71.

Mynegai